GOETHE
IN VERTRAULICHEN BRIEFEN
SEINER ZEITGENOSSEN

Zusammengestellt von Wilhelm Bode

II

Neu herausgegeben von Regine Otto
und Paul-Gerhard Wenzlaff

GOETHE
in vertraulichen Briefen seiner Zeitgenossen

Zusammengestellt von Wilhelm Bode

II

1794–1816

Verlag C. H. Beck München

Quellennachweis, Textrevision und Register
Regine Otto

Anmerkungen Paul-Gerhard Wenzlaff

ISBN für die dreibändige Ausgabe 3 406 0876.6 3
Gestaltung Friedbert Jost

Lizenzausgabe für die Bundesrepublik Deutschland,
Berlin-West, Schweiz und Österreich
Verlag C. H. Beck, München. 1982
Printed in GDR

1794

780. FRIEDRICH HEINRICH JACOBI AN WILHELM VON HUMBOLDT

Pempelfort, 31. Januar 1794

Gleich darauf wurde Mainz eingenommen, und wir verlebten wieder vierzehn angstvolle Tage. Damals lag ich eines Abends wegen Kopfweh hingestreckt auf einem Kanapee, und Lene las mir vor. Ein geschwätziger Kriegsrat R., den ich auf meiner Rückreise von Karlsruh bei Dohm kennengelernt hatte, wollte mir über den Hals. Er kam mit seinem Registerschiff von Wesel zurück. Ich hatte ihm sagen lassen, daß ich todkrank, wenn es sein müßte: gestorben, begraben wäre. Das war geschehen, schon vor zwei Stunden, und ich glaubte mich gerettet. Da klingelte es, und ich höre Geräusch. Ein Bedienter kommt hereingeschlichen: „Ein fremder Herr ..." – „Doch der verdammte R.!" sagte ich verzweiflungsvoll, „ich sehe, ... ich spreche ihn nicht!" Lene ging hinunter, um zu sehen, wie sie dem Übel abhülfe. Der Fremde war schon an der Treppe. Das hörte ich, sprang auf. „*Goethe!*" rief ich aus, „gewiß Goethe!" Er war es, liebster H[umboldt], er selbst! Er war nur auf acht Tage gekommen, blieb vierzehn Tage, blieb drei Wochen und wäre wahrscheinlich bis zum Frühjahre, wenigstens noch eine gute Zeit geblieben, wenn nicht Dumouriez mit Riesenschritten herangerückt wäre. Da die Franzosen zu Aachen einrückten, brach Goethe auf.

JacBr II, 139f.

781. CHARLOTTE VON STEIN AN IHREN SOHN FRIEDRICH

Weimar, 3. Februar 1794

Schreib doch Goethe, als wenn Du glaubtest, es werde ihn Dein Avancement erfreuen, da er Dich in die Bahn gebracht hätte. Denn ich konnt es letzt in seinem Gesicht lesen, ob er mir schon kein Wort sagte. Ich muß immer in meinem Herzen sagen: „Armer Goethe!"

Stein II, 6

782. CHARLOTTE VON STEIN AN IHREN SOHN FRIEDRICH

Weimar, 11. Februar 1794

Du kannst dies dem Goethe in einem Brief detaillieren, wenn Du noch soviel Vertrauen zu ihm hast, und ihn fragen, ob er Dir nicht selbst rät, unter diesen Umständen nach Haus zu gehen.

Ich habe Goethe den Stein von Teneriffa angemeldet; aber auf alles, was ich ihm sage, antwortet er mir mit Verlegenheit.

Stein II, 6

783. FRIEDRICH LEOPOLD GRAF ZU STOLBERG AN FRIEDRICH HEINRICH JACOBI

Emkendorf, 19. Februar 1794

Ich erinnere mich, Goethen darüber, daß man dieses [einen bestimmten Hauptzweck] bei Dichtungen jeder Art verlanget, spotten gehört zu haben. Itzt würd er, glaub ich, anders urteilen. Sein „Werther" indessen hat zwar keinen moralischen Hauptzweck; aber als Dichtung wird ihm dieser Mangel durch den zwar verderblichen, doch sehr einschmeichelnden Hauptgedanken, *man müsse sein Herzchen halten wie ein krankes Kind,* auf eine solche Art ersetzt, daß die Wirkung des Büchleins außerordentlich ist.

JacBr II, 149

784. RAHEL LEVIN AN BRINKMAN

Berlin, 19. Februar 1794

Haben Sie bemerkt, daß Homer, sooft er von Wasser redet, immer groß ist, wie Goethe, wenn er von den Sternen redet? Dem seine Sternreden sind Ihnen gewiß nicht so gegenwärtig wie mir: in „Iphigenie" Orest, in den kleinen Gedichten „An Lida" und noch unendlich oft in seinen besten und geringeren Sachen.

RahelA I, 70

785. FRIEDRICH HEINRICH JACOBI AN REINHOLD

Pempelfort, 26. Februar 1794

Daß Goethe meine Aufträge an Sie unausgerichtet ließ, hat mich äußerst befremdet. Er übernahm sie mit sichtbarer Freude, und ich stehe dafür, daß sie nicht geheuchelt war. Bisher, sagte er mir, hätte er wenig Umgang mit Ihnen gehabt, aber nun sollte es anders werden; er würde gleich in den ersten acht Tagen nach seiner Zurückkunft nach Jena reisen usw.

Ich habe nachher auch in Briefen an ihn Ihrer wiederholt gedacht, nach Ihnen gefragt. Daß er hierauf nicht antwortete, ließ mich ohne Verdacht, weil ich dergleichen an ihm gewohnt bin.

Nach der Ankunft Ihres Briefes machte ich ihm Vorwürfe, die er dann, natürlich, ebenfalls mit Stillschweigen überging.

WR 299

786. BÖTTIGER IN SEINEM TAGEBUCH

Weimar, Anfang Juni 1794

Voß trat mit dem festen Vorsatz in Wielands Haus ein, durchaus niemand außer Wieland in Weimar zu sehen, weil er, sagte er, nicht gekommen sei, anzubeten. Wieland hätte gerne gleich den ersten Mittag Goethen zu sich gebeten. Aber Voß setzte sich mit aller Macht dagegen und zog sogar Wielands Frau ins Spiel, um durch diese Goethens gefürchtete Erscheinung abzuwenden. Sein Widerwille gegen Goethe kam daher, weil er sich ihn als einen aufgeblasenen Geheimen Rat dachte und es ihm durchaus nicht verzeihen konnte, daß er sich durch den Adelsbrief unehrlich gemacht habe. Lange blieb Wielands Beredsamkeit erfolglos. Vergeblich stellte Wieland seinem Gaste vor, daß Goethen vom Herzog der Adel gewissermaßen aufgedrungen worden sei, damit sein Liebling auf einer vorhabenden Reise an gewisse Höfe präsentabler sei. Erst bei Herder am folgenden Abend lernte Goethe Vossen kennen. Aber Voß gestand auch in den letzten Stunden seines Hierseins, daß er beschämt über sein Vorurteil und gestärkt durch den Umgang mit solchen Männern, die er sich ganz anders vorgestellt habe, von hinnen scheide.

GoeJb IV, 321 f.

787. SCHILLER AN KÖRNER

Jena, 12. Juni 1794

„Reineke Fuchs" von Goethe hast Du ohne Zweifel schon in Händen. Mir behagt er ungemein, besonders um des homerischen Tones willen, der ohne Affektation darin beobachtet ist.

SchiNa XXVII, 11

788. VOSS AN SEINE FRAU

Halberstadt, 13. Juni 1794

Goethes „Reineke Voß" habe ich angefangen zu lesen; aber ich kann nicht durchkommen. Goethe bat mich, ihm die schlechten Hexameter anzumerken; ich muß sie ihm alle nennen, wenn ich aufrichtig sein will. Ein sonderbarer Einfall, den „Reineke" in Hexameter zu setzen!

J. H. Voß II, 392

789. KÖRNER AN SCHILLER

Dresden, 17. Juni 1794

„Reineke Fuchs" habe ich gelesen. Ich verkenne den Kunstwert daran gewiß nicht; aber wenn ich die Zeit und Mühe bedenke, die Goethe darauf verwendet haben muß, so dächte ich doch, daß er uns etwas Bedeutenderes hätte geben können. Vieles ist doch trocken und langweilig darin.

SchiNa XXXV, 21

790. VOIGT AN GOTTLIEB HUFELAND

Weimar, 18. Juni 1794

Goethe wird künftig mehr und länger in Jena sein, wenn es nur so artig dort bleibt, wie es jetzt ist.

Huf 69

791. CHARLOTTE VON STEIN AN IHREN SOHN FRIEDRICH

Weimar, Anfang Juli 1794

Nach den schönen englischen Landsitzen wird Dir's auf dem unsrigen nicht mehr gemütlich werden. Nimm Dich in acht, daß Dir's nicht wie unserm ehemaligen Freund nach seiner italienischen Reise geht! Noch letzt antwortete er jemanden, der die Aussicht ins Ilmtal lobte: „Das ist keine Aussicht!" und sah dick mürrisch dazu aus.

Stein II, 10

792. SCHILLER AN KÖRNER

Jena, 1. September 1794

Bei meiner Zurückkunft fand ich einen sehr herzlichen Brief von Goethe, der mir nun endlich mit Vertrauen entgegenkommt. Wir hatten vor sechs Wochen über Kunst und Kunsttheorie ein langes und breites gesprochen und uns die Hauptideen mitgeteilt, zu denen wir auf ganz verschiedenen

Wegen gekommen waren. Zwischen diesen Ideen fand sich eine unerwartete Übereinstimmung, die um so interessanter war, weil sie wirklich aus der größten Verschiedenheit der Gesichtspunkte hervorging. Ein jeder konnte dem andern etwas geben, was ihm fehlte, und etwas dafür empfangen. Seit dieser Zeit haben diese ausgestreuten Ideen bei Goethe Wurzel gefaßt, und er fühlt jetzt ein Bedürfnis, sich an mich anzuschließen und den Weg, den er bisher allein und ohne Aufmunterung betrat, in Gemeinschaft mit mir fortzusetzen ...

Ein großer Verlust für unsere „Horen" ist es, daß er seinen Roman [„Wilhelm Meisters Lehrjahre"] schon an Unger verkauft hatte, ehe wir ihn zu den „Horen" einluden. Er beklagt es selbst und hätte ihn uns mit Freuden überlassen. Doch verspricht er, so viele Beiträge zu liefern, als in seinen Kräften steht.

SchiNa XXVII, 34f.

793. SCHILLER AN COTTA

Jena, 1. September 1794

Goethe ist voll Eifer; er wird uns alles geben, was er vorrätig hat, und er hat schon erklärt, daß das Journal [„Die Horen"] ihn in neue Tätigkeit setzen werde. Wahrscheinlich wird gleich das erste Stück etwas von ihm und auch von Herder enthalten.

SchiNa XXVII, 37

794. CHARLOTTE VON STEIN AN SCHILLER

Weimar, 10. September 1794

Ich bitte Sie, mein bester Herr Schiller, beikommenden Tisch in Abwesenheit unsrer Lolochen [Charlotte Schiller] in ihre Stube zu setzen. Ein guter Freund von Ihnen beide hat mir den Auftrag gegeben, und ich habe es mit Vergnügen besorgt ...

Goethe war letzt bei mir und hat sehr gut von Ihnen

Friedrich Schiller

gesprochen. Es stimmte mit dem überein, was Sie mir von Ihrer neulichen Unterredung von ihm sagten, und es freut mich, daß es beim Goethe kein nur flüchtiger Eindruck war.
SchiNa XXXV, 49

795. SCHILLER AN SEINE FRAU

Jena, 12. September 1794

Die Stein hat mir dieser Tage geschrieben, daß Goethe kürzlich bei ihr gewesen, welches mir unerwartet gewesen ist. Von allen Orten her erfahre ich jetzt, wie sehr sich Goethe über die Bekanntschaft mit mir freut. An Meyern in Dresden hat er, wie Körner schreibt, vieles darüber geschrieben und auch mit der Stein viel davon gesprochen.
SchiNa XXVII, 43

796. SCHILLER AN KÖRNER

Jena, 12. September 1794

Ich werde künftige Woche auf vierzehn Tage nach Weimar abreisen und bei Goethe wohnen. Er hat mir so sehr zugeredet, daß ich mich nicht wohl weigern konnte, da ich alle mögliche Freiheit und Bequemlichkeit bei ihm finden soll. Unsre nähere Berührung wird für uns beide entscheidende Folgen haben, und ich freue mich innig darauf. Der Hof ist nach Eisenach abgereist, und Goethe hat sich losgemacht, so daß wir nun ganz unseren Ideen leben können.
SchiNa XXVII, 46

797. SCHILLER AN SEINE FRAU

Weimar, 16. September 1794

Seit drei Tagen bin ich hier, und nun schon ziemlich bei Goethe eingewohnt. Ich habe alle Bequemlichkeiten, die man außer seinem Hause erwarten kann, und wohne in einer Reihe von drei Zimmern, vorn hinaus. Diese meiste Zeit aber bin ich fast immer mit Goethe zusammen gewesen, doch ohne den ganzen Genuß dieses Umgangs, weil ich mich selten wohl befand... meine Krämpfe inkommodierten mich...

Ich habe bei Goethe schon schöne Landschaften gesehen. Wir haben viel über *meine* Sachen gesprochen; auch von seinen Arbeiten in der Naturgeschichte und Optik hat er mir viel Interessantes erzählt... Gesehen habe ich hier noch niemand, doch bin ich heute vormittag mit Goethe im Stern spazieren gewesen. In seinem Hause sahe ich noch niemand als ihn.

SchiNa XXVII, 48

798. RAMDOHR AN BÖTTIGER

Gotha, 19. September 1794

Ich hatte mir fest vorgenommen, gestern morgen zu Ihnen zu kommen. Um 8 Uhr war ich zu Krause bestellt, um 10 Uhr zu Goethe, um 11 Uhr zur Gräfin Bernstorff. Wohl! sagte ich mir: um 1 Uhr fährst du erst weg, also findest du gewiß eine Stunde für den lieben Böttiger. Inzwischen l'homme propose, mais Dieu dispose. Ich komme zu Goethe, finde ihn erst gesprächig, bald darauf interessant von seiten des Kopfs und endlich gar zutraulich und herzlich. – Das böse Gewissen wird bei mir wach! Du hast dem Manne unrecht getan, sag ich mir. Er spielt nicht den Minister, nicht den Sonderling: es ist Folge der ersten Erziehung, es ist Mißtrauen gegen sich und andere, die ihm anfangs das kalte, stolze Ansehen geben. – Wir sehen schöne Zeichnungen, Gemälde, Überbleibsel des Altertums. Zu ihrem innern Werte gesellt sich das Andenken an Italien. Ich werde warm, entzückt, begeistert. Die Glocke schlägt 11 Uhr; ich muß zur Gräfin Bernstorff. „So ungern ich mich losreiße, ich muß zur Gräfin Bernstorff, Herr Geheimer Rat." – „Da gehen Sie und kommen wieder; ich habe noch einige Sachen, die Sie interessieren werden." – Ich expediere meine Gräfin Bernstorff in zehn Minuten – und wieder hin zu Goethe. Ich war in der festen Meinung, als ich Abschied von ihm genommen hatte, es sei 12 Uhr – es war 1 Uhr vorbei.

GoeJb I, 316f.

Charlotte Schiller

799. SCHILLER AN SEINE FRAU

Weimar, 20. September 1794

Ich bringe die meiste Zeit des Tages mit Goethen zu ... Vor einigen Tagen waren wir von halb 12, wo ich angezogen war, bis nachts um 11 Uhr ununterbrochen beisammen. Er las mir seine „Elegien", die zwar schlüpfrig und nicht sehr dezent sind, aber zu den besten Sachen gehören, die er gemacht hat. Sonst sprachen wir sehr viel von seinen und meinen Sachen, von anzufangenden und angefangenen Trauerspielen und dergleichen. Ich habe ihm meinen Plan zu den „Maltesern" gesagt, und nun läßt er mir keine Ruhe, daß ich ihn bis zum Geburtstag der regierenden Herzogin, wo er ihn spielen lassen will, doch vollenden möchte. Es kann auch ganz gut dazu Rat werden, denn er hat mir viel Lust dazu gemacht, und dieses Stück ist noch einmal so leicht als „Wallenstein". Er hat mich gebeten, seinen „Egmont" für das weimarische Theater zu korrigieren, weil er es selbst nicht wagt, und ich werde es auch tun. Meinen „Fiesko" und „Kabale und Liebe" rät er mir, auch nur ein wenig zu retouchieren, daß diese Stücke ein bleibendes Eigentum des Theaters werden. Was seinen Anteil an den „Horen" betrifft, so hat er großen Eifer, aber freilich wenig vorrätige Arbeit. Seine „Elegien" gibt er uns, und zwar gleich für die ersten Stücke. Alsdann hat er mir vorgeschlagen, einen Briefwechsel mit ihm über Materien zu eröffnen, die uns beide interessieren, und dieser Briefwechsel soll dann in den „Horen" gedruckt werden.

SchiNa XXVII, 49

800. WILHELM VON HUMBOLDT AN SCHILLER

Jena, 22. September 1794

Mit Fichte habe ich ganz interessant gesprochen, sehr viel auch über Sie. Er erwartet von Ihnen sehr viel für die Philosophie ... Auch Goethe wünschte er für die Spekulation zu gewinnen; sein Gefühl leite ihn so richtig. „Neulich",

fuhr er fort, „hat er mir mein System so bündig und klar dargelegt, daß ich's selbst nicht hätte klarer darstellen können." Sie kennen diese Manier.

SchiNa XXXV, 62

801. SCHILLER AN KÖRNER

Jena, 9. Oktober 1794

Wir haben eine Korrespondenz miteinander über gemischte Materien beschlossen, die eine Quelle von Aufsätzen für die „Horen" werden soll. Auf diese Art, meint Goethe, bekäme der Fleiß eine bestimmte Richtung, und ohne zu merken, daß man arbeite, bekäme man Materialien zusammen. Da wir in wichtigen Sachen einstimmig und doch so ganz verschiedene Individualitäten sind, so kann diese Korrespondenz wirklich interessant werden.

Seinen Roman [„Wilhelm Meisters Lehrjahre"] will er mir bandweise mitteilen; und dann soll ich ihm allemal schreiben, was in dem künftigen stehen müßte und wie es sich verwickeln und entwickeln werde. Er will dann von dieser antizipierenden Kritik Gebrauch machen, ehe er den neuen Band in den Druck gibt. Unsere Unterredungen über die Komposition haben ihn auf diese Idee geführt, die, wenn sie gut und mit Sorgfalt ausgeführt werden sollte, die Gesetze der poetischen Komposition sehr gut ins Licht setzen könnte.

Seine Untersuchungen über Naturgeschichte ... haben mich so sehr als sein poetischer Charakter interessiert, und ich bin überzeugt, daß er sich auch hier auf einem vortrefflichen Wege befindet. Auch was er gegen die Newtonische Farbentheorie einwendet, scheint mir sehr befriedigend zu sein.

SchiNa XXVII, 65f.

802. DAVID VEIT AN RAHEL LEVIN

Jena, 20. und 21. Oktober 1794

20. Oktober: ... Goethe hat mich erstaunlich freundlich aufgenommen ... Es ist wahr, daß er älter geworden, aber nicht zu seinem Nachteil, wie Reichardt gesagt haben soll; er ist etwas magerer, und bleich im Gesicht; die Nase sieht länger aus, und die ihm gewöhnliche steife Stellung wird um so auffallender. Nichtsdestoweniger ist er außerordentlich freundlicher Gesichter und der heitersten Laune fähig ...

21. Oktober: ... Ich sprach immer viel dazwischen und kam ihm oft zu Hülfe; denn er kann sich gemeinhin auf viele Wörter nicht besinnen und macht beständig Gesichter ...

Ein göttliches Kind hat Goethe. Kohlschwarze Augen, sprechende Physiognomie und wahres Goldhaar, das gar keine Lust zum Dunkelwerden hat. – Die Vulpius ist ihm *nicht* angetraut.

Rahel I, 243 und 248f.

803. JOHANN JAKOB HORNER AN SEINEN BRUDER

Leipzig, 25. Oktober 1794

Am Sonntagmorgen machte ich Goethen meine Aufwartung, bei welchem Meyer im Hause wohnt. Er ist ein Mann gerade in seinen besten Jahren, ziemlich groß und hat bei einer gemeinen Physiognomie doch sehr viel feine Züge. – Er war damals ziemlich kurz an Worten, welches ich ihm auch gar nicht verdenken kann. Ich besah noch sein fürstliches Kabinett von Handzeichnungen berühmter Meister und sein mit dem feinsten epikureischen Geschmack eingerichtetes, wie es scheint inwendig neu gebautes Haus ... Auf den Abend war ich mit Meyer zu Herder zum Tee und Nachtessen eingeladen, wozu sich Goethe, Böttiger und noch andere einstellten. – Herder hat mir äußerst wohl gefallen. Er ist ein großer, beinahe vierschrötiger Mann und hat etwas beinahe schwärmerisch Heiteres in seinem Blicke. – Die Gesellschaft war äußerst ungeniert, ohne unhöflich zu sein. Jeder sprach und stand oder setzte sich, zu wem er wollte ... Ein gewisser Professor Meyer aus Berlin [?] erzählte die Heirats- und Sterbensgeschichte des Hofrat Moritz auf eine so infam witzige und freilich mitunter selbst erfundene Manier, daß wir uns alle vor Lachen den Bauch halten mußten. – Dies weckte Goethen so nach und nach aus seiner Kälte auf. – Er saß neben mir, und wir schenkten uns wechselseitig um die Wette ein. Nun fing auch er an, von Moritz zu erzählen, was er in Rom für dumme Streiche gemacht hatte, und schlug mit seinem Witz, der viel feiner war, den Professor und bisweilen auch Herdern zu Boden.

JbGoeGes V, 203ff.

804. KAROLINE HERDER UND HERDER AN GLEIM

Weimar, 27. Oktober 1794

[Karoline:] Das liegt mir schon Jahr und Tag auf dem Herzen. Aber *wem* sagen und *wem* klagen? Keiner hat hier einen Sinn dafür – und unser ökonomischer Herzog am allerwenigsten. Liebster Freund, *von Gott allein* muß unsere Hülfe kommen und von seinem guten Engel. Ach, wie ist meines Mannes Leben und Existenz verdorben, verschoben, verbittert worden! Seine besten Kräfte und Neigungen muß er gegen unbedeutende Arbeiten unterdrücken ...

[Herder:] So ist denn noch jemand, der an meinem Innern teilnimmt, der auf mich achtet! Genug davon! Hier sind andere Zeiten.

VaH I, 184f.

805. BÖTTIGER IN SEINEM TAGEBUCH

Weimar, 31. Oktober 1794

In einem alle Freitage sich versammelnden Abendzirkel für den Winter zwischen 1794 und 1795 wurde beschlossen, jedesmal einen Gesang der „Ilias“ nach Voß vorzulesen und sich dann die dabei von selbst kommenden Bemerkungen mitzuteilen. Goethe ist Vorleser. Einige lesen im Originale nach. Die andern sitzen im Zirkel herum.

Die härtesten Stellen wurden durch Goethes treffliche

Deklamation und richtig wechselndes Andante und Adagio außerordentlich sanft und milde. Es ist unleugbar, daß Voß nur fürs Ohr und den lebendigen sukzessiven Eindruck, nicht fürs Auge und zergliedernden Überblick des Stils gearbeitet hat.

Bö I, 81

806. CHARLOTTE VON STEIN AN CHARLOTTE SCHILLER

Weimar, 7. November 1794

Die bewußten Elegien habe ich schon mehrmals loben hören, aber mir sie zu lesen zu geben, hat mich der ehemalige Freund vermutlich nicht würdig gefunden. Er wollte sie vor einigen Jahren drucken lassen; der Herzog widerriet's ihm aber. Wie unsern gnädigsten Herrn just einen Moment diese pedantische Sittlichkeit überfallen hat, begreife ich nicht.

SchFr II, 298

807. BÖTTIGER IN SEINEM TAGEBUCH

Weimar, 10. November 1794

Ganz anders sei es mit Goethe. Dieser wisse fast alle seine Werke auf den Nagel herzusagen, denn, setzte er [Wieland] hinzu, es sind Emanationen seines *Ichs*, das er unbeschränkt liebhat.

Bö I, 144

808. DAVID VEIT AN RAHEL LEVIN

Jena, 10. November 1794

Gestern habe ich Schiller zum erstenmal gesehen. Ich finde Humboldts Urteil sehr wahr: Goethe hat ein allgemein schönes Männergesicht, Schiller nur *eine* Art davon, und die Art, die sich mit dem Angenehmen sehr verträgt, ohne die Stärke zu verlieren.

Rahel I, 270

809. SCHILLER AN HOVEN

Jena, 22. November 1794

Überhaupt bin ich in diesem Sommer endlich mit Goethen genau zusammengekommen, und es vergeht keine Woche, daß wir nicht einander sehen oder schreiben. Vor einiger Zeit habe ich mehrere Wochen in Weimar bei ihm gewohnt und ihn ganz in seinem Wesen kennenlernen. Er ist ein höchst interessanter Charakter in jedem Betracht, und seine Sphäre ist so weit ausgebreitet. In naturhistorischen Dingen ist er trefflich bewandert und voll großer Blicke, die auf die Ökonomie des organischen Körpers ein herrliches Licht werfen. Sein Dichtergeist ist noch ganz und gar nicht ausgelöscht; nur hat er sich seit einiger Zeit auf alle Teufeleien eingelassen, davon Du in den ersten Stücken des Journals [„Die Horen"] Proben finden wirst. Über die Theorie der Kunst hat er viel gedacht und ist auf einem ganz andern Wege als ich zu den nämlichen Resultaten mit mir gekommen. Gegenwärtig korrespondieren wir darüber.

SchiNa XXVII, 92

810. HÖLDERLIN AN NEUFFER

Jena, November 1794

Auch bei Schiller war ich schon einige Male, das erstemal eben nicht mit Glück. Ich trat hinein, wurde freundlich begrüßt und bemerkte kaum im Hintergrunde einen Fremden, bei dem keine Miene, auch nachher lange kein Laut etwas Besonders ahnden ließ. Schiller nannte mich ihm, nannt ihn auch mir, aber ich verstand seinen Namen nicht. Kalt, fast ohne einen Blick auf ihn, begrüßt ich ihn und war einzig im Innern und Äußern mit Schillern beschäftigt. Der Fremde sprach lange kein Wort. Schiller brachte die „Thalia", wo ein Fragment von meinem „Hyperion" und mein Gedicht „An das Schicksal" gedruckt ist, und gab es mir. Da Schiller sich einen Augenblick darauf entfernte, nahm der Fremde das Journal vom Tische, wo ich stand, blätterte neben mir in dem Fragmente und sprach kein Wort.

Ich fühlt es, daß ich über und über rot wurde. Hätt ich gewußt, was ich jetzt weiß, ich wäre leichenblaß geworden. Er wandte sich drauf zu mir, erkundigte sich nach der Frau von Kalb, nach der Gegend und den Nachbarn unseres Dorfs, und ich beantwortete das alles so einsilbig, als ich vielleicht selten gewohnt bin. Aber ich hatte einmal meine Unglücksstunde. Schiller kam wieder, wir sprachen über das Theater in Weimar, der Fremde ließ ein paar Worte fallen, die gewichtig genug waren, um mich etwas ahnden zu lassen. Aber ich ahndete nichts. Der Maler Meyer aus Weimar kam auch noch. Der Fremde unterhielt sich über manches mit ihm. Aber ich ahndete nichts. Ich ging und erfuhr an demselben Tage ..., daß Goethe diesen Mittag bei Schiller gewesen sei!

Höld 152f.

811. SCHILLER AN KÖRNER

Jena, 5. Dezember 1794

Von ihm [Goethe] findest Du in dem Ersten Stück [der „Horen"] noch den Anfang einer Reihe von Erzählungen [„Unterhaltungen deutscher Ausgewanderten"]; aber dieser Anfang, der zur Einleitung dienen soll, hat meine Erwartung keineswegs befriedigt. Leider trifft dieses Unglück schon das Erste Stück...

SchiNa XXVII, 98

812. SCHILLER AN KÖRNER

Jena, 19. Dezember 1794

Dieser Tage hat mir Goethe die Aushängebogen von dem ersten Buch seines Romans [„Wilhelm Meisters Lehrjahre"] mitgeteilt, welche meine Erwartungen wirklich übertroffen haben. Er ist darin ganz er selbst: zwar viel ruhiger und kälter als im „Werther", aber ebenso wahr, so individuell, so lebendig, und von einer ungemeinen Simplizität. Mitunter wird man auch von einzelnen auffahrenden Funken eines jugendlich feurigen Dichtergeists ergriffen. Durch das

Ganze, soweit ich davon las, herrscht ein großer, klarer und stiller Sinn, eine heitre Vernunft und eine Innigkeit, welche zeigt, wie ganz er bei diesem Produkt gegenwärtig war.

SchiNa XXVII, 106

813. SCHILLER AN COTTA

Jena, 22. Dezember 1794

Was seine [Goethes] prosaischen Aufsätze [für die „Horen"] anbetrifft, so würde es eine sehr gute Wirkung tun, wenn Sie ihm beim Abschluß der Rechnung nach der Ostermesse von freien Stücken etwas zu dem ausgemachten Honorar zulegten. Sie legten ihm dadurch eine Verbindlichkeit auf, die Sie nicht viel kostete, weil doch verschiedene Aufsätze kommen werden, die Sie nicht 6 Louisdors pro Bogen kosten. Dies ist, wie gesagt, bloß bei Goethen nötig, der zwar nicht eigennützig ist, aber doch erwartet, daß er bei den „Horen" besser als sonst irgendwo bezahlt wird. Wenn es ihm aber nicht auffallen sollte, so könnten Sie diese Ausgabe sich ersparen. Ich will Ihnen also davon Nachricht geben, was er schreibt.

SchiNa XXVII, 110

1795

814. CHARLOTTE VON STEIN AN IHREN SOHN FRIEDRICH

Weimar, Anfang Januar 1795

Goethes „Wilhelm Meister“ [Band 1] ist heraus. Er hat mich, ich weiß nicht, wie ich dazu komme, mit einem Exemplar beehrt. Es sind schöne Lettern, schön Papier, ein schöner Stil, und hat mich interessiert, weil er's geschrieben hat und sich seine eigene Moral liest.

Stein II, 23

815. SCHILLER AN COTTA

Jena, 9. Januar 1795

Das Honorar betreffend, so wird Goethe nach Erscheinung des ersten Stücks seine Bedingungen machen. Ihn müssen wir ja festzuhalten suchen, weil er viel in petto hat und auch überaus viel Eifer für die „Horen“ zeigt. Ein Mann wie Goethe, der in Jahrhunderten kaum einmal lebt, ist eine zu kostbare Akquisition, als daß man ihn nicht, um welchen Preis es auch sei, erkaufen sollte.

SchiNa XXVII, 118

816. HÖLDERLIN AN NEUFFER

Jena, 19. Januar 1795

Auch mit Goethen wurd ich bekannt. Mit Herzpochen ging ich über seine Schwelle. Das kannst Du Dir denken. Ich traf ihn zwar nicht zu Hause, aber nachher bei der Majorin [Charlotte von Kalb]. Ruhig, viel Majestät im Blicke, und auch Liebe, äußerst einfach im Gespräche, das aber doch hie und da mit einem bittern Hiebe auf die Torheit um ihn und ebenso bittern Zuge im Gesichte – und dann wieder von einem Funken seines noch lange nicht erloschnen Genies gewürzt wird – so fand ich ihn. Man sagte sonst, er sei stolz; wenn man aber darunter das Niederdrückende und Zurückstoßende im Benehmen gegen unsereinen verstand, so log man. Man glaubt oft einen recht herzguten Vater vor sich zu haben. Noch gestern sprach ich ihn hier im Klub.

Höld 164

817. GARVE AN WEISSE

Breslau, 23. Januar 1795

Unter den literarischen Neuigkeiten ist Goethens Roman [„Wilhelm Meisters Lehrjahre"] ohne Zweifel die interessanteste ... *Eine* Sache wundert mich: daß ein Mann, der die Welt im großen kennt und mit ihren mittlern und obern Ständen soviel gelebt hat wie Goethe, in seinen Schilderungen sich gerade auf einen Gegenstand einschränkt, der in Romanen schon so oft ist geschildert worden, ich meine die Schauspielerwelt, das Leben, die Sitten und die Abenteuer von Komödianten, Seiltänzern etc. Von Scarrons Romane an bis jetzt ist keine Klasse von Leuten häufiger abkonterfeit, keine Leidenschaft öfter zum Triebrad einer romanhaften Geschichte gemacht worden als die Schauspieler und die Liebe zu Schauspielen.

Noch habe ich keinen Leser gefunden, dem nicht die erste weitläuftige Entwickelung des Puppenspiels wäre langweilig gewesen. Die Geliebte Wilhelms schlief darüber ein; wie konnte sein Geschichtschreiber glauben, daß es den nicht in ihn verliebten Lesern besser gehen würde? In dem ersten Buche zeichnet sich fast nichts aus als die Schilderung der beiden Alten und die Verteidigung des Handels von dem Freunde Wilhelms. Auf den Reisen dieses letztern stoßen uns merkwürdigere Personen auf. Philine ist ein seltsam zusammengesetztes, aber doch interessantes Wesen. Das Mädchen, welches Wilhelm dem Luftspringer abkauft, ist noch ein sonderbareres, noch unerklärlicheres Geschöpf, das an sich zieht, aber nicht befriedigt, weil man zu wenig davon begreift. Der alte Barde scheint aus einer andern Welt, einem andern Zeitalter zu sein als die übrigen Personen. Das Geheimnisvolle, welches über seinem Schicksale und seinem Charakter schwebt, spannt die Erwartung; aber so, wie es in diesem Teile gelassen wird, schadet es der Wahrscheinlichkeit. Überhaupt ist alles nur erst angelegt, nichts auf den Punkt entwickelt, um ein hohes Interesse zu erregen. Einen Roman sollte man ... nicht stückweise herausgeben, sowenig als man einzelne Akte eines Schauspieles herausgibt. Der Autor und der Leser verlieren bei dieser Zerstückelung. Soviel ist sichtbar, daß, so wie Goethe selbst gewissermaßen ein Sonderling in seinem Charakter und in seinem Betragen ist, er auch die Geschöpfe seiner Einbildungskraft nicht nach Modellen zusammensetzt, die man gewöhnlich in der Welt findet. Poetisch werden dadurch seine Produktionen reizender, insofern sie mit Geist und Fleiß ausgeführt sind; aber wo er sie vernachlässiget, werden auch zuweilen Mißgeburten daraus. Doch in allen seinen Werken sind gewisse tief ins menschliche Herz und Leben eindringende Reflexionen, die sie mir schätzbar machen. Dergleichen sind auch hin und wieder in „Meisters Lehrjahren" eingestreut, zum Beispiel in dem Gespräche des Unbekannten, der auf dem Schiffe die extemporisierte Komödie mitgespielt hatte.

Gar II, 179ff.

818. HÖLDERLIN AN HEGEL

Jena, 26. Januar 1795

Goethen hab ich gesprochen, Bruder! Es ist der schönste Genuß unsers Lebens, soviel Menschlichkeit zu finden bei soviel Größe. Er unterhielt mich so sanft und freundlich, daß mir recht eigentlich das Herz lachte und noch lacht, wenn ich daran denke.

Höld 168

819. DAVID VEIT AN RAHEL LEVIN

Jena, 8. Februar 1795

Auf der Redoute in Weimar ... Man hat Pharao gespielt, hat Goethe drehen (so nennt man hier langsam walzen) gesehen, hat die Vulpius gesehen und abscheulich gefunden ...

Goethe hat in dem „Meister" einen meiner Wünsche realisiert: er hat kein Wort oder doch nur selten eines unterstrichen ... Überhaupt bewundre ich in dem Buche nichts so sehr als die überall verbreitete Gleichheit des Ausdrucks, die große Einheit des Tons zu den mannigfaltigen Empfindungen. Er hat hier einem Menschen selbst gestanden, daß er nicht mehr fähig wäre, sich seiner ersten Jugendeindrücke so lebhaft zu erinnern, als er es im „Wilhelm" getan hat; denn die Lebhaftigkeit des Gedächtnisses, mit welcher er den „Meister" vor fünfzehn Jahren entworfen habe, sei ihm nun bei der Ausfeilung ganz fremd geworden. – Noch eines ...: er spielt Klavier, und gar nicht schlecht.

Rahel II, 72ff.

820. KÖRNER AN SCHILLER

Dresden, 10. Februar 1795

„Wilhelm Meister" hat meine Erwartung wirklich übertroffen. Es gibt wenig Kunstwerke, wo das Objektive so herrschend ist. Die lebendigste Darstellung der Leidenschaft abwechselnd mit dem ruhigsten, einfachsten Ton der Erzählung. An Kraft können sich mehrere Stellen mit dem „Werther" messen. Und welcher Reichtum von Charakteren, wieviel Anmutiges und Gedachtes in diesem Werke, was man im „Werther" nicht findet! Auf Ostern erscheint wohl der zweite Teil?

SchiNa XXXV, 148f.

821. SOPHIE REIMARUS AN REINHOLD

Hamburg, 17. Februar 1795

Sie mögen „Meisters Lehrjahre" nicht, durchaus nicht, sagt Cramer. Das habe ich nicht recht hinunterkriegen können. Es ist soviel Schönes darinnen, das man nicht überstreichen muß. Solch eine herrliche Simplizität im Stil, und dann wieder eine Raschheit der Gedanken, die nur Goethe zu handhaben weiß. Freilich ist auch viel Gedehntes da; in der Kinderkomödie kramt er fast zu lange; die Marionetten würfe man gerne weg, und am Ende ist auch die Mignon übel. Bei dem allen sieht man aber doch die Meisterhand, und lassen Sie nur den Burschen ausgelernt haben, warten Sie nur die übrigen Teile ab, ich möchte wetten, Sie werden zufrieden sein.

Denken Sie nicht, daß ich so naseweis bin, allein so zu urteilen. Heß hat das Buch nicht weglegen können, ohne es ausgelesen zu haben. So Sieveking und seine Frau. Meinem Mann habe ich es ganz vorlesen müssen, und, spitzen Sie die Ohren, er fand einen höchst moralischen Zweck in dem Buche. In Rousseaus „Bekenntnissen" konnte er den nicht finden, und deswegen verabscheuet er sie, als Keim der Entschuldigung manches Bösen. Darüber will nun Cramer aus der Haut fahren, tritt mit dem Fuße auf „Meisters Lehrjahre" und hält in der Hand hoch empor Rousseaus „Bekenntnisse" als Leitstern der Aufrichtigkeit für gegenwärtige und künftige Sünder. Wäre die Sünde nicht da, so dürften wir die Beichte nicht hören. Und wie wäre es, wenn der „Meister" uns sagte: Junger Mensch, da war ich ein Tor! Hüte dich und mache es besser! – In dem, was er über den Hang zum Komödianten sagt, wittert man schon so etwas.

WR 337 f.

822. CHARLOTTE VON STEIN AN CHARLOTTE SCHILLER

Weimar, 19. Februar 1795

Dem Goethe scheint's gar nicht mehr ernst ums Schreiben zu sein, daß er [in den „Unterhaltungen deutscher Ausgewanderten"] die bekannte Geschichte der Mlle. Clairon, die er nach Italien transportiert, die vom Klopfen, welche mir vor drei Jahren Herr von Pannewitz erzählte, daß sie sich in seiner Eltern Haus zugetragen, und die aus des Bassompierre sehr bekannten „Mémoires", die er doch wahrhaftig nicht wird für eine Geistergeschichte wollen passieren lassen, indem sie sehr körperlich war, gut genug zum Inhalt eines so respektablen Journals wie die „Horen" hält.

SchFr II, 299

823. CHARLOTTE VON STEIN AN CHARLOTTE SCHILLER

Weimar, 25. Februar 1795

Daß Goethe sich Schiller immer mehr nähert, fühle ich auch, denn seitdem scheint er mich wieder ein klein wenig in der Welt zu bemerken. Es kommt mir vor, er sei einige Jahre auf eine Südseeinsel verschlagen gewesen und fange nun an, auf den Weg wieder nach Hause zu denken.

SchFr II, 299

824. GLEIM AN HERDER

Halberstadt, 26. Februar 1795

Goethens „Wilhelm Meisters Lehrjahre" hab ich gelesen. Ein paar Bogen enthalten das Schönste, was solch ein Kopf hervorbringen kann; mit dem Ganzen kann ich nicht zufrieden sein, weil ich der Meinung bin, daß man nichts von dem, was uns einmal, daß wir's geschrieben haben, gereuen kann, schreiben muß!

VaH I, 188

825. GLEIM AN VOSS

Halberstadt, 13. März 1795

Wie hat Goethens „Reineke Fuchs“ unserm Voß gefallen? Ich kann ihn nicht lesen; der Sechsfüßer ist lahm, und überhaupt schickt sich derselbe zu den Reden des Fuchses nicht.

GoeJb XXXIII, 18

826. KÖRNER AN SCHILLER

Dresden, 22. Mai 1795

Mit großem Genuß habe ich den zweiten Teil von „Wilhelm Meister“ gelesen. Welcher Reichtum von Charakteren und Situationen, und wie lebendig die Darstellung, wieviel Gehalt in einzelnen Bemerkungen, die nur als Nebensache eingestreut sind! Und welcher anmutige Ton, welch ein lachendes Kolorit in dem Ganzen! Warum versucht Goethe nicht einmal seine ganze Kraft in einem Lustspiele? Wir sind noch so arm an dieser Gattung.

SchiNa XXXV, 211

827. SCHILLER AN KÖRNER

Jena, 2. Juni 1795

Deine Ergießungen über „Meister“ habe ich Goethen, der wieder hier ist, vorgelesen und ihm Freude damit gemacht. Auf die Komödie will er aber nicht entrieren, denn er meint, daß wir kein gesellschaftliches Leben hätten.

SchiNa XXVII, 189

828. DAVID VEIT AN RAHEL LEVIN

Jena, 4. Juni 1795

Goethe hat die „Claudine“ am vorigen Sonnabend aufführen lassen. Vor einiger Zeit, da er hier war, ließ ihm Latrobe ein Lied von ich weiß nicht wem [von Friederike

Brun] und aus dem „Musikalischen Blumenstrauß", komponiert von Zelter, mit dem Anfang „Ich denke dein" vorsingen und spielte es selbst. Er war tief gerührt von der Komposition, ging nach Hause und flickte es mit aller Gewalt in die „Claudine" ein, aber mit ganz abgeändertem Text [„Nähe des Geliebten"] ...

Heute habe ich ihn wieder gesehen und gegrüßt und war eine Stunde hindurch in einem Zimmer mit ihm; denn er war und kömmt jedesmal nach unsrer Krankenanstalt und läßt sich über jede Kleinigkeit belehren. Die theoretischen Teile der Medizin hat er vollkommen inne. Die „Claudine" ist bis auf das (wie es heißt) äußerst gute Orchester und bis auf die Gruppierungen, die eingesetzt werden, äußerst miserabel gesungen und gespielt worden ... Übrigens weiß ich von den Schauspielern, daß sie äußerst aufgebracht sind und behaupten, Goethe könnte wohl etwas schreiben, aber nichts angeben, und vom Schauspieler verstände er gar nichts. Das ahndet er freilich nicht ... Sehr amüsiert hat es mich, im Theater Goethe und Wieland nebeneinander mit den Büchern in der Hand sich innig freuen und miteinander sprechen zu sehen ...

Sie können fest glauben, daß Goethe nicht nur die „Unterhaltungen [deutscher Ausgewanderten]" schreibt, sondern daß das letzte Stück [die Prokurator-Novelle] ganz besonders gefällt, und ganz besonders dem Herrn von Humboldt ... Wie es in Goethe entstanden ist, die Erzählung so zu dichten, scheint mir nicht schwer zu finden. Wenn man zeigen will, wieviel feinere Gefühle von der allergröbsten Sinnlichkeit abhängen und wie sehr man sich *hier* täuscht, und wenn man diese Idee zu einem Gedicht erheben will, was kann anders daraus werden als eine solche Geschichte? ...

Übrigens werden diese Erzählungen nie ein Ganzes, sind gar nicht dazu bestimmt, soviel ich weiß.

Rahel II, 142–145

829. DAVID VEIT AN RAHEL LEVIN

Jena, 5. Juni 1795

Indem ich dieses schreibe, ist Goethe entweder schon in Karlsbad oder kömmt doch bald hin. In beiden Fällen ist es gut, wenn Sie wissen, daß er nicht in Gesellschaft mit irgendeinem Vornehmen kömmt ..., daß er jetzt besser gelaunt ist als jemals, wiewohl er steifer aussieht als jemals, und äußerst gerne in völliger und fröhlicher Ungezwungenheit lebt. Ich denke, Sie kommen gewiß mit ihm zusammen, besonders da er ohne Zweifel begierig ist, die Unzelmann kennenzulernen. Berlin haßt er ziemlichermaßen. Das fürs Gespräch! Sollte die Vulpius mit ihm sein? Die Bekanntschaft mit ihr dürfte wohl von ihm ganz entfernen. Doch hierüber weiß ich nichts Gewisses.

Rahel II, 152

830. FRIEDRICH VON STEIN AN CHARLOTTE SCHILLER

Weimar, 17. Juni 1795

Der Goethe ist wieder wohl; indes ist er doch ein wenig abgemattet von denen spanischen Fliegen. Er hat immerfort seinen stupenden Fleiß und läßt sich wenig in der Welt sehen. Nach Ilmenau wird er nun nicht gehen, aber in der Mitte des Juli nach Karlsbad.

SchFr I, 444

831. CHARLOTTE VON STEIN AN CHARLOTTE SCHILLER

Weimar, 4. Juli 1795

Ich hoffe, Goethe soll von Karlsbad wieder gesund zurückkommen. Seit dem Winter auf der Redoute habe ich ihn nicht wieder gesehen als letzt einen Augenblick im Garten, wo er aber so eilte, aus der Luft zu kommen, daß ich meine Ansprache gegen ihn nicht endigen konnte.

SchFr II, 301

832. SCHILLER AN FRIEDRICH CHRISTIAN VON AUGUSTENBURG

Jena, 5. Juli 1795

Nicht ohne Verlegenheit wage ich es, Eurer Herzoglichen Durchlaucht das Sechste Stück der „Horen" zu überreichen.

Die „Elegien", welche es enthält, sind vielleicht in einem zu freien Tone geschrieben, und vielleicht hätte der Gegenstand, den sie behandeln, sie von den „Horen" ausschließen sollen. Aber die hohe poetische Schönheit, mit der sie geschrieben sind, riß mich hin, und dann gestehe ich, daß ich zwar eine konventionelle, aber nicht die wahre und natürliche Dezenz dadurch verletzt glaube. Ich werde in einem künftigen Stücke des Journals mir die Freiheit nehmen, mein Glaubensbekenntnis über das, was dem Dichter in Rücksicht auf das Anständige erlaubt und nicht erlaubt ist, ausführlich abzulegen [„Die sentimentalischen Dichter" in den „Horen" 1795].

SchiNa XXVIII, 2f.

833. FRIEDERIKE BRUN IN IHREM TAGEBUCH

Karlsbad, 7.–9. Juli 1795

Abends brachte mir die brave Göchhausen den Goethe. Anspruchsloser, wie er es ist in seinem Reden und Schweigen, in seinem Gehen und Stehen, ist es unmöglich zu sein. Sein Gesicht ist edel gebildet, ohne gleich einen innern Adel entgegenzustrahlen; eine bittere Apathie ruht wie eine Wolke auf seiner Stirn. Bei einem schönen, männlichen Wuchs fehlt es ihm an Eleganz und seinem ganzen Wesen an *Gewandtheit.* Ist das der Günstling der Musen und Grazien? Dies der Schöpfer des „Tasso", des „Egmonts" und der „Iphigenia", des „Werthers" und „Götz", des „Faust" und ach! der Sänger jener herzempörenden und herzstillenden, jener sanft einlullenden und aufschreckenden Lieder? Ich sah nur den Verfasser des „Wilhelm Meister" diesen Abend, und auch *der* ist aller Ehren wert.

Da faßte mich bei einem Gedanken, aus dem der seinige zurückstrahlte, plötzlich sein Flammenauge, und ich sahe „Fausts" Schöpfer! Ich sehe ihn seitdem täglich und versäume keine Gelegenheit, ihn zu sehen. Anfangs quälten mich seine Blicke, die ich immer auf mir und an mir empfand, wenn ich ihn *nicht* ansah, und die dann die des *forschenden* Beobachters waren; und des Beobachters ohne *Hoffnung* und Glauben an reinen Menschenwert, der nur neue Gestalten zu seinen lebenvollen Gemälden sucht und in die Welt sieht wie in einen Guckkasten. Gestern und heute ist er sehr liebenswürdig und traulich gewesen, und ich habe zuweilen den Werther und Egmont hervorleuchten sehen. Ob ich den Tasso und die Iphigenia erblicken werde? Das Glück hat ihn verzogen und die Weiber. Er hat geschwelgt, ohne zu genießen; genommen, ohne zu geben. Ob je in seinem Herzen der reine Ton der Liebe wieder erklingen wird? Er hat viel geredet und immer, als ob's halb im Scherz wäre, aber im bittern Scherz herrliche Sachen gesagt über Kunst, Epigramme, Elegisches, Improvisieren, Liebe als Mittel zum *Zweck,* über Hoffnung, die in ihm erstorben ist, von seiner äußersten Empfänglichkeit durch Phantasie bei Gelegenheit der Kupfer zu Wielands Werken. Ärgerlich ist's, daß er seine Paradoxe, wenn man ihm drüber zu Leibe geht, oft mehr wie halb zurücknimmt, so daß sie darüber nicht selten zu Gemeinplätzen werden ... Ich gerate immer mit dem Goethe in sehr lebendige Unterhaltung ... Er öffnet mit viel Bonhomie sein Inneres, in dem sich mir ein reicher Fonds von Wahrhaftigkeit und Billigkeit offenbart. Übrigens war er heut ... schrecklich paradox, und ich ergrimmte über sein Wegwerfen der *Erinnerung* – „die Gegenwart ist die einzige Göttin, die ich anbete", sagte er –, über seinen Unglauben an intellektuelle Freundschaft. Freundschaft werde durch Verhältnisse genährt (daß sie aus Sympathie entstünde, gab der *Sünder* doch zu), und wenn diese sich änderten oder aufhörten, stürbe sie Hungers. Ich ward zur Salzsäule! Da kam die Rede vom seligen Moritz, mit dem er viel in Italien gelebt, und da war er so weich und gut und lobte und bedauerte den Moritz so aus meinem Herzen heraus, daß ich ihm hier alles verzieh. Einmal sagte er:

„Niemand hat Mitleiden mit mir, wenn ich klage.“ Es war Scherz; ich sagte ihm ernst: „Ich habe bei manchem Ihrer Lieder inniges Mitleiden empfunden.“ – „O ja, ich war wohl unglücklich in diesen Augenblicken, aber dergleichen muß man abschütteln.“ – „Nein, nicht abschütteln! Durch Arbeiten und in sich zur Heiterkeit verwandeln!“ sagte ich. Denn seine Gleichgültigkeit ohne Heiterkeit und daß er schon so ganz mit den Menschen abgerechnet hat, ist mir schrecklich.

Gespr I, 605ff.

834. KARL AUGUST AN SCHILLER

Weimar, 9. Juli 1795

Für die überschickten „Horen“, werter Herr Hofrat, sage ich Ihnen den verbindlichsten Dank.

Die „Elegien“ hatten mir sehr wohl gefallen, da sie mir der Autor vorlas oder hererzählte; indessen glaubte ich immer, er würde sie noch etwas liegenlassen, ehe er sie öffentlich erscheinen ließ. Wenn sie vor den Druck in den Händen mehrerer Freunde wären gegeben worden, so würde man vielleicht den Autor vermocht haben, einige zu rüstige Gedanken, die er wörtlich ausgedrückt hat, bloß erraten zu lassen; andere unter geschmeidigeren Wendungen mitzuteilen, noch andere ganz zu unterdrücken: Die Furcht wird immer bei mir erregt, wenn ich etwas in einen neuen Genre von einen Schriftsteller auftreten sehe, dessen Name imponiert und wo das Werk noch nicht den vollkommensten Grad der Ausbildung erhalten hat, daß so viele Nachahmer dann hinzugeschwommen kommen, welche durch die geschmacklosesten Gueuléen den Augenblick oder die Epoque weiter hinausschieben, wo die deutsche Literatur wirklich den Grad von Humanität erlangen wird, nach welchen alle Schriftsteller streben, denen es ernstlich an der Sache gelegen ist. Die schönen Weiber haben zwar die Eigenschaft, daß sie sich zuweilen ein Vergnügen machen, Moden zu erfinden und zu tragen, die allen Nachahmerinnen lächerlich stehn ... Aber ich sollte doch glauben, daß alle diejenigen, welche

Karl August
Herzog von Sachsen – Weimar –
Eisenach

durch den Namen, den ihnen das Schicksal verliehn hat, zu Vorstehern und Stammhaltern des literarischen Volkes gestempelt sind, diese Launen verbannen sollten.

SchiNa XXXV, 237

835. FRIEDERIKE BRUN IN IHREM TAGEBUCH

Karlsbad, 12. Juli 1795

Heute sah er zuweilen leibhaftig aus wie sein Faust. Bald glaubte ich ihn auf dem Faß zu sehen, und dann glaubte ich wieder, der Gottseibeiuns würde ihn auf der Stelle holen ...

O Goethe, wie irret dein großer Geist umher! Die Erde war dir zu niedrig, und du *verschmähst* den *Himmel! Welche Stunde wird die deines Erwachens sein?* Nun schwebt er zwischen Himmel und Hölle. Wenn dein Sonnenblick sich dem neuen Lichte öffnet, dem du ihn mit wahrer *Herzenshärte* verschließest; was hat dich zu diesem Trotze gegen alles das gebracht, welches doch so göttlich aus dir redet? Denn wirklich ist in gewissen Momenten ein Blick in Goethes Auge ein Beweis für Unsterblichkeit mehr. Heute redete ich viel mit ihm über seine häuslichen Verhältnisse, seine Freunde, seinen Knaben ... Ich sagte ihm meine Freude an seiner Wahrhaftigkeit und Billigkeit. „Das erste ist man, weil man *muß;* das zweite, soviel man *kann*", sagte er sehr bescheiden ... Am Abend war er hier bei uns mit der kleinen Levin und der Unzelmann, die sehr verständig tut und etwas Treuherziges in ihrem Blick hat, welches mir gefällt. Sein Ton mit Frauen, die nicht streng auf sich halten, ist nicht fein, und an zarter Grazie fehlt's ihm überhaupt. Der Herr Rittmeister von Gualteri war ungebeten dazugekommen, ein avantageuser fat, mit dem Goethe zu meinem Erstaunen sehr bekannt und vertraut tut, ihn aber dabei heimlich schraubt ... Er [Goethe] hat sehr viel *mimisches Talent* und kann aussehen wie der lebendige *Miltonische Teufel;* doch ist's schade um ein so edles Gebilde, es verzerrt zu sehen! ...

Nachmittags kam Goethe, um mit mir zu Sarah und Marianna [Meyer] zu gehen. Bis ich fertig war, ließ er *Lotte*

[Brun] *lesen.* Er hat soviel Kindlichkeit und Einfalt in seinem Wesen wie alle erhabenen Geister. Bei Meyers war er gar hold, und Marianne, die holde Seele, geht ihm ans Herz...

Kleine Polin [Therese Brzozowska], *mit der Goethe viel sprach.* Ein stilles, liebes Wesen. Goethe liebt die Leidenden und gesellt sich sanft und teilend zu ihnen...

Abends war Goethe wieder etwas *faustinisch* wild (wie er es leider Frauen, die ihm *nur schön* sind, gegenüber *leicht* wird), doch sagte er herrliche Sachen über 1) Voß, seine „Luise", „Odyssee"; 2) über das Briefschreiben.

Gespr I, 607–610

836. FRIEDERIKE BRUN IN IHREM TAGEBUCH

Karlsbad, 19./20. Juli 1795

Ganz öffnete er mir sein Herz und ließ mich in seine Verhältnisse blicken. Dieser außerordentliche Mensch konnte freilich nicht auf gewöhnliche Weise sein viel forderndes Herz und seinen ungestümen Sinn befriedigen. Innig erfreu ich mich, ihn häuslich glücklich zu wissen, als guten, zärtlichen Vater. Seine Kinderliebe ist *charakteristisch.* Die meinigen hängen mit Leidenschaft an ihm, und ich würde ihm mit Freuden ein *Mädchen* anvertrauen. Denn seine Überzeugung über weibliche Bestimmung und weibliche Würde ist äußerst edel und zart.

Gespr I, 610

837. KARL THEODOR VON DALBERG AN SCHILLER

Erfurt, 25. Juli 1795

Goethens „Elegien" sind fürtrefflich. Sie übertreffen, dünkt mir, Ovid, Properz und Catull und sind denen Tibullischen Elegien an Schönheit ähnlich.

SchiNa XXXV, 263

838. FRIEDERIKE BRUN AN PFAFF

26. Juli 1795

Die letzte Zeit meines Aufenthalts in Karlsbad ward mir höchst lehrreich und zuletzt lieb durch meine Bekanntschaft mit Goethen. Wir sahen uns täglich, erst mit Neugierde, dann mit Interesse; dann schieden wir voneinander mit Wohlwollen. Mir erschien er als eins der seltensten Exemplare der Menschheit, in voller Kraft eines unbeugsamen Willens und hohen Geistes. Ihm war es vielleicht neu, ein Weib zu sehen, die ruhig und ungeblendet ihn beobachtete. So blieben wir eine Weile einander gegenüber, aber dann öffnete er sich mir mit edler Offenheit, fühlend, daß ich sein besseres Selbst suchte – und ich entdeckte in ihm einen Schatz der Wahrheit, Billigkeit und häuslichen Güte, die, verbunden mit dem, was der Schöpfer des „Tasso" und der „Iphigenia" und des „Egmont" zu geben vermag, mir ihn unvergeßlich machen. Lassen Sie mich immer stolz darauf sein, mich mit Goethen auf diesem Wege gefunden zu haben – und denken Sie auf mein Wort gut von Goethen, dem Menschen, man sage, was man wolle ...

Die Kinder sind brav. Goethe war in beide vernarrt, zumal in Lotte ..., und sie hingen an ihm wie Trauben. Lotte lehrte er richtig lesen, Karl unterrichtete er über Mineralogie. Seit fünfzehn Jahren ist Naturgeschichte (zumal Mineralogie und Physik) Goethes ausschließendes Studium.

Gespr I, 611

839. BÖTTIGER AN SCHULZ

Weimar, 27. Juli 1795

Zu den merkwürdigsten Erscheinungen an unserm literarischen Himmel gehören Goethes „Elegien" im Sechsten Stück der „Horen". Es brennt eine genialische Dichterglut darinnen, und sie stehn in unserer Literatur *einzig.* Aber alle ehrbaren Frauen sind empört über die bordellmäßige Nacktheit. Herder sagte sehr schön, er [Goethe] habe der Frechheit ein kaiserliches Insiegel aufgedrückt. Die „Horen" müßten nun mit dem u gedruckt werden. Die meisten Elegien sind bei seiner Rückkunft im ersten Rausche mit der Dame Vulpius geschrieben. Ergo –

GoeJb I, 318

840. CHARLOTTE VON STEIN AN CHARLOTTE SCHILLER

Weimar, 27. Juli 1795

Herders Urteil über die „Elegien" ist mir nicht bekannt geworden ... Das meinige ist zu unbedeutend darüber, denn ich habe für diese Art Gedichte keinen Sinn. In einer einzigen, der sechsten, war etwas von einem innigeren Gefühl. Ich glaube, daß sie schön sind; sie tun mir aber nicht wohl. Wenn Wieland üppige Schilderungen machte, so lief es doch zuletzt auf Moral hinaus, oder er verband es mit Ridicules – soviel ich davon gelesen habe. Auch schrieb er diese Szenen nicht von sich selbst.

Bei Gelegenheit dieser „Elegien" sagte Herder der Herzogin, Goethe sei in Italien sehr sinnlich geworden, ihn aber habe es daselbst angeekelt. Daß der Herzog an Schiller einen Brief über diese „Elegien" geschrieben, habe ich von der Herzogin gehört; auch sagte sie mir etwas aus Schillers Brief an den Herzog darüber. Schillers ernsthafte „Briefe" [„Über die ästhetische Erziehung des Menschen"] neben den leichtfertigen „Elegien" machen einen sonderbaren Kontrast.

SchFr II, 301 f.

841. FRIEDRICH SCHLEGEL AN SEINEN BRUDER AUGUST WILHELM

Dresden, 31. Juli 1795

Was sagst Du zu den göttlichen „Elegien"? Was sagst Du zum göttlichen „Wilhelm"? Sage und singe mir ein schönes, feines und langes Lied davon ...

Schls 231

842. WILHELM VON HUMBOLDT AN SCHILLER

Tegel, 4. August 1795

Der Brief des Herzogs ist drollig genug. Die Idee wird wohl seiner Frau so wie die Humanität darin Herdern angehören. Indes ist er doch artig gedacht, und es ist immer viel, daß ein Herzog überhaupt an so etwas denkt und, wenn es ihm einfällt, es so bescheiden und diskret vorträgt. Hier findet, wie gesagt, soviel ich bis jetzt hörte, niemand an den „Elegien" Anstoß.

SchiNa XXXV, 272

843. WILHELM VON HUMBOLDT AN SCHILLER

Tegel, 15. August 1795

Goethe, behauptet Meyer, bekommt für jeden Band seiner Schriften bei Unger, also auch für jeden des „Meisters", 100 Louisdor. Unger selbst sagte mir, daß er mit dem „Meister" jetzt gerade außer Schaden sei, und ob ich gleich gedacht hätte, daß der Abgang noch stärker sein müßte, so schien es doch die Wahrheit zu sein. Indes war er sehr zufrieden, und das um so mehr, als Biester, der die Korrektur besorgt hat, ihm gesagt hat, Goethe habe ihm diesen Roman gegeben, um ihn damit zu ruinieren. Überhaupt ist der Beifall, den der „Meister" hierherum findet, doch äußerst geteilt.

SchiNa XXXV, 283

844. FRIEDRICH SCHLEGEL AN SEINEN BRUDER AUGUST WILHELM

Dresden, 17. August 1795

Zerstreue Dich nicht in Lektüre, in literarischen Kleinigkeiten! Tue Dir *Gewalt* an! Wer immer warten wollte, bis die Begeisterung vom Himmel käme, würde endlich in Bürgersche Trägheit versinken. Schiller muß nach Körners Ausdruck die Gedanken mit der größten Anstrengung *her-*

aufpumpen. Auch Goethens Leichtigkeit ist oft die Frucht von unsäglichem Fleiß und großer Anstrengung, ohne solche wütende Art wie Schiller, der sich durch Weintrinken begeistert.

Schls 234

845. WILHELM VON HUMBOLDT AN SCHILLER

Tegel, 25. August 1795

Ich kann es mir, nach den Erzählungen, sehr lebhaft denken, wie er in den Fehler verfallen sein kann, den Sie dem sechsten Buche vorwerfen. Er scheint überhaupt jetzt nach einer Einfachheit, Deutlichkeit und Vollständigkeit im Vortrag zu streben, die allem, was er in dieser Gattung schreibt, notwendig gefährlich werden muß. Etwas davon hat sich, wie Sie auch manchmal äußerten, schon in die bisherigen Bücher des „Meister" eingeschlichen und ist ... sowenig den guten als den schlechten Beurteilern entgangen. Ich halte es um so schwerer, daß Goethe jetzt und künftig diesen Fehler vermeidet, als er aus seinen besten Eigentümlichkeiten, wenn nicht entsteht, doch erklärbar ist und als er durch die größere Ruhe und Kälte seines jetzigen Alters vermehrt wird. Auf das ganze Ende des „Meisters" bin ich begierig... Es sollte mich unendlich schmerzen, wenn der „Meister" nicht auf die rechte Weise hinausgeführt und der Knoten mehr zerhauen als gelöst wäre. Nach neueren und bessern Nachrichten hat Goethe zwar für die ersten vier bei Unger gedruckten Bände für jeden 500 Taler, für den „Meister" aber mehr bekommen. Vielleicht ist es nicht übertrieben, was man sagt: für die beiden ersten Bände 1500 Taler. Von seinem Benehmen mit seinen Verlegern, das hier durchaus hart und unbillig genannt wird, höre ich sehr viel sprechen. Indes sind auch die Berliner Gelehrten über diesen Punkt in einer ganz eignen wahren oder affektierten Unschuld. So fragte mich Herz neulich in ganzem Ernst, ob denn Goethe in der Tat Geld nehme.

SchiNa XXXV, 303

846. CHARLOTTE VON STEIN AN CHARLOTTE SCHILLER

Weimar, 29. August 1795

Hier wieder ein Teil Erzählungen [von Tressan]. Mögen sie Schiller so gut einschläfern wie Goethes „Märchen" neulich Wieland, als Goethe in einer Gesellschaft bei sich vorlas.

SchFr II, 303

847. RAHEL LEVIN AN BRINKMAN

Teplitz, August 1795

Sagen Sie ihm, wir kennten uns schon. Goethe wäre der Vereinigungspunkt für alles, was *Mensch* heißen kann und will.

RahelA I, 144

848. CHARLOTTE VON KALB AN CHARLOTTE SCHILLER

Weimar, 8. September 1795

Goethe sah ich noch nicht; er ist aber wieder hier. Meyer sagte mir, er habe schon längst mich besuchen, mich zu sich einladen wollen; aber sein *Mißstand mit der ganzen Sozietät* hier macht, daß er auch für mich verloren ist. Das könnte, das sollte anders sein.

SchFr II, 224f.

849. RAHEL LEVIN AN VEIT UND HORN

Teplitz, 8. September 1795

Sie haben mich glücklich gemacht, meine Herren! Mit Goethe. „Ich hofft es, ich verdient es nicht." Beinah möcht ich sagen: ich faß es nicht. Nämlich, ich wundere mich so. Wieso kann er wissen, daß ich Empfindung habe!? Niemanden hab ich mich in meinem Leben weniger in irgendeiner Art zeigen können als ihm. Durch Zeitumstände ... Er ist Goethe. Und was ihm scheint und er sagt, ist wahr.

Von mir selbst glaub ich ihm. Ich seh ihn schon einmal wieder, das andere Kurjahr.

Wenn Sie ihn ... sehen ..., so grüßen Sie ihn, von dem Menschen, der ihn *immer* angebetet, vergöttert hätte, auch wenn ihn *niemand* rühmte, verstände, bewunderte. Und wenn er sich wunderte, daß ein gemäßigtes Mädchen ihm eine anscheinende Extravagance sagen ließe, so sollt er's nicht tun und lieber *be*wundern, daß sie ihn so respektierte, daß es einen *Respekt* gäbe, der sie allein zurückhielte, es ihm nicht zu *sagen.* Hab ich recht? Ja, ja, ich bet ihn an. Sagen Sie ihm, es wäre nicht Affektation, sondern Pflaumenweichheit. Überhaupt könnt ich nicht dafür, daß die andern alles affektierten, was ich im Ernst meine.

Rahel II, 184f.

850. WILHELM VON HUMBOLDT AN SCHILLER

Tegel, 11. September 1795

... das Ungewöhnliche bei den „Horen" ist bloß das Honorar. Dies müßte nun bei Ihnen, Goethe und Herder zwar bleiben. Wenn Sie aber die übrigen Mitarbeiter, was sehr füglich angeht, heruntersetzten und von Goethe, wenn er bloß so wenig beliebte Dinge gäbe, als die „Unterhaltungen" bisher waren, weniger aufnähmen, so wäre dadurch schon genug für Cotta erspart.

SchiNa XXXV, 333f.

851. SCHILLER AN FRIEDRICH HEINRICH JACOBI

Jena, 5. Oktober 1795

Darüber, daß ich die Goethischen „Elegien" in die „Horen" aufgenommen habe und noch heute darin aufzunehmen willig und bereit sein würde, werde ich, wenn nur einigermaßen meine Zeit es erlaubt, öffentlich in einem kleinen Aufsatz über die Schamhaftigkeit der Dichter, oder wie er sonst betitelt sein mag, [„Die sentimentalischen Dichter" in den „Horen" 1795] meine Gründe angeben.

SchiNa XXVIII, 68

852. WILHELM VON HUMBOLDT AN SCHILLER

Tegel, 12. Oktober 1795

Von Goethe höre ich hier allerlei possierliche Geschichten erzählen, die von zwei getauften Jüdinnen [Rahel Levin und Marianne Meyer], die mit ihm in Karlsbad waren, herkommen. Außerdem daß er ihnen soll erstaunlich viel vorgelesen, in Stammbücher und auf Fächer geschrieben und ihre Produktionen korrigiert haben, erzählt auch die eine, die sonst ein sehr schönes Mädchen war, daß er ihnen die einzelnen Gelegenheiten erzählt habe, die ihn zu den „Elegien“ veranlaßt, namentlich die zu dem Vers: „Und der Barbar beherrscht römischen Busen und Leib!“ ... Sie sollen auch, wie sie erzählen, bei dem erwarteten neuen Ankömmling in Weimar Patenstelle vertreten.

SchiNa XXXV, 378

853. AUGUST WILHELM SCHLEGEL AN SCHILLER

Braunschweig, 13. Oktober 1795

In Goethes „Elegien“ herrscht römischer Geist: Man glaubt italienische Luft zu atmen, wenn man sie liest. Jede neue Form, in der Goethe auftritt, ist ein neuer Beweis seiner Selbständigkeit; aber die sichre Kühnheit des Mannes, an den „Natur und Schule“ gerichtet werden könnte, möchte als Beispiel sehr gefährlich werden.

SchiNa XXXV, 382

854. BÖTTIGER IN SEINEM TAGEBUCH

Weimar, 8. November 1795

[Wieland] Über Goethe und Herder. Ihm fehlt es an Selbsterkenntnis. Sie glauben, das Publikum müsse alles dankbar aufnehmen. Herder ziehe alles in sein Gebiet und wolle überall herrschen. Die „Horen“ seien doch nur eine merkantilische Spekulation von Schiller. Anfänglich sei es eine Bundeslade gewesen, die niemand habe anrühren dürfen, ohne daß Feuer daraus hervorgegangen und die Frevler zu verzehren gedroht habe. Jetzt könne man schon menschlicher mit ihnen umgehen. Der Aufsatz von Goethe ..., das Feenmärchen, fange prächtig an, ende aber sehr mattherzig. Amphora coepit, urceus exit. Es werde ihm bange, daß es mit dem „Wilhelm Meister" auch so gehen könne.

Bö I, 165

855. SCHILLER AN WILHELM VON HUMBOLDT

Jena, 9. November 1795

Goethe ist seit dem 5. hier und bleibt diese Tage noch hier, um meinen Geburtstag mit zu begehen. Wir sitzen von abend um 5 Uhr bis nachts 12, auch 1 Uhr beisammen und schwatzen. Über Baukunst, die er jetzt zur Vorbereitung auf seine italienische Reise treibt, hat er manches Interessante gesagt, was ich mir habe zueignen können. Sie kennen seine solide Manier, immer von dem Objekt das Gesetz zu empfangen und aus der Natur der Sache heraus ihre Regeln abzuleiten. So versucht er es auch hier ...

Daß von seiner „Optik" und seinen naturhistorischen Sachen auch viel die Rede sei, können Sie leicht denken. Da er die letztern gerne vor seiner italienischen Reise (die er im August 96 anzutreten wünscht) von der Hand schlagen möchte, so habe ich ihm geraten, sie in einzelnen Aufsätzen, in *seiner* darstellenden Manier, zu den „Horen" zu geben. Ohnehin ist sonst nicht viel von ihm für das folgende Jahr zu hoffen.

Wir haben dieser Tage auch viel über griechische Literatur und Kunst gesprochen ...

SchiNa XXVIII, 100f.

856. CHARLOTTE VON STEIN AN CHARLOTTE SCHILLER

Weimar, 11. November 1795

Das fünfte Buch von „Wilhelm", auch das Glaubensbekenntnis hat mir sehr wohl gefallen. Ich glaube beinahe, es ist von einem Frauenzimmer, und er hat es nur zugestutzt. Eine einzige widerliche Stelle ist in dieser Konfession.

SchFr II, 306

857. CHARLOTTE VON STEIN AN IHREN SOHN FRIEDRICH

Weimar, 18. November 1795

Von Goethe erhielt ich gestern abermals einen Teil des „Wilhelm Meister", der mich beim Lesen sehr unterhalten hat. Er hat wieder ein Faulconbridgen taufen lassen, und es ist gestern wieder gestorben.

Stein II, 34

858. WILHELM VON HUMBOLDT AN SCHILLER

Tegel, 20. November 1795

In den „[Venezianischen] Epigrammen" ist alles die Zensur passiert, auch das mit den

„Rauch des Tobaks, Wanzen, Knoblauch und †".

Das letztere ärgert mich beinah. Mich wundert, daß Sie es nicht schon gestrichen. Es ist doch unartig, und poetischer Verlust war nicht dabei ...

Seine naturhistorischen Sachen sind doch, dünkt mich, nicht recht für die „Horen" geeignet. Überhaupt, glaube ich, müßte er sie ernstlicher angreifen, wenn sie der Wissenschaft Gewinn bringen sollen, wie seine Ideen an sich gewiß in hohem Grade tun können. Zu seiner „Optik", vorzüglich insofern es gegen Newton gerichtet ist, kann ich noch kein rechtes Zutrauen fassen, und ich wollte, er wartete mit den Epigrammen gegen diesen, bis er das Publikum überzeugt hätte.

SchiNa XXXVI/1, 24 f.

859. BÖTTIGER IN SEINEM TAGEBUCH

Weimar, 26. November 1795

[Wieland] Über Goethe. Bei Ende des zweiten Bandes des „Wilhelm Meister" hoffte Goethe, mit vier Bänden auszukommen. Jetzt spricht er schon von fünf Bänden. Die vier Friedrichsdor pro Bogen schmecken so gut, daß noch sechs oder acht Bände daraus werden können. Die „Geständnisse der schönen Seele", welche die größte Hälfte des dritten Bandes ausmachen, sind von einer verstorbenen Dame, die Goethe nur nach seiner Art zuschnitt. Man sieht ihnen das Fremdartige auf jedem Worte an. Es fehlte eben Goethe an Manuskript. Das ganze Buch hat dadurch schon eine auffallende Ungleichheit, daß morceaux aus ganz verschiedenen Perioden Goethes darin sind. Überhaupt arbeitet Goethe so, daß er Stücke (z. B. bei einem Schauspiel Szenen aus dem ersten und fünften Akt) einzeln ausarbeitet und sie dann sehr lose zusammenhängt. Das erste Buch im „Wilhelm Meister" war schon vor zehn Jahren *viel lebendiger* einmal niedergeschrieben. Aber seltsam ist es, daß Goethe, der in seinem Serlo und Meister solche Ideale von guten Theaterdirektionen aufstellt, selbst ein so abscheulicher Direktor ist und bald den Geschmack des weimarschen Publikums auf Haberstroh reduziert haben wird (zum Beispiel der „Zauberzither" [von Wenzel Müller]).

Bö I, 169f.

860. CHARLOTTE VON STEIN AN IHREN SOHN FRIEDRICH

Weimar, 29. November 1795

Der dritte Teil von „Wilhelm Meister" ist sehr unterhaltend. Wie ich dem Autor sagte, ich wäre aufs Ende der Personnagen sehr neugierig, wie er es ausführen würde, so sagte er mir, im Leben brauche man nicht konsequent zu sein, aber freilich in einem Roman verlange man es. Ich stutzte ordentlich, daß er das Herz hatte, mir das zu sagen, und unsere Unterhaltung war am Ende.

Stein II, 35, und Bode I, 540

861. WILHELM VON HUMBOLDT AN SCHILLER

Tegel, 4. Dezember 1795

Ich habe den „Meister“ jetzt von neuem gelesen. Es ist nicht zu leugnen, daß das sechste Buch unerträgliche Longueurs und Tiraden hat, so gut auch sonst der so schwierige Gegenstand behandelt ist. Mit dem Oheim verwandelt sich auf einmal die Szene, und besonders an dieser Stelle sind einige sehr feine Bemerkungen ... Ob ich gleich die „Bekenntnisse [einer schönen Seele]“ immer mit großem Interesse lesen werde und es mich nicht verdrießen lasse, dem Gange des Charakters auch mit Mühe nachzugehen, so ist mir das Individuum doch immer eine höchst fatale Gestalt, die mir in allen ihren Metamorphosen gleich stark und (was mir ein Beweis der großen Kunst ist, mit der Goethe den Charakter souteniert hat) immer auf gleiche Weise mißfällt ... Freilich aber war er eben so der beste für diesen Stoff, und es scheint mir ein eigentümliches Verdienst des „Meister“, daß die Charaktere so ganz nach den Foderungen des Romans gebildet sind. Vorzüglich ist dies am Meister sichtbar, der mir wie ein Ideal eines Romanencharakters vorkommt, immer so geneigt ist, sich zu verwickeln, und so nie Kraft hat, die geschürzten Knoten wieder zu lösen, und sich daher unaufhörlich dem Zufall in die Hände gibt ...

Über das zehnte „Horen“-Stück habe ich zwar kein bedeutendes Urteil bis jetzt gehört ... Dagegen habe ich das „Märchen“ schon mehrmals tadeln hören. Die Leute klagen, daß es nichts sage, keine Bedeutung habe, nicht witzig sei usw., kurz, es ist nicht pikant, und für ein leichtes, schönes Spiel der Phantasie haben die Menschen keinen Sinn. Im ganzen finde ich auch hier unser altes Urteil bestätigt. Es wird entsetzlich wenig *gelesen.* Das meiste nur angegafft und durchblättert. Eigentlich lesen tut jeder fast nur das, was er selbst eben zu seinem eignen Geschreibsel braucht.

SchiNa XXXVI/1, 40ff.

862. CHARLOTTE VON STEIN AN IHREN SOHN FRIEDRICH

Weimar, 6. Dezember 1795

Wenn Du den dritten Band von „Wilhelm Meister" lesen wirst, so gib acht auf das Glaubensbekenntnis einer schönen Seele. Ich wollte schwören, es ist nicht von Goethe, sondern er hat nur Stellen hineingesetzt, und es hat ihm vermutlich jemand einmal gegeben. Und ... wie die Schnecke in ihr Haus nur alles um sich zum Nutzen zieht, so hat er dieses wie vom Himmel gefallen in die Komödiantengesellschaft gebracht, weil diese Bogen auch bezahlt werden.

Stein II, 36, und Bode I, 541 f.

863. WILHELM VON HUMBOLDT AN SCHILLER

Tegel, 11. Dezember 1795

Goethe, der mir auch vorgestern geschrieben hat, leibt und lebt in seinen Briefen, so wie man ihn im Gespräche sieht. Manchmal ist mir das schon äußerst frappant gewesen, besonders gerade jetzt, da er in keiner vorteilhaften, ihm recht eigentümlichen Stimmung zu sein scheint, sondern sich so in einem Zustand der Abspannung gehenläßt. Über seine naturhistorischen Sachen denke ich völlig einstimmig mit Ihnen. Daß er sich über Stillschweigen in Ansehung seiner optischen Schrift [„Beiträge zur Optik"] beklagt, darin hat er doch kaum halb recht. Bald nach ihrer Erscheinung hat Gren in Halle sie *angeblicherweise* völlig widerlegt, d. h. gezeigt, daß die von Goethe aufgestellten Phänomene sich recht gut nach der Newtonischen Theorie erklären ließen und also keine neue brauchten. Auch im „Gothaischen Magazin" hat man ihrer gedacht. Wenn jetzt einer schweigt, so geschieht's doch wohl, weil er jener Widerlegung beitritt und aus Diskretion es nicht öffentlich erklären will. Neuerlich aber ist das Stillschweigen, und zwar nicht auf die angenehmste Art, in Gehlers Supplementbande zu seinem „Physikalischen Wörterbuch", Artikel „Farben", wieder gebrochen worden ... Ich wünschte wohl zu wissen, was eigentlich daran sein mag; allein auf alle Fälle sollte doch Goethe jetzt erst seine Theorie gründen und befestigen, ehe er Feindseligkeiten anfinge.

SchiNa XXXVI/1, 44

864. SOPHIE TISCHBEIN AN AUGUST WILHELM SCHLEGEL

Dessau, 14. Dezember 1795

[Johann Friedrich August] Tischbein hatte Ihnen versprochen, etwas von Ihrem Abgott zu sagen. Die Zeit hat ihm gefehlt, sein Versprechen zu halten, und jetzt gibt er mir den Auftrag, es zu tun; er meint, einem Weibe würde es leichter, ein solches Kapitel abzuhandeln, als einem Mann. Nun, ich will es versuchen und sehen, ob ich Ihnen begreiflich machen kann, daß dieser Halbgott, wie Sie ihn zu nennen pflegten, nur ein Mensch ist. Sie fragen mich, ob ich seinen „Wilhelm Meister" gelesen habe. O ja, verschlungen habe ich ihn mehr als gelesen, so außerordentlich schön finde ich ihn. Aber eben darum verdrießt es mich, daß ein so schöner und großer Geist auch so einen schwachen Geist zeigen kann. Hören Sie nur und urteilen Sie! Erst muß ich Ihnen aber sagen, daß ich ihn wohl im Schauspielhaus gesehen habe, aber nie gesprochen; denn er würdigte uns seines Besuchs nicht. – Er hat einen jungen Künstler [Heinrich Meyer] mit von Italien gebracht, gibt ihm Wohnung und den Tisch und hat ihn dem Herzog empfohlen, der ihm auch des Jahrs etwas gibt, und G[oethe] sein Plan ist, diesen Menschen in der Folge dort zu fixieren. Was dieser Mensch leisten kann, ist, wie alle Kunstverständige sagen, sehr wenig; auch ist dies das allgemeine Urteil des dortigen Publikums über ihn. T[ischbein] hatte ein besonderes Empfehlungsschreiben an G[oethe]. Dieser aber empfing ihn sehr kalt und kam, obgleich halb Weimar T[ischbein] besuchte, in den ersten sechs Wochen nicht zu ihm; endlich ist er denn doch gekommen, aber immer kalt geblieben, und je mehr Arbeit T[ischbein] bekam, je mehr man mit seiner Arbeit zufrieden war, je zurückhaltender wurde Herr G[oethe]. Auch hat er es nicht bei der Kälte bewenden lassen, sondern wirklich Kabale gegen

Ti[schbein] gemacht. Es tut mir leid, dieses von ihm sagen zu müssen. Der Herzog sowie die Herzogin äußerten den Wunsch, G[oethe] von Ti[schbein] seiner Hand gemalt zu sehen. Ti[schbein] bat ihn um sein Porträt. Wieland, Herder und Pötiger [Böttiger] haben ihm dies sehr gütig zugestanden, Herr G[oethe] aber abgeschlagen. Da nun die Arbeit vor den Hof geendigt war, ging Ti[schbein] nochmals zu G[oethe] und bat ihn, doch zu kommen und sein Urteil über die Gemälde zu sagen – und können Sie es glauben? Er ist nicht gekommen! – Was konnte anders die Ursache dieser sonderbaren Behandlung sein als Furcht, daß seines Protegé Arbeit in Vergleichung mit der von Ti[schbein] seiner zu viel verlieren würde, oder die, daß Ti[schbein] sein Urteil über diesen Menschen frei heraussagen würde und er auch ebenfalls dadurch verlieren würde. Beides verbesserte nun G[oethe] durch sein Betragen nicht, und Sie selbst werden mir zugestehen, daß diese Behandelung keinen edlen Zug in seinem Charakter bewies und dabei sehr viel Menschliches hatte.

Sobald es hieß, Ti[schbein] würde den Winter in W[eimar] bleiben, ließ Herr G[oethe] seinen Künstler geschwind nach Italien reisen, und nun, höre ich, wird er wieder zurückkommen.

SchlTi 311f.

865. WILHELM VON HUMBOLDT AN SCHILLER

Berlin, 29. Dezember 1795

Der „Musenalmanach [für das Jahr 1796]" ist jetzt in allen Händen ... Die härteste Kritik muß sich Goethe gefallen lassen, besonders seine „[Venezianischen] Epigramme", für die nun auch freilich der Standpunkt, aus dem sie beurteilt werden müssen, am schwersten zu finden ist und die ich daher auch von einigen ebenso grundlos loben als von andern tadeln höre...

In Rücksicht auf Goethe werde ich auch oft gefragt, warum er soviel teils Schlechtes, teils Unvollendetes ins Publikum gibt.

SchiNa XXXVI/1, 71ff.

1796

866. KÖRNER AN SCHILLER

Dresden, 1. Januar 1796

Die ganze Sammlung [der „Musenalmanach“ für 1796] ist in der Tat einzig in ihrer Art ... Goethens Produkte sind ungleich. Der „Besuch“ ist allerliebst. Die „Nähe der [des] Geliebten“ ist sehr für die Musik berechnet. Die „[Venezianischen] Epigramme“ machen ein Ganzes für sich und sind mir ein sehr interessantes Produkt. Ich sehe sie als ein Tagebuch während einer italienischen Reise an. Aus diesem Gesichtspunkte sind sie mir äußerst charakteristisch, und manche darunter, die einzeln nicht bedeutend sein würden, gehören sodann zur Vollendung des Seelengemäldes. Vielleicht hätten einige doch aus dieser Sammlung wegbleiben sollen, die auch im nördlichen Deutschland entstanden sein könnten. Überhaupt glaube ich nicht, daß das Publikum dieser „Epigramme“ zahlreich sein wird. Schon hier habe ich beim Vorlesen nur wenig Personen gefunden, die sie ganz zu genießen wußten.

SchiNa XXXVI/1, 75

867. SCHILLER AN WILHELM VON HUMBOLDT

Jena, 4. Januar 1796

Seitdem Goethe hier ist, haben wir angefangen, Epigramme von *einem* Distichon im Geschmack der „Xenien“ des Martial zu machen. In jedem wird nach einer deutschen Schrift geschossen. Es sind schon seit wenig Tagen über zwanzig fertig, und wenn wir etliche Hundert fertig haben, so soll sortiert und etwa ein Hundert für den „Almanach“ beibehalten werden. Zum Sortieren werde ich Sie und Körnern vorschlagen. Man wird schrecklich darauf schimpfen, aber man wird sehr gierig darnach greifen, und an recht guten Einfällen kann es natürlicherweise unter einer Zahl von hundert nicht fehlen. Ich zweifle, ob man mit einem Bogen Papier, den sie etwa füllen, so viele Menschen zugleich in Bewegung setzen kann, als diese „Xenien" in Bewegung setzen werden.

SchiNa XXVIII, 155

868. FUNK AN KÖRNER

Jena, 17. Januar 1796

Goethe ist der einzige, der die Zeit, wo er in Jena ist, viel mit Schillern lebt. Er kömmt alle Nachmittage um 4 Uhr und bleibt bis nach dem Abendessen.

Gewöhnlich tritt er schweigend herein, setzt sich nieder, stützt den Kopf auf, nimmt auch wohl ein Buch oder einen Bleistift und Tusche und zeichnet. Diese stille Szene unterbricht etwa der wilde Junge [Karl] einmal, der Goethen mit der Peitsche ins Gesicht schlägt, dann springt dieser auf, zaust und schüttelt das Kind, schwört, daß er ihn einmal wurzeln oder mit seinem Kopf Kegel schieben müsse, und ist nun, ohne zu wissen wie, in Bewegung gekommen ...

Auf alle Fälle taut er beim Tee auf, wo er eine Zitrone und ein Glas Arrak bekömmt und sich Punsch macht.

Gespr I, 628f.

869. SCHILLER AN WILHELM VON HUMBOLDT

Jena, 25. Januar 1796

Woltmann sagte mir, daß eine ganz saft- und kraftlose Rezension des „Reineke Fuchs" jetzt für die „Literatur-Zeitung" eingeschickt worden; eine so schlechte, daß sogar Hufeland auf Unterdrückung derselben votiert habe. Ich zweifle nicht, daß man, Goethen und mir zulieb, sie wirklich unterdrücken wird, wenn *ich* eine andere verspreche. Aber so gern ich diese Arbeit übernähme ..., so wissen Sie doch, lieber Freund, daß ich jetzt von meiner poetischen Aktivität mich nicht wohl zerstreuen kann. Ich gäbe daher sehr viel darum, wenn Sie an meiner Statt diese Arbeit übernähmen; ich würde dann, da wir in unsern kritischen Grundsätzen so sehr harmonieren, die Rezension als die meinige in die „Literatur-Zeitung" geben. Wollten Sie dieses nicht, so könnte sie, was noch besser wäre, zu einem Aufsatz für die „Horen" dienen. Da der „Reineke Fuchs", wenn man gerecht sein will, das beste poetische Produkt ist, was seit so vielen, vielen Jahren in Umlauf gekommen ist, und sich mit Recht an die ersten Dichterwerke anschließt, so ist es in der Tat horribel, daß er so schlecht behandelt werden soll. Goethe weiß von meiner Idee nichts, und ich werde ihm auch nicht eher etwas davon sagen, als wenn sie schon ganz ausgeführt ist; aber ich betrachte es als meine eigene Angelegenheit, zu machen, daß man entweder eine andere Meinung davon bekomme oder sich doch derjenigen schäme, die man davon hat.

SchiNa XXVIII, 173f.

870. SCHILLER AN WILHELM VON HUMBOLDT

Jena, 1. Februar 1796

Die „Xenien", von denen ich Ihnen einmal schrieb, haben sich nunmehr zu einem wirklich interessanten Produkt, das in seiner Art einzig werden dürfte, erweitert. Goethe und ich werden uns darin absichtlich so ineinander verschränken, daß uns niemand ganz auseinanderscheiden und absondern soll ... Eine angenehme und zum Teil genialische Impudenz und Gottlosigkeit, eine nichts verschonende Satire, in welcher jedoch ein lebhaftes Streben nach einem festen Punkt zu erkennen sein wird, wird der Charakter davon sein. *Unter* 600 Monodistichen tun wir es nicht, aber womöglich steigen wir auf die runde Zahl 1000 ... Es ist auch zwischen Goethe und mir förmlich beschlossen, unsre Eigentumsrechte an die einzelnen Epigrammen niemals auseinanderzusetzen, sondern es in Ewigkeit auf sich beruhen zu lassen; welches uns auch wegen der Freiheit der Satire zuträglich ist.

SchiNa XXVIII, 181f.

871. CHARLOTTE SCHILLER AN FRIEDRICH VON STEIN

Jena, 10. Februar 1796

Goethe war vorigen Monat vierzehn Tage hier und recht heiter und froh. Wir zeichnen zusammen, und ich habe schon manches gelernt. In einigen Tagen kömmt er wieder und bleibt länger hier. Sein gleiches freundschaftliches Verhältnis mit Schiller macht mir viele Freude, und es ist beiden dadurch ein neuer schöner Lebensgenuß aufgegangen.

Fritz von Stein I, 134

872. KAROLINE BÖHMER AN LUISE GOTTER

Braunschweig, 10. Februar 1796

Schillern hängt *das Ideal* gar zu sehr nach [im „Musenalmanach für das Jahr 1796"]; er meint, es ist schon gut, wenn er's nur ausspricht. Das hat mich sehr divertiert, daß man die „[Venezianischen] Epigramme" abseits getan, eine Schranke gezogen und sie, sozusagen wie junge Ferklein, in ein Köfchen allein gesperrt hat. Es sind muntre Dinger, und ich mag sie gern.

Car I, 381 f.

873. SCHILLER AN HUBER

Jena, 10. Februar 1796

Auch Goethen sage ich nichts davon, da er gar kein Freund der Emigrierten ist, die in Weimar alle über ihn klagen. Zwar tut er keinem was zuleide, aber er nimmt sich auch keines an und würde ihre Anzahl eher zu vermindern als zu vermehren wünschen.

SchiNa XXVIII, 190

874. BÖTTIGER AN SCHULZ

Weimar, 24. Februar 1796

In unsrer weimarischen Welt bleibt's beim alten. Die heiligen drei Könige [Goethe, Schiller und Herder] beschatten und bewetterleuchten einander wie sonst. Goethe, der seine Winterassembleen wieder hält, aber nur die Zimmer und Lichter gibt – er selbst arbeitet bei Schiller in Jena, mit dem er ganz zusammengeflossen ist –, hat doch allerliebste Epigramme im Schillerschen Almanach geliefert. Können Sie denken, daß das Publikum gänseköpfig genug ist, das † [Venezianisches Epigramm Nr. 66] für Gott weiß welches Geheimnis auszudeuten, da es doch vor den Augen steht, daß er den Judengalgen selbst meint.

GoeJb I, 317

875. CHARLOTTE VON STEIN AN IHREN SOHN FRIEDRICH

Weimar, um den 25. Februar 1796

Ich hatte ihn seit ein paar Monaten nicht gesehen. Er war entsetzlich dick, mit kurzen Armen, die er ganz gestreckt in beide Hosentaschen hielt. Schiller hatte seinen schönen Tag und sah neben ihm wie ein himmlischer Genius aus; seine Gesundheit war leidlich, und die blasse Ruhe auf seinem Gesicht machte ihn interessant. Ich möchte nur wissen, ob ich dem Goethe auch so physiognomisch verändert vorkomme als er mir. Er ist recht zur Erde worden, von der wir genommen sind. Der arme Goethe, der uns sonst so liebhatte!

Stein II, 38 f.

876. WILHELM VON HUMBOLDT AN SCHILLER

Berlin, 27. Februar 1796

Auch habe ich am „Fuchs" wirklich schon nicht wenig getan ..., auch den alten Text in mehrern Ausgaben verglichen. Ob ich hievon gleich gar keinen eigentlichen Gebrauch machen ... werde, so habe ich doch diese Vergleichung sehr gut genutzt. Sie hat mir gedient, zu sehen, was Goethe eigentlich selbst getan hat, und dies ist nicht sowohl viel als vielmehr alles. Im einzelnen hat er fast nichts abgeändert, oft dieselben Worte gelassen, aber dennoch ist das Ganze durch ihn schlechterdings etwas anderes geworden. Dasjenige nämlich, was eigentlich poetische Form daran ist, dasjenige, wodurch es zu der *Phantasie* des Lesers spricht und seinen ästhetischen Sinn rührt, gehört ihm ganz und ganz allein ... Wodurch Goethe dies bewirkt hat, ist schwer zu bestimmen, und ich habe an einzelnen Stellen vergeblich darüber gegrübelt. Das Silbenmaß, das es dem Griechischen näherbringt, tut viel; aber da es so äußerst lose und leicht behandelt ist, auch wieder nicht viel. Die Hauptsache liegt wohl in der Sprache, in dem Periodenbau, endlich und vorzüglich in der Behandlungsart des Genies, die sich nicht einzeln und mit Worten bestimmen läßt.

SchiNa XXXVI/1, 131 f.

877. LAVATER AN JOHANN GEORG MÜLLER

Zürich, 28. Februar – 1. März 1796

Goethes „Bekenntnis einer schönen Seele" [in „Wilhelm Meisters Lehrjahren"] hab ich nur an einem dritten Ort flüchtig gesehen und doch kaum aus der Hand legen können. Auch Geßner fand es über allen Begriff christlich von Goethe. Eine verstorbne auserwählte Freundin [Susanna Katharina von Klettenberg], die auch Goethes vertrauteste, schwesterliche Freundin war, versicherte mich oft, daß sie gegründete Hoffnung habe, Goethe würde noch einst als ein vorzüglicher Christ sein Leben enden ...

[1. März] Gestern und heut las ich das „Bekenntnis einer schönen Seele"! Hätt ich diese schöne Seele (es ist gewiß *die* Freundin, von welcher ich eben sprach) nicht darin erkannt, es hätte mich viel weniger interessiert. Itzt kam's mir doch nur als ein klein Gemälde in einer enorm breiten Rahm vor. Ich weiß nicht, warum mir alles so leer, so wortreich, so zwecklos und ärmlich vorkommt, was ich diese Zeit her lese.

Mich dünkt immer, unsere Autoren haben keinen Respekt, weder vor der Zeit noch ihren Lesern, noch sich selber. So wenige denken ihren Lesern was Wahres, Gewichtiges, Reichhaltiges, Applikables, Unvergeßliches zu geben!

La 368 f.

878. SCHILLER AN WILHELM VON HUMBOLDT

Jena, 21. März 1796

Was ich in meinem letzten Aufsatz [„Beschluß der Abhandlung über naive und sentimentalische Dichter ...“] über den Realism gesagt, ist vom Wallenstein im höchsten Grade wahr. Er hat nichts Edles, er erscheint in keinem einzelnen Lebensakt groß, er hat wenig Würde und dergleichen, ich hoffe aber nichtsdestoweniger, auf rein realistischem Wege einen dramatisch großen Charakter in ihm aufzustellen, der ein echtes Lebensprinzip in sich hat. Vordem habe ich, wie im Posa und Carlos, die fehlende Wahrheit durch schöne Idealität zu ersetzen gesucht; hier im „Wallenstein“ will ich es probieren und durch die bloße Wahrheit für die fehlende Idealität (die sentimentalische nämlich) entschädigen ...

Daß Sie mich auf diesem neuen und mir ... fremden Wege mit einiger Besorgnis werden wandeln sehen, will ich wohl glauben. Aber fürchten Sie nicht zuviel. Es ist erstaunlich, wieviel Realistisches schon die zunehmenden Jahre mit sich bringen, wieviel der anhaltendere Umgang mit Goethen und das Studium der Alten, die ich erst nach dem „Carlos“ habe kennenlernen, bei mir nach und nach entwickelt hat. Daß ich auf dem Wege, den ich nun einschlage, in Goethens Gebiet gerate und mich mit ihm werde messen müssen, ist freilich wahr; auch ist es ausgemacht, daß ich hierin neben ihm verlieren werde. Weil mir aber auch etwas übrigbleibt, was *mein* ist und *er* nie erreichen kann, so wird sein Vorzug mir und meinem Produkt keinen Schaden tun, und ich hoffe, daß die Rechnung sich ziemlich heben soll ...

Übermorgen ... reise ich auf vierzehn bis achtzehn Tage nach Weimar, wenn meine Gesundheit es erlaubt. Ich habe Goethen versprochen, während Ifflands Anwesenheit, der am Karfreitag ankommt, ihm Gesellschaft zu leisten, damit er für Iffland um so eher eine Sozietät eröffnen könne. Er wollte nicht gern zuviel Anstalten Ifflands wegen machen, und doch wissen Sie, daß man in Weimar alles aufbieten muß, um auch nur etwas von Sozietät zu haben. Nun geht ein Teil der Sozietätsarrangements auch auf meinen Namen, und wenn wir beide, Goethe und ich, zusammen sind, so verwandelt sich die ganze Historie in eine Komödie für uns.

SchiNa XXVIII, 204f.

879. CHARLOTTE VON STEIN AN IHREN SOHN FRIEDRICH

Weimar, 14. April 1796

Sein kleiner August kommt jetzt oft als Spielkamerad vom kleinen Schiller zu mir. Es scheint ein gutes Kind. Ich schenkte ihm einige Spielereien, die ihn sehr freuten, und nach drei verschiedenen Pausen, wo er sich vermutlich einzeln die Geschenke in seinem Köpfchen rekapitulierte, sagte er allemal ein recht ausgesprochenes: „Ich bedanke mich." Ich kann manchmal in ihm die vornehmere Natur des Vaters und die gemeinere der Mutter unterscheiden. Einmal gab ich ihm ein neu Stück Geld; er drückte es an seinen Mund vor Freuden und küßte es, welches ich sonst am Vater auch gesehen habe. Ich gab ihm noch ein zweites Stück, und da rufte er aus: „Alle Wetter!" Vor einigen Tagen schickte mir Goethe durch den Kleinen ein dick Paket ... Akten ..., die Du bei ihm hattest liegenlassen, und schrieb mir ein recht papiernes Billett dazu. Hat er Dir wohl auf die drei Briefe, die Du ihm nacheinander schriebst, geantwortet?

Schillers sind nun beinahe vier Wochen hier, und Goethe macht Anschläge, im Fall er Ifflanden nicht hier fürs Theater engagieren kann, dem Schiller die Theaterwirtschaft, welche er zeither verwaltet, zu übergeben, da er nach Italien geht.

Stein II, 41

880. KÖRNER AN SCHILLER

Dresden, 15. April 1796

... freut mich besonders Dein Verhältnis mit Goethen immer mehr. Seine mannigfaltigen Attentionen für Dich und das Zutrauen, mit dem er Dich über eines seiner Lieblingsprodukte [„Egmont"] schalten und walten läßt, beweisen für seine herzliche Anhänglichkeit. Eure Verbindung muß für euch beide eine Quelle von vielem Genuß sein, und für die Kunst habe ich große Erwartungen davon, deren Erfüllung fast bloß von Deiner Gesundheit abhängt. Ich sehe eine Möglichkeit, wie ihr *zusammen* ein dramatisches Werk hervorbringen könntet – und was würde das werden! Aber auch ohne diesen Fall müssen sich in euren Werken die köstlichsten Folgen von dieser gegenseitigen Annäherung immer mehr zeigen. Eure Verschiedenheit konnte fast nicht besser ausgesucht werden, um eurem Verhältnisse die größte mögliche Würze zu geben.

SchiNa XXXVI/1, 184

881. BÖTTIGER AN SCHULZ

Weimar, 13. Mai 1796

Iffland aus Mannheim hat hier vier Wochen lang durch sein Meisterspiel alles entzückt, und ich soll nun, so will es die Herzogin und Goethe, etwas in Druck ergehen lassen. Göschen will es mit aller Pracht seiner Offizin auszieren. Ist das Glück uns hold, so kommt Iffland zu Michaelis ganz zu uns, reformiert unser ganzes Theaterwesen und versucht, ob unser kleines Weimar wo nicht das prächtigste, doch das kunstreichste Theater in Deutschland besitzen könne. Da Goethe Anfangs August mit dem Herzog nach Italien geht, so muß eine neue Theaterdirektion stattfinden. Dies und die anerkannte Vortrefflichkeit Ifflands bewogen den Herzog, ihm alle Bedingungen zu bewilligen, die er vorläufig machte...

Legen Sie nun ernstlich Hand an Ihre „Italienische Reise". Sonst kommt Ihnen Goethe zuvor. Denn wie mir Unger unterderhand verraten hat, wird er gleich nach Goethes Zurückkunft eine artistische Reise von Goethe erhalten, dergleichen noch nie erhört und gesehn war. Der Goethische Kammerherr Meyer ist schon seit Jahr und Tag in Italien und hat dem, der da kommen soll, die Stätte bereitet. Darum wird auch Goethe seinen „Wilhelm Meister“ auf einmal schließen und die auf acht Bände geschürzten Knoten mit seinem unwiderstehlichen Genieschwert mächtig zerhauen.

GoeJb I, 318f.

882. CHARLOTTE VON STEIN AN IHREN SOHN FRIEDRICH

Weimar, nach dem 16. Mai 1796

Goethe ist noch immer in Jena. Es kam eben, wie ich da war, eine kleine „Viktoria“ von Dresden für ihn an. Er setzte sie am Tisch vor sich und meinte, beim Essen und Trinken sei am besten von der Kunst zu sprechen. Er nahm auch wirklich an nichts viel weiter Anteil, und zuletzt hatte er das Glas Wein in der einen Hand und die Viktoria in der andern.

Stein II, 44

883. CHARLOTTE VON STEIN AN CHARLOTTE SCHILLER

Weimar, 2. Juni 1796

Über Schillers heiteres Aussehen habe ich mich gefreut; grüßen Sie ihn recht schön von mir, und wenn Sie's für gut finden, so sagen Sie auch dem dicken Geheimrat einen guten Abend in meinem Namen.

SchFr II, 311f.

884. BÖTTIGER AN WIELAND

Weimar, 6. Juni 1796

Jetzigen Freitag wird man die Herzogin [Anna Amalia] mit „Erwin und Elmire“ überraschen, wobei die Göchhausen die Theaterdirektion hat ... Goethe hat die zwei Dutzend Hemden für seine Reise nach Italien wieder abbestellen lassen und entschädigt sich wegen dieser Fehlschlagung durch den Weihrauch, mit dem ihn Schiller und [August Wilhelm] Schlegel in Jena, wohin ihm nun auch die Donna Vulpia nachgefolgt ist, bis zum Ersticken umräuchern.

GoeJb IV, 324

885. FRIEDRICH SCHLEGEL AN SEINEN BRUDER AUGUST WILHELM

Pillnitz, 15. Juni 1796

Gestern war ein Götterfest für mich. Ich las die Idylle [„Alexis und Dora“]. Nur einmal; aber wenn es auch das einzige Mal bliebe, so würde sie nie aus meinem Gedächtnis verlöschen. Es hat mich mit Entzücken durchdrungen. Das „Ewig!“ ging mir durch Mark und Bein. Eine wollüstige Träne fiel auf das Blatt. Wie zart ist nicht die Rede des Mädchens! Es ist mir lieber als alles, was Goethe je über Liebe metrisch gedichtet hat ... Er hat übrigens sehr recht, es eine Idylle zu nennen. Es ist wirklich eine, nur nicht im modern Schillerschen Sinn, sondern im griechischen. Doch versteht sich's, daß sie mehr wert ist als alle Theokritischen und dergleichen.

Wer so dichten kann, ist glücklich wie ein Gott!

Schls 284f.

886. JEAN PAUL AN OTTO

Weimar, 18. Juni 1796

Schon am zweiten Tage warf ich hier mein dummes Vorurteil für große Autoren ab, als wären's andere Leute. Hier weiß jeder, daß sie wie die Erde sind, die von weitem im Himmel als ein leuchtender Mond dahinzieht und die, wenn man die Ferse auf ihr hat, aus boue de Paris besteht und einigem Grün ohne Juwelennimbus. Ein Urteil, das ein Herder, Wieland, Goethe etc. fällt, wird so bestritten wie jedes andere, das noch abgerechnet, daß die drei Turmspitzen unserer Literatur einander – meiden. Kurz, ich bin nicht mehr dumm. Auch werd ich mich jetzt vor keinem großen Mann mehr ängstlich bücken, bloß vor dem tugendhaftesten. Gleichwohl kam ich mit Scheu zu Goethe. Die Ostheim [Charlotte von Kalb] und jeder malte ihn ganz kalt für alle Menschen und Sachen auf der Erde. Ostheim sagte, er bewundert nichts mehr, nicht einmal sich; jedes Wort sei Eis, zumal gegen Fremde, die er selten vorlasse; er habe etwas Steifes, reichstädtisches Stolzes; bloß Kunstsachen wärmen noch seine Herznerven an (daher ich Knebel bat, mich vorher durch einen Mineralbrunnen zu petrifizieren und zu inkrustieren, damit ich mich ihm etwan im vorteilhaften Lichte einer Statue zeigen könnte. Ostheim rät mir überall Kälte und Selbstbewußtsein an.). Ich ging, ohne Wärme, bloß aus Neugierde. Sein Haus frappiert, es ist das einzige in Weimar in italienischem Geschmack, mit solchen Treppen, ein Pantheon voll Bilder und Statuen. Eine Kühle der Angst presset die Brust. Endlich tritt der Gott her, kalt, einsilbig, ohne Akzent. Sagt Knebel zum Beispiel: „Die Franzosen ziehen in Rom ein." – „Hm!" sagt der Gott. Seine Gestalt ist markig und feurig, sein Auge ein Licht (aber ohne angenehme Farbe). Aber endlich schürete ihn nicht bloß der Champagner, sondern die Gespräche über die Kunst, Publikum etc. sofort an, und – man war bei Goethe. Er spricht nicht so blühend und strömend wie Herder, aber scharf-bestimmt und ruhig. Zuletzt las er uns – das heißt spielte er uns* – ein ungedrucktes herrliches Gedicht vor [„Alexis und Dora"], wodurch sein Herz durch die Eiskruste

Jean Paul
(Johann Paul Friedrich Richter)

die Flammen trieb, so daß er dem enthusiastischen Jean Paul (mein Gesicht war es, aber meine Zunge nicht...) die Hand drückte. Beim Abschied tat er's wieder und hieß mich wiederkommen. Er hält seine dichterische Laufbahn für beschlossen. Beim Himmel, wir wollen uns doch lieben! Ostheim sagt, er gibt nie ein Zeichen der Liebe. 1000000 etc. Sachen hab ich Dir von ihm zu sagen.

* Sein Vorlesen ist nichts als ein tieferes Donnern, vermischt mit dem leisen Regengelispel: es gibt nichts Ähnliches.

JP II, 211 f.

887. CHARLOTTE GRÄFIN VON SCHIMMELMANN AN SCHILLER

Seelust bei Kopenhagen, 18. Juni 1796

Purgstall hat Goethe besser verstanden, so schien es mir, als die meisten, die ihn sahen. Daß *Sie* mit ihm glückliche Stunden zubringen, daß *er* in Ihrem Umgang sein besseres Wesen findet, hatte ich schon von Purgstall gehört, und gerne gehört. In Ihrem letzten Brief bestätigen Sie dieses. Auch nennen Sie „Wilhelm Meister", so wie ich es begreife, nicht ganz so, wie ich es selbst empfinde; ein solches *Kunstwerk* konnte ich im ganzen kaum bewundern; mein ungeübtes Auge erblickte nur einzelne Szenen, die mich aber auch hinrissen, ich gestehe es. Eine so tiefe Menschenkenntnis verdient Bewunderung; obgleich ich die Menschen nicht gerne bloß unter einer gewissen Gestalt gezeichnet sehe, kann ich nicht ihre Wahrheit verkennen. Mit diesem Buche ist es mir gegangen, als sähe ich ein schönes Gemälde der École Flamande – es sind nicht meine Lieblingsstücke. Ich habe Raffael lieber; seine Ideale sind mir näher als alle detaillierte Würklichkeit, die mich umgibt. Doch fühle ich, daß dieses in mir liegt.

SchiNa XXXVI/1, 233 f.

888. CHARLOTTE VON STEIN AN CHARLOTTE SCHILLER

Weimar, 19. Juni 1796

Augustchen brachte mir gar letzt seinen Vater geführt, als ich unter den Orangenbäumen vor meinem Hause saß. Er nahm es an, sich neben mich zu setzen. Es ist mir noch immer unbegreiflich, daß er mir so fremd werden konnte.

SchFr II, 312f.

889. CHARLOTTE VON KALB AN JEAN PAUL

Jena, 19. Juni 1796

Goethe hab ich immer wahr gefunden in seinen Äußerungen. Die Zukunft wird's Ihnen zeigen. Sie sind ein Wesen, das ihn interessieren muß.

ChKalb 13

890. SCHILLER AN KÖRNER

Jena, 27. Juni 1796

Ich erhalte soeben das Ende von „Wilhelm Meister“, habe angefangen, darin zu lesen, und nun bin ich ganz voll davon...

Ein klein Gedichtchen aus dem achten Buch „Meisters“ [„So laßt mich scheinen ...“] will ich Dir doch geschwind abschreiben. Es ist himmlisch, es geht nichts darüber.

SchiNa XXVIII, 230f.

891. CHARLOTTE VON STEIN AN CHARLOTTE SCHILLER

Weimar, Juni 1796

Ich kann immer das Epigramm „Frech wohl bin ich geworden“, das man mir eben vorlas, wie ich so krank war, nicht aus meinem Kopfe kriegen und kann nicht ausfindig machen, ob der naive und sentimentalische Dichtergeist darin beisammensteht. Aber meinem Spitz muß ich's immer vorsagen, wenn ihm so recht hündisch wohl ist, denn er ist mir recht treu und recht fromm; er beißt niemanden und ist wirklich kein Schuft.

SchFr II, 311

892. KIRMS AN IFFLAND

Weimar, 7. Juli 1796

Goethe schätzt Sie hoch, was Sie aus dem Empfang und aus dem ganzen Benehmen mit Ihnen müssen bemerkt haben. Sie vermissen vielleicht eine Herzlichkeit an ihm; das kann sein. Von dieser Seite zeigt er sich nicht oft und alsdann nur, wenn er die Menschen lange geprüft und bewährt gefunden hat.

Th 61

893. KÖRNER AN SCHILLER

Dresden, 8. Juli 1796

Das Gedicht [„So laßt mich scheinen ..."] von Goethe ist herrlich; aber Du mußt die Bescheidenheit nicht übertreiben. In dieser Gattung kann Goethe Vorzüge vor Dir haben; aber diese Gattung ist nicht die ganze Sphäre der Dichtkunst ... Der gestaltlose Gedanke ist bei Dir immer das erste. Diesem soll die Phantasie *dienen,* um ihm eine Gestalt zu geben. Bei Goethen ... ist das *Spiel* der Phantasie das erste. Durch dies entsteht die Gestalt. Sie kann nie geistlos sein, da sie sein Produkt ist, aber ob sie geistvoll sei, kümmert ihn nicht ... Du herrschest unumschränkter über die Sprache. Auch im Versbau bist Du strenger gegen Dich selbst und duldest solche Nachlässigkeiten nicht, die man auch zuweilen in Goethens besten Gedichten findet. So hast Du auch den Effekt des Theaters mehr studiert ...

Ich freue mich, daß Du den „Meister" beurteilen willst. Dich wird diese Beschäftigung interessieren und Dich auf manche fruchtbare Ideen bringen, und dann ist mir's um Goethens willen lieb. Um uns Werke von solchem Umfange zu liefern, bedarf er einer Aufmunterung. Für den deutschen Dichter gibt es keine Hauptstadt. Sein Publikum ist zerstreut und besteht aus einzelnen Köpfen, die seinen Wert zu schätzen wissen, aber deren Stimme selten laut wird. Die unsichtbare Kirche bedarf eines Repräsentanten, sonst glaubt der Dichter in einer Wüste zu sein; und zu diesem Repräsentanten schickt sich niemand besser als Du.

SchiNa XXXVI/1, 258f.

894. CHARLOTTE VON KALB AN JEAN PAUL

Jena, 9. Juli 1796

Wir sprachen von Goethens Idylle [„Hermann und Dorothea"], die Goethe Ihnen wohl auch vorgelesen. Schiller findet es eines seiner besten Kompositionen. Mir hat's auch sehr gefallen – Gedanken, Komposition –, aber mir scheint's, für die Wesen interessiert man sich nicht, von denen gedichtet wird. Der Jüngling ist ein Dichter und kein Liebhaber, das Mädchen verliebt und keine Geliebte.

ChKalb 16

895. WILHELM VON HUMBOLDT AN SCHILLER

Berlin, 16. Juli 1796

Das Geständnis, das mir Ihr letzter Brief ablegt, daß Sie lieber in Goethes Individualität jetzt als in der Ihrigen leben, ist mir ein neuer und schöner Beweis, wie sehr auch das selbständigste eigne Genie von der Anerkennung eines fremden durchdrungen sein kann. Ihre eigne Produktionskraft lähmen, wie Sie sagen, wird dies Gefühl sicherlich nur in sehr wenigen vorübergehenden Momenten.

SchiNa XXXVI/1, 272

896. KAROLINE SCHLEGEL AN LUISE GOTTER

Jena, 18. Juli 1796

Gestern nachmittag, da ich allein war, meldet man mir den Herrn Geheimrat. Ohngemeldet hätte ich ihn nicht erkannt, so stark ist er seit drei Jahren geworden. Er war gar freundlich, freute sich, mich in so angenehmen Verhältnissen zu treffen, sagte viel Schönes von [August Wilhelm] Schlegel, bis dieser selbst kam. Er hat mir gedroht, oft, auf seinem Weg ins Paradies, bei uns einzusprechen. Wir gingen nachher zu Schillers und abends in den großen hiesigen Klub, wo er an beiden Orten war. Diesmal wird er nicht lange bleiben; er hat nur das Ende von „Wilhelm Meister" herübergebracht, um mit Schiller darüber zu sprechen.

Car I, 391

897. KAROLINE SCHLEGEL AN KARL SCHLEGEL UND DESSEN FRAU

Jena, Juli 1796

Goethe hat den letzten Teil des „Wilhelm Meister", hinter sich aufs Pferd gebunden (denn er reitet trotz seiner Korpulenz wacker darauf los), in Manuskript herübergebracht, und Schiller sagte gestern, daß er uns in den nächsten Tagen zu einer Vorlesung desselben einladen würde ... Es hat mir große Freude gemacht, Goethen, und zwar so holdselig, wiederzusehn. Er sprach davon, wie lustig und unbefangen wir damals noch alle gewesen wären und wie sich das nachher so plötzlich geändert habe ... Jena scheint mir ein grundgelehrtes, aber doch recht lustiges Wirtshaus zu sein.

Car I, 392f.

898. CHARLOTTE VON STEIN AN IHREN SOHN FRIEDRICH

Weimar, 2. September 1796

Daß Du gesonnen bist, in preußische Dienste zu gehen, habe ich aus einem Brief gesehen, den Du Goethen geschrieben. Mit allem guten Willen, den ich bei ihm bemerkte, fürchte ich, er wird wegen seiner allzu literarischen Existenz zu unbehülflich sein, Dir mit Geschick aus der Sache zu helfen. Er war nur einen Augenblick hier und ist wieder nach Jena. Ich bat ihn, es noch etwas zu überlegen; alsdann will er mir den Brief an Dich offen schicken. Er sagte, er habe gar keinen Einfluß auf den Herzog ...

Den 17. gehe ich nach Kochberg. Deine Sachen will ich erst vorher einpacken; es ist mir traurig, in Deine Stube zu gehen, Goethe ... will mir helfen einpacken, denn mit den Büchern hast Du mir zu unbestimmt geschrieben, und er weiß besser wie ich, welche Dir am nötigsten sind.

Stein II, 51, und Bode I, 564

899. KAROLINE SCHLEGEL AN LUISE GOTTER

Jena, 4. September 1796

Goethe ist jetzt wieder hier und läßt das Theater arrangieren. Sonst gibt er sich diesmal viel mit Raupen ab, die er totmacht und wieder auferweckt.

Wenn Du den [„Xenien"-]„Almanach" siehst, so wirst Du auch sehn, wie er sich seither mit dem Totschlagen abgegeben hat. Er ist mit einer Fliegenklappe umhergegangen, und wo es zuklappte, da wurde ein Epigramm. Schiller hat ihm treulich geholfen; sein Gewehr gibt keine so drollige Beute von sich, aber ist giftiger. Goethe hat ein[e] Parodie auf den „Kalender der Musen und Grazien" gemacht, die einem das Herz im Leibe bewegt. Es heißt die „Musen und Grazien in der Mark".

Car I, 397

900. CHARLOTTE VON STEIN AN IHREN SOHN FRIEDRICH

Weimar, 8. September 1796

Der kleine August hat eine rechte Anhänglichkeit an mich und besucht mich immer und ist ein recht besonnenes Kind, aber er hat etwas Trauriges, als wenn er schon einmal den Trug dieses Lebens erfahren hätte.

Stein II, 53

901. RAHEL LEVIN AN DAVID VEIT

Teplitz, 21. September 1796

Sie [Marianne Meyer] wird Ihnen eine Idylle [„Alexis und Dora"] von Goethe zeigen, welche im künftigen „Musenalmanach" stehen wird, von der ich nicht schweige, weil ich will, sondern weil ich muß. Ich werde – doch noch – alle Tage empfindlicher, und Goethe und ich sind so konfundiert in mir, daß ich mit seinen Worten empfinde, so falsch es ist, nicht einmal denke.

Ja, ja, es geht noch immer crescendo. Der weiß es, was ich meine; er kann *alles sagen.* Es ist ein Gott! Lesen Sie die Idylle. Glauben Sie nicht, daß ich wegen der Idylle so frisch rase. Nein, „Iphigenie" lasen wir gestern und „Tasso" *vorher.* Wie die „Iphigenie" ist! Nun goutiere ich sie erst recht.

Rahel II, 223

902. CHARLOTTE VON STEIN AN CHARLOTTE SCHILLER

Kochberg, 26. September 1796

Ist August bei Ihnen? Ehe ich von Weimar abreiste, erzählte er mir, seine Mutter würde im Monat Oktober auf vier Wochen nach Jena gehen, um daselbst reiten zu lernen. Da kann ja Madame Paulus mit ihr reiten.

SchFr II, 314

903. SCHLICHTEGROLL AN BÖTTIGER

Gotha, 3. Oktober 1796

Es ist schade, daß die Herren vor lauter Gift und Galle das Maß des Schicklichen und Honetten oft weit überschritten haben, wodurch sie im Grunde niemanden so sehr schaden als sich selbst ... Wenn nur durch diese neue Erscheinung kein gar zu übler, grober Ton in unserer literarischen Welt eingeführt wird!

GoeJb I, 319

904. KAROLINE HERDER UND HERDER AN GLEIM

Weimar, 7. Oktober 1796

[Karoline:] Vor allen Dingen sende ich Ihnen ein merkwürdiges genialisches Produkt der Muse an der Saale [Schillers „Musenalmanach" für 1797]. Die „Xenien" sind von Goethe und Schiller. Ich möchte wohl Ihr Urteil darüber hören. Wenn Sie Erläuterungen darüber wünschen, so fragen Sie; wir haben das meiste davon herausgekriegt. Wenn wir aber im dunkeln sind, dann fragen wir die Herren nicht ...

[Herder:] Nun, Bester, flugs auf zu den „Xenien", und sehen Sie, wie die *neuen* Musen sich erklären und was für ein neuer Parnaß emporsteigt ... „Das Alte ist vergangen", sagt Sankt Paulus, „das Neue herbeikommen." Wir indessen, Lieber, Guter, Bester, wollen beim Alten bleiben und uns lieben und werthalten. Wir haben mehrere solcher Katzbalgereien erlebt und wissen, was aus ihnen wird.

VaH I, 216

905. BÖTTIGER AN JACOBS

Weimar, 9. Oktober 1796

Der neue Schillersche „Musenalmanach" ist ein wahres Revolutionstribunal, ein Terrorism, gegen welchen alle guten Köpfe in Masse aufstehen müssen.

Es ist mir unbegreiflich, wie Goethe, der sonst so leise

auftretende, furchtsame Zauderer, sich zu einem so *jugendlichen* Mutwillen mit offenem Visier hinreißen lassen konnte. Aber ich erinnere mich noch zum Glück, ihn das Urteil sprechen gehört zu haben: „Das deutsche Publikum erträgt und verschlingt *alles.*"

Gespr I, 649f.

906. SANDER AN BÖTTIGER

Berlin, 15. Oktober 1796

Die ... Epigramme [„Xenien"], wenigstens die zwölf auf Reichardt, konnten mir wahrhaftig kein Vergnügen machen. Gott behüte, wie sind die grob! Ein gewisser großer Mann, von dem sie ohne Zweifel herrühren, ist in allem groß, selbst in der Grobheit. Ich höre von einer guten Freundin, die den Schillerschen „Musenalmanach" schon ganz kennt (durch Herrn von Humboldt, dem Goethe ihn bogenweise geschickt hat), daß man in der Gesellschaft, wo daraus vorgelesen worden ist, auch über die andern Epigramme gegen Nicolai usw. sehr den Kopf geschüttelt hat. Man fällt hier über Goethe ziemlich allgemein (nur die Clique seiner Anbeter ausgenommen, die sogar sein „Märchen" in den „Horen" himmlisch finden) das Urteil, der viele Weihrauch habe ihn schwindlig gemacht und er erlaube sich nun Dinge, die man auch nicht ungeahndet sollte hingehen lassen.

GoeJb XVII, 230f.

907. KAROLINE SCHLEGEL AN LUISE GOTTER

Jena, 15. Oktober 1796

Wie ich höre, sind der falschen Deutungen unzählige. Schützens waren in Leipzig und haben den Spektakel recht mit angesehn. Gutes Kind, wie wirst Du noch erschrecken, wenn Du ihn [den „Xenien"-Almanach] in die Hand nimmst! Freilich sind die Namen voll ausgeschrieben, wenigstens Manso und Nicolai. Das wäre auch nichts; je öffentlicher, je weniger darf man ihnen Vorwürfe über diese hinterlistigen Waffen machen. Sie hätten alles vollaus nennen sollen und sich dazu. Ich kann Dir sagen, daß mir das Ding immer weniger gefällt und ich Schiller (ganz unter uns) seitdem nicht gut bin. Denn das glaub ich: fünf Sechstel rühren von *ihm* her und nur die lustigen und unbeleidigendern von Goethe. Schiller wird aber den Handel auch allein ausbüßen müssen. Er gibt so unendlich viel Prise; man kann ihn bei allen Ecken fassen, und er ist empfindlich, wie eben seine Rache zeigt.

Car I, 399f.

908. JEAN PAUL AN OERTEL

Hof, 22. Oktober 1796

Goethens Charakter ist fürchterlich: das Genie ohne Tugend muß dahin kommen... Fürchterlich weh tat es meinem Herzen, daß G[oethe] ein so nahes wie das des guten Reichardts durchlöchern konnte.

JP II, 261

909. KAROLINE SCHLEGEL AN LUISE GOTTER

Jena, 22. ? Oktober 1796

[In den „Xenien" Nr.] 161–176 kommt Goethe mit der Naturgeschichte und Optik. Ich habe ihn viel darüber reden hören, also versteh ich sie wohl, aber sie können nicht jedermann so lustig dünken wie dem, der ihn diese Epigramme sagen hörte; denn er *macht* die seinigen nicht erst auf dem Papier: sie *entwischen* ihm.

Car I, 403

910. RAHEL LEVIN AN DAVID VEIT

Berlin, 23. Oktober 1796

Von „Meister" zu *sprechen* ist noch nicht genug, den muß man zusammen lesen ... Wie er über Kunst, Musik und Theater spricht ... Überhaupt, die Satisfaktionen, die ich darin erlebe, gehen doch weit ...

Sehen Sie, daß Mignon die interessanteste ist? Das Zucken vom Munde nach der linken Seite nahm mich gleich ein! Wie lieb ist's mir, daß sie starb, und an ihrem eigenen Herzen! Hingegen haß ich die Therese cordialement. Warum ist sie nicht mit einer Perücke geboren? Da wäre ja der Verwalter gleich fertig gewesen! *Gesehen* hab ich sie nun freilich nicht; also hübsch, sehr hübsch kann sie gewesen sein, und ein Lothario kann zuletzt alles, besonders wenn er ehrlich wird oder ist. Daß Wilhelm die nicht bekommen hat, hat mir ordentlich die Brust befreit. Wie meisterhaft ist es von Goethe, seine Personnagen so kennbar zu beschreiben und sprechen zu lassen und nie seine feine und gebildete Sprache zu verleugnen. Wie meisterhaft ist Laertes ... Friedrich aber im letzten Teile, den hat er sprechen *hören;* das erfindet auch *er* nicht. Wie er denn überhaupt oft gehorcht haben muß und das Vertrauen aller Arten von Menschen muß zu besitzen gewußt haben.

Rahel II, 233f.

911. CHARLOTTE VON STEIN AN IHREN SOHN FRIEDRICH

Weimar, 25. Oktober 1796

Es sind mitunter schöne Gedanken drin [im letzten Teil des „Wilhelm Meister"], besonders auf politische Verhältnisse des Lebens, und fängt mit einem Gefühle an, das ich dem Goethe als völligem Erdensohn gar nicht mehr zutraute; auch glaube ich, es ist aus alten Zeiten. Übrigens sind seine Frauens drin alle von unschicklichem Betragen, und wo er edle Gefühle in der Menschennatur dann und wann in Erfahrung gebracht, die hat er all mit einem bißchen Kot beklebt, um ja in der menschlichen Natur nichts Himmlisches zu lassen. Es ist immer, als wenn einen der Teufel zurechtwiese, daß man sich ja nicht etwa in seinen Gefühlen irre und sie vor etwas Besseres halte, als sie wären.

Stein II, 54

912. KÖRNER AN SCHILLER

Dresden, 28. Oktober 1796

Ich sehe im „Meister“ eine Welt im kleinen. Das Darstellungswürdige der menschlichen Natur wird hier zu einem großen Gemälde in der Sukzession vereinigt. Männlichkeit und Weiblichkeit erscheinen in ihren bedeutendsten Gattungen, und zwischen beiden sehen wir Meister als eine mittlere Natur – eine Art von Hermaphrodit. Keine *einzelne* Figur soll die Aufmerksamkeit fesseln; das besondre Interesse für Marianen, Mignon, den Alten wird gleichsam bestraft. Das Schicksal spielt mit den Freuden und Schmerzen der einzelnen Personen; aber das Persönliche in ihnen ist stärker als die Macht des Schicksals.

SchiNa XXXVI/1, 356

913. SCHILLER AN KÖRNER

Jena, 28. Oktober 1796

Goethe hat jetzt ein neues poetisches Werk [„Hermann und Dorothea“] unter der Arbeit, das auch größtenteils fertig ist. Es ist eine Art bürgerlicher Idylle, durch die „Luise“ von Voß in ihm zwar nicht veranlaßt, aber doch neuerdings dadurch geweckt; übrigens in seiner ganzen Manier, mithin Vossen völlig entgegengesetzt. Das Ganze ist mit erstaunlichem Verstande angelegt und im echten epischen Tone ausgeführt ... Die Idee dazu hat er zwar mehrere Jahre schon mit sich herumgetragen, aber die Ausführung, die gleichsam unter meinen Augen geschah, ist mit einer mir unbegreiflichen Leichtigkeit und Schnelligkeit vor sich gegangen, so daß er neun Tage hintereinander jeden Tag über anderthalbhundert Hexameter niederschrieb.

SchiNa XXVIII, 323

914. BÖTTIGER AN SCHULZ

Weimar, 30. Oktober 1796

Goethe war fast den ganzen Sommer in Jena, weil er hier immer mehr seinen Einfluß verliert. Niemand flucht den Franzosen mehr als er, denn durch ihre Invasion und Kunstplünderungen in Italien verderben sie seinen Plan, in der Mitte des Sommers dahin abzugehn. Er muß sich also mit den Berichten genügen lassen, die ihm Meyer pünktlich aus Florenz abstattet, und seine Galle am deutschen Publikum auslassen. Davon haben wir nun eine schöne Portion im neusten Schillerschen „Musenalmanach" durch seine „Xenien" bekommen.

Ich schreibe Vieweg, daß er Ihnen unverzüglich ein Exemplar dieses sansculottischen Ungeheuers zuschicke. Alle, die ihre Knie nicht vor den göttlichen „Horen" gebeugt haben, werden darinnen guillotiniert. Am härtesten ist Nicolai, Reichardt (einst der Günstling Goethes und sein Hofkapellmeister), die Grafen Stolberg ..., Manso ..., Dyk ... und die Newtonianer, die Goethes Offenbarung über die Farben nicht verehren wollen, gegeißelt. Alles ist in Aufruhr über diese Unverschämtheit. Man begreift nicht, wie der furchtsame Goethe so heraustreten konnte. Aber er denkt: künftiges Jahr bist du in Italien! Der Herzog in Gotha, der seinen Liebling Schlichtegroll mit einem aasfressenden Raben verglichen fand, ist äußerst aufgebracht. Schlichtegroll hat nämlich im „Nekrolog" ein sehr hämisches Leben von Moritz einrücken lassen; diese Schmach rächte Goethe ... Dagegen hat nun Goethe seinen „Wilhelm Meister" sehr glorreich geendigt. Auch seine bittersten Feinde müssen dies eingestehn.

GoeJb I, 319f.

915. BÖTTIGER IN SEINEM TAGEBUCH

Weimar, 31. Oktober 1796

Herder klagte darüber, daß Goethe so oft bloß Sophisterei treibe, im Lothario [im „Wilhelm Meister"], dem er überall huldigt, dem Eigenwillen der Großen Kopfkissen unterlegt und in Szenen wie in der Erzählung von Philine, die der Graf Friedrich macht, seine eigene laxe Moral predigt. Den Einfall der Philine, die sich mit schwangerm Leibe im Spiegel sieht und ruft: „Pfui! wie niederträchtig sieht man da aus!", hat Goethe seiner vorigen Geliebten, der Frau von St[ein] abgeborgt. „Man mag unter allen diesen Menschen nicht leben", sagte Herder ferner. „Nichts spricht uns an. Wie ganz anders ist es in Lafontaines Romanen!"

Bö I, 192

916. KNEBEL AN KAROLINE HERDER

Weimar, Ende Oktober 1796

Den „Wilhelm Meister" habe ich endlich gestern nacht auch zu Ende gebracht. Ich bin darauf zu Gaste gegangen und habe also nicht sehr untersucht, was mir eben gefallen sollte, wenn ich nur fortlesen mochte. Und da hab ich doch viel Eigenes, Beziehendes und Gutes gefunden. Sonst hat mich die Lektüre eben nicht in Enthusiasmus gesetzt, und die vielen Liebeshändel nehm ich als Mangel bessern Stoffes für das Interesse an. Lothario war mir leider von allen der Leerste. Es wird so viel von seiner Tätigkeit gesprochen, und er tut gar nichts. Mit den Frauen mögen Sie auch recht haben. Es wird immer zuviel vorausgesetzt. Noch sind einige Radikalübel. Das Umwandern von Wilhelm zu Natalien war mir äußerst widrig.

VaH III, 100

917. CHARLOTTE VON STEIN AN IHREN SOHN FRIEDRICH

Weimar, Ende Oktober 1796

Es ist und bleibt ein Punkt in seinem Herzen, mit dem es nicht just ist.

Stein II, 54

918. CHARLOTTE VON STEIN AN CHARLOTTE SCHILLER

Weimar, 2. November 1796

Aber eigentlich ist mir's politisch nicht recht, daß die beiden guten Freunde diese Späße [„Xenien"] haben drucken lassen. Goethe schadet's zwar nicht, aber Schiller könnte es in der Folge schaden, besonders im Holsteinischen. Man lebt doch nicht vom Verstand allein. Ich denke freilich nicht wie eine Poetin, sondern hausmütterlich.

Sch Fr II, 314 f.

919. SANDER AN BÖTTIGER

Berlin, 8. November 1796

Wen ich noch darüber [über die „Xenien"] gesprochen habe, äußert Indignation; höchstens ein paar Frauenzimmer ausgenommen, die mit der Sprache nicht herauswollen, weil sie Goethe persönlich kennen und nicht gern an das Geständnis gehen, daß auch er sich einmal vergessen habe.

GoeJb XVII, 231

920. CHARLOTTE GRÄFIN VON SCHIMMELMANN AN SCHILLER

Kopenhagen, 8. November 1796

Ach, lieber Schiller, *Sie* sollten nicht, so scheint es mir, sich an der Spitze der Kriegführenden stellen, nicht im Namen der Musen die Geißel [der „Xenien"] schwingen! Verzeihen Sie meine Aufrichtigkeit, ich hörte schon so manches Urteil, so manche giftige Anmerkung, auch aufrichtige Klagen der Gutgesinnten über die enge Verbindung zwischen Schiller und Goethe. Denke ich mir G[oethe] als Verfasser der „Iphigenia" und „Tasso" ppp., so verstehe *ich* für meinen Teil diese Seelenverbindung und wünsche beiden vom Herzen Glück zur innigsten Verbindung. Höre ich aber von der Existenz im Raum die sich Goethe gewählt hat, so werde ich daran ganz irre. Placé entre la cour et la bassecour, seinen Genius im Umgang stets verleugnend, ein unedles Weib an seiner Seite, die ihm vielleicht, wie Therese einst für Rousseau es tat, alles schwarz anstreicht, was ihr nicht ähnlich ist – kurz, ein solches Gemälde von G[oethe] seine Lage (sollte es wahr sein) erklärt mir zu sehr seine Bitterkeit, seine Verachtung gegen das gesamte Menschengeschlecht. Zwar schauet er mit tiefe Blicke ins menschliche Herz herein und findet darum selten echte Tugend; doch diese Allgewalt des Bösen und Niedrigen im Menschen so aufzustellen, ist nicht, so deucht es mir, die Aufgabe eines wahren Weltverbesserers, der in seiner ganzen Würde auftreten will und kann. Sie selbst lehrten uns, Anmut und Würde so hoch zu schätzen, machten sie uns überall so unentbehrlich ... Lassen *Sie* nicht ab, uns das schöne Ideal zu zeigen ...

Glauben Sie auch ja nicht, daß ich Goethe mißverstehe; nur seine jetzige Stimmung ist es, die ich wünschte fern zu sehen, fern von Ihnen! Doch G[oethe]! lese ich seine „Alexis und Dora“ zum Beispiel, so bin ich gleich gewonnen.

SchiNa XXXVI/1, 366f.

921. WEISSE AN UNBEKANNT

Leipzig, 12. November 1796

Der Schillersche „Almanach“ ist aller Welt ein Ärgernis. Grobheit und schaler Witz zeichnen die meisten Epigramme [„Xenien“] aus. Aber es wird den Verfassern wahrlich vergolten werden, und schon schneit es stark Gegen-Epigramme von allen Orten her. Der alte Forster war vor vierzehn Tagen aus Halle hier gewesen und hatte ein ganzes Taschenbuch dergleichen herrezitiert. Von Nicolai erwarte ich die schärfste Lauge, und die Rezensenten werden ihre Geißeln tapfer schwingen. Es kann auch nicht schaden, daß Leuten die Wahrheit gesagt wird, die sich, wie die Verfasser der „Horen“, das Monopol über Geschmack und deutsche Literatur anmaßen wollten.

Huf 39f.

922. CHARLOTTE VON STEIN AN CHARLOTTE SCHILLER

Weimar, 19. November 1796

... ich glaube beinahe, er [Karl von Stein] heiratet gar nicht und nimmt sich zuletzt ein Mamsellchen wie Goethe, denn er findet das so artig an ihm, und mir sind diese Verhältnisse zum Ekel.

Ich hab die Berlepsch nur einmal gesehen; sie war lustig und munter und dick und fett. Vielleicht macht sie jetzt mehr Eindruck auf Goethe, als da sie mager und sentimentalisch war; sie sieht auch etwas gemeiner aus.

SchFr II, 315

923. NICOLOVIUS AN FRIEDRICH HEINRICH JACOBI

Eutin, 20. November 1796

Hier, lieber Vater, kommen die Briefe von Goethe zurück. Ich freue mich Deines Versprechens, über den vierten Band von „Wilhelm Meister" ausführlicher zu schreiben, und freue mich Deines Urteils über ihn in der Antwort an G[oethe]... Du erwartetest am Schluß des dritten Bandes ein Gemälde wie Raffaels „Verklärung", nicht die Arabesken seiner üppigen Meisterhand. Daß G[oethe] Deine Erwartung nicht befriedigt, mag guten Grund haben. Das Ideal, das Deine Seele Dir aufstellt, ist ihm wohl fremde. Gottlob, daß Du der Wahrheit näher bist! Wenigstens glaubt Sokrates es, der im „Philebus" den Edleren, als Lieblingen der Gottheit, Erfüllung ihrer Ahndungen zusagt. Wer diese nicht kennt, geht freilich unangefochtener, wird leicht verstanden ...

Schiller hat seinen „Almanach" an Voß geschickt, der ihn mir mitgeteilt hat unter dem Versprechen der Verschwiegenheit, damit das Ding Stolbergen unbekannt bleibe. Die gottlosen Mäuler! Goethen kleidet der Mutwillen besser; aber bei Schillern ist er doch immer dem Feuer eines Schwindsüchtigen gleich. Hast Du auch gehört, was Voß erfahren, daß G[oethe] und Sch[iller] die „Xenien" bei einer Flasche Champagner gemacht haben? Daß so etwas entstehe, mag ganz natürlich sein; daß es aber gedruckt werde, ist schwerlich sittlich.

JacN I, 185f.

924. CHARLOTTE VON STEIN AN IHREN SOHN FRIEDRICH

Weimar, 22. November 1796

Heute oder morgen wird das Einpacken Deiner Kiste vollendet, und zwar hat Goethe schon zwei Vormittage damit zugebracht und wird heute auch noch einige Stunden damit zubringen. Er macht es sehr ordentlich und gern. Es ist doch schade, daß der Goethe in so dummen Verhältnissen steckt. Er hat Verstand und eine Seite von Bonhomie, und nur sein dummes häusliches Verhältnis hat ihm etwas Zweideutiges im Charakter gebracht.

Auch ich habe manche Päckchen eingepackt. Auch der kleine August hat Münzen eingewickelt.

Stein II, 56

925. GLEIM AN VOSS

Halberstadt, 27. November 1796

Was sagte mein Voß zu den „Xenien"? Sind sie nicht eines Robespeters würdig? Solche Katzbalgereien sollten der Goethe und der Schiller, die man für die Verfasser hält, verabscheuen.

GoeJb XXXIII, 18

926. WIELAND AN REINHOLD

Weimar, 2. Dezember 1796

Goethe, der beinahe fünf Monate in Jena lebte, ist seit fünf bis sechs Wochen wieder hier und fährt fort, ein mir sehr angenehmes Verhältnis mit mir zu unterhalten, wirklich das reinste und einzige, das zwischen uns bestehen kann und soll. Er ist ein sonder- und wunderbarer Sterblicher, aber bei allem dem so sehr *aus einem Stück,* so sehr bona fide alles, was er ist, mit allem seinem Egoismus so wenig übeltätig oder vielmehr im Grunde so gutartig und mit allen Anomalien seiner produktiven Kraft ein Mann von so mächtigem Geist und unerschöpflichen Talenten, daß es mir unmöglich ist, ihn nicht liebzuhaben, wie oft ich auch im Fall bin zu wünschen, daß dies oder jenes anders an ihm wäre. Von *seinem Anteil* an den „Xenien" haben Sie sehr richtig geurteilt. Aber die Welt ist nicht so nachsichtlich, und beide Epigrammatisten haben sich selbst durch diese Ergießung ihrer Laune und – Galle einen unendlichemal größern Schaden getan, als alle ihre literarischen Widersacher und Diaboli ihnen zusammengenommen in ihrem ganzen Leben hätten tun können ... Was mich bei dem allem tröstet, ist, daß sowohl G[oethe] als Sch[iller] es in ihrer Macht haben, durch ebenso gute und noch bessere Geisteswerke, als wir schon von ihnen kennen, in wenig Jahren jede Spur der von ihnen verübten Leichtfertigkeiten wieder auszulöschen – nur diejenigen ausgenommen, die sie (wie in einem tollen Seelenrausch) an einigen edeln, guten und eine *solche* Behandlung auf keine Weise verdienenden Menschen, z. B. an Gleim und an den Stolbergen, begangen haben. Denn solche Avanien können in der Tat weder in dieser noch jener Welt ungeschehen gemacht werden ...

WR 231 f.

927. NICOLAI AN ALTHOF

Berlin, 9. Dezember 1796

Bürger hat einst ein sehr treffendes Epigramm auf Goethe gemacht, da er ihn in der Vorkammer warten ließ und nachher sehr gnädig empfing. Eure Wohlgeboren haben dies kleine Gedicht aus Gründen, welche ich nicht einsehen kann, in Bürgers Gedichten nicht drucken lassen. Ich habe es aber mehrmals vorlesen gehört, und wenn ich nicht irre, so sind Abschriften in mehreren Händen. Bürger hat es mir selbst einmal vorgelesen und würde mir selbst vermutlich eine Abschrift nicht versagt haben, wenn ich ihn darum gebeten hätte.

Nun bin ich aber dabei, mit den Herren Schiller und Goethe wegen ihrer Ungezogenheit in ihrem sogenannten „Musenalmanache" ein Wörtchen zu sprechen, sehr ernsthaft und lustig, wie man's nehmen will, gar nicht in dem Tone, den diese Herren annehmen, aber in einem Tone, den sie vermutlich nicht erwartet haben. Ich verteidige im Grunde die ganze deutsche Literatur, welche solcher Karrenschieberton beschimpft, und damit es fruchte, muß den Herren keine Wahrheit verschwiegen werden, die ihnen nützlich ist.

Dazu wollte ich nun Herrn Goethe freundschaftlich erinnern, er müsse nicht Geheimer Rat sein wollen, wo Dichter zu sein nur etwas wert ist, und um als Dichter etwas wert zu sein, müsse er nicht anfangen, schlechte Gedichte zu machen. Dazu wollte ich nun Bürgers Epigramm haben, denn es wird auch beim Publikum Eindruck machen, daß ein Mann wie Bürger ihm das schon längst sagte. Ich bitte Sie sehr also, mir eine Abschrift mit erster reitender Post zu senden.

Bürg IV, 268f.

928. GLEIM AN HERDER

Halberstadt, 10. Dezember 1796

Falk ist bei Euch. Er sagte mir, Wieland wäre unwillig über die Angriffe, die sich Goethe und Schiller gegen mich erlaubt hätten. Wo find ich diese Angriffe? In den „Xenien" habe ich sie nicht gefunden, und Clamor [Klamer] Schmidt, auf dessen Kommentar Ihr mich verwiesen habt, hat sie nicht nachweisen können. Also müssen's wohl heimtückische Angriffe sein, in Schriftbogen, die ich jetzt nicht mehr lese. Sie mögen übrigens angreifen, so viel und so arg sie wollen; mich kümmert's nicht. Es wäre mir unlieb nur, weil ich mit ein paar Worten gegen die „Xenien" mich erklären wollte. Tät ich's angegriffen, so schien' ich nicht mehr unparteiisch.

VaH I, 219

929. VOIGT AN GOTTLIEB HUFELAND

Weimar, 14. Dezember 1796

Die Anti-Xenien sind platt genug und vielleicht mehr ärgerlich für die Freunde der „Xenien"-Schreiber als für sie selbst. Die Rezension der Hexameter in der Hamburger Neuen Zeitungsbeilage war denn als Ironie doch erträglicher als die Leipziger Grobheit. Mir graut davor, wenn Freund Nicolai erst auftreten wird. Es sollte mich wundern, wenn die Gothaer so ganz ruhig bleiben. Alles das hat man sich aber voraussagen können.

Huf 71

930. CHARLOTTE VON STEIN AN IHREN SOHN FRIEDRICH

Weimar, nach dem 14. Dezember 1796

Herzog und Herzogin und so wir alle finden's nicht unrecht, daß man den zwei Herren [Schiller und Goethe als Verfassern der „Xenien"], welche glaubten, allein auf dem Parnaß zu befehlen, in ihrer Manier geantwortet.

Stein II, 58

931. ALTHOF AN NICOLAI

Göttingen, Mitte Dezember 1796

B[ürger] und G[oethe] hatten sich nie gesehen, aber vormals manchen Brief miteinander gewechselt. G[oethe] hatte diesen Briefwechsel angefangen und, von Bewunderung und Liebe für seinen Bruder im Apoll hingerissen, diesen bald nicht mehr mit *Sie,* sondern mit *du* angeredet. Da nun B[ürger] diese vertrauliche Annäherung erwiderte und G[oethe] in dem einmal angenommenen Tone blieb, so wurden beide schriftlich Duzbrüder.

Als in der Folge G[oethe] zu höheren irdischen Würden emporstieg, da wurde auch die Sprache in seinen Briefen an B[ürger] feierlicher; das *Du* verwandelte sich wieder in *Sie,* und bald hörte der Briefwechsel ganz auf.

Im Jahre 1789 schickte B[ürger] dem Herrn von G[oethe] ein Exemplar von der zweiten Ausgabe seiner Gedichte mit einem höflichen Schreiben zu und machte bald darauf eine Reise, die ihn durch Weimar führte. Er stand bei sich an, ob er's wagen sollte, den Herrn von G[oethe] zu besuchen, weil er von Natur blöde war und sich nach dem, was er von andern wohl gehört hatte, eben keine herzliche Aufnahme von seinem ci-devant Duzbruder versprach. Indessen da seine Freunde ihn mit der Versicherung dazu ermunterten, Herr von G[oethe] sei seit seiner Reise nach Italien leutseliger geworden, da er überdem gerade jetzt einen kleinen Dank für das Geschenk seiner Gedichte und auch wohl eine lehrreiche Beurteilung seiner neuesten Produkte von G[oethe] erwartete, so faßte er ein Herz und verfügt sich an einem Nachmittage in die Wohnung des Ministers.

Hier hört er von dem Kammerdiener, Seine Exzellenz sei zwar zu Hause, aber eben im Begriff, mit dem Herrn Kapellmeister R[eichardt] eine von diesem verfertigte neue Komposition zu probieren. O schön, denkt B[ürger], da komme ich ja gerade zu einer sehr gelegenen Zeit, halte Seine Exzellenz nicht von Staatsgeschäften ab und kann ja wohl zu der Musik auch meine Meinung sagen. Er bittet also den Kammerdiener, Seiner Exzellenz zu melden, B[ürger] aus Göttingen wünsche seine Aufwartung machen zu dürfen. Der Kammerdiener meldet ihn, kommt zurück und führt ihn – nicht in das Zimmer, wo musiziert wird, sondern in ein leeres Audienzzimmer.

In diesem erscheint nach einigen Minuten auch Herr von G[oethe], erwidert B[ürger]s Anrede mit einer herablassenden Verbeugung, nötigt ihn, auf einem Sofa Platz zu nehmen, und erkundigt sich, da B[ürger], der doch einen ganz andern Empfang erwartet hatte, ein wenig verlegen wird, nach – der damaligen Frequenz der Göttingischen Universität. B[ürger] antwortet, so gut er bei seiner Verlegenheit kann, und steht bald wieder auf, um sich zu empfehlen. G[oethe] bleibt mitten im Zimmer stehen und entläßt B[ürger] mit einer gnädigen Verbeugung.

Auf dem Wege nach Hause machte nun B[ürger] nachstehendes Epigramm:

Mich drängt' es, in ein Haus zu gehn,
Drin wohnt' ein Künstler und Minister.
Den edeln Künstler wollt ich sehn
Und nicht das Alltagsstück Minister.
Doch steif und kalt blieb der Minister
Vor meinem trauten Künstler stehn,
Und vor dem hölzernen Minister
Kriegt ich den Künstler nicht zu sehn:
Hol ihn der Kuckuck und sein Küster!

Mit großem Vergnügen teile ich Ihnen ... das verlangte Epigramm mit ... Daß Sie die unerhörte Beleidigung alles literarischen und sittlichen Wohlstandes, deren sich die Sudelköche in Jena und Weimar schuldig gemacht haben, mit Nachdruck rügen wollen, das werden Ihnen Zeitgenossen und Nachkommen verdanken.

Bürg IV, 270f.

932. CHARLOTTE GRÄFIN VON SCHIMMELMANN AN LUISE GRÄFIN ZU STOLBERG

Kopenhagen, 17. Dezember 1796

Schiller hat mir einen reizenden Brief geschrieben, mich herzlich dankend für meinen Tadel. Wenn Goethe wirklich so ist, wie er ihn schildert, muß man diese Verbindung, wovon er und ohne Zweifel auch Goethe so große Erwartungen hegt, verzeihen. Er verspricht mir indessen, daß es das erste und letzte Mal sein wird, daß wir sie so verbündet sehen werden. „Solche Waffen braucht man nur einmal, um sie dann auf immer niederzulegen." Das sind seine Worte. Er behauptet, sie seien dazu gereizt worden und müßten daher einmal für alle wider ihre Gegner zu Felde ziehen. Sein Brief ist im zartesten Ton, voller Freundschaft für uns geschrieben, voll Dankes für unseren Rat und meine aufrichtige Sprache. Was Goethe betrifft, sagt er mir, daß dies Weib, welches die Mutter seines Sohnes ist, nur in dieser Eigenschaft in seinem Hause wohnt, daß sie für ihn wirtschafte und nicht zu seiner Gesellschaft gehöre, keinen Einfluß auf ihn habe und daß sein Sohn gut erzogen werde.

Ein junger Edelmann [Friedrich] von Stein, der vom sechsten bis zum neunzehnten Jahre von Goethe erzogen worden, ist nach dem Zeugnis aller das Muster eines Jünglings, „ein vortrefflicher Mensch". Das sind die Gründe, die er für sich sprechen läßt. Sie erklären vieles, wenn sie auch nicht völlig überzeugen.

GoeJb XIV, 351

933. CHARLOTTE GRÄFIN VON SCHIMMELMANN AN SCHILLER

Kopenhagen, 20. Dezember 1796

Ich brauchte keine neue Überzeugung; doch bin ich jetzt über Ihre enge Verbindung mit G[oethe] so ruhig, daß ich mich durch kein fremdes Urteil werde irreführen lassen. Alles, was Sie mir über seine Lage, sein häusliches Wesen sagen, ist mir genug. Ich glaube so gerne an wahre Größe des Geistes und huldige so gerne die echte Tugend ... Ich erwarte sehr viel ... von Ihrer Vereinigung mit G[oethe].

SchiNa XXXVI/1, 408

934. BÖTTIGER IN SEINEM TAGEBUCH

Weimar, 25. Dezember 1796

Man errät schon das Ende. Dorothea, so heißt das Mädchen, wird noch beim Mondschein diesen Abend *heim*geführt. So läuft die ganze Geschichte ununterbrochen fort, in den engen Zeitraum von nachmittag 3 Uhr bis abends um 9 Uhr eingeschlossen.

Man sieht, daß die Fabel des Gedichts so äußerst einfach ist, daß sie sich kaum auch nur erträglich erzählen läßt. Aber desto mehr Breite, desto belebenderes Detail gestattet nun diese scheinbar einfache Alltagsgeschichte. Und hier ist Goethe homerisch groß und *neu.* Stellen wie die Episode, wo die Wirtin erzählt, wie vor einundzwanzig Jahren, als das Städtchen abbrannte, ihr jetziger Mann ihr auf der rauchenden Brandstätte seine Hand anbot; Schilderungen wie der

Gang der Mutter durch Garten, Weinberg, Kornflur mit den bezeichnenden Lokalumständen; Lebenssprüche, wie sie der edle Pfarrherr zu verschiedenen Malen ausspricht, müssen alle Klassen und alle Stände gleich stark ergreifen und hinreißen. War je eine Epopöe *Volksgedicht,* so muß es dies werden. Der gemeinste Verstand wird es fühlen, der geübteste und gelehrteste wird es *bewundern* ...

Es steht auf einer ungeheuern Basis, auf der Französischen Revolution ... Und doch sieht man die Schrecknisse nur aus der Ferne, hört das Gewitter nur hinter dem Gebirge, wird nie im fröhlichsten Genusse der sichern Gegenwart gestört. Dabei kennt der Dichter kein Vaterland, keine Partei; das Gedicht kann jenseits des Rheins mit so herzlicher Teilnahme durchgenossen werden als diesseits. Es sind *menschliche,* nicht Nationalszenen ... Es ist die *einzige Odyssee,* die in unsern Tagen noch möglich schien. Denn wie sich dort die Irrsale eines einzigen Menschen doch auf den gewaltigen Hintergrund des Kampfes zweier Weltteile miteinander, des zerstörten Trojas und der bei der Rückkehr verderbten Griechen, lehnen, so stützt sich hier die *schnelle* Bewerbung eines ehrbar redlichen Gastwirtssohns um eine in flüchtender Armut edle Braut auf eine Kriegsflut und Emigration, wie sie vielleicht kein folgendes Jahrhundert wiedersieht.

Das Kolorit des Gedichts ist das hellste, was nur unser nordisches Klima gewähren kann. Es ist ein heller, klarer Sonntag in der Jahreszeit, wo alles den Scheunen und Kellern entgegenreift, in schwellender Üppigkeit und glühender Sonnenbeleuchtung. Darum wandeln auch alle Figuren in so reinen, klaren Umrissen ...

Die Charaktere der handelnden Personen sind aus der Menschenklasse genommen, die in unsern Tagen allein noch Individualität und Naturgepräge haben ... Es sind die sogenannten Honoratioren einer kleinen Stadt, wie sie leiben und leben.

Bö I, 73–76

935. KAROLINE SCHLEGEL AN LUISE GOTTER

Jena, 25. Dezember 1796

Wer mich entzückt und fast verliebt gemacht hat, das ist Herder ... Den Mittag drauf waren wir bei Goethe, und Herder auch, wo ich bei ihm und Knebeln saß; allein ich hatte den Kopf immer nur nach *einer* Seite. Goethe gab ein allerliebstes Diner, sehr nett, ohne Überladung, legte alles selbst vor und so gewandt, daß er immer dazwischen noch Zeit fand, uns irgendein schönes Bild mit Worten hinzustellen ... oder sonst hübsche Sachen zu sagen. Beim süßen Wein zum Dessert sagte ihm Schlegel grade ein Epigramm vor, das Klopstock kürzlich auf ihn gemacht, weil Goethe die deutsche Sprache verachtet hat [„Venezianische Epigramme", Nr. 29], und darauf stießen wir alle an, jedoch nicht Klopstock zum Hohn; im Gegenteil, Goethe sprach so brav, wie sich's geziemt, von ihm. Gern wär ich noch länger dageblieben, um bei Goethe nicht allein zu hören, sondern auch zu sehn ... *Was* ich sah, paßte alles zum Besitzer. Seine Umgebungen hat er sich mit dem künstlerischen Sinn geordnet, den er in alles bringt, nur nicht in seine dermalige Liebschaft, wenn die Verbindung mit der Vulpius, die ich flüchtig in der Komödie sah, so zu nennen ist. Ich sprach noch heute mit der Schillern davon; warum er sich nur nicht eine schöne Italienerin mitgebracht hat? Jetzt tut es ihm freilich auch wohl nur weh, die Vulpius zu verstoßen, und nicht wohl, sie zu behalten.

Car I, 410f.

936. BÖTTIGER AN GÖSCHEN

Weimar, 28. Dezember 1796

Der weimarische „Sudelkoch" ist eben in Leipzig. Sollte das nicht zu einer drolligen Begegnung Anlaß geben? Soviel kann ich Ihnen sagen, daß er ein neues Heldengedicht in sechs Gesängen unter der Feder hat, welches sich auf die Französische Revolution gründet, ohne diese doch zu berühren [„Hermann und Dorothea"], und in dem Goethe ganz der göttliche Goethe ist. Es muß das erste Volksgedicht werden, das eine neuere Nation aufzuweisen hat. Wieland hat geweint, als es ihm Goethe vorlas.

GoeJb VI, 107

937. GÖSCHEN AN BÖTTIGER

Leipzig, Ende Dezember 1796

Soviel ich weiß, hat Goethe durch ein artiges Benehmen alles zur Artigkeit gebracht, wo er sich genähert hat. Er hat unsern alten Weiße besucht und viel mit ihm über griechische und römische Literatur gesprochen und sich äußerst gut benommen.

GoeJb VI, 102f.

938. HERDER AN KAROLINE ADELHEID GRÄFIN VON BAUDISSIN

Weimar, 1796

Zuerst, liebe gnädige Gräfin, bin ich Ihnen noch eine Antwort über Goethes Roman [„Wilhelm Meisters Lehrjahre"] schuldig. Machen Sie mir doch Vorwürfe, als ob ich ihn selbst geschrieben hätte, und ich habe ihn, später als die meisten Leser, in diesen Tagen erst gelesen. Vor vielen Jahren las er uns daraus Stücke vor, die uns gefielen, ob wir gleich auch damals die schlechte Gesellschaft bedauerten, in der sein Wilhelm war und so lange, lange aushielt. Ich weiß, was ich auch damals dabei gelitten habe, daß der Dichter ihn so lange unter dieser Gattung Menschen ließ. Indessen war damals der Roman anders [„Wilhelm Meisters theatralische Sendung"]. Man lernte den jungen Menschen von Kindheit auf kennen, interessierte sich für ihn allmählich und nahm an ihm teil, auch da er sich verirrte. Jetzt hat der Dichter ihm eine andre Form gegeben; wir sehen ihn gleich da, wo wir ihn nicht sehen mögen, können uns seine Verirrungen nur durch den Verstand erklären, interessiert aber hat er uns noch nicht so sehr, daß wir irgend mit ihm sympathisieren könnten. Ich habe dem Dichter darüber Vorstellungen getan; er blieb aber bei seinem Sinn, und den zweiten Teil des ersten Bandes, wo die Philine vorkommt, habe ich im Manuskript gar nicht gelesen. Über alles dieses denke ich wie Sie, liebe gnädige Gräfin, und jedes feine moralische Gefühl, dünkt mich, fühlt also. Goethe denkt hierin anders; Wahrheit der Szenen ist ihm alles, ohne daß er sich eben um das Pünktchen der Waage, das aufs Gute, Edle, auf die moralische Grazie weiset, ängstlich bekümmert. Im Grunde ist dies der Fehler bei mehreren seiner Schriften. Er hat sich also auch ganz von meinem Urteil weggewandt, weil wir hierinnen so verschieden denken.

Ich kann es weder in der Kunst noch im Leben ertragen, daß dem, was man Talent nennt, wirkliche, insonderheit moralische Existenz aufgeopfert werde und jenes alles sein soll. Die Mariannen und Philinen, diese ganze Wirtschaft ist mir verhaßt; ich glaube, der Dichter habe sie auch verächtlich machen wollen, wie vielleicht die Folge zeigen wird. Es ist aber schlimm, daß er diese Folge nicht mitgab und den ersten Teil allein hinstellte. Aber auch hierinnen handelte Goethe nach seinem Willen.

Wie die Folge auch sein mag, so bleibt dem Helden des Stücks immer sein Flecken; seine erste Liebe ist – auf welch ein Geschöpf geworfen!

Machen Sie mir also keine Vorwürfe, liebe gnädige Gräfin! Es kann niemand mehr gegen diese Vorstellungsart haben als ich, da ich in mehreren Verhältnissen wirklich darunter leide. Vielleicht an keinem Orte Deutschlands setzt man sich über zarte moralische Begriffe, ich möchte sagen, über die Grazie unsrer Seele in manchem so weit weg als hier, und dabei entgeht dem armen Menschen der größeste Reiz seines Lebens, und es erklingen sehr falsche Dissonanzen. Doch genug davon!

Mir hat im ganzen Buch vorzüglich der alte Harfenspieler gefallen; das ist mein Mann. Sonst sind sehr treffende, feine Bemerkungen darin, aber das Gewebe, worauf alles liegt, kann ich nicht lieben.

HBr 367 f.

1797

939. CHARLOTTE VON STEIN AN IHREN SOHN FRIEDRICH

Weimar, 2. Januar 1797

Gestern bekam ich geräucherten Lachs und Hamburger Fleisch, welches Goethe hinterlassen hatte, mir, wenn es in seiner Abwesenheit anlangte, zu schicken. Ob die fleischernen Gaben unsere Geister wieder zusammenbinden werden, weiß ich nicht. Aber das ist gewiß, daß ich seinen August recht liebhabe. Er ist so possierlich und gescheit, daß ich ganze Tage mit ihm spielen könnte. Auch kommt er recht oft.

Stein II, 61

940. CHARLOTTE VON STEIN AN CHARLOTTE SCHILLER

Weimar, 3. Januar 1797

Stellen Sie sich vor, daß die Jungfer Vulpius mir eine Torte zum Geburtstag geschickt hat! Goethe ist ein ungeschickter Mensch; er wollte, August sollte mich damit anbinden; konnte er nicht ein Zettelchen dazu schreiben, anstatt daß die Magd mit dem stattlichen Kuchen und einem Kompliment von der Mlle. V[ulpius], eben da ich Besuch hatte, mir ins Kabinett trat? Das gibt nun eine ordentliche Stadtgeschichte, wo ich drüber ausgelacht werde.

SchFr II, 318

941. LAVATER AN HERZOGIN LUISE

Zürich, 11. Januar 1797

Ach! Verehrungswürdige! ist kein Mittel, kein Weg, den geniereichsten Epigrammatisten vor Lästerungen des Allerheiligsten zu verwahren? Welche Leiden bereitet der Gesunkene sich in sich selber! Große Seelen leiden, wenn sie nüchtern werden, entsetzlich von den schwer vergütbaren Sottisen, die sie in der Trunkenheit des Geniewitzes verübten!

La 369

942. HUBER AN USTERI

Neuenburg ?, 18. Januar 1797

Und nun die „Xenien"! Was *mich* darin *persönlich* interessieren konnte, hat mir wahren Schmerz gemacht. Dem Bubenmutwillen dieser Menschen ist nichts heilig! Schiller ist mein Freund, Goethe war Forsters Freund!

Ich hoffe so glücklich zu sein, meiner Frau diese Infamie verborgen zu halten, die ihrer Ruhe, ihrer Gesundheit gefährlich sein könnte.

GoeJb XVIII, 284

943. VOIGT AN GOTTLIEB HUFELAND

Weimar, 19. Januar 1797

Der Xenien-Krieg bringt eine literarische Attacke über Weimar und Jena, die wir hätten vermeiden können.

Huf 71

944. BÖTTIGER IN SEINEM TAGEBUCH

Weimar, 19. Januar 1797

Wieland: ... Goethes „Alexis und Dora" eröffnet uns ein ganz neues Genre. Auch hier beweiset er wieder, daß er alles kann. Hätte er gereimte Stanzen machen wollen, so bin ich sicher, daß er mich auch hier aus dem Felde geschlagen hätte, wie ein Fragment eines seiner Gedichte in Stanzen [„Die Geheimnisse"?] hinlänglich beweiset. Er kann, wenn er will, alles. Sein Zauber hat mich in der ersten Zeit seines Hierseins dahin gebracht, daß ich ganz in ihn verliebt war und ihn wirklich anbetete. Wir fuhren im Jahre 1776 im Winter nach Stetten zu der Mutter der Frau von Bechtolsheim in Eisenach (das Gut hat jetzt der Graf Keller, ihr Sohn). Da freute ich mich recht innig, wie er so auf alle Leute einen recht großen Eindruck machte, und besang ihn in einem Liede ... an die Frau von Bechtolsheim ... Bei der Sammlung und Revision meiner Werke stand ich lange an, ob ich dies Gedicht nicht auch einer neuen Feile unterwerfen und mit aufnehmen sollte. Allein ich hab's doch unterlassen. Dies Monument einer Idololatrie, die ich späterhin nur zu oft zu bereuen Ursache hatte, sollte nicht auf die Nachwelt kommen! Mir fällt immer der Spruch des Plato dabei ein: „Der Liebende ist der Schwache und Bedürfende, der Geliebte der Starke und Selbständige"; und in diesem Verhältnisse stand ich zu Goethe, dessen große Kunst von jeher darin bestand, die Konvenienz mit Füßen zu treten und doch dabei immer klug um sich zu sehen, *wie weit* er's grade wagen dürfe. In Stetten zum Beispiel war er gegen die Alte weit respektvoller als hier gegen die ... [Herzogin-] Mutter, in deren Gegenwart er sich oft auf dem Boden im Zimmer herumgewälzt und durch Verdrehung der Hände und Füße ihr Lachen erregt hat.

Bö I, 202f.

945. ELISABETH STAEGEMANN AN REICHARDT

Königsberg, 20. Januar 1797

Er ... brachte mir den Tag darauf die Nachricht, daß Kant nächstens selbst an Sie schreiben würde; daß er mit dem unwürdigen Benehmen von Schiller und Goethe höchst unzufrieden, vorzüglich aber gegen den erstern erzürnt wäre und daß er Ihre Art, sich gegen den bösartigen Angriff des letzteren [in den „Xenien"] zu verteidigen, ganz vortrefflich fände.

GoeJb XXVII, 264

946. LAVATER AN FRIEDRICH LEOPOLD GRAF ZU STOLBERG

Zürich, 25. Januar 1797

Stille, kräftig, demütig, mutig wollen wir, Lieber, mit lichtheller Weisheit und Würde dem garstigen Sansculottismus, ohn uns durch ihn beflecken zu lassen, entgegenarbeiten. Goethe ist nun auch – ich hätte bald gesagt: Profoß der Sansculotten-Rotte geworden. Er hat dadurch bei allen Menschen von Menschensinn verloren und wie alle Sterbliche, ja wie alle unsterbliche Genies das Gericht, *sich selbst zu verraten,* erfahren müssen.

La 370

947. CHARLOTTE VON STEIN AN CHARLOTTE SCHILLER

Weimar, 7. Februar 1797

Goethe hat eine Elegie [„Hermann und Dorothea"] gemacht, worin er das Publikum wegen der „Xenien" wieder versöhnen wird; denn sie ist recht poetisch schön und ist, wie Anakreon würde von sich gedichtet haben. Nur schade, daß bei der Gattin, die am reinlichen Herd kocht, immer die Jungfer Vulpius die Illusion verdirbt. Vielleicht haben Sie sie schon gelesen; ich habe sie durch die dritte Hand bekommen.

SchFr II, 319

948. SANDER AN BÖTTIGER

Berlin, 7. Februar 1797

Von einer Freundin, die mit der schönen Marianne Meyer, Korrespondentin des Herrn von Goethe, in Verbindung steht, weiß ich, daß Schiller die starken Sachen, die über die „Xenien" zum Vorschein kommen, nicht mit Gleichgültigkeit aufnimmt. Goethe, Humboldt und was sonst noch viel um ihn ist, haben genug zu tun, ihn zu beruhigen und zu erheitern. So muß er denn doch mehr moralisches Gefühl haben als Herr von Goethe.

GoeJb XVII, 232

949. KAROLINE HERDER AN GLEIM

Weimar, 10. Februar 1797

Haben Sie schon Wielands „Merkur", den Februar, gesehen? ... Übrigens hat Wieland über die „Xenien" strenge Gerechtigkeit, aber auch gerechte Milde walten lassen, wie ein Friedensrichter und Vater endlich den Vorhang gezogen – mehr konnte er doch nicht tun vor dem ungleichen Publikum. Die meisten sind mit diesem Urteil zufrieden und sagen, er habe sie noch bei Ehren erhalten. Jemand aber, der Goethe und Schiller genau kennt (wir sind es nicht), glaubt, es wird eine Todfeindschaft zwischen Wieland und den Herren erregen. Sie, Allerbester, werden doch kein Wort über den Peleus [Gleim in den Xenien „Melde mir auch ..." und „Ach, ihm mangelt ..."] verlieren! Mir hat er ein Fieber verursacht und die völlige Ungnade vielleicht von Goethe zugezogen. Lassen Sie die verdorrten Gemüter in ihrem Talent übermütig und sich einzig fühlen!

VaH I, 222

950. CHARLOTTE VON STEIN
AN CHARLOTTE SCHILLER

Weimar, 15. Februar 1797

Schillers Basrelief gefällt mir alle Tage besser; es ist recht ausdrucksvoll. Einen Spaß macht mir's, die Köpfe von Wieland, Herder, Goethe mit ihm zu vergleichen. Herder, Goethe, Schiller haben alle einen Ausdruck von Stolz, der vom Schiller ist der vornehmste, vom Goethe ist er trutzig und vom Herder grob. In Wielands Büste finde ich gar keinen.

SchFr II, 320

951. BOIE AN NICOLAI

Meldorf, 26. Februar 1797

Nichts freut mich mehr als die volle Gerechtigkeit [Nicolais Anti-Xenien], die Sie den Talenten beider mit Recht bestraften vortrefflichen Köpfen [Goethe und Schiller] widerfahren lassen. Ich glaube mit Ihnen, daß nichts Goethen in seiner Jugend heilsamer gewesen wäre als eine Lessingische Rüge. Unser so wenig gebildetes, im Lobe nie maßhaltendes Publikum ist im Grunde schuld an dem ganzen Übel. Es verzieht seine guten Köpfe selbst und beklagt sich, wenn sie verzogen sind.

GoeJb II, 437

952. CHARLOTTE SCHILLER AN FRIEDRICH VON STEIN

Jena, 3. März 1797

Goethe schiebt seine Plane, nach Italien zu reisen, auch auf, solange es noch so übel aussieht. Ich wollte nur, Meyer wäre zurück. Dieser wird wahrscheinlich immer denken, Goethe kömmt, und so kann sich sein Aufenthalt doch sehr verzögern. – Goethe ist jetzt hier, und ich hoffe, er vollendet sein großes episches Gedicht [„Hermann und Dorothea"] hier, was sehr schön ist. Es ist einem oft, als hörte man den Homer ...

Was sagt er [Hermes] nur zu den „Xenien"? Sie werden wohl gedacht haben, daß die beiden Dichter mitunter etwas unartig waren; aber es ist im ganzen nicht so böse gemeint. Alles, was noch dagegen gesagt worden, gibt einen neuen Beweis, daß sie manches Wahre gesagt haben, nämlich über die Fähigkeit und Art, die Dinge aufzunehmen, des gelehrten Publikums. Manche haben platte Deutungen gemacht, die sie erst selbst hineingelegt haben; manche haben es moralisch zu ernstlich genommen; keiner hat aber den Reichtum von Witz aufweisen können, den die beiden verschwendet haben, und es ist noch nichts erschienen, was dagegen aufkommen könnte.

Fritz von Stein I, 138f.

953. SANDER AN BÖTTIGER

Berlin, 25. März 1797

Hat man bei Ihnen keine Vermutung, von wem der „Mücken-Almanach" sein kann? Hier tut er dem Goethe-Klub sehr weh. Alles zusammengenommen, sehe ich nun, daß die Ausfälle einer Gesellschaft gelten, die Madame Herz, Frau des jüdischen Arztes und Philosophen, noch vor Jahr und Tag alle Mittwoch regelmäßig hielt, die aber jetzt eingegangen ist. Madame Herz ist ein schöner Kopf auf einem unförmlichen Rumpfe. Dieser Rumpf war aber vor zwölf Jahren, als Goethe sich einmal in Berlin aufhielt, nicht unförmlich. Madame Herz bekam daher von Goethe Besuche und ist seitdem seine geschworene Verehrerin. Sie werden in dem „Mücken-Almanach" finden: „Eine beinahe zu groß, eine beinahe zu klein." Das sind die Herz und die kleine Rahel Levi[n]. Die beiden Jüdinnen im Karlsbade kennen Sie schon: eben diese Rahel und die schöne Marianne Meyer.

GoeJb XVII, 232f.

954. WILHELM VON HUMBOLDT AN SEINE FRAU

Weimar, 7. April 1797

Goethe ist unendlich gut und freundschaftlich, und es lebt sich sehr schön so nah und allein mit ihm. Zwar allein seh ich ihn gewöhnlich nur die Abende, aber die sind auch überaus hübsch. Er ist so vertraulich, spricht so leicht über die Dinge, die ihm die liebsten sind, wird so schön davon erwärmt und erscheint ganz, zugleich in der eignen Zuversicht und Bescheidenheit, die ihm so ausschließend eigen sind. Auf die Freude und den Nutzen, den ihm das Zusammenleben mit Schiller gibt, kommt er sehr oft zurück. Nie vorher, sagt er, hätte er irgend jemand gehabt, mit dem er sich über ästhetische Grundsätze hätte vereinigen können; die einzigen wären noch Merck in Darmstadt und Moritz gewesen; allein obgleich beide mit ihm in Absicht des Takts übereingekommen wären, so hätte er sich wenig mit ihnen verständigen können. Zwanzig bis fünfundzwanzig Jahre hätte er also so ganz für sich allein gelebt, und daher sei es mit gekommen, daß er in einer ganzen langen Zeit so wenig gearbeitet habe. Desto rüstiger scheint er jetzt.

Hu II, 36f.

955. CHARLOTTE VON STEIN AN CHARLOTTE SCHILLER

Weimar, 9. April 1797

Daß Goethe die Welt lustig ansieht, macht, weil diese Seite seines Verstandes die klarste ist. Er hat begriffen, daß ihre Natur von der Beschaffenheit sei, daß sie keine Philosophen je verbessern werden. Und da er sich selbst, wie billig, auch zu der Welt rechnet, weiß er wohl, daß auch er nicht anders sein kann, und je mehr ihn diese Dinge sonst gequält und er sie durchdacht, hat er sich gemütlich darüber zur Ruhe gesetzt. Dabei hat er jetzt eine gute Gesundheit und mehr Fleisch im Topf als der arme Rousseau, um sich gute Bouillons kochen zu lassen.

Ihre Liebe ist die einzige, die mir wohltut. Alle andere, gewesene oder noch bestehende, haben mich nicht selten gequält ...

SchFr II, 322

956. KAROLINE HERDER AN GLEIM

Weimar, 14. April 1797

... wir sind nebenher tiefer verwundet von Goethe als durch alles, was in den „Xenien" steht. Schweigen ist unsere Pflicht; die Zeit, die Nemesis wird alles in die Waage bringen.

VaH I, 224

957. BÖTTIGER IN SEINEM TAGEBUCH

Weimar, 15. April 1797

Ich habe diesen Abend die letzten fünf Gesänge von „Hermann und Dorothea" vom Meistersänger selbst vorlesen hören. Welch eine Welt voll Handlung und Gefühl, in welchem engen Raume, mit wie wenigen Mitteln!

Goethe fühlt, daß, sobald seine Dorothea auftrete, Hermann gewissermaßen nur zur zweiten Figur herabsinken müsse und daß, je später sie auftritt, desto größer die Spannung der Hörer („Leser" möchte ich bei einem Gedicht nicht sagen, das eigentlich nur durchs Ohr empfangen werden sollte) sein müsse ...

Es ist eine unnennbare Kunst in der ganzen Komposition. Man kann es kühn versuchen, irgendeinen Fall, einen Knoten der Verwickelung anders anzunehmen; nirgends käme *dieser* Effekt heraus. Die Alten sagten ebendies von der „Odyssee".

Bö I, 77 und 80

958. ANNE-LOUISE-GERMAINE DE STAËL AN MEISTER

Paris, 22. April 1797

Goethe schickt mir in prächtigem Einbande einen Roman aus seiner Feder, er führt den Titel „Williams Meister". Da Goethe deutsch schreibt, konnte ich eben nur den Einband genießen – doch, unter uns gesagt, Benjamin [Constant] versichert, ich komme dabei noch besser weg als er, der das Buch gelesen hat. Sei dem, wie ihm wolle, Sie, Herr Meister, müssen in meinem Namen an Goethe einen prächtigen Dankbrief schreiben, der meine Unwissenheit verschleiert und meiner Dankbarkeit und Bewunderung für den Verfasser des „Werther" Ausdruck verleiht.

Staël 140. Aus dem Französischen

959. HERDER AN BÖTTIGER

Weimar, April ? 1797

Ich danke aufs schönste für alles. Die „Xenien“ sind mager. Ich hasse die ganze verdammte Gattung und wünschte, daß dies die letzten in unserer Sprache wären. Jeder ehrliche Mann, der seines Weges fortgeht, kann eine Klette ans Kleid oder einen Schandfleck ins Gesicht geworfen bekommen, und man sagt, es war eine Xenie.

Bött 137

960. SCHILLER AN KÖRNER

Jena, 1. Mai 1797

Herder ist jetzt eine ganz pathologische Natur, und was er schreibt, kommt mir bloß vor wie ein Krankheitsstoff, den diese auswirft, ohne dadurch gesund zu werden. Was mir an ihm fatal und wirklich ekelhaft ist, daß ist die feige Schlaffheit bei einem innern Trotz und Heftigkeit. Er hat einen giftigen Neid auf alles Gute und Energische und affektiert, das Mittelmäßige zu protegieren. Goethen hat er über seinen „Meister“ die kränkendsten Dinge gesagt. Gegen Kant und die neusten Philosophen hat er den größten Gift auf dem Herzen; aber er wagt sich nicht recht heraus, weil er sich vor unangenehmen Wahrheiten fürchtet, und beißt nur zuweilen einen in die Waden.

SchiNa XXIX, 71

961. GRUNER AN LANGER

Jena, 13. Mai 1797

Die Xeniensudler, salva reverentia, verdienten diese Lauge. Von ihnen heißt es: tribus Anticyris opus est; aber der eine ist Respektsperson, der andere ein französischer Bürger in weimarischer Pension, der Akademie gar nichts nütze. G[oethe] ist letzthin wieder einige Wochen auf dem Schlosse allhier gewesen; vermutlich hat er neue Xenien geschmiedet. Fahren Sie immer fort, für das Gute zu wachen.

Lang 50f.

962. BÖTTIGER IN SEINEM TAGEBUCH

Jena, 28. Mai 1797

Goethe hat die Idee, Bernhards von Weimar Biograph zu werden, wozu er große Sammlungen angelegt ..., völlig aufgegeben. Seine Sammlungen hat er teils dem Geheimen Rate Voigt, teils dem Professor Woltmann abgetreten. Letzterer ist fest entschlossen, das Werk nach Goethes Plan auszuführen ...

Goethe arbeitet seine Gedichte alle erst im Kopfe aus, wo er sie fest eingeprägt mit sich herumträgt. Sind sie soweit vollendet, läßt er sie niederschreiben, und da kann er die niedergeschriebenen noch acht Tage lang feilen und verbessern. Dann ist es ihm aber unmöglich, wieder dazu zurückzukehren. Sie sind ihm gleichsam zum Ekel geworden, und es kostet ihm die größte Überwindung, noch einmal auf sie zurückzukommen. Ganz anders bei Wielanden.

Bö I, 65f.

963. CHARLOTTE VON STEIN AN IHREN SOHN FRIEDRICH

Weimar, nach dem 17. Juni 1797

Über seine italienische Reise scheint er unentschlossen; indessen will er nach der Schweiz. Vielleicht will er's mir nicht sagen, daß er dahin will; denn es ist in seiner Art, unnötig Geheimnisse zu machen.

Stein II, 71

964. JOHANNES VON MÜLLER AN BÖTTIGER

Wien, 24. Juni 1797

Den größten Dank für den Anfang des Meisterstücks [„Hermann und Dorothea"] von Goethe! Es hat mich ganz bezaubert. Ich halte es für ein Originalwerk, wie unsere Literatur in dieser Art noch keines hat.

Sie leben in dem Zentrum des Kriegstheaters über die

„Xenien" ... Leid ist mir von Grund der Seele, daß jetzt einige Vorwand zu haben meinen, an zwei Männern, die mir in sehr vielem Betracht äußerst wert sind, zu Rittern zu werden. Doch es wird den unbärtigen Streitern schon vergehen ...

Goethe und Schiller werden sich helfen. Aber das ist schade, daß hiedurch so ein Ton in unserer Literatur autorisiert zu werden scheint. Ich hätte nicht gedacht, daß wir noch in das heroische Zeitalter zurückkämen.

GoeJb XXI, 282f.

965. LAVATER AN MATTHAEI

Zürich, 21. Juli 1797

Die „schöne Seele", welcher Bekenntnisse Goethe seinem „Wilhelm Meister" wie eine Faust aufs Aug oder wie ein Aug auf die Faust eingeimpft hat, hieß Klettenberg. Sie sagte von Goethe: „Er gehört zu den Auserwählten; Christus wandelt unerkannt zwischen Lavater und Goethe."

Ach, aber ach – der Satan kam
Und sich den lieben Sünder nahm!

La 370

966. SCHILLER AN HEINRICH MEYER

Jena, 21. Juli 1797

Auch wir waren indes nicht untätig, wie Sie wissen, und am wenigsten unser Freund, der sich in diesen letzten Jahren wirklich selbst übertroffen hat. Sein episches Gedicht [„Hermann und Dorothea"] haben Sie gelesen; Sie werden gestehen, daß es der Gipfel seiner und unsrer ganzen neueren Kunst ist. Ich hab es entstehen sehen und mich fast ebensosehr über die Art der Entstehung als über das Werk verwundert. Während wir andern mühselig sammeln und prüfen müssen, um etwas Leidliches langsam hervorzubringen, darf er nur leis an dem Baume schütteln, um sich die schönsten Früchte, reif und schwer, zufallen zu lassen. Es ist unglaublich, mit welcher Leichtigkeit er jetzt die Früchte eines wohlangewandten Lebens und einer anhaltenden Bildung an sich selber einerntet, wie bedeutend und sicher jetzt alle seine Schritte sind, wie ihn die Klarheit über sich selbst und über die Gegenstände vor jedem eiteln Streben und Herumtappen bewahrt. Doch Sie haben ihn jetzt selbst [in Zürich] und können sich von allem dem mit eignen Augen überzeugen. Sie werden mir aber auch darin beipflichten, daß er auf dem Gipfel, wo er jetzt steht, mehr darauf denken muß, die schöne Form, die er sich gegeben hat, zur Darstellung zu bringen, als nach neuem Stoffe auszugehen, kurz, daß er jetzt ganz der poetischen Praktik leben muß. Wenn es einmal einer unter Tausenden, die darnach streben, dahin gebracht hat, ein schönes vollendetes Ganzes aus sich zu machen, der kann meines Erachtens nichts Besseres tun, als dafür jede mögliche Art des Ausdrucks zu suchen, denn, wie weit er auch noch kommt, er kann doch nichts Höheres geben. – Ich gestehe daher, daß mir alles, was er bei einem längern Aufenthalt in Italien für gewisse Zwecke auch gewinnen möchte, für seinen höchsten und nächsten Zweck doch immer verloren scheinen würde. Also bewegen Sie ihn auch schon deswegen, lieber Freund, recht bald zurückzukommen und das, was er zu Hause hat, nicht zu weit zu suchen.

SchiNa XXIX, 105f.

967. WILHELM VON HUMBOLDT AN SCHILLER

Dresden, 23. Juli 1797

Er schreibt mir von seinen Balladen, schickt aber leider keine mit. Ich hätte sehr viel darum gegeben, sie auf der Stelle mit den Ihrigen vergleichen zu können. Er selbst gibt den Ihrigen einen sehr merklichen Vorzug, und ich bin auch sicher überzeugt, daß er lange nicht in dem Grade für diese Gattung gemacht ist als Sie. An sein zweites episches Gedicht [„Die Jagd"] ist er wahrscheinlich nun gar nicht gekommen, und ich gestehe, daß ich den Verlust nicht groß achte, wenn er diesen Plan fahrenläßt.

SchiHu II, 115f.

968. JEAN PAUL AN HERDER

Hof, 31. Juli 1797

Goethe dichtete früher so [wie Herder], aber nun liebt er den Stoff nirgends mehr als an seinem Leibe und quälet uns mit seinen ausgetrockneten Weisen à la grecque.

JPH 26

969. HERDER AN KNEBEL

Weimar, 5. August 1797

Vorigen Sonntag ist Goethe ipse cum sua und dem Sohne, wie man sagt, fortgereist: denn uns hat er keinen Wink gegeben. Man sagt, nach der Schweiz.

Schiller hat mir vier Balladen des nächsten „Almanachs" mitgeteilt, zwei von ihm, zwei von Goethe. In den letzten spielt Priapus eine große Rolle. Einmal als Gott mit einer Bajadere, so daß sie ihn morgens an ihrer Seite tot findet [„Der Gott und die Bajadere"]; das zweite Mal als ein Heidenjüngling mit seiner christlichen Braut, die als Gespenst zu ihm kommt und die er, eine kalte Leiche ohne Herz, zum warmen Leben priapisiert [„Die Braut von Korinth"] – das sind Heldenballaden! Sie werden schon allgemein gelobt, und Böttiger ist entzückt von ihnen.

Kn II, 270

970. HÜSGEN AN GERNING

Frankfurt, 15. August 1797

Letzt abgewichenen Freitagmorgen erschien ganz unerwartet ein Fremder in meinem Zimmer, den ich vor seinem wohlgemästeten Bauch nicht erkannte, bis ihn seine Stimme bei der Frage verriet: „Kennen Sie denn Ihren alten Freund nicht mehr?" Und siehe da, es war Goethe in eigener hoher Person! Und ungeachtet er eine geraume Zeit bei mir blieb, so bliebe er doch erbärmlich steif und zurückhaltend.

Das einzige, was er mir durch seine Zunge mitteilte, war,

daß er gesonnen sei, in die Schweiz zu reisen. Als ich ihn am andern Tag besuchte, war er redsprächiger und gefühlvoller.

JbH 1902, 349

971. FRIEDRICH SCHLEGEL AN SEINEN BRUDER AUGUST WILHELM

Berlin, 26. August 1797

Es [„Hermann und Dorothea"] ist das herzlichste, biderbeste, edelste, naivste und sittlichste unter Goethes Gedichten. Was könnte der moralisierende Jenisch nicht erst alles über die Wirtin zum Goldnen Löwen sagen, welche an Würde und Wert leicht alle Frauen und Mädchen im „Meister" übertrifft. Das Gedicht ist offenbar mit der *Absicht* gedichtet, so sehr altes griechisches homerisches ἐπος zu sein, als bei dem romantischen Geist, der im Ganzen lebt, möglich wäre. Bei sehr großer Ähnlichkeit im Einzelnen ist also *absolute* Verschiedenheit im Ganzen. Durch diesen romantischen Geist ist es weit über Homer, dem es aber ἠθος und Fülle wieder weit nachsteht. Man könnte es ein *romantisiertes* ἐπος nennen ...

Man vergleicht es viel mit Vossens „Luise" und wird es noch viel tun. Ich wüßte aber nicht, in welcher Rücksicht diese Vergleichung interessant sein könnte, es müßte denn die vom absoluten Gegensatz zwischen Geist und Buchstaben sein ...

Was in dem Goetheschen Gedicht noch sehr merkwürdig und sehr schön ist, ist die liberale Ansicht der Zeitbegebenheiten. Kein Franzose wäre deren *so* fähig, und das ist doch ein Trost gegen politische Nullität.

Schls 292ff.

972. SCHILLER AN KÖRNER

Jena, 15. September 1797

Goethe schreibt mir fleißig, und seine gehaltvollen, geistreichen Briefe ... lassen mich seinen ganzen Gang begleiten und geben mir vielen Stoff zum Denken. Er war acht Tage in Stuttgart, wo er sich sehr wohl gefiel. Jetzt wird er in Zürich bei Meyern sein. Wie es mit der italienischen Reise sein wird, weiß ich noch nicht, und er möchte es wohl selbst noch nicht wissen.

SchiNa XXIX, 134f.

973. GEORG GESSNER IN SEINEM TAGEBUCH

Zürich, 20. und 21. September 1797

[20. September] Nette gab mir ein Billett von Mama [Schultheß]: „Goethe ist hier!" – ich erschrak recht, eilte in den Schönenhof für einen Augenblick. Was ich fürchtete, war: – Goethe ambetiert gegen Papa [Lavater] ... ich sah ihn nicht. *α/ω* ... [das Los] sagt, ich sollte nicht zu ihm gehen heute. Heim – sehr ungemütlich, weil ich die schwere Lage der Mama, die Kränkung Papas und den Eigensinn Goethes gar so klar sah.

[21. September] Es tat mir leid, daß Papa so bitter von Goethe redete und, unverhört, zu hart urteilte ... Ich sprach mit Nette von Goethe: was zur Entschuldigung seiner unentschuldbaren „Xenien" gesagt werden könne. Sie saisierte mich sehr.

Gespr I, 680f. und Bode I, 610

974. LAVATER AN META POST

Zürich, 21. September 1797

Goethe ist bei uns, ohne daß wir uns sahen. So gern ich ihm etwas gesagt hätte, ich bin froh, außer der Verlegenheit zu sein, ob ich ihm seinen „Schwärmer, der im dreißigsten Jahre gekreuzigt werden sollte, damit der Betrogne kein Schelm werde" (so tolerant sind die Eiferer gegen Bonzen ohne Bonzengift!), und seine „Wanzen und †" [Venezianische Epigramme, Nr. 52 und 66] vorhalten oder ihn als einen dezidierten Antichristen wegstoßen sollte. Die Orthodoxen und Schwärmer sind sehr intolerant; intoleranter die Neologen; am intolerantesten die Atheisten und Lästerer.

La 370f.

975. LAVATER AN BARBARA SCHULTHESS

Zürich, 22. September 1797

Du hast für mich gestritten,
Bist vorwärts nicht geschritten –
Hast viel für mich gelitten –
Das Dir Dein Gott vergelt!
Nur laß statt aller Bitten
Mich ein' in Dein Herz schütten:
Hör niemals einen Dritten,
Der zwischen uns sich stellt!

Schult 43

976. KARL AUGUST AN KNEBEL

Weimar, 23. September 1797

Goethe schreibt mir Relationen, die man in jedes Journal könnte rücken lassen. Es ist gar possierlich, wie der Mensch feierlich wird!

KA 107

977. VOSS AN GLEIM

Eutin, 24. September 1797

Über das Goethische Gedicht „Hermann und Dorothea" denke ich völlig wie Ernestine. Lesen Sie nur durch! Sie werden für manche zu eilfertig gearbeitete Stellen durch sehr schöne entschädigt werden. Die zur Vorrede bestimmt gewesene Elegie [„Hermann und Dorothea"] beweist hinlänglich, daß es ihm Ernst war, etwas wo nicht Homerisches, doch Homeridisches aufzustellen: um *auch diesen Kranz* des Apollo zu gewinnen. Ich werde mich herzlich freun, wenn Griechenlands Geist uns Deutschen ein vollendetes Kunstwerk gewährt, und nicht engherzig nach meiner „Luise" mich umsehn. Aber ebenso ehrlich denke ich für mich und sage es Ihnen: die Dorothea gefalle, wem sie wolle; Luise ist sie nicht!

J.H.Voß II, 339

978. KÖRNER AN SCHILLER

Dresden, 27. September 1797

„Hermann und Dorothea“ habe ich nun ganz gelesen, aber noch nicht studiert. Der Ton ist durchaus glücklich gehalten, und der höhere Schwung vor dem Schlusse tut treffliche Wirkung. Das ganze Produkt gehört unstreitig unter Goethes Werke vom ersten Range. Aber fast ist es von zu hohem ästhetischen Werte, um nach Verdienst aufgenommen zu werden. Der größte Teil des Publikums klebt immer am Stoffe, und hier sind die herrschenden politischen Parteien einigermaßen interessiert. Daher erwarte ich die seltsamsten Urteile im Lob und Tadel.

SchiKö IV, 41

979. GLEIM AN VOSS

Halberstadt, 1. Oktober 1797

Zu Leipzig hörten wir von einer zweiten „Luise“ [„Hermann und Dorothea“], mit welcher ein großer Sünder seine [„Xenien“-] Sünde gutmachen will! Ein Goethianer hatte sie gelesen: „Voß ist übertroffen!“ Man rezitierte die Elegie [„Hermann und Dorothea“], die zur Einführung der Übertrefferin dienen soll. Man habe Goethen zum Verbrechen gemacht, daß er im Properz gelesen, daß er nach Rom gereist sei, daß er die Musen mitgenommen habe. – „Wir werden sehen!“ sagt ich. Hätt er aber auch gesieget – ich halt es nicht für möglich –, so macht er seine Sünden nur größer.

GoeJb XXXIII, 21

980. CHARLOTTE SCHILLER AN FRIEDRICH VON STEIN

Jena, 1. Oktober 1797

Goethe ist nun in Stäfa bei Meyer ... Ich glaube auch nicht, daß er sich bei den ungewissen politischen Aussichten nach Italien wendet, und da er nun Meyer wieder hat, so hoffe ich, wendet er sich ehestens wieder unsern thüringischen

Bergen zu und ist vielleicht den Winter wieder in Weimar. Es ist erstaunend, welchen Einfluß seine Nähe auf Schillers Gemüt hat und wie belebend für ihn die häufige Kommunikation seiner Ideen mit Goethe ist; er ist ganz anders, wenn er auch nur in Weimar ist. Mir selbst ist Goethe auch sehr lieb; aber er wird mir noch lieber um Schillers willen. Goethe ist auch hier viel anders. Es ist recht eigen, welchen Eindruck der Ort auf ihn macht: in Weimar ist er gleich steif und zurückgezogen. Hätte ich ihn hier nicht kennenlernen, so wäre mir viel von ihm entgangen und gar nicht klar geworden. Ich glaube doch, daß auf diese Stimmungen die häuslichen, zu der Welt in Weimar nicht passenden Verhältnisse am meisten Einfluß haben. Hier fällt die strenge Beurteilung weg, und dies macht ihm seine Existenz freier in der Idee.

Fritz von Stein I, 142f.

981. COTTA AN SCHILLER

Tübingen, 3. Oktober 1797

Sie haben mir ... eine unbeschreibliche Freude gemacht, da ich mir nie träumen lassen konnte, bei Goethe so wohl angeschrieben zu sein. Bei einem so seltenen Manne, wie dieser ist, muß dies doppeltes Vergnügen verursachen, und ich wünschte nur, sein günstiges Urteil verdienen zu können. Ich werde die Stunden nie vergessen, die ich mit ihm zubrachte, und nichts bedauern, als daß ich mit Ihnen und ihm nicht mein Leben zubringen kann. Man wird in solchem Umgang ein ganz andrer Mensch, und nie fühlt man den Wert und Unwert des Menschen mehr, als wenn man aus solchen Beispielen [sieht], was er werden kann, und aus seinem eigenen, was er nicht ist.

Was Sie von den Vorteilen schreiben, wozu dieses nähere Verhältnis mit G[oethe] mich führen könnte, erkenne ich vollkommen; allein ich war zu schüchtern, in dieser Hinsicht etwas zu erwähnen, weil ich für alles in der Welt nicht wollte, daß mein Benehmen gegen G[oethe] dadurch den Schein von Eigennutz bekäme ...

Nur einmal äußerte ich den Wunsch, auch in literarische

Verbindung mit ihm treten zu können, und er schien nicht ganz abgeneigt zu sein. – Wenn Sie die vielen Beweise Ihres Wohlwollens noch dadurch vermehren wollten, daß Sie den Mittelsmann hiebei machen würden, so würden Sie mich sehr verbinden. Ich hege freilich immer den stolzen Wunsch, daß ein angefangenes Verhältnis der Art nie getrennt werden möchte, und ich werde daher auch immerhin das Möglichste tun, es zu erhalten und diejenigen, die sich mit mir in solche Verbindung einlassen, es nie bereuen zu machen.

Wenn Sie daher bei G[oethe] sich verwenden wollten, so würde ich gerne jede Bedingung eingehen und mich dabei, wo es möglich wäre, so bezeugen, daß er finden sollte, daß ich außer dem Handlungsinteresse noch ein anderes kenne.

SchiCo 261

982. BÖTTIGER AN MATTHISSON

Weimar, 18. Oktober 1797

Über nichts sind die Meinungen geteilter als über Goethes „Braut von Korinth". Während die eine Partei sie die ekelhafteste aller Bordellszenen nennt und die Entweihung des Christentums hoch aufnimmt, nennen andere sie das vollendetste aller kleinern Kunstwerke Goethes. Echt genialisch nenne ich Schillers „Handschuh" und Goethes „Legende" [„Der Gott und die Bajadere"].

Mat 22

983. GEORG GESSNER IN SEINEM TAGEBUCH

Zürich, 22. Oktober 1797

Ich ging in den Schönenhof, in der sonderbaren Erwartung, da vielleicht Goethe zu sehen. Er kam. *Stirne und Augen Moses, lauter Geist und Feuer* – im Munde etwas Verzogenes, woran er selbst muß schuld sein.

Wir sprachen von Fichtianismus – seiner Unheilbarkeit – von Niethammer ... Dann von den Franken; er urteilte äußerst vernünftig über den Extremzustand ihres Geistes,

Johann Friedrich von Cotta

wo alle Moral beseitigt wird. Er erzählte von seinem mitgemachten Feldzug – äußerst feine psychologische Bemerkungen. Der Krieg zeigt die Menschen in der rohen Stärke aller Leidenschaften.

Gespr I, 683

984. DANNECKER AN WILHELM VON WOLZOGEN

Stuttgart, 26. Oktober 1797

Sie kennen seine ungeheure Kunstkenntnis, seine Liebe zum Großen, Vollendeten, Charakteristischen, Schönen! O ich bin äußerst glücklich, einige schöne Meinungen, die mir nun Gesetze bleiben, von ihm gelernt zu haben. Ja, was er mir sagte, war in mir zwar wie ein Nebel, schon ehe er zu mir kam, aber daß ich's nicht ausdrücken konnte; nun wüßte ich's gleich zu Tausenden anzuwenden. Das ist gewiß, daß ich in meinem Leben nichts mehr ausführen werde, das nicht sozusagen in sich eine Welt ausmacht. Täglich waren wir beisammen, und er machte mir ein Kompliment, das ich für groß halte, indem er mir sagte: „Nun habe ich Tage hier verlebt, wie ich sie in Rom lebte." ...

Meinem Schwager [Rapp] und seiner Frau, meinem lieben Weibchen und mir las er eines Abends seine Elegie [„Hermann und Dorothea"] vor.

Wolz I, 461 f.

985. KNEBEL AN BÖTTIGER

Nürnberg, 1. November 1797

Die poetische Welt ist durch den Schillerschen „Almanach" mit hellen Sternen bezeichnet ... Goethe hat sich in der Tat glänzend hervorgetan, und seine Abfertigung der Anti-Xenisten durch den „Zauberlehrling" hat mir trefflich gefallen. Wie werden sie es denn nun machen, die Wassermänner? *Distichen* glaubten sie hervorbringen zu können; werden ihnen denn die gereimten Balladen auch gelingen? Da kostet es wenigstens die Mühe des Reims. Schiller glänzt nach ihm, in der zweiten Größe, in einigen dieser Gesänge, recht annehmlich und weniger flitternd wie sonst ...

„Hermann und Dorothea" verkauft sich nun hier in mancherlei Gestalten. Ich habe es sogar in rotem Saffian als Schreibtäfelchen gefunden.

Kn III, 27

986. GLEIM AN VOSS

Halberstadt, 4. November 1797

Nun ich seinen „Hermann" nicht gelesen – wer kann solche Sechsfüßer lesen! –, sondern angesehen habe, nun sag ich: Dieser „Hermann und Dorothea" ist eine Goethische Sünde wider meinen heiligen Voß, ist zu „Götter, Helden und Wieland" das Seitenstück, ist, ich laß es mir nicht ausreden, eine gottlose Satire; meines Voß' „Luise" will der Bube lächerlich machen! Alle seine Kraft und Schnelle wendete der alte Peleus an, den Bösewicht zu Gottes Erdboden, wenn er ihm nahe käme, niederzuwerfen! Robespierre beging kein größeres Bubenstück! Hier sind alle gute, reine Seelen meiner Meinung!

Vo II/1, 178

987. LAVATER AN HOTZE

Zürich, 14. November 1797

Goethe sah ich nur von ferne. Er will in keinem Verhältnis mehr mit mir stehen. Indes – Saulus ist Paulus geworden; Goethe kann wohl noch ein Christ werden, sosehr er über dies Wort lachen würde.

La 371

988. LAVATER AN HOTZE

Zürich, 29. November 1797

Daß ich Goethe nicht sprach, weißest Du schon. Sein „Hermann" ist vortrefflich – und ein Versöhnopfer für die „Xenien".

La 371

989. HERDER AN FRIEDRICH HEINRICH JACOBI

Weimar, 1. Dezember 1797

So wirst Du noch von einem abkommen, der Dir, wie ich glaube, Deiner zu großen Anhänglichkeit wegen viel Schaden getan hat. Rate, von wem! Ich bin so ziemlich von dem und der und jenem und dieser frank und frei ...

Was sagst Du außer der Französischen und Kantischen zur dritten großen Revolution, der Friedrich Schlegelschen? Hinfort ist zwar kein Gott mehr, aber ein Formidol ohn allen Stoff, ein Mittler zwischen dem Ungott und den Menschen: der Mensch Wolfgang.

HN II, 317f.

990. CHARLOTTE GRÄFIN VON SCHIMMELMANN AN SCHILLER

Kopenhagen, 13. Dezember 1797

Wir hatten schon im Oktober hier die Erscheinung von Goethes „Hermann und Dorothea". Wir waren entzückt und erkannten auch im neuen Gewande den hohen Geist des echten Dichters. Doch hat uns Goethe diesmal überrascht. Möchte er uns oft so ins Heiligtum der Wahrheit hereinführen! Ich war immer geneigt, Goethe nicht zu verkennen, und fühlte mich beschämt, wenn *Zweifel* über ihn mich störten. Durch Sie und durch Purgstall kam ich ihm näher. Purgstall lernte Goethe erst in Jena kennen. Sie sahen sich in der Schweiz: eine große Freude war es für Purgstall.

SchiZ 233f.

991. FRIEDRICH SCHLEGEL AN SEINEN BRUDER AUGUST WILHELM

Berlin, 18. Dezember 1797

Deine Rezension des „Hermann" ist immer noch nicht da ...

Ich würde mich sehr freuen, wenn Dir mein Vorschlag, etwas über Goethes neuste lyrische Gedichte zu schreiben, gefiele. Es würde wirklich sehr schön stimmen zu meinem

Aufsatz über „Wilhelm Meister". Und wer weiß, ob wir dadurch nicht den Grund legten, in einigen Jahren ein gemeinschaftliches Werk über Goethe zu schreiben.

Schls 333

992. JEAN PAUL AN OTTO

Leipzig, 19. Dezember 1797

[Emilie von] Berlepsch wollte schon vorige Woche kommen ... Ich wurde noch von keinem Weibe so sehr und so rein geliebt wie von dieser. Goethe ist zurück und in Weimar einsam. Sie will mir ihr langes, ihr gefallendes Gespräch mit ihm über mich erzählen, und ich Dir. Sie spricht von seiner Seelen-Dublette, wovon die bessere immer vor ihr auftrete. Nach meiner Einsicht in ihre und seine Seele gab es für ihn keine Frau weiter als diese.

JP III, 25

993. WIELAND AN HEINRICH GESSNER

Oßmannstedt, 25. Dezember 1797

Da er alles sein kann, was er will, so wundert's mich nicht, daß er so artig bei Euch gewesen ist und Euch alle so bezaubert hat.

WBr IV, 195

994. BÖTTIGER IN SEINEM TAGEBUCH

Weimar, zwischen dem 28. und 30. Dezember 1797

[Wieland:] Goethes Unglück sei, nichts vollenden zu können.

Bö I, 216

1798

995. WILHELM VON HUMBOLDT AN SCHILLER

Paris, 20. Januar 1798

Bei Gelegenheit ... muß ich Ihnen doch Vossens Urteil über den „Hermann" sagen, das er Vieweg, Goethens Verleger, der jetzt hier ist, geäußert hat. Er hat gesagt, er habe anfangs geglaubt, dies Gedicht werde seine „Luise" ganz vergessen machen; dies sei zwar nicht der Fall, allein es habe einzelne Stellen, für die er seine „Luise" gern ganz hingeben würde. An dem Versbau lasse sich freilich noch immer viel tadeln; indes sei es kein Wunder, daß er, der nun eine so große Übung besitze, dies besser verstehe, und immer seien diese letzten Goethischen Hexameter bei weitem besser als alle seine vorigen. So Vossisch dies Urteil ist und so ganz der totale Unterschied beider Gedichte darin übersehn ist, so ist es doch ein so komplettes Lob, als man aus Vossens Munde nur erwarten konnte.

SchiHu II, 147f.

996. GLEIM AN VOSS

Halberstadt, 23. Januar 1798

Ich möchte jeden, der die elenden Sechsfüßer gelesen hat, fragen: Wie lesen Sie denn? Welch eine Luise! Welch eine Dorothea!

Luise Voß und Dorothea Goethe,
Schön, beide, wie die Morgenröte,
Stehn da zur Wahl,
Und Wahl macht Qual;

Hier aber, seht!, ist nichts zu quälen!
Hier kann die Wahl nicht fehlen.
Luise Voß ist mein, im Lied und im Idyll;
Die andre nehme, wer da will!

Neulich las ich aus dieser „Dorothea“ eine Stelle: „bis über den Parnaß erheben“, und fand sie so platt, daß ein Blocksbergsdichter sie hätte machen können. Sei's, was es will, ich finde, daß der, welcher „Götter, Helden und Wieland“ gemacht hat, diese „Dorothea“ auch zu machen boshaft genug gewesen sei.

GoeJb XXXIII, 22f.

997. SCHILLER AN COTTA

Jena, 28. März 1798

Goethe und Meyer wollen ein gemeinschaftliches Werk über ihre Kunsterfahrungen in einer Suite von kleinen Bändchen [den „Propyläen“] herausgeben, und diesen Verlagsartikel kann ich Ihnen anbieten ... Auch ich werde Anteil daran nehmen ... Goethe ist aber entschlossen, den „Cellini“ [Übersetzung] ... an die Suite dieses Werks anzuhängen. Es frägt sich nun, ob Sie Lust dazu haben und welche Bedingungen Sie machen können; denn wohlfeil gibt es Goethe nicht.

SchiNa XXIX, 222f.

998. COTTA AN SCHILLER

Tübingen, 11. April 1798

Also, offen zu gestehen, gefällt mir bei dieser Unternehmung [„Propyläen“] das nicht, daß sie bloß für das Kunstpublikum ist. Dieses scheint mir zu klein für den Verleger von Goethes Schriften, der auf einen sehr zahlreichen Absatz muß rechnen können. Sodann „Cellini“: er ist noch zu neu in dem Angedenken der „Horen“-Leser und -Besitzer ... Überdies, was ich mir aber schlechterdings nicht zu erklären weiß, da ich ihn als etwas ganz Vorzügliches betrachte, er hat in unsern Gegenden gar wenig gefallen. Dies zusammengenommen macht mich etwas ängstlich bei dieser Unternehmung, die ich doch wegen des Verhältnisses mit Herrn von G[oethe] um keinen Preis aus der Hand lassen möchte und die gewiß einzig in ihrer Art ausfallen wird. Ganz beruhiget würde ich daher sein, wenn Sie den Herrn Geheimen Rat bestimmen könnten, daß er mir zugleich die Zusicherung für seine künftigen Produkte gäbe, z. B. „Faust" etc.

SchiCo 287 f.

999. CHARLOTTE VON STEIN AN IHREN SOHN FRIEDRICH

Weimar, 26. April 1798

Eben komme ich von einem großen Dejeuner von Goethe, der seine mit Eleganz und schönen Künsten möblierten Zimmer einmal mit hohen Herrschaften hat beehren wollen. Es waren alle hiesigen Fürstlichkeiten da nebst Erbprinz von Gotha, auch viele Damen.

Stein II, 89

1000. BÖTTIGER IN SEINEM TAGEBUCH

Weimar, vermutlich April 1798

Ifflands Urteil über Goethe: Es ist etwas Unstetes und Mißtrauisches in seinem ganzen Wesen, wobei sich niemand in seiner Gegenwart wohl befinden kann. Es ist mir, als wenn ich auf keinem seiner Stühle ruhig sitzen könnte. Er ist der glücklichste Mensch von außen. Er hat Geist, Ehre, Bequemlichkeit, Genuß der Künste. Und doch möcht ich nicht dreitausend Taler Einnahme haben und an seiner Stelle sein!

Bö I, 56

1001. ABEGG IN SEINEM TAGEBUCH

Jena und Weimar, 2. und 3. Mai 1798

[Jena, 2. Mai] „Goethe ist", äußerte u. a. Fichte, „hier viel angenehmer als in Weimar, wo er sich ziemlich steif zeigt. In unser hiesiges Professorenkränzchen geht er jedesmal, wenn er hier ist. Heute findet keines statt, sonst wollte ich Sie einführen; unter vier Augen und bei guter Gesellschaft ist Goethe ein trefflicher Gesellschafter." Ich sagte: „In

Weimar mag er freilich vielseitigeren Umgang haben als hier." – „Ich dächte", erwiderte Fichte, „daß er doch auch bei uns hier einige Stunden besser zubringen könnte als bei den faden Leuten, die größtenteils um ihn sind. Freilich tadelt man an ihm den Stolz, mit dem er oft manche Fremde und Bekannte behandelt. Bürger kam einmal zu Goethe und wollte ihn umarmen, Goethe aber war und blieb zurückhaltend. Bürger ärgerte sich darüber entsetzlich und machte über diesen Vorgang ein Epigramm, das gedruckt worden ist. Die Sache aber war diese: Bürger wollte, wie Goethe wußte, in Jena etabliert werden, und zwar durch Goethes Einfluß. Weil dieser aber Bürger in Jena nicht haben wollte, zeigte er sich kalt, damit jener keinen darauf zielenden Antrag stelle..."...

[Weimar, 3. Mai] Sogleich nach meiner Ankunft wurde ich vorgelassen und nach einem wohlwollenden Empfange von Goethe in einen Zirkel geführt, der sich täglich des Morgens bei ihm versammelt ...

Die Räume in Goethes Hause sind äußerst geschmackvoll. In dem Zimmer linker Hand befinden sich prachtvolle Gemälde, unter anderen eins, das eine römische [die Aldobrandinische] Hochzeit darstellt und in Rom gefunden ist. Auf der vorderen Seite liegt ein kleines Zimmer, in dem ein Fortepiano stand; aus diesem gelangt man in einen niedlichen Garten, durch dessen Tür man in den Park tritt. Goethe ist einer der schönsten Männer, die ich je gesehen habe. Er ist fast einen halben Kopf größer als ich, sehr gut gewachsen, angenehm dick; aber sein Auge ist nicht so grell wie auf dem Kupferstiche. Ruhe, Selbständigkeit und eine gewisse vornehme Behaglichkeit werden durch sein ganzes Benehmen zur Schau getragen. Mit keinem Teilnehmer der Gesellschaft unterhielt sich Goethe besonders lange. Er ging aus einem Zimmer ins andere und zeigte bald diesem, bald jenem ein freundliches Gesicht. Gegen 11 Uhr kam Iffland ... Diesen nahm Goethe bei der Hand und führte ihn einige Male auf und ab ... Nun kam Frau Hofrätin Schiller. Ihr Mann habe, wie sie sagte, den Katarrh und könne nicht ausgehen. Sie scheint eine sehr artige, gebildete Frau zu sein. Goethe sprach sehr vertraut mit ihr; so äußerte er: „Ihr führt mir aber eine wunderliche Haushaltung!“ und noch mehr in diesem Tone, was ich nicht verstehen konnte. Jedem Ankommenden wurde Schokolade angeboten. Gegen 11½ Uhr begab sich die ganze Gesellschaft in ein prachtvoll ausgeschmücktes Zimmer, um hier etwas zu genießen. Es standen da allerlei mit Kunst arrangierte Speisen: Krebse, Zunge usw. Dazu wurde der feinste Wein gereicht ... Dann gingen wir wieder in die übrigen Zimmer, worauf sich einer nach dem anderen still entfernte. Ich trat an Goethe heran und dankte ihm mit kurzen Worten. Nachdem ich mit großem Wohlwollen entlassen worden war, ging ich sehr befriedigt heim.

Euph XVI, 734–737

1002. CHARLOTTE VON STEIN AN CHARLOTTE SCHILLER

Weimar, 24. Mai 1798

Es war alles zum Ball bei diesem Feste gebeten, Goethe ging aber *den* Tag fort. Man hat ihm hier schuld gegeben, er habe sich gefürchtet, ein Kränzchen zu bekommen.

SchFr II, 328

1003. CHARLOTTE VON STEIN AN CHARLOTTE SCHILLER

Weimar, Ende Mai 1798

Ich freue mich, wenn es meinem alten Freunde bei Ihnen wohl ist; ich wußte gar nicht, warum mein kleiner Morgenbesuch [August von Goethe] seither ausgeblieben war. Die Mutter macht sich in Jena auf dem Land lustig. Neulich war sie mit meiner Mutter ihrer Löwern auf einem Ball in Lobeda und bat sich ihren Besuch in Weimar aus, besonders aber bei ihrer Schwester, welche sie recht vor der Verführung der Männer warnt, wie sie sagte. Er mag wohl das arme Wesen recht drücken, dem's mit einer gemeinen Natur gewiß wohler gewesen wäre als mit dem Genie.

SchFr II, 328f.

1004. CHARLOTTE VON STEIN AN CHARLOTTE SCHILLER

Weimar, 13. Juni 1798

In Ihrem Garten ist es wohl sehr schön ... Ich begreife nicht, daß sich Goethe in das Schloß in Jena stecken kann, da er hier in eignen Gärten wohnt. Er müßte denn viel mit Ihnen beiden sein. Denn sein hiesiges häusliches Verhältnis muß ihn ganz abpoetisieren ...

Adieu, Liebes, Einziges! Das sage ich ohne Rausch. Emilie Gore erzählte mir, daß, als sie letzt zugleich mit Goethe bei Hof aß, er mit Ausdruck süßen Weins nach der Tafel vor sie trat und zu ihrer größten Verwunderung sagte: „Ma chère, seule, unique amie!“ Er muß doch noch ein Winkelchen im Herzen haben, wo ihm noch Liebe sitzt.

SchFr II, 329

1005. WILHELM BURGGRAF VON DOHNA-SCHLOBITTEN IN SEINEM TAGEBUCH

Weimar, 26. Juni 1798

Um 11 Uhr ging ich zu dem Geheimrat von Goethe. Er wohnt in Weimar in einem sehr antiken, geschmackvoll und gut möblierten Hause. Er hat ein sehr tiefdenkendes und dabei lebhaftes Aussehn, viel Artiges und Teilnehmendes; spricht nur wenig, gibt Anlaß zum Sprechen.

GoeJb XXXI, 66

1006. HERDER AN GLEIM

Weimar, 29. Juni 1798

Haben Sie das „Lyceum“, das „Athenäum“ gelesen? Wie Lessing, wie Jacobi darin behandelt sind, Lafontaine u. f.? Ein Einziger paradiert auf Erden, Apolls Stellvertreter, der Eindichter. Wir wollen hinunter, hinunter!

VaH I, 244

1007. FRIEDRICH SCHLEGEL AN SCHLEIERMACHER

Dresden, 3. Juli 1798

Über meinen Übermeister [„Über Goethes Meister"] habe ich hier noch nichts Bedeutendes vernommen. Wilhelm [Schlegel] hat zu tun . . ., und für Karoline [Schlegel] ist das erste Stück zu klein gewesen, um ihr einen recht entschiedenen Eindruck zu geben. Sie gibt indessen doch zu, daß Goethe kein ganzer Mensch sei; daß er aber, wie ich behaupte, teils ein Gott, teils ein Marmor ist, will sie nicht zugeben . . .

Der alte Herr hat so gut und schön als billig (er lobt uns über die Maßen und empfiehlt nur Gerechtigkeit und Mäßigung; diese sind nun so einmal seine Liebhaberei) über das „Athenäum" geschrieben, worüber Wilhelms höchlich erfreut sind. Karoline sagte, er würde die Ironie in meinem Aufsatze nicht merken. Das heißt viel sagen. – –

Fr[iedrich] Richter ist ein vollendeter Narr und hat gesagt, der „Meister" sei gegen die Regeln des Romans. Auf die Anfrage, ob es denn eine Theorie desselben gebe und wo man sie habhaft werden möchte, antwortet die Bestie: „Ich kenne eine, denn ich habe eine geschrieben."

Schlei 75f.

1008. BÖTTIGER IN SEINEM TAGEBUCH

Oßmannstedt, 15. Juli 1798

[Wieland:] „Klarheit" ist jetzt das Lieblingswort von Goethe. Das Genie hat sich zu Boden gesetzt, und klares Wasser schwimmt oben. Als Goethe zuerst nach Weimar gekommen war, bat er sich oft selbst bei Wielanden zu Gaste. Damals war das Wort „unendlich" überall wiederkehrendes Stichwort.

Bö I, 221

1009. JEAN PAUL AN OTTO

Halberstadt, 23. Juli 1798

Gleim stand unter der Türe: so herzlich wurd ich noch von keinem Gelehrten empfangen ... Setz ihn Dir aus Feuer und Offenheit und Redlichkeit und Mut und preußischem Vaterlandseifer ... und Sinn für jede erhöhte Regung zusammen und gib ihm noch zum breitesten literarischen Spielraum einen ebenso weiten politischen: so hast Du ihn neben Dir. Wie hebt diesen biedern Borussianer, der vor lauter Feuerflammen nie die rechte Gesichtsfarbe anderer Menschen sehen kann, mein Herz über die ästhetischen Gaukler in Weimar und Jena und Berlin, die für keine Seele eine haben, vor denen alle Charaktere nur beschauet, nicht ergriffen, wie die Charaktere, die von fünf bis acht Uhr auf der Bühne dauern, vorüberwehen! Ich denk auch an Reichardt, der zwar wie Antäus auf der *Familien*-Erde wieder Stärkung einsaugt, der aber doch jeden zu sehr im rechten – Lichte sieht, das heißt: der mit der Goetheschen Lorgnette Gute und Schlimme teilnahmlos, obwohl unparteiisch, lobend, aber nicht liebend, tadelnd, aber nicht hassend, als Dramaturg über das Theater laufen sieht.

JP III, 77f.

1010. NOVALIS AN SCHILLER

Teplitz, 23. Juli 1798

Mein Glück würde vollkommen sein, wenn es bei dieser Gelegenheit dem Manne, dem ich so viel verdanke, den ich so unaussprechlich verehre, Ihrem Freunde Goethe, gefiele, einmal offen und mitteilend zu sein, wenn ich dabei wäre, daß ich ein Bild von seinem persönlichen Umgang hätte, das dem Bilde vom Schriftsteller entspräche. Verzeihen Sie diesen frei geäußerten Wunsch – er fiel mir, indem ich schrieb, ein, bei der Erinnerung an den Abend, wo ich letzthin bei Ihnen war und mein Unstern wollte, daß ich Ihren Freund nicht in der Stimmung fand, wie ich ihn mir so sehnlich gewünscht hätte.

Nov 234

1011. MATTHIÄ AN BERG

Belvedere bei Weimar, 29. Juli 1798

Vorige Woche bemerkte ich einmal beim Eintritt in unser Gesellschaftszimmer einen Fremden, der lebhaft von Italien erzählte und der mir auffiel durch seine würdevolle Haltung und seine schöne Gesichtsbildung. Als ich ihm vorgestellt wurde, sagte er: „Wenn Sie einmal nach Weimar kommen, besuchen Sie mich; ich bin Goethe."

Die Unterhaltung ging nun weiter. Später vertauschten wir das Zimmer mit dem Freien und wandelten im Parke zwischen den Orangenbäumen. „Kennst du das Land, wo die Zitronen blühn", sprach ich. Goethe lächelte und schilderte nun noch manches aus diesem Wunderlande mit so lebendigen und reizenden Farben, daß ich gestehen muß, nie etwas Schöneres gehört zu haben.

Gespr I, 701

1012. SCHILLER AN KÖRNER

Jena, 15. August 1798

Ich habe Goethen dieser Tage die zwei letzten Akte des „Wallensteins" gelesen, soweit sie jetzt fertig sind, und den seltenen Genuß gehabt, ihn sehr lebhaft zu bewegen, und das ist bei ihm nur durch die Güte der Form möglich, da er für das Pathetische des Stoffes nicht leicht empfänglich ist.

SchiNa XXIX, 263

1013. SCHILLER AN KÖRNER

Jena, 31. August 1798

Man schleppt sich mit so vielen tauben und hohlen Verhältnissen herum, ergreift in der Begierde nach Mitteilung und im Bedürfnis der Geselligkeit so oft ein leeres, das man froh ist, wieder fallenzulassen; es gibt so gar erschrecklich wenig wahre Verhältnisse überhaupt und so wenig gehaltreiche Menschen, daß man einander, wenn man sich glücklicherweise gefunden, desto näher rücken sollte.

Ich bin in dieser Rücksicht Goethen sehr viel schuldig, und ich weiß, daß ich auf ihn gleichfalls glücklich gewirkt habe. Es sind jetzt vier Jahr verflossen, daß wir einander nähergekommen sind, und in dieser Zeit hat unser Verhältnis sich immer in Bewegung und im Wachsen erhalten. Diese vier Jahre haben mir selbst eine festere Gestalt gegeben und mich rascher vorwärtsgerückt, als es ohne das hätte geschehen können.

SchiNa XXIX, 270

1014. KAROLINE SCHLEGEL AN FRIEDRICH SCHLEGEL

Jena, 14. Oktober 1798

Wilhelm blieb in Weimar zurück, um Goethen zu sprechen, und der ist sehr wohl zu sprechen gewesen, in der besten Laune über das „Athenäum" und ganz in der gehörigen über Ihren „Wilhelm Meister", denn er hat nicht bloß den Ernst, er hat auch die belobte Ironie darin gefaßt und ist doch sehr damit zufrieden und sieht der Fortsetzung freundlichst entgegen. Erst hat er gesagt, es wäre recht gut, recht charmant; und nach dieser bei ihm gebräuchlichen Art, vom Wetter zu reden, hat er auch warm die Weise gebilligt, wie Sie es behandelt, daß Sie immer auf den Bau des Ganzen gegangen und sich nicht bei pathologischer Zergliederung der einzelnen Charaktere aufgehalten. Dann hat er gezeigt, daß er es tüchtig gelesen, indem er viele Ausdrücke wiederholt, und besonders eben die ironischen ...

Nun von Goethens Geschäftigkeit. Er hat das weimarische Komödienhaus inwendig durchaus umgeschaffen und in ein freundliches, glänzendes Feenschlößchen verwandelt ... Ein Architekt und Dekorateur aus Stuttgart [Thouret] ist dazu herberufen, und innerhalb dreizehn Wochen sind Säulen, Galerien, Balkone, Vorhang verfertigt und was nicht alles geschmückt, gemalt, verguldet, aber in der Tat mit Geschmack. Die Beleuchtung ist äußerst hübsch, vermittelst eines weiten Kranzes von englischen Lampen, der in einer kleinen Kuppel schwebt, durch welche zugleich der

Das Hoftheater in Weimar
nach dem Umbau durch Nikolaus Friedrich Thouret
1798–1825

Dunst des Hauses hinauszieht. Goethe ist wie ein Kind so eifrig dabeigewesen. Den Tag vor der Eröffnung des Theaters war er von früh bis spätabends da, hat da gegessen und getrunken und eigenhändig mitgearbeitet. Er hat sich die gröbsten Billetts und Belangungen über einige veränderte Einrichtungen und Erhöhung der Preise gefallen lassen und es eben alles mit freudigem Gemüt hingenommen, um die Sache, welche von der Theaterkasse bestritten ward, zustand zu bringen. Nun kam die Anlernung der Schauspieler dazu, um das Vorspiel [„Wallensteins Lager"] ordentlich zu geben, worin ihnen alles fremd und unerhört war ... Goethens Mühe war auch nicht verloren; die Gesellschaft hat exzellent gespielt, es war das vollkommenste Ensemble und keine Unordnung in dem Getümmel. Für das Auge nahm es sich ebenfalls trefflich aus. Die Kostüme, können Sie denken, waren sorgfältig zusammengetragen und kontrastierten wieder untereinander sehr artig. Zum Prolog war eine neue, sehr schöne Dekoration.

Bei der Umwandlung des Hauses war Schillers Käfig weggefallen, so daß er sich auf dem offnen Balkon präsentieren mußte, anfangs neben Goethe, dann neben der herzoglichen Loge. Wir waren im Parkett, das denselben Preis mit dem Balkon hat ...

Goethe ist heute wiederum hier angelangt, um nun weiter den vergangenen Effekt des Vorspieles und den zukünftigen des „Piccolomini" zu überlegen. Desto besser für uns.

Car I, 455–458

1015. CHARLOTTE SCHILLER AN FRIEDRICH VON STEIN

Jena, 23. Oktober 1798

Goethe ist hier und grüßt Sie; er spricht mit Anteil und Liebe von Ihnen. Hier ist er immer ein ganz andrer Mensch als in Weimar, und ich habe ihn hier sehr lieb; in Weimar, wenn ich ihn da sehe, muß ich mir manches zurechtlegen in seinem Wesen.

Fritz von Stein I, 147

1016. CHARLOTTE VON STEIN AN IHREN SOHN FRIEDRICH

Weimar, nach dem 27. Oktober 1798

Goethe seh ich selten, und wenn es einmal geschieht, so erschrickt mich seine immer zunehmende Dickheit.

Stein II, 98

1017. SCHILLER AN KÖRNER

Jena, 29. Oktober 1798

Das Vorspiel [„Wallensteins Lager“] ist nun in Weimar gegeben. Die Schauspieler sind freilich mittelmäßig genug, aber sie taten, was sie konnten, und man mußte zufrieden sein ... Die große Masse staunte und gaffte das neue dramatische Monstrum an, einzelne wurden wunderbar ergriffen. Du kannst, wenn die „Allgemeine Zeitung“ von Posselt in Dresden zu haben ist, das Nähere über diese Wallensteinische Repräsentationen in Weimar gedruckt lesen; denn Goethe hat sich den Spaß gemacht, diese Relationen selbst zu machen [„Eröffnung des Weimarischen Theaters (Aus einem Briefe)“], daß er sie Böttigern aus den Zähnen reiße.

SchiNa XXIX, 295

1018. KAROLINE HERDER AN GLEIM

Weimar, 12. November 1798

Wie es in Weimar übrigens zugeht, werden Sie in der „Allgemeinen Zeitung“ lesen. Die Komödie ist nun fast der herrschende Gedanke des großen Haufens geworden. Mein Mann ist vielleicht der einzige in Weimar, der noch nicht darinnen war.

VaH I, 248

1019. KAROLINE SCHLEGEL AN NOVALIS

Jena, 15. November 1798

Wir haben die „Propyläen" noch nicht gesehn. Was brauchen wir auch die Vorhöfe, da wir das Allerheiligste selber besitzen! Er lebt alleweil mitten unter uns. Gestern habe ich mit ihm soupiert, heute werde ich mit ihm soupieren, und nächstens gebe ich ihm selbst eine Fete. Kommen Sie dann auch! – Ich freue mich sehr auf die „Propyläen", das ist auch ein Genuß. Er hat kein Exemplar mitgebracht; denen, die hier etwa sind, mögen wir nicht nachjagen. Er will eins von Weimar kommen lassen. Die Vorrede scheint voll väterlichster Milde ... Wenn Sie die „Allgemeine Zeitung" lesen, so haben Sie auch den echten Bericht [„Eröffnung des Weimarischen Theaters (Aus einem Briefe)"] von „Wallensteins Lager" gelesen; der darin enthaltene Brief ist gewiß von der Hand des Meisters. Soviel tut er für seinen Freund, der sich auch im Vorspiel und Prolog als sein Jünger goethesker wie jemals zeigt.

Car I, 472f.

1020. BÖTTIGER IN SEINEM TAGEBUCH

Weimar, 26. November 1798

Goethes Vater war ein steifer, zeremoniöser Frankfurter Ratsherr. Alles Eckichte, Gezwungene, Gezwickte, Ministerartige hat Goethe von seinem Vater, der ihn übrigens in früher Jugend selbst unterrichtete und überhaupt auch ein sehr gelehrter Mann war ... Das Gewandte, Genialische hat er von seiner Mutter ... Goethes Mutter ist noch jetzt eine der lebhaftesten und modischsten alten Frauen in Frankfurt. Sie trägt eine Perücke, hoch frisiert, und lebt alle Tage hoch. Mit Goethes Verbindung mit der Dame Vulpia ist sie zufrieden, weil sie es sein *muß*. Als er ihr die Nachricht von ihrer letzten Entbindung schrieb, antwortete sie, es sei ihr lieb, doch wünsche sie, daß sie sich dieses Enkels auch rühmen könne. Als Goethe 1797 die Reise nach der Schweiz zu Meyer antrat, nahm er die Vulpia nebst seinem Sohne mit nach Frankfurt. Da bekam die Mutter sie beide erst zu sehen und betrug sich sehr artig gegen sie, fand sie auch sehr artig und rühmte sie.

Goethe fühlte indes das Mißverhältnis seiner Verbindung sehr gut und kaufte deswegen in Roßla das Gut, weil auch sein Sohn große Lust zur Ökonomie hat.

In Jena ist er darum so gern, weil er dort zwölf Stunden zu seiner Disposition hat. Nach dem Mittagessen geht er gewöhnlich eine halbe Stunde im Zimmer der Verdauung widmend auf und ab. Er trinkt dabei viel Bier, aber keinen Kaffee.

Auch an die Mutter schreibt er durch die Hand seines Bedienten, und *sie* nimmt es nicht übel.

Bö I, 58ff.

1021. BÖTTIGER IN SEINEM TAGEBUCH

Weimar, 28. November 1798

„Wallensteins Lager" findet Wieland höchst unmoralisch, sowie die Elegie „Amyntas" im „Musenalmanach von [für] 1799", die aber übrigens zu dem Vollendetsten gehöre, was unsere Sprache aufzuweisen hat – ausgenommen die „klägliche Klage".

Bö I, 231

1022. JEAN PAUL AN OTTO

Weimar, 30. November 1798

Glaube der Poss[eltschen] Zeitung nicht! Der Aufsatz ist von Goethe. Es [„Wallensteins Lager"] hat uns allen Langweile gemacht. Aber die künftigen zwei Stücke sind in seiner [Schillers] Gigantenmanier. Ich bekomme sie künftig durch einen Schauspieler [Schoell?] im Manuskript.

JP III, 125

1023. BÖTTIGER AN COTTA

Weimar, 7. Dezember 1798

Herzlich gern wollte ich von den zwei ersten Stücken der „Propyläen" eine besondere Anzeige für eine Beilage [von Cottas „Allgemeiner Zeitung"] machen. Allein Goethe ist äußerst kitzlig zu behandeln. Ich habe abschreckende Erfahrungen darin.

Bode I, 640

1024. SCHILLER AN COTTA

Jena, 16. Dezember 1798

Goethe hat an seinem „Faust" noch viel Arbeit, eh er fertig wird. Ich bin oft hinter ihm her, ihn zu beendigen, und seine Absicht ist wenigstens, daß dieses nächsten Sommer geschehen soll. Es wird freilich eine kostbare Unternehmung sein. Das Werk ist weitläuftig, 20–30 Bogen gewiß, es sollen Kupfer dazu kommen, und er rechnet auf ein derbes Honorar. Es ist aber auch ein ungeheurer Absatz zu erwarten. Es wird gar keine Frage sein, daß er Ihnen das Werk in Verlag gibt, wenn Ihnen die Bedingungen recht sind, denn er meint es sehr gut mit Ihnen.

SchiNa XXX, 13

1025. CHARLOTTE VON STEIN AN IHREN SOHN FRIEDRICH

Weimar, 18. Dezember 1798

Nur die Wolzogen kam in dem abscheulichsten Wetter gelaufen einen Augenblick, ehe die Herzogin hereintrat, und war außer sich vor Freuden ... Ich dachte, Goethe würde kommen und mir seine Freude über sein ehemaliges Kind bezeugen, aber auch er kam nicht.

Stein II, 101

1799

1026. CHARLOTTE VON KALB AN JEAN PAUL

Weimar, Anfang Januar 1799

Gestern mittag war ich bei Goethe. Es waren da Dichter, die nichts sagten, Hofleute und ordentliche Leute. Ich allein war etwas unordentlich, das heißt, ich habe gesprochen, und etwas zu lebhaft für die Zeit.

ChKalb 31

1027. KNEBEL AN MATTHISSON

Ilmenau, 15. Januar 1799

Das Wichtigste, was ich Ihnen zu sagen vergessen habe, ist, daß Goethe im Ernste daran zu denken scheint, ein Gedicht in der Art des Lukrez zu verfertigen. Es war dies längst mein geheimer Wunsch, da ich mich selbst von dieser Bahn, die eine Hoffnung meiner Jugend war, durch Alter und Umstände verscheucht sahe. Er kann es mit höherm Sinn und größern Kräften, und es dürfte vielleicht der dauerndste Lorbeer in seinem Kranze werden. Er rechnet auf meine Übersetzung als Basis zu seiner Arbeit.

Mat III, 8

1028. FRIEDRICH AUGUST WOLF AN LANGER

Halle, 15. Januar 1799

Haben Sie bereits Goethens (und einiger Freunde) „Propyläen“ durchsehen? Hier ist das Gegenteil der „Horen“, sowohl in bescheidner Ankündigung als in Tiefe! Aber jener ruhig dahingleitende Ton ist doch wohl für unsre Landsleute nicht gut berechnet. Daß etwas neu und tief gedacht ist, muß den meisten vorher durch einen Trompeter ausgerufen werden; sonst vermerken sie es nicht. Ich weiß nicht, ob Sie G[oethe] persönlich kennen, aber wie Sie ihn hier gedruckt finden, so ist er leibhaft und lebend.

Wolf 273

1029. BÖTTIGER IN SEINEM TAGEBUCH

Weimar, 20. Januar 1799

Abends bei Falk ... Wieland wundert sich, daß man Goethes „Reineke Fuchs" nicht mehr schätze. Er lese oft mit Vergnügen darin. Falk tadelt die Hexameter; hier hätten bloß Knittelreime hingehört. Wieland nimmt sich des Hexameters an.

Bö I, 233f.

1030. JEAN PAUL AN OTTO

Weimar, 27. Januar 1799

Ich bin jetzt kecker als je ... Goethen sagt ich etwas über das hiesige Tragische (Böttiger, alles lobend, lobte mich auch darüber: „Wir denken alle dasselbe, aber es hat's ihm noch keiner gesagt"), worüber er empfindlich eine Viertelstunde den Teller drehte ... Aber Wieland, der wieder da war ..., sagte, so wär's recht, und ich gew[änne] ihn dadurch; wir w[ürden] noch die besten Freunde; [er] [Goethe?] hat mit Respekt von [mir] gesprochen. Als ich [zu] einem Diner bei Goethe geladen war, Schiller zu Ehren, nebst Herder und andern, der ihm aber nicht ein Ölblatt, geschweige einen Ölzweig des Friedens, den Goethe gern schlösse, reichte, wurd ich und Herder zu Goethes Einfassung gemacht, ich der linke Rahmen und er der rechte. Hier sagte mir Goethe, der nur allmählich warm werden will – so ist er gegen Schiller so kalt wie gegen jeden –: er habe seinen „Werther" zehn Jahre nach dessen Schöpfung nicht gelesen, und so alles. „Wer wird sich gern eines vorübergegangenen Affekts, des Zorns, der Liebe etc. erinnern?" Und so ekelt Herder auch vor seinen Werken. So etwas sollte Selbst-Götzendienern von

Literatoren und Rektoren gesagt werden, damit sie, wenn solche Männer demütig sind, wenigstens – nichts wären.

JP III, 151

1031. KAROLINE HERDER AN KNEBEL

Weimar, 2. Februar 1799

Aber wir glauben doch noch an sie – an Goethe und an Meyer, meine ich. Sie besitzen doch die Regel des Schönen und Guten. Sie könnten die Welt umbilden, wenn – Sie sehen, daß ich noch immer für die alten Freunde exaltiert bin. Das machen die „Propyläen"! (Meyer ist unser *Stern*, der uns nicht verläßt.)

Kn II, 322

1032. KARL GRAF VON BRÜHL AN SEINE MUTTER

Weimar, 7. Februar 1799

Die Truppe des hiesigen Theaters ist in einzelnen Teilen nicht schlecht, und manche Stücke werden wirklich gut gegeben. Der erste Darsteller, Vohs, ist sehr brav, allein das Ganze könnte besser sein, wenn die Direktion besser wäre. Allein Goethe, dem es doch nicht an Verstand und Kenntnissen fehlt, nimmt sich so schlecht dazu, daß wirklich Sachen vorkommen, die unverantwortlich sind. Die Verteilung der Rollen ist manchmal sehr falsch, und er sorgt so wenig für Anschaffung guter neuer Darsteller, da doch die Gage sehr beträchtlich ist, daß manche Stücke elend besetzt sind. Am besten in langer Zeit haben sie die „Piccolomini" von Schiller gegeben, weil gerade die Rollen gut verteilt waren und die Leute mit Interesse spielten.

Gespr I, 715f.

1033. CHARLOTTE VON STEIN AN CHARLOTTE SCHILLER

Weimar, 9. Februar 1799

Den schönen Florian hat mir Goethe geschenkt ...

Ich war vorgestern in Gesellschaft der Kalb. Sie frug mich, ob Goethe mich besuchte; ich sagte: „Nein." – „Welche Härte!" rief sie aus, und sie wollte es ihm vorhalten. In Eil, denn mein Wagen stand schon vor der Tür, bat ich sie recht sehr, es nicht zu tun, denn ich liebe meine Einsamkeit und bin gar nicht auf Visiten gestimmt. Wenn sie mir nur nicht etwas Albernes macht! Ich habe gar nicht gern, wenn man zu Goethe von mir spricht. Ich habe ein zu lebhaftes Gefühl davon, daß er gar kein Interesse an mir nehmen kann. Ich aber habe noch soviel Interesse an ihm, daß ich nicht leiden kann, daß man ihn damit plagt.

August ist bei mir; sein Gesichtchen tut mir auch wohl. Er wollte an Karlchen [Schiller] schreiben und freute sich übers Couvertchen, das ich ihm gemacht habe. Possierlich ist's, daß er sich das Siegel in meinem Schreibtisch ausgesucht hat, das mir sein Vater (ich glaube, vor zwanzig Jahren) geschenkt. Lassen Sie ihn es nicht sehen.

SchFr II, 332f.

1034. NOVALIS AN KAROLINE SCHLEGEL

Freiberg, 27. Februar 1799

Ich prophezeie mir wenig Gutes von der Aufnahme [der Schlegelschen „Lucinde"].

Vergleichungen mit Heinse können nicht ausbleiben ...

Viele werden sagen: „Schlegel treibt's arg; nun sollen wir ihm auch noch das Licht zu seinen Orgien halten." ...

Noch andre: „Da seht die Goethische Erziehungsanstalt – der Schüler über seinen Meister. Aus Venedig ist Berlin geworden."

Nov 279f.

1035. CHARLOTTE VON STEIN AN CHARLOTTE SCHILLER

Weimar, 28. Februar 1799

Letzt sagte sie [Herzogin Luise] mir, sie könnte sich recht vorstellen, daß mich Goethe nicht hätte können liebbehalten, ob sie mich gleich immer würde liebhaben.

SchFr II, 334

1036. KAROLINE HERDER AN KNEBEL

Weimar, Februar oder März 1799

Ich habe vor einigen Tagen das zweite Stück der „Propyläen" angefangen, Goethes Stück über Diderot [„Diderots ‚Versuch über die Malerei'"]. Hören Sie, Lieber, es schmerzt mich fast, daß Goethe sich den Jargon der kritischen Modesprache angewöhnt; er verleidet mir ordentlich die schönen Sachen. O wie ist Ihre Vorrede [zu den Elegien von Properz] dagegen ein Geniusblatt, das uns den Gewinn, Schatz und Reichtum unserer Sprache rettet. Läse doch Goethe diese Vorrede zehnmal! Ach, daß er so gern auf dem breiten Strom schwimmt, um die Ewigkeit in der Zeit nicht zu verfehlen!

BrKn I, 166

1037. RAHEL LEVIN AN BRINKMAN

Berlin, 9. März 1799

Lehren Sie sie [Madame de Staël] deutsch... Sie wissen, was bei mir Goethe ist. Alles, mein ganzes innres Leben und er ist eins bei mir. Aber ich glaube nicht, daß ihr Goethe geholfen hätte. Freilich, wenn sie ihn verstanden hätte, so hätte sie das andere auch gewußt. Und ein Probierstein ist er, ausbilden tut man sich durch ihn, der Stern im Leben ist er, aber ohne ihn muß man alles sein. Vielleicht, wenn sie eine Deutsche wäre.

RahelA I, 182f.

1038. JOHANN GEORG SCHLOSSER AN NICOLOVIUS

Frankfurt, 10. März 1799

Du fragst, lieber Sohn, nach der Klettenberg ... Ich kann noch nicht meinen Verdruß verbeißen, daß Goethe dieser reinen Seele einen Platz in seinem Bordell [„Wilhelm Meisters Lehrjahre“] angewiesen hat, das nur zur Herberge dienen sollte für vagabondierendes Lumpengesindel.

Bode III, 465

1039. KARL VON STEIN AN SEINEN BRUDER FRIEDRICH

Weimar, 18. März 1799

Haren scheint dem Herzog sehr zu behagen; dies wäre gut. Wenn Goethe es nur so läßt! Diesem ist es merklich unheimlich mit Haren: so eine gewisse moralische Rechtlichkeit drückt ihn leicht.

Fritz von Stein II, 70

1040. JEAN PAUL AN FRIEDRICH HEINRICH JACOBI

Weimar, 4. Juni 1799

Fichte ist noch in Jena ... Er schmerzet mich, da er edel ist und hülflos und da der bleiche Minister Voigt nicht wert ist, sein Diener zu sein, geschweige sein Mäzen. Goethe (über den ich Dir ein Oktavbändchen zufertigen möchte) ist Gott gleich, der nach Pope eine Welt und einen Sperling mit gleichem Gemüte fallen sieht; um so mehr, da er keines von beiden schafft. Aber seine Apathie gegen *fremde* Leiden nimmt er schmeichelnd für eine gegen die *seinigen*.

JP III, 199

1041. KAROLINE SCHLEGEL AN GRIES

Jena, 9. Juni 1799

Ein wahrhaft verehrungswürdiger Mann [Dohm], der in Staatsgeschäften sein Haar gebleicht, ohne den Bürgersinn einzubüßen. Er macht einen starken Kontrast mit Goethe und Schiller, die über jene Begebenheit wie Emigrierte sprechen. Wer es getan habe, sei einerlei; nur gut, daß es geschehn, denn das Abscheuliche müsse geschehn.

Bei Goethe ist das eine Art von Verzweiflung darüber, daß die Ruhe, die er liebt, sich ferner und ferner hält.

Car I, 550

1042. KARL VON STEIN AN SEINEN BRUDER FRIEDRICH

Weimar, 11. Juni 1799

Wen sie [die Zeit] aber von seiten des Körpers unkenntlich gemacht hat, ist Goethe. Sein Gang ist überaus langsam, sein Bauch nach unten zu hervorstehend wie der einer hochschwangeren Frau, sein Kinn ganz an den Hals herangezogen, von einer Wassersuppe dichte umgeben; seine Backen dick, sein Mund in halber Mondsform; seine Augen allein noch gen Himmel gerichtet; sein Hut aber noch mehr und sein ganzer Ausdruck eine Art von selbstzufriedener Gleichgiltigkeit, ohne eigentlich froh auszusehen. Er dauert mich, der schöne Mann, der so edel in dem Ausdruck seines Körpers war. Meine Mutter gab uns zu Ehren einen Tee vor ihrem Hause. Herr von Haren, Herr Gerning, Herr Dumanoir etc. etc. waren da. Sie ließ den vorbeigehenden Goethe einladen, diesem war dies unheimlich, er setzte sich hin, sprach nichts und machte ein entsetzlich verdrüßlich Gesicht. „Haben Sie Nachricht, Frau von Stein, von dem Herrn Kriegsrat [Friedrich von Stein] aus Breslau?“ war alles, was er unaufgefordert an Diskurs hervorgehen ließ.

Fritz von Stein II, 72, und Bode I, 648

1043. COTTA AN SCHILLER

Tübingen, 16. Juni 1799

Goethen mußte ich über den Stand des Absatzes der „Propyläen" schreiben: Denken Sie sich, daß kaum 450 abgehen und ich bereits einen Schaden von 2500 Gulden habe – es ist mir eine äußerst unangenehme Geschichte, wegen der ich aber keinen Entschluß fassen, sondern diesen ganz Goethen überlassen will.

Begierig wäre ich über seine Äußerungen, ob ihm mein Brief nicht mißfallen habe, wie mich besorgen will, da er gerade und offen geschrieben ist.

SchiNa XXXVIII/1, 103f.

1044. SCHILLER AN COTTA

Jena, 5. Juli 1799

Goethe hat mir über die bewußte Sache [„Propyläen"] noch kein Wort gesagt, ob ich gleich mehrere Tage in Weimar mit ihm zusammen gewesen. Auch Meyern, der bei ihm wohnt, hat er von der Sache nichts entdeckt. Vielleicht daß er Ihnen unterdessen schon selbst geantwortet; inwiefern er unwillig sein kann, sehe ich nicht, denn der Verlust ist ein viel zu großes Objekt, als daß man dazu schweigen könnte. Freilich ist es eine schreckliche Erfahrung, die man hier wieder in Absicht auf den Geschmack des deutschen Publikums und insbesondere des kunsttreibenden und kunstliebenden Publikums macht. Ich habe zwar nie viel auf dasselbe gehalten, aber so höchst erbärmlich hätte ich mir die Deutschen doch nicht vorgestellt, daß eine Schrift, worin ein Kunstgenie von erstem Rang die Resultate seines lebenslänglichen Studiums ausspricht, nicht einmal den gemeinen Absatz finden sollte.

Das neue Stück der „Propyläen" wird zwar einen größern Eindruck machen als die vorigen, weil es einen kleinen, auf Kunst sich beziehenden Roman von Goethe [„Der Sammler und die Seinigen"] enthält; aber wenn dieses Stück nicht zum allerwenigsten tausendmal abgesetzt wird, so sehe ich nicht, wie das Journal fortgehen kann.

SchiNa XXX, 66

1045. BÖTTIGER IN SEINEM TAGEBUCH

Weimar, 8. Juli 1799

Ein Hauptunterschied zwischen Goethe und Wieland ist in ihrer sinnlichen Organisation. Wieland hat äußerst blöde Sinne, besonders Augen. Daher ist alle seine Poesie Feenwerk, Phantasiespiel, Vision und Exaltation des inneren Auges, ohne ganz reine, bestimmte äußere Form. Goethe hat sehr scharfe äußere Sinne, hat selbst frühzeitig zeichnen und malen gelernt ..., und daher umfaßte er die sinnlichen Gegenstände mit unwiderstehlicher Gewalt und *Wahrheit*. Daher seine kristallhelle Klarheit im Ausdruck, sein kurz geschlossener, fest und symmetrisch gegliederter Periodenbau, sein Hang zur rein epischen Dichtung, da Wielands Gedichte alle nur romantische Epopöen sind.

Bö I, 69f.

1046. CHARLOTTE VON STEIN AN CHARLOTTE SCHILLER

Weimar, 27. Juli 1799

Gestern aß ich mit der Laroche bei Goethe. Es war ein empfindsames Diner. Wir mußten uns jedes nach unseren Namen auf dem Couvert setzen, und Nachbarn oder Visavis, eines oder das andere, waren am schicklichsten zur Unterhaltung ausgesucht. Auf dem Tisch standen anstatt der Gerichte Blumennäpfe mit raren Gewächsen und Bouteillen mit Wein dazwischen. Die Unterhaltung ging gleich auf die Blumen, und nach einer Weile wurden uns vorgelegte Speisen gebracht. Gegen das Dessert erhob sich eine unsichtbare sanfte Musik, und endlich trug man schöne Früchte und wohlgestaltete Kuchen auf den Tisch zwischen die Blumenstöcke ...

SchFr II, 337

1047. SOPHIE BRENTANO
AN HENRIETTE VON ARNSTEIN

Oßmannstedt, 8. August 1799

Goethens Umgang allein tut einem nicht wohl. Er ist kalt und trocken für Menschen, die ihm gleichgültig sind, und um ihm mehr als das zu sein, dazu gehöret viel. Doch sehe ich den Sänger „Dorotheens" mit einem lebendigen Gefühl des Dankes und der Verehrung und wiederhole mir geflissentlich und oft in seiner Gegenwart, was alles sein Pinsel gemalt hat.

GoeJb XV, 358

1048. SCHILLER AN COTTA

Jena, 10. August 1799

Mit Goethen habe ich der „Propyläen" wegen Konferenzen gehalten, und es ist auf meinen Rat geschehen, daß er dieses Journal für ein mäßiges Honorar, in einer kleinern Auflage und nach längern Zwischenzeiten noch eine Zeitlang fortsetzen will. Es sogleich aufzugeben, schien mir auch darum nicht zu raten, weil Sie dadurch die Hoffnung ganz verlören, von den ersten Stücken noch etwas abzusetzen.

SchiNa XXX, 82

1049. CHARLOTTE VON STEIN
AN CHARLOTTE SCHILLER

Weimar, 28. August 17

Heute ist Goethes Geburtstag, wozu ihm vermutlich die Schlegel werden Oden gemacht haben.

SchFr II, 339

1050. BÖTTIGER IN SEINEM TAGEBUCH

Weimar, 31. August 1799

[Wieland:] Ich habe Goethes „Hermann und Dorothea" wieder gelesen und gefunden, daß der letzte Gesang mich jetzt ganz befriedigt, so wenig er mir sonst gefallen wollte. Nur durch das dort eingeleitete Mißverständnis konnte sich Dorothea so herrlich zeigen ... Bei dieser Lektüre habe ich mich aufs neue überzeugt, Goethe sei eigentlich zum Künstler geboren. Die Figuren von „Hermann und Dorothea" sind alle in großen raffaelischen Umrissen herrlich gezeichnet. Es sind Figuren, in Marmor gehauen. Ans Kolorit muß man dabei nicht denken; auch dies konnte Goethe geben, wenn er malen wollte. Aber auch hier ist er Bildhauer. Alles ist im großen Stil. Die Vernachlässigung des Verses kommt daher, weil er alles diktiert. Jamben und Hexameter sind ihm ungefähr gleich geläufig. Aber er achtet es nicht, zehn Verse von demselben Einschnitt aufeinanderfolgen zu lassen. Ich erinnere mich aus den ersten Jahren noch einer Aufgabe, wo wir ein englisches Liedchen zusammen aus dem Stegreif übersetzen sollten. Ich bin nie ein Improvisator gewesen. Aber Goethe nahm das Buch, übersah eine Strophe und diktierte nun, es mochte brechen oder klappen, wenn's nur ungefähr der Sinn war.

Bö I, 248f.

1051. BÖTTIGER IN SEINEM TAGEBUCH

Weimar, vermutlich August oder September 1799

Goethe hat nicht den Mut, gewissen äußern Eindrücken zu widerstehen. Viele Menschen flieht er z. B. schon darum, weil sie Tabak rauchen. Neben seinem Hause wohnt ein Leinweber. Das Pochen und Anschlagen an den Weberstuhl, was das Geschäft dieses Handwerkers mit sich bringt, ist ihm so verhaßt, daß er alles angewandt hat, um diesen pochenden Kobold zu bannen oder ihm zu entfliehen. Darauf hat sich Goethe entschlossen, lieber in seinem Gartenhause vor der Stadt zu wohnen, das er seit vielen Jahren nicht mehr bewohnt hat, weil ihm die Erinnerungen an früher dort verlebte Tage unangenehm waren, als den Leinweber zu hören. Oft ist er deswegen auch schon wochenlang nach Jena gezogen. Indes muß er sich doch manches, durch häusliche Umgebung eingeengt, gefallen lassen. Neulich fand es die Dame Vulpius sogar für geraten, Schweine, deren Geruch ihm eine Pest ist, einzustallen. Hier indes drang sein Widerwille durch, und die circeischen Gesellen mußten sogleich geschlachtet werden.

Bö I, 57f.

1052. JOHANNA MARIA FICHTE AN IHREN MANN

Jena, 5. Oktober 1799

Goethe ist itzt hier und hat bei [August Wilhelm] Schlegel sich sehr freundschaftlich nach Dir, Deinen itzigen Arbeiten und Befinden erkundigt. Schlegel muß sehr bei Goethe gelten, denn er durchgeht mit Goethen seine [Goethes] Gedichte, welche letzterer herausgibt.

Fi III/4, 101

1053. DOROTHEA VEIT AN SCHLEIERMACHER

Jena, 11. Oktober 1799

Ungeheuer aber ist es, daß Goethe hier ist und ich ihn wohl *nicht* sehen werde. Denn man scheut sich, ihn einzuladen, weil er, wie billig, das Besehen haßt. Und er geht zu niemandem als zu Schiller, obgleich Schlegels und Schelling ihn täglich auf seiner alten Burg besuchen, in der er haust. Bis die andre Woche bleibt er nur hier. Zu Schiller geht man nicht; also ich werde in Rom gewesen sein, ohne dem Papst den Pantoffel geküßt zu haben. Es ist unrecht und, was noch mehr ist, dumm und, was noch mehr ist, lächerlich. Aber man kann mir nicht helfen.

SchlVeit I, 15f.

1054. JOHANNA MARIA FICHTE AN IHREN MANN

Jena, 16. Oktober 1799

Schlegels courtoisieren Goethe erstaunlich. Täglich ist einer von ihnen bei ihm. Auch ist Goethe vornehm geworden und geht zu niemandem als zu Schillern, vielleicht auch zu Griesbach ...

Fi III/4, 108

1055. DOROTHEA VEIT AN SCHLEIERMACHER

Jena, 15. November 1799

Nun hören Sie! Gestern mittag bin ich mit Schlegels, Karoline, Schelling, Hardenberg und einem Bruder von ihm, dem Lieutenant Hardenberg, im Paradiese (so heißt ein Spaziergang hier) – wer erscheint plötzlich vom Gebirg herab? Kein andrer als die alte göttliche Exzellenz, Goethe selbst! Er sieht die große Gesellschaft und weicht etwas aus; wir machen ein geschicktes Manöver, die Hälfte der Gesellschaft zieht sich zurück, und Schlegels gehn ihm mit mir grade entgegen. Wilhelm führt mich, Friedrich und der Lieutenant gehen hinterdrein. Wilhelm stellt mich ihm vor; er macht mir ein auszeichnendes Kompliment, dreht ordentlicherweise mit uns um und geht wieder zurück und noch einmal herauf mit uns und ist freundlich und lieblich und ungezwungen und aufmerksam gegen Ihre gehorsame Dienerin. Erst wollte ich nicht sprechen. Da es aber gar nicht zum Gespräch zwischen ihm und Wilhelm kommen wollte, so dachte ich: Hol der Teufel die Bescheidenheit! Wenn er sich ennuyiert, so habe ich unwiederbringlich verloren! – Ich fragte ihn also gleich etwas, über die reißenden Ströme in der Saale, er unterrichtete mich, und so ging es lebhaft weiter. Ich habe mir ihn immer angesehen und an alle seine Gedichte gedacht. Dem Wilhelm Meister sieht er jetzt am ähnlichsten. Sie müßten sich totlachen, wenn Sie hätten sehen können, wie mir zumute war, zwischen Goethe und Schlegel zu gehen ... An Friedrich machte er auch ein recht auszeichnendes Gesicht, wie er ihn grüßte. Das freute mich recht.

SchlVeit I, 20f.

1056. DOROTHEA VEIT AN RAHEL LEVIN

Jena, 18. November 1799

Goethe habe ich gesehen! ... er ... hat mich mit einem auszeichnenden Blick gegrüßt, als mein Name genannt wurde, und sich freundlich und ungezwungen mit mir unterhalten. Er hat einen großen und unauslöschlichen Eindruck auf mich gemacht. Diesen Gott so sichtbar und in Menschengestalt neben mir, mit mir unmittelbar beschäftigt zu wissen: es war für mich ein großer, ein ewig dauernder Moment! – Von dem zurückschreckenden Wesen, das man so allenthalben von ihm sich erzählt, habe ich wenig gemerkt. Im Gegenteil, obgleich meine Schüchternheit und Angst groß war, so nahm sie doch sehr bald ab, und ich gewann vielmehr ein gewisses schwesterliches Vertrauen in ihn. Ewig schade ist es, daß er so korpulent wird; das verdirbt einem ein wenig die Imagination! ... Er geht zu niemand als zu Schiller, dessen Frau sehr krank ist. Die Schlegel macht mir aber doch Hoffnung, daß er einmal ein Souper annehmen wird.

SchlVeit I, 22f.

1057. KLOPSTOCK AN HERDER

Hamburg, 27. November 1799

Haben Sie gelesen, was Goethe über die Farben [„Beiträge zur Optik"] gegen Newton geschrieben? Und haben Sie, was vor ziemlicher Zeit Marat, da er noch nicht rasend war, über ebendiese Sache (mich deucht: im „Merkur") und auch gegen Newton [„Entdeckungen über das Licht"]? Wenn Sie haben, so können Sie mir vermutlich sagen, was Goethe von Marat genommen hat.

Denn er ist, vielleicht nur zuzeiten, ein gewaltiger Nehmer. So hielt er es mit dem Leben, das Götze [von Berlichingen] z. B. von sich selbst geschrieben hat. „Götze" war seit ziemlich langer Zeit das erste deutsche Schauspiel, das ich ganz durchlas. Hätte ich damals jene Lebensbeschreibung gekannt, so hätte ich es zwar auch ganz gelesen, aber vornehmlich, um zu vergleichen. Es kommen in „Götzen", dem Schauspiele, auch andere Personen vor, die gewöhnlich nicht so sprechen, wie sie in den damaligen Zeiten hätten sprechen sollen; aber hier gängelte auch die Lebensbeschreibung Goethen nicht.

HN I, 213

1058. HERDER AN KLOPSTOCK

Weimar, 5. Dezember 1799

Ich habe diesen *Prediger* [Jenisch] vor einigen Jahren in meinem Hause kennenlernen müssen ... Er reiste damals nach Wien ... und hatte eben über Goethens „Meister" eine Abhandlung [„Über die hervorstechendsten Eigentümlichkeiten von ‚Meisters Lehrjahren'"] für die Judengesellschaft geschrieben, in der, gedruckt, behauptet wird, daß, „da von Theologen, Dichtern und Philosophen die menschliche Natur gar nicht verstanden und mit lauter Lügen überdeckt sei, sie in ‚Wilhelm Meister' zuerst lauter, klar und rein erscheine", weshalb man ihm als einem Prediger riet, einen Jahrgang Predigten darüber zu verfassen und vorzüglich die Philine als das reinste Exemplar der Menschheit zu behandeln; welches er sich denn auch gefallen ließ.

KlSt 326f.

Friedrich Gottlieb Klopstock

1800

1059. KAROLINE HERDER AN KNEBEL

Weimar, 3. Januar 1800

Auch hat mein Mann dem durch Goethe übersetzten „Mahomet“ [von Voltaire] in Jamben bei ihm beigewohnt. „Vortreffliche, vortreffliche Verse“, sagte mein Mann, „aber der Inhalt – ist eine Versündigung gegen die Menschheit und gegen alles.“ Sehn Sie, so lustig sind wir hier noch immer und fechten gegen Windmühlen!

Der *Fanatismus* ist ja wohl die Krankheit, an der wir und unsre Zeit krank daniederliegen ...

Ach, die Musen alle sind erkrankt, Bester, oder verpestet...

Kn II, 329

1060. KARL AUGUST AN KNEBEL

Weimar, 4. Januar 1800

Die Übersetzung „Mahomets“ von Goethe soll hoffentlich eine Epoche in der Verbesserung des deutschen Geschmacks machen.

KA 111

1061. KARL VON STEIN AN SEINEN BRUDER FRIEDRICH

Weimar, 30. Januar 1800

Kotzebue gehört unter die Damengesellschaften, doch lieben ihn auch die Herren, nicht aber die Schiller und Goethe ... Auch lassen dieser Kastor und Pollux den Jean Paul (hier) verächtlich herumkriechen. Selbst Wieland, finden sie, mache jetzt fehlerhafte, schlechte Verse.

Fritz von Stein II, 73f.

1062. KAROLINE HERDER AN KNEBEL

Weimar, 31. Januar 1800

Gestern waren wir in „Mahomet“. Nachdem man im Anfange an der Neuheit der Vorstellung – es war Anstand, Haltung in Bewegung und Sprache – ein Wohlgefallen hatte und *der Zauber von Goethes Sprache und Rhythmus das Ohr ergötzte,* so wurde man durch den Inhalt von Szene zu Szene *empört.* Eine solche Versündigung gegen die Historie – er machte den Mahomet zum groben, platten Betrüger, Mörder und Wollüstling – und gegen die Menschheit habe ich Goethe nie zugetraut. Die platte, grobe Tyrannei, Macht, Betrug und Wollust wird gefeiert!

Was sollen *uns* die alten Farcen von Jesuiterei, *uns Protestanten?* Wir wissen nichts damit anzufangen!

Hat die Zeit uns nicht gereift? Sollen wir uns nicht an den bessern Früchten erfreuen – und nicht den alten Kot aufrühren, den Barbarei und Dummheit hervorbrachten?

Ach, und die Ziererei der Kunst, uns *Deutsche* mit dem französischen Kothurn zu beschenken, weil es der Herr von Haren durch den Herzog so bestellt hat!

Lieber – es hat uns hier im sumpfigen Tal ein Taumel ergriffen, wovon Sie in Ihrer reinen Luft nichts ahnen. Schmerzlich tut es weh, die Unnatur unter dem geweihten Namen Kunst auf den Thron gesetzt zu sehen. Ach, und wir gaffen und gaffen und jubeln! ...

Shakespeare, Shakespeare, wo bist du hin?

Kn II, 331

1063. JEAN PAUL AN FRIEDRICH HEINRICH JACOBI

Weimar, 4. Februar 1800

Der Voltairische Goethische „Mahomet“ wurde hier gegeben und hat Herder und mich und andere durch alle Fehler der gallischen Bühne auf einmal (die nicht die Kulisse der Shakespeareschen oder griechischen zu sein verdient) erzürnt und gepeinigt. Mich erfaßte noch der Groll gegen die

große Welt, die ewig der kalten und doch grausamen unpoetischen Zeremonialbühne der Gallier anhing und anhängt, weil sie selber auf einer frappant ähnlichen agiert.
JP III, 283f.

1064. BÖTTIGER AN UNBEKANNT

Weimar, 6. Februar 1800

Uns hat neulich Goethes „Mahomet" dreimal hintereinander an die schönen Tage der französischen Stelzentragödie erinnert, die bei uns *nie* greifen wird.
GoeJb X, 148

1065. NOVALIS AN LUDWIG TIECK

Weißenfels, 23. Februar 1800

Jakob Böhme les ich jetzt im Zusammenhange ...

Wenn die „Literatur-Zeitung" nicht so jämmerlich wäre, so hätt ich Lust gehabt, eine Rezension von „Wilhelm Meisters Lehrjahren" einzuschicken, die freilich das völlige Gegenstück zu Friedrichs [Schlegels] Aufsatze sein würde. Soviel ich auch aus „Meister" gelernt habe und noch lerne, so odiös ist doch im Grunde das ganze Buch ... Es ist ein „Candide" gegen die Poesie – ein nobilitierter Roman. Man weiß nicht, wer schlechter wegkömmt, die Poesie oder der Adel, jene, weil er sie zum Adel, dieser, weil er ihn zur Poesie rechnet. Mit Stroh und Läppchen ist der Garten der Poesie nachgemacht. Anstatt die Komödiantinnen zu Musen zu machen, werden die Musen zu Komödiantinnen gemacht. Es ist mir unbegreiflich, wie ich so lange habe blind sein können. Der Verstand ist darin wie ein naiver Teufel. Das Buch ist unendlich merkwürdig – aber man freut sich doch herzlich, wenn man von der ängstlichen Peinlichkeit des vierten Teils erlöst und zum Schluß gekommen ist. Welch heitre Fröhlichkeit herrscht nicht dagegen in Böhme, und diese ist's doch allein, in der wir leben, wie der Fisch im Wasser. – Ich wollte noch viel darüber sagen, denn es ist mir alles so klar, und ich sehe so deutlich die große Kunst, mit der die Poesie durch sich selbst im „Meister" vernichtet wird und, während sie im Hintergrunde scheitert, die Ökonomie sicher auf festem Grund und Boden mit ihren Freunden sich gütlich tut und achselzuckend nach dem Meere sieht.

Nov 322f.

1066. KLOPSTOCK AN BÖTTIGER

Hamburg, 24. Februar 1800

Daß der Geheime Rat von Goethe Schützen sogar von der Polizei zu Geldstrafen verurteilen lassen, finde ich noch niedriger als das Betragen gegen Bürger.

ArchivLit III, 408

1067. GLEIM AN HERDER

Halberstadt, 22. März 1800

Unser Richter, hör ich, will Weimar, will Euch verlassen. Haltet ihn doch ja bei Euch! anderswo stirbt er. – Euer Herzog und seine Ratgeber lassen solchen Einzigen aus dem Lande? Goethe schreibe noch einen „leidenden Werther", so wird er mein Held doch nicht! Er befindet sich in seiner Haut wohl; seine Brüder in Apollo gehen ihn nichts an! Mit seiner „Dorothea" treiben seine Freunde doch wahrlich großen Unfug! Daß sie eine Satire gegen Vossens „Luise" sei, kann ich mir nicht ausreden. Weil aber Goethe die Vorrede [die Elegie „Hermann und Dorothea"] zu ihr, die man zu Leipzig mir versagte, weislich nicht hat drucken lassen, so kann und mag ich's nicht beweisen.

VaH I, 269

1068. SCHILLER AN COTTA

Weimar, 24. März 1800

Ich fürchte, Goethe läßt seinen „Faust", an dem schon so viel gemacht ist, ganz liegen, wenn er nicht von außen und durch anlockende Offerten veranlaßt wird, sich noch einmal an diese große Arbeit zu machen und sie zu vollenden ... Er rechnet freilich auf einen großen Profit, weil er weiß, daß man in Deutschland auf dieses Werk sehr gespannt ist. Sie können ihn, das bin ich überzeugt, durch glänzende Anerbietungen dahin bringen, dieses Werk in diesem Sommer auszuarbeiten. Berechnen Sie sich nun mit sich selbst, wieviel Sie glauben, an so eine Unternehmung wagen zu können, und schreiben alsdann an ihn. Er fodert nicht gern und läßt sich lieber Vorschläge tun, auch akkordiert er lieber ins Ganze als bogenweis.

SchiNa XXX, 146

1069. HÜLSEN AN SCHLEIERMACHER

Lentzke in Holstein, 13. April 1800

In Ihrem Urteil über Goethe muß ich noch bemerken, daß das Verhältnis zwischen ihn und seiner Geliebten doch vielleicht reiner ist. Die christliche Einsegnung ist freilich nicht erfolgt, aber diese Negation will für das schöne Verhältnis der Geschlechter auch wahrlich nichts sagen. Ich weiß, daß Goethes Genossin keinesweges eine Magd im Hause war. Ich selbst habe beide Hand in Hand und in traulichen Gesprächen öffentlich spazierengehen sehen, und ein schöner muntrer Knabe geleitete sie. Auch habe ich die Frau selbst gesprochen und könnte nicht sagen, daß es ihr an Bildung fehlte. Sie hat sehr viel Einnehmendes, und ich sehe besonders mit Wohlgefallen ihre Liebe zu dem trefflichen Knaben, der mich ganz bezaubert hat. Ferner weiß ich auch, daß sie sogar bei Staatsvisiten die Honneurs im Hause macht, welches mir unter anderm die Geheimderätin von Koppenfels in Weimar erzählt hat, die auch Besuche von ihr erhielt und sie erwiderte. Sonst will ich freilich die Heiligkeit des Geschlechtsverhältnisses bei Goethe nicht suchen. Sein Leben hat ihn nicht darauf zugeführt. Hätte Goethe keinen Freund, so müßte ich ihn beklagen, denn er wäre sehr arm. Soviel weiß ich aber, daß in seinen Schriften darüber goldene Sprüche zu lesen sind, daß er äußerst bescheiden und anspruchslos ist und sonach wohl einen Freund verdiente.

SchleiH 36f.

1070. CHARLOTTE VON STEIN AN IHREN SOHN FRIEDRICH

Weimar, nach dem 26. April 1800

Also meint er, diese [Inschriften] seien nur in der Zeit der Jugend. Armer Goethe, daß ihm mit seiner Jugend so alles vorübergegangen ist! Die schöne, bleibende Liebe ist für jedes Alter geschaffen. In der Hermannshöhle steht mein Name von ihm in den Fels gegraben; der Fels hat ihn, aber er lange nicht mehr in seinem Herzen. Er dauert mich, denn er sieht nicht glücklich aus. Er hat auch einen besondern Zufall schon seit dem vorigen September; es ist ihm eine Empfindung, als wenn er immer in Spinneweben mit seinem Gesicht hineinführe.

Stein II, 126

1071. DOROTHEA VEIT AN RAHEL LEVIN

Jena, 28. April 1800

Friedrich [Schlegel], der Göttliche, ist diesen Morgen zu Vater Goethe oder Gott dem Vater nach Weimar gewandert...

SchlVeit I, 36

1072. KARL VON STEIN AN SEINEN BRUDER FRIEDRICH

Weimar, 7. Juni 1800

Briefe über Weimar [„Briefe eines ehrlichen Mannes bei einem wiederholten Aufenthalt in Weimar" von Friedrich von Oertel] sind im Druck erschienen, wo die Leute namentlich dem Publico mit der größten Freimütigkeit bekannt gemacht werden. Wieland wird gelobt, Herder desgleichen, Goethe getadelt, Knebel gelobt und noch unbedeutendere Lichter.

Fritz von Stein II, 76

1073. KNEBEL AN KAROLINE HERDER

Ilmenau, 23. Juni 1800

Goethes Sammlung kleiner Gedichte [„Neue Schriften", Band 7] habe ich auch gesehen. Es ist leider manches Platte in den Epigrammen hinzugekommen. Wer möchte so was vor der Welt sagen!

VaH III, 167

1074. SCHILLER AN COTTA

Weimar, 10. Juli 1800

Wegen der „Propyläen" habe ich mit Goethen gesprochen, und er proponiert vorderhand, daß Sie ihm für das Stück, welches jetzt gedruckt werden soll, geben können, was Ihnen beliebe. Sie brauchen ihm also nicht mehr zu geben, als Ihnen nach Abzug der Druckkosten von dem Gelde, das dafür einkommt, noch übrigbleibt; so daß Sie also bei diesem Stück keinen Verlust erleiden. Was die künftige Fortsetzung betrifft, so will er den Absatz der „Propyläen" noch ein halbes Jahr abwarten und vor den nächsten Ostern kein neues Stück mehr herausgeben.

SchiNa XXX, 170

1075. JEAN PAUL AN OTTO

Weimar, 21. August 1800

Über H[erders] Parteilichkeit überall steigt nichts ... Steht in einem französischen oder andern Journal etwas gegen Goethe oder gar Schiller, so wird's gepriesen und umhergeschickt ...

Auch Goethe ist, wenigstens äußerlich, parteiisch. Jetzt schweigen er und Schiller über das gelobte Gedicht der Imhoff [„Die Schwestern von Lesbos" von Amalie von Helvig] still, das ich fortlobe. „Wie gefällt Ihnen Jacobis Brief an Fichte?" fragt ich ihn. – „Er bleibt sich gleich." – „Gott und auch der Teufel bleiben sich gleich", sagt ich. Darauf bleibt er aus Unbehülflichkeit und Stolz und Zorn dann – stumm. Kein Epigramm kann ihn in Bewegung stochern.

JP III, 367f.

1076. KNEBEL AN HERDER

Ilmenau, 25. August 1800

Unser neuestes literarisches Wesen bringt mir einen Ekel bei, beinahe vor allem, was ich deutsch gedruckt erblicke. Sie bringt mir ein Gefühl bei wie beinahe in den letzten Zeiten der Französischen Revolution: vom Heruntersteigen, vom Abarten und Verschlechterung des Geschlechts auf dem Wege, wo wir sonst unsere Hoffnungen zur Vervollkommnung desselben hegten. Von unsern neuesten Produkten ein großer Teil gehört vor kein anderes Forum mehr als das – der Polizei.

Was soll aus dem bübischen Betragen werden, dessen sich *Namen* und *Männer* nicht schämen! Welche literarische Geschichte einer Nation kann es aufweisen, daß man Männer, die sich Ehre und Namen in ihr erworben haben, öffentlich gleichsam mit Füßen tritt und ihren Namen den Straßenjungen preisgibt! Von *wem* soll die Zukunft lernen? Wo kann irgendeine Nacheiferung sein in dem ohnehin ehrenlosen Vaterlande?

VaH III, 170f.

1077. WILHELM VON HUMBOLDT AN SCHILLER

Paris, Anfang September 1800

Offenbar ist indes dieser Ihr Weg [in der Konzeption des „Wallenstein"] auch der gefährlichste für den Dichter. Man entfernt sich leicht von dem Menschen, wenn man ihn zu hoch über ihn selbst hebt, und unleugbar gibt es noch eine andre Art der Tragödie, welche ich die elegische nennen möchte und die bloß mit der schmerzlichen Empfindung des abhängigen Loses der Menschheit und der Ergebung in den Willen einer unbekannten Macht endigt. Die Alten kannten keine andre Gattung, und Goethe hat ihr in seinen schönsten Stücken eine neue Schönheit zu geben verstanden. Sein „Egmont" ist vielleicht die schmelzendste Ausführung derselben. Ich sage mit Fleiß *schmelzend*, weil mir dies Stück immer wie eine Musik von Empfindungen vorgekommen ist. Es greift nicht sowohl in den geschäftigen Ernst des Lebens ein, als es in bald lieblichen, bald wehmütigen und zerreißenden, aber immer sanften Träumen hinschwebt ...

Mit Goethe teilen Sie, genauer als sonst wohl zwei Dichter, den ganzen Umfang der Dichtkunst in Absicht auf den Stil. Der Gang seiner Einbildungskraft ist von dem der Ihrigen gänzlich verschieden. Er führt die Erscheinungen des Lebens anders ein, er legt sie anders an unser Herz, er erhebt anders zur geistigen Betrachtung. Auch wo er selbst schafft, scheint er noch zu empfangen, er erscheint fast immer mehr um sich schauend und bloß aussprechend, was er sah, als in sich arbeitend und forteilend. Er kann nicht mehr Objektivität haben als Sie, denn man kann Ihnen hierin keinen Vorwurf machen, nicht mehr Wahrheit, nicht mehr Leben. Aber er hat es auf eine andere Weise, und seine Dichtung steht dem Menschen im ganzen vielleicht näher.

Er bleibt mehr innerhalb der Grenzen der bloß empfindenden, leidenden oder genießenden Menschheit stehen, er wendet sich an eben diesen Teil unsres Ichs, und darum vorzüglich hat er keine höhere, aber eine andre Wahrheit und Wärme. Er weiß aus diesen Schranken hinaus gleich gut auf das Höchste zu gehen, aber er hat nicht dieselbe Raschheit der Bewegung, nicht dasselbe Drängen der Erscheinungen und erschüttert wohl gleich tief, aber minder heftig. Er wirkt mehr von außen, Sie mehr von innen auf den Menschen. Man kommt auf beiderlei Weise zum Ziel, aber man fühlt bei Ihnen die eigne innre Kraft höher angestrengt. Sie wirken stärker auf den selbsttätigen Teil des Menschen, den Sie unwiderstehlich bestimmen; er macht wenigstens die Notwendigkeit des Wirkens desselben minder sichtbar, weil er zuerst und unmittelbar den anschauenden und empfindenden stimmt.

Es ist schwer, unter Goethes Werken etwas dem „Wallenstein" in Absicht des Sujets Ähnliches zu finden. Doch bietet Götz von Berlichingens Unternehmung, sich aus gemeinnützigen Absichten der Gewalt des Kaisers zu widersetzen, einige Ähnlichkeit mit Wallenstein, und weit mehr der Charakter seiner Frau mit dem der Herzogin dar. Solche Charaktere so lang, so nah, so in verschiedenen Lagen zu zeigen, als Goethe getan hat, wäre Ihnen, glaube ich, ebenso unmöglich gewesen als Goethen Ihr Wallenstein oder Ihr Max. Am meisten berühren Sie sich wohl noch in Thekla. Aber ich weiß nicht, ob es Goethen möglich gewesen wäre, sie vorzüglich durch dasjenige zu zeigen, was ihre hohe und reine Natur von sich ausstößt, wodurch Sie ihr gerade die meiste Größe und eine tief erschütternde Wahrheit gegeben haben. Zeigten Sie sie mehr positiv, so erschütterte sie weniger, als sie rührte. Doch ist es gerade das, was Goethe immer tut. Auch seine einfachsten Charaktere läßt er viel sehen, zeigt nicht bloß sie im Leben, sondern (möchte ich sagen) auch das Leben an ihnen. So im „Götz", so Klärchen im „Egmont", so Gretchen im „Faust" und selbst Iphigenia. Daher haben seine Gestalten eine gewisse Weichheit und Lebenswärme vor den Ihrigen voraus, aber die Ihrigen dafür eine mehr imponierende Größe, gerade durch die sichtbarere Bestimmtheit der Umrisse eine höhere Kraft, das Gemüt sogleich nach vollendetem Effekt zum weiteren Fortwirken zu bestimmen ...

Wenigstens scheint mir Goethes Sprache da, wo sie auf *seine* Weise ... schön ist, sich vorzüglich durch die Reinheit des Maßes auszuzeichnen, in dem jeder Ausdruck die volle Sache, sie ganz und nichts als sie gibt. Wo es die Ihrige ist, da bewundre ich ein reiches und prächtiges Fortrollen der Ausdrücke, das uns mit sich fortreißt, jedes Bild, jede Empfindung bestimmt (aber nur das) hervorruft und vor der folgenden wieder verlöscht. Sie haben beide auch im Stil, und ich glaube, in gleichem Grade, das Verdienst, genau den Punkt zu treffen, in dem Objektivität und Subjektivität sich streng die Waage halten müssen. Insofern es aber der Sprache ausschließend zugehört, nicht bloß Zeichen eines Gegenstandes zu sein, sondern denselben dem Menschen durch Intellektualisierung näherzubringen, behandeln Sie dieselbe mehr ihrer Eigentümlichkeit gemäß und die Dichtkunst mehr wie eine redende Kunst – als von der Seite, wo sie der bildenden verwandt ist.

SchiNa XXXVIII/1, 324, 333f. und 338

1078. KNEBEL AN KAROLINE HERDER

Ilmenau, 7. September 1800

Ich kann nicht leugnen, daß mir ein paar neuere Produkte der jenaischen Sozietät ... ein paar bittere Tage gemacht haben. Wenn Sie das boshafte Ding „Satiren und Spiele von Maria" [von Brentano], oder wie es heißen mag, sich noch nicht haben geben lassen, so sehen Sie es doch gelegentlich an. In der *Gesellschaft* hätten wir vielleicht verachtend darüber gelacht; in der Einsamkeit macht es schlimmere Wirkung. Man spürt dem *Grund* und den *Folgen* davon nach. Mir tut es äußerst wehe, daß ich einen Mann wie Goethe, zu dessen *gutem Geist* ich doch immer noch ein stilles Zutrauen erhielt, so verfallen sehn muß, daß, wenn er gleich gewiß nicht der immediate Urheber solcher Produkte ist, doch Ursache und Gelegenheit dazu geben mußte. Und wenn es auch nur darum wäre, daß er sich von diesem Pack so unverschämt und beleidigend loben läßt.

VaH III, 171

1079. KAROLINE HERDER AN KNEBEL

Weimar, 10. September 1800

Es ist eine feierliche Stille hier unter den Großen. – „Schiller arbeitet wieder etwas *Großes* [„Die Jungfrau von Orleans"] – es soll ihm gelingen – man weiß aber nicht, was?" !!!

Goethe ist in Jena und schafft etwas.

Ach, dieser hätte uns der Natur wiedergeben können auf einem edlen und dem rechten Wege, wenn er gewollt hätte.

Seine Vergötterung war ihm aber lieber als die Wahrheit.

Professor Meyer kommt beinah nicht mehr zu uns. Die „Kalligone" [Herders] war vielleicht der Tropfe, der geschieden hat.

Kn II, 336

1080. OTTO AN JEAN PAUL

Bayreuth, 19. September 1800

Ich verdenke es diesem [Herder] nicht, wenn ihm jeder Goethische Tadel zu sehr gefällt. Ich habe nämlich ein Stück, das neueste, des „Athenäums" und kann Dir den Ekel nicht beschreiben, den ich mir daraus gegen die absprechenden, verworrenen Opferpriester des Gottes „Göttlich von Namen, Blick, Gestalt, Gemüte" sammelte. Es wird einem ordentlich der Kopf drehend, wenn man eine Zeitlang die närrischen Lobeserhebungen, die sich die Leute gegenseitig machen, und den nichtssagenden Wirrwarr von theoretischem Gefloskel gelesen hat ... Mir ist es unbegreiflich, wie Goethe mit seiner Universalität, der doch neben dem siebenten Bande seiner neuen Werke [„Neue Schriften"] wahrlich die vermischten Gedichte der frühern Werke [„Schriften", Band 8] nicht mehr machen könnte, einen solchen Götzendienst ertragen kann.

JPO 340f.

1081. CHARLOTTE GRÄFIN VON SCHIMMELMANN AN CHARLOTTE SCHILLER

Seelust bei Kopenhagen, 23. September 1800

Wie benimmt sich Goethe bei der Vergötterung, die er mit Shakespeare, Dante teilen muß? Wann werden wir ihn wieder in Lebensgröße auftreten sehen?

Finden *Sie* noch in dem Umgang dieses Titanen, was Sie vormals fanden? Schließt er sich in der Wirklichkeit an diese neuen Giganten, die er mit hervorbringen half? Baut er selbst mit an dem neuen Tempel, oder begnügt er sich damit, ihn bauen zu lassen, wie so mancher Geweihte?

SchFr II, 387

1082. DOROTHEA VEIT AN AUGUST WILHELM SCHLEGEL

Jena, 30. September 1800

Goethe ist noch hier. Er scheint nun mit Ernst etwas lernen zu wollen; er ist sehr fleißig, läßt sich ein Privatissimum nach dem andern lesen. Übrigens ist er auch sehr lustig, und Friedrich [Schlegel] hat neulich den Abend tête-à-tête mit ihm gespeist.

SchlVeit I, 52f.

1083. KNEBEL AN KAROLINE HERDER

Ilmenau, 16. Oktober 1800

Goethes Gespräche im „Damenkalender" [„Die guten Weiber"] ist ein wahres Caput mortuum aller Artigkeit und alles Witzes, von bleischwerer Leichtigkeit. Und dann die gräßlichen Kupfer zur Zierde! ... Sonderbar war mir's , da ich am Morgen in der Schrift der Frau von Staël lesen mußte, daß die Deutschen von Natur keinen Geschmack hätten, und am Abend den Beleg dazu in dem Meisterwerke *des gebildetsten Mannes des Jahrhunderts,* wie ihn die jenaischen Freunde nennen, so auffallend fand.

VaH III, 175

1084. SCHILLER AN KÖRNER

Weimar, 21. Oktober 1800

Goethe ist von seiner Exkursion nach Jena, wo er etwas zu arbeiten hoffte, längst zurück, hat aber nur etwas weniges vom „Faust" [II] gearbeitet [III. Akt], welches aber vortrefflich ist. Im ganzen bringt er jetzt zu wenig hervor, so reich er noch immer an Erfindung und Ausführung ist. Sein Gemüt ist nicht ruhig genug, weil ihm seine elenden häuslichen Verhältnisse, die er zu schwach ist zu ändern, viel Verdruß erregen.

SchiNa XXX, 207

1085. JEAN PAUL AN OTTO

Berlin, 24. Oktober 1800

Seit ich in Weimar war und hörte, daß Herder das schlecht findet, was Goethe und Schiller gut, und umgekehrt – s. Exempel unten* –, so frag ich nach keinem einzigen Urteil über mich, obwohl nach dem der gebildeten Majorität.

*Friedrich Schlegel, bei dem ich aß, sprach Wieland sogar die Talente ab und dem Jacobi reinen philosophischen Sinn, mir aber zu; Schiller findet nichts an Thümmel, Herder nichts an Schleiermacher und Tieck, Schl[egel] alles; Herder findet meinen neuen Stil klassisch, Merkel schlecht; Goethe die matte „Genofeva" [von Tieck] gut und den „Wallenstein"; Wieland anfangs alles zu gut, dann zu schlecht – und so geht alles erbärmlich durcheinander.

JP IV, 9

1086. KÖRNER AN SCHILLER

Dresden, 27. Oktober 1800

Daß Goethen seine Verhältnisse drücken müssen, begreife ich recht wohl, und ich erkläre mir daraus, warum er außerhalb Weimar weit genießbarer als in Weimar sein soll. Man verletzt die Sitten nicht ungestraft. Zu rechter Zeit hätte er gewiß eine liebende Gattin gefunden, und wie ganz anders wäre da seine Existenz! Das andre Geschlecht hat eine höhere Bestimmung, als zum Werkzeug der Sinnlichkeit herabgewürdigt zu werden, und für entbehrtes häusliches Glück gibt es keinen Ersatz. Goethe kann selbst das Geschöpf nicht achten, das sich ihm unbedingt hingab. Er kann von andern keine Achtung für sie und die Ihrigen erzwingen. Und doch mag er nicht leiden, wenn sie geringgeschätzt wird.

Solche Verhältnisse machen den kraftvollsten Mann endlich mürbe. Es ist kein Widerstand da, der durch Kampf zu überwinden ist, sondern eine heimlich nagende Empfindung, deren man sich kaum bewußt ist und die man durch Betäubung zu unterdrücken sucht.

SchiNa XXXVIII/1, 362f.

1087. KAROLINE SCHLEGEL AN SCHELLING

Braunschweig, Oktober 1800

Sieh nur Goethen viel und schließe ihm die Schätze Deines Innern auf! Fördre die herrlichen Erze ans Licht, die so spröde sind, zutage zu kommen.

Car II, 4

1088. KAROLINE SCHLEGEL AN SCHELLING

Braunschweig, Oktober 1800

Ich wiederhol es noch einmal: warum kann ich dem Goethe nicht sagen, er soll Dich mit seinem hellen Auge unterstützen. Er wäre der einzige, der das nötige Gewicht über Dich hätte. Gib Dich wenigstens seiner Zuneigung und seinen Hoffnungen auf Dich ganz hin ...

Car II, 5

1089. KAROLINE HERDER AN KNEBEL

Weimar, 15. November 1800

Sie müssen sich durch die Herzoginmutter „Die alte und neue Zeit" [„Paläophron und Neoterpe"] zu ihrem Geburtstag durch Goethe geben lassen. Sie werden eine ebenso große Freude daran haben als wir.

O könnte er nur etwas Gemüt seinen Schöpfungen geben, und sähe man nicht überall eine Art von Buhlerei oder, wie er es selbst so gern nennt, das „betuliche" Wesen darinnen! Was hätte er seiner Nation werden können! Trauern muß man um diesen seltnen Genius! Nie weiß man, wie man in seinen Stücken daran ist, ob er das Rechte oder das Falsche meint, ob er diesem oder jenem das Wort redet. O Sophokles, welch einen *sichern* Maßstab hast du!

BrKn I, 184

1090. KNEBEL AN KAROLINE HERDER

Ilmenau, 21. November 1800

... wenn Herders Mühe und Geist hätten auf die Nation wirken können, wie anders würde es in so vielem aussehn! So ruft auch *er* in den leeren Wald; denn wo die Verdienste des einzelnen nicht zum Nationalvorteile angewandt werden, da ist – Barbarei. Darum haben auch die Alten das Verdienst oder Talent des großen Staatsbürgers und Regenten als das höchste angeschlagen, weil durch solches erst alle andern Talente und Verdienste Wirkung und Zweck erreichen. Deshalb rechne ich es auch Ihnen nebst mehreren von uns andern zur Sünde, daß wir Goethens Talente und Verdienste ganz falsch angeschlagen haben. Zum großen Staatsbürger und Reformator hat er eigentlich nichts; ihm ist dieser vielmehr zuwider; denn als geborener Künstler ist ihm die Verwirrung im ganzen lieber, sie gibt mehrere Bilder und reizt vielleicht die Geschicklichkeit des einzelnen mehr. Dies zeigt, daß der Künstler von Natur subaltern ist; er bezieht alles auf sich und seine Hervorbringung, die ihm sein Gott wird. Das Allgemeine schwächt ihn – es müßte denn bezahlender Haufe der Bewunderer sein. Goethe hätte sich nie zum Reformator eines Staates noch überhaupt zum Staatsmann geschickt. Und was hat er auch gemacht? Hier? und in Jena? und in Weimar? bei allem Einflusse, dessen er sich rühmt! Nicht einmal er, als Künstler, als Kenner und Liebhaber alter und italienischer Meisterstücke, bekannt und umgeben von Künstlern usw., hat dem Herzog ein zierliches Gebäude hinstellen können. Da haben sie den alten steinernen Tierkasten gelassen und tragen anjetzt an kleinlichem Schmucke hinein, was sie können. Da darf man wohl sagen, daß der hochgepriesene Genius der Deutschen etwas mehr als Unglück hat und daß es auch bei Hülfsmitteln nirgends bei uns zu etwas Rechtem kommen will. Auch das Weimarische Theater hat, soviel ich weiß, ein Fremder [Thouret?] eingegeben und erbauet ... Indes habe ich die neuesten „Propyläen" von Goethe erhalten, nebst dem Band seiner neuern Gedichte [„Neue Schriften", Band 7] und einem – gefälligen Schreiben.

VaH III, 179

1091. SCHILLER
AN CHARLOTTE GRÄFIN VON SCHIMMELMANN

Weimar, 23. November 1800

Was ich Gutes haben mag, ist durch einige wenige vortreffliche Menschen in mir gepflanzt worden, ein günstiges Schicksal führte mir dieselben in den entscheidenden Perioden meines Lebens entgegen, meine Bekanntschaften sind auch die Geschichte meines Lebens.

Dieses und einige Äußerungen in Ihrem Briefe führen mich natürlich auf meine Bekanntschaft mit Goethen, die ich auch jetzt, nach einem Zeitraum von sechs Jahren, für das wohltätigste Ereignis meines ganzen Lebens halte. Ich brauche Ihnen über den *Geist* dieses Mannes nichts zu sagen. Sie erkennen seine Verdienste als Dichter, wenn auch nicht in *dem* Grade an, als ich sie fühle. Nach meiner innigsten Überzeugung kommt kein anderer Dichter ihm an Tiefe der Empfindung und an Zartheit derselben, an Natur und

Wahrheit und zugleich an hohem Kunstverdienste auch nur von weitem bei. Die Natur hat ihn reicher ausgestattet als irgendeinen, der nach Shakespeare aufgestanden ist. Und außer diesem, was er von der Natur *erhalten,* hat er sich durch rastloses Nachforschen und Studium mehr *gegeben* als irgendein anderer. Er hat es sich zwanzig Jahre mit der redlichsten Anstrengung sauer werden lassen, die Natur in allen ihren drei Reichen zu studieren, und ist in die Tiefen dieser Wissenschaften gedrungen. Über die Physik des Menschen hat er die wichtigsten Resultate gesammelt und ist auf seinem ruhigen einsamen Weg den Entdeckungen vorausgeeilt, womit jetzt in diesen Wissenschaften soviel Parade gemacht wird. In der Optik werden seine Entdekkungen erst in künftiger Zeit ganz gewürdiget werden, denn das Falsche der Newtonischen Farbenlehre hat er bis zur Evidenz demonstriert, und wenn er alt genug wird, um sein Werk darüber zu vollenden, so wird diese Streitfrage unwiderleglich entschieden sein. Auch über den Magnet und die Elektrizität hat er sehr neue und schöne Ansichten. So ist er auch in Rücksicht auf den Geschmack in bildenden Künsten dem Zeitgeiste sehr weit voraus, und bildende Künstler könnten vieles bei ihm lernen. Welcher von allen Dichtern kommt ihm in solchen gründlichen Kenntnissen auch nur von ferne bei, und doch hat er einen großen Teil seines Lebens in Ministerialgeschäften aufgewendet, die darum, weil das Herzogtum klein ist, nicht klein und unbedeutend sind.

Aber diese hohen Vorzüge seines Geistes sind es nicht, was mich an ihn bindet. Wenn er nicht als Mensch für mich den größten Wert von allen hätte, die ich persönlich je habe kennenlernen, so würde ich sein Genie nur in der Ferne bewundern. Ich darf wohl sagen, daß ich in den sechs Jahren, die ich mit ihm zusammen lebte, auch nicht einen Augenblick an seinem Charakter irre geworden bin. Er hat eine hohe Wahrheit und Biederkeit in seiner Natur und den höchsten Ernst für das Rechte und Gute; darum haben sich Schwätzer und Heuchler und Sophisten in seiner Nähe immer übel befunden. Diese hassen ihn, weil sie ihn fürchten. Und weil er das Flache und Seichte im Leben und in der Wissenschaft herzlich verachtet und den falschen Schein verabscheut, so muß er in der jetzigen bürgerlichen und literarischen Welt notwendig es mit vielen verderben.

Sie werden nun aber fragen, wie es komme, daß er bei dieser Sinnesart mit solchen Leuten, wie die Schlegelischen Gebrüder sind, in Verhältnis stehen könne. Dieses Verhältnis ist durchaus nur ein literarisches und kein freundschaftliches, wie man es in der Ferne beurteilt. Goethe schätzt alles Gute, wo er es findet, und so läßt er auch dem Sprach- und Verstalent des ältern Schlegel und seiner Belesenheit in alter und in ausländischer Literatur und dem philosophischen Talent des jüngern Schlegel Gerechtigkeit widerfahren. Und darum, weil diese beiden Brüder und ihre Anhänger die Grundsätze der neuen Philosophie und Kunst übertreiben, auf die Spitze stellen und durch schlechte Anwendung lächerlich oder verhaßt machen, darum sind diese Grundsätze an sich selbst, was sie sind, und dürfen durch ihre schlimmen Partisans nicht verlieren. An der lächerlichen Verehrung, welche die beiden Schlegels Goethen erweisen, ist er selbst unschuldig, er hat sie nicht dazu aufgemuntert, er leidet vielmehr dadurch und sieht selbst recht wohl ein, daß die Quelle dieser Verehrung nicht die reinste ist; denn diese eiteln Menschen bedienen sich seines Namens nur als eines Paniers gegen ihre Feinde, und es ist ihnen im Grund nur um sich selbst zu tun. Dieses Urteil, das ich Ihnen hier niederschreibe, ist aus Goethens eigenem Munde; in diesem Tone wird zwischen ihm und mir von den Herren Schlegel gesprochen...

Es wäre zu wünschen, daß ich Goethen ebensogut in Rücksicht auf seine häuslichen Verhältnisse rechtfertigen könnte, als ich es in Absicht auf seine literarischen und bürgerlichen mit Zuversicht kann. Aber leider ist er durch einige falsche Begriffe über das häusliche Glück und durch eine unglückliche Ehescheu in ein Verhältnis geraten, welches ihn in seinem eigenen häuslichen Kreise drückt und unglücklich macht und welches abzuschütteln er leider zu schwach und zu weichherzig ist. Dies ist seine einzige Blöße, die aber niemand verletzt als ihn selbst, und auch diese hängt mit einem sehr edeln Teil seines Charakters zusammen.

Ich bitte Sie, meine gnädige Gräfin, dieser langen Äußerung wegen um Verzeihung. Sie betrifft einen verehrten Freund, den ich liebe und hochschätze und den ich ungern von Ihnen beiden verkannt sehe. Kennten Sie ihn so, wie ich ihn zu kennen und zu studieren Gelegenheit gehabt, Sie würden wenige Menschen Ihrer Achtung und Liebe würdiger finden.

SchiNa XXX, 213ff.

1092. FRIEDRICH SCHLEGEL AN SEINEN BRUDER AUGUST WILHELM

Jena, 24. November 1800

Goethe ist wieder hier und hat mir eine Kleinigkeit, die er zum Geburtstag der alten Herzogin gemacht, „Alte und neue Zeit", gezeigt. Er hat mich über die griechischen Namen konsultiert und schien mit denen, die ich ihm vorschlug: „Paläophron und Neoterpe", zufrieden.

Daß ein gewaltiges griechisches Trauerspiel [„Helena"-Akt in Faust II"] von ihm zu erwarten ist, in Trimetern und chorähnlichen Chören, hat Dir Dorothea ... geschrieben. Er hat einigemal recht viel darüber mit mir gesprochen; indessen habe ich mich doch nicht überwinden können, zu fragen nach dem Sujet.

Schls 446f.

1093. SCHILLER AN IFFLAND

Weimar, 18. Dezember 1800

Goethe ist jetzt sehr pressiert, den „Tancred" [nach Voltaire] zu vollenden. Sie haben uns dadurch, daß Sie ihn ein wenig drängen und treiben, einen guten Dienst getan, weil dieses Stück ohne diesen neuen Sporn leicht auf die lange Bank hätte geschoben werden können; denn Goethe hat einmal den Glauben, daß er winters nichts Poetisches arbeiten könne, und weil er es glaubt, so ist es bis jetzt auch wirklich der Fall gewesen.

SchiNa XXX, 223

1094. KARL VON STEIN AN SEINEN BRUDER FRIEDRICH

Kochberg, 20. Dezember 1800

Es gibt so kalte Herzen wie der Herzog von Weimar, Goethe etc., die einem einladen können zu einem Gastmahl und, wenn man hinkommt, sich vor einem hinstellen. Natürlich glaubt man sich verbunden, ihnen für ihre Höflichkeit was zu sagen; man erschöpft sich in Sentenzen und Neuigkeiten, sie machen eine gefällige Miene – aber sie schweigen. Also man fängt noch einmal an, sich auszupressen, und sie lächeln immer stumm wie vorher. Sie lassen einem spielen wie eine Flötenuhr, und wenn sie sich müde gehört haben, machen sie sich weg.

Fritz von Stein II, 78f.

1095. DOROTHEA VEIT IN IHREM TAGEBUCH

Jena, um 1800

Goethe sowohl als Schiller können sehr leicht in Verlegenheit vis-à-vis de certaines personnes geraten. Der ganze Unterschied ist nur, daß Goethe dann höflich, Schiller aber grob wird.

SchlVeit I, 94

1801

1096. BÖTTIGER AN ROCHLITZ

Weimar, 7. Januar 1801

Herder ist seit mehreren Jahren Goethen fremder geworden, und es scheint, als wenn es nie wieder zu einem ganz herzlichen Vernehmen zwischen beiden kommen könnte. Hier scheint mir Goethe ganz unschuldig, und sein Benehmen hat mir stets Achtung eingeflößt. Ich weiß die ersten Veranlassungen des Mißvernehmens nicht und mag sie auch nicht wissen. Aber soviel weiß ich, daß Goethe oft Herdern zuvorgekommen ist, ihn zu sich eingeladen und überhaupt alles getan hat, um es zu keinem öffentlichen Bruch kommen zu lassen.

GoeJb XVIII, 144f.

1097. WIELAND AN BÖTTIGER

Oßmannstedt, 9. Januar 1801

Ich höre heut abend beunruhigende Nachrichten von Goethes Gesundheitsumständen. Hoffentlich ... können Sie mir morgen ... etwas Tröstlicheres berichten. Der Verlust, wenn wir so unglücklich sein sollten, ihn zu verlieren, wäre in mehr als einer Rücksicht unersetzlich und nicht zu berechnen.

GoeJb I, 324

1098. SCHILLER AN COTTA

Weimar, 10. Januar 1801

Leider ist Goethe in diesem Augenblick sehr krank, und seine Ärzte sind nicht ohne Furcht eines unglücklichen Ausgangs. Auch wenn er für jetzt der Gefahr entrinnt, so könnte ihm doch eine große Schwäche und kränkliche Disposition übrigbleiben, die seine Tätigkeit hemmen würde. Es ist ein katarrhalisches Fieber mit einem heftigen Rotlauf, welches sich ins linke Auge geworfen, und mit einem schmerzhaften Krampfhusten verbunden. Der Arzt [Stark] fürchtet, daß die äußere Entzündung ins Gehirn schlagen oder daß ein Steck- oder Schlagfluß dazukommen könnte. Heut ist der sechste Tag ...

SchiBr VI, 236f.

1099. CHARLOTTE VON STEIN AN IHREN SOHN FRIEDRICH

Weimar, 12.–15. Januar 1801

12. Januar. Ich wußte nicht, daß unser ehemaliger Freund Goethe mir noch so teuer wäre, daß eine schwere Krankheit, an der er seit neun Tagen liegt, mich so innig ergreifen würde. Es ist ein Krampfhusten und zugleich die Blatterrose; er kann in kein Bett und muß in einer immer stehenden Stellung erhalten werden, sonst will er ersticken. Der Hals ist verschwollen sowie das Gesicht, und voller Blasen inwendig. Sein linkes Auge ist ihm wie eine große Nuß herausgetreten, und läuft Blut und Materie heraus, oft phantasiert er, man fürchtete vor eine Entzündung im Gehirn, ließ ihm stark zur Ader, gab ihm Senffußbäder; darauf bekam er geschwollne Füße und schien etwas besser. Doch ist diese Nacht der Krampfhusten wiedergekommen; ich fürchte, weil er sich gestern hat rasieren lassen. Entweder meldet Dir mein Brief seine Besserung oder seinen Tod; ehe laß ich ihn nicht abgehen. Die Schillern und ich haben schon viele Tränen die Tage her über ihn vergossen. Sehr leid tut mir's jetzt, daß, als er mich am Neujahr besuchen wollte, ich leider, weil ich an Kopfweh krank lag, absagen ließ. Und nun werde ich ihn vielleicht nicht wiedersehen!

14. Januar. ... Gestern hat er mit großem Appetit Suppe gegessen, die ich ihm geschickt habe. Mit seinem Auge soll es auch besser gehen. Nur ist er sehr traurig und soll drei Stunden geweint haben. Besonders weint er, wenn er den

August sieht. Der hat indessen seine Zuflucht zu mir genommen. Der arme Jung dauert mich; er war entsetzlich betrübt; aber er ist schon gewohnt, seine Leiden zu vertrinken. Neulich hat er in einem Klub von der Klasse seiner Mutter siebzehn Gläser Champagnerwein getrunken, und ich hatte alle Mühe, ihn bei mir vom Wein abzuhalten.

15. Januar. Goethe schickte heute zu mir, ließ mir danken für meine Teilnahme, und er hoffte, er würde bald wieder ausgehen können. Die Doktors halten ihn außer Gefahr, aber seine Genesung werde noch lange werden.

Fritz von Stein I, 165f.

1100. KAROLINE HERDER AN KNEBEL

Weimar, 21. Januar 1801

Daß Goethe lebt, darüber wollen wir Gott danken. Es möchte ohne ihn nicht gut in Weimar werden. Er ist doch immer der, der Schranken setzt, wenn es zu bunt werden will!

Mein Mann hatte ihn vorgestern besucht, fand aber leider den Herzog und Schiller da. Ein solcher Dreiklang war seiner Natur fremd, ungewohnt; er kam verstimmt nach Hause...

Kn II, 337

1101. KAROLINE HERDER AN KNEBEL

Weimar, 22. Januar 1801

Der Anfang von Goethes Krankheit soll ein Katarrh gewesen sein, den er den 1. Januar im Theater, als Haydns „Schöpfung" gegeben wurde, bekommen hatte und der sich allmählich in eine Geschwulst der Rose mit Fieber und einem Krampfhusten verwandelte. Es stieg damit so schnell, daß er den 5. und 6. Januar nicht mehr im Bett bleiben konnte, um nicht zu ersticken. Er wollte sich nicht zur Aderlaß verstehen, die Huschke, sein Arzt, für notwendig hielt. Den 7. Januar war das linke Auge durch die Geschwulst und Eiterung in Gefahr; auch teilte sich die Geschwulst allen Drüsen des Kopfs und Halses mit. Stark erschien den

Nachmittag. Eine sehr starke Aderlaß und darauf ein sehr reizendes Fußbad wurde auf seine Verordnung unternommen: beides rettete ihn. In dieser Nacht und den Morgen kannte er die Menschen nicht mehr. Das rechte Auge, das sonst gut war, wurde jetzt mit ergriffen; er sah durch dieses die Adern des Auges an der Wand rot, so wie ihm alles rötlich vorkam. In dieser Nacht nach der Aderlaß und Fußbad erschien am Fuß eine rotlaufartige Geschwulst, und die am Gesicht verlor sich nach und nach. Es kam eine Art Bräune, die eben auch gefährlich war. Stark, den wir den ersten Tag selbst gesprochen, hielt ihn für ganz tödlich und befürchtete einen Schlag, da Kopf, Gehirn und Brust so sehr befallen war.

BrKn II, 1f.

1102. KAROLINE SCHLEGEL AN SCHELLING

Braunschweig, vor dem 23. Januar 1801

Was für eine Nachricht hast Du uns gegeben, mein lieber Schelling, und welche wird heute kommen! Ich kann nichts Ordentliches schreiben und tun bis zu Ankunft Deiner Briefe, und ich gestehe Dir, ich bin innerlich krank vor Angst ...

Ich bin mit dem heftigsten Herzklopfen nach einer schlaflosen Nacht aufgestanden und zähle die Viertelstunden, bis die Post kommt. Du wirst mich doch heute nicht versäumen? ... Du weißt wohl, daß er mein Hort und Heil für Dich war und ich mich weit mehr auf ihn verließ als auf mich. Was vermochte die gedämpfte Stimme Deiner Freundin?

Car II, 27f.

1103. CHARLOTTE VON STEIN AN IHREN SOHN FRIEDRICH

Weimar, nach dem 26. Januar 1801

Er bat uns [Charlotte von Stein und Charlotte Schiller] aufs neue um unsere Freundschaft, als wenn er wieder in der Welt angekommen wäre. Sonderbar ist, daß er auch nicht um ein

Lot hat abgenommen. Aber sein Auge ist noch bös, aber mehr die äußere Haut daran als der Augapfel. Fünf Tage wußte er nichts von sich und weiß sich nur eines sonderbaren Gefühles zu erinnern, als wenn er etwas Ganzes gewesen wäre: eine Landschaft, so etwas Allgemeines etc. Wie er sein Individuum wieder fühlte, war ihm die Empfindung unglücklich. Gestern schien er mir aber heiter, aber leicht zum Zorn gereizt. Denn er wurde sehr heftig, daß man ein Stück von Kotzebue hier gespielt: „Die Sucht zu glänzen".

Stein II, 135

1104. ROCHLITZ AN BÖTTIGER

Leipzig, 27. Januar 1801

Hubers Rezension des „Wilhelm Meister" gefällt mir gar nicht ... Daß Goethes Plan besser gewesen sein mag, als er [Huber] ihn findet, will ich Ihnen zugeben; aber dafür werden und müssen Sie mich die Ausführung desto mehr tadeln lassen. Auch die Sprache im ganzen, und hin und wieder im einzelnen, scheint mir bei weitem noch nicht so zu sein, wie sie sein müßte und wie Goethe sie überdies geben müßte. Beinahe scheint mir's überhaupt (nach seinen neuen Arbeiten insgesamt), er verachte die Menschen, wie sie nun sind, auch die lesenden. Was er gibt, gibt er nicht nur um sein selbst willen, sondern auch für sich selbst. Für sich selbst aber braucht man an eignen Werken die Vollendung der Einzelheiten nicht und macht nicht viel daraus, mag auch die Zeit und ausharrende Mühe nicht drauf verwenden, durch welche allein jene Art der Vollendung erzeugt werden kann, sondern eilt lieber vorwärts zu neuen Schöpfungen. Überhaupt weiß ich nicht, ob die besten deutschen Prosaisten nicht besser schreiben können oder es nicht mögen. Wie schreibt nämlich hin und wieder Goethe? Wie noch öfters und weit schlimmer Wieland – selbst in seinem „Agathon" und „Aristipp"! Mir scheint es beinahe, als ob die vollkommne deutsche prosaische Sprache, wie die poetische, mit ihren Schöpfern verwelkt sei. Welcher Prosaist schreibt wie Lessing, vorzüglich auch in

seinen kleinen theologischen Schriften? Welcher Dichter wie Klopstock etwa in einem Dutzend seiner Oden?
GoeJb XVIII, 145

1105. SCHILLER AN COTTA

Weimar, 6. Februar 1801
Goethe ist wiederhergestellt und befindet sich recht wohl. Seine gute Natur und die Geschicklichkeit des Dr. Stark, seines Arztes, haben ihn gerettet.
SchiBr VI, 241

1106. GLEIM AN HERDER

Halberstadt, 8. Februar 1801
Daß Euer Goethe, der dann und wann nur meiner nicht auch gewesen, die fatale Krankheit überstanden hat, freut mich sehr. Gott erhalte den Bessern der besten Welt!
VaH I, 286

1107. CHARLOTTE SCHILLER AN FRIEDRICH VON STEIN

Weimar, 17. Februar 1801
Daß Goethe so krank war, wissen Sie. Wir haben viel Angst seinetwegen gehabt. Es war eine Hirnentzündung nahe, und Stark hat ihn allein durch seine Schnelligkeit gerettet, hat eine starke Aderlaß tun lassen, die ganz entscheidend war. Wenn ich auch nicht fühlen könnte, was wir an Goethens Geist verloren hätten, so würde mir sein Verlust unendlich schmerzlich gewesen sein um Schillers willen, der in seiner Freundschaft durch die Nähe seines Geistes so reich ist und der niemanden wieder finden könnte, an den er sich so anschlösse. Auch liebe ich Goethe so herzlich, daß ich mir die Welt ohne ihn schwer denken kann. Ob ich ihn hier gleich weniger sehe als in Jena, so lebe ich doch mit seinem Geist

durch Schillers Mitteilung. Schiller ist fast täglich bei ihm. Daß wir Frauen nicht so sans façon in seinem Hause Eintritt haben können und wollen, hängt von seinen inneren Verhältnissen ab. Obgleich Schiller selbst nie die Dame des Hauses als Gesellschafterin sieht und sie nie bei Tisch erscheint, so könnten doch andere Menschen es nicht glauben, daß sie sich verberge, wenn unsereins auch diese Gesellschaft teilte. Sie wissen am besten, wie die Menschen hier sind, wie sie lauern usw. Man wäre vor tausend Erdichtungen nicht sicher ...

Ich habe die liebe Mutter veranlaßt, Ihnen das Weimarische Taschenbuch ... zu schicken, weil das kleine Stück [„Paläophron und Neoterpe"] von Goethe Sie freuen würde. Ich hatte wohl recht? Es ist in einem so hohen, einfachen Sinn gedacht und die Ausführung so schön. Ich kenne wenig Sachen von Goethe, die ich diesem an die Seite stelle, von seinen späteren Produkten nämlich.

SchFr I, 458 und 460

1108. CHARLOTTE SCHILLER AN IHREN MANN

Weimar, 10. März 1801

Es ist hier eine große Gärung über die Thekla [die Rolle im „Wallenstein"], und ich wünschte der Herzogin wegen, die Geschichte wäre auf irgendeine Art beigelegt, daß sie nicht böse wird. Denn wenn Goethe nicht nachgibt, ist es sehr unhöflich, da sie kompromittiert ist ...

Am Sonntag hat die Herzogin sich sehr gegen die Löwenstern expektoriert und gesagt, sie wäre kompromittiert, wenn die Jagemann nicht spielte. Gegen die Frau [Karoline von Wolzogen] hat sie sich sehr beklagt, daß Goethe und Du sie nicht unterstützt hättet; die Frau hat ihr erklärt, daß Du nicht frei beim Theater handeln könntest. Es ist so ein Gewebe von Lügen und Bosheit in dem Ganzen, das man nicht durchschauen kann. Mir liegt nur am Herzen, Dich bei der Herzogin zu rechtfertigen, der Du es schuldig bist, weil sie Dir zu Gefallen die ganze Unterhandlung angefangen ...

Johann Wilhelm Ludwig Gleim

Meyer war bei mir: Goethe hat eben sich sehr ereifert und gesagt, er dürfe nicht nachgeben, weil er sonst um jede andere Schauspielerin auch geplagt würde und das Protegieren satt hätte, das ihn schon ehemals bei der Göchhausen und Herzogin [Anna Amalia] über die Rudorff so gequält hätte usw. Daß er unrecht hat, ist keinem Zweifel unterworfen ... Goethe ist mir unbegreiflich. Kirms lügt, denn die Herzogin hat es ihm ja aufgetragen, mit G[oethe] zu reden, und G[oethe] behauptet, es hab sich niemand an ihn gewendet. – Er ist noch krank; man muß auch ihn schonen. Aber dies ist nötig, der Herzogin zu zeigen, daß man sie und ihre Wünsche ehrt ...

SchiLo II, 593–596

1109. KARL VON STEIN AN SEINEN BRUDER FRIEDRICH

Kochberg, 12. März 1801

Die Jagemann hat sich mit dem Kranz entzweit, weil er in der Oper nicht nach dem (vorgeschriebenen) Takt spielen soll, sondern nach ihrer Stimme. Dies scheint für das ganze Orchester etwas viel verlangt zu sein; doch hat Goethe dem Kranz bis zur Zurückkunft des Herzogs die Direktion des Orchesters untersagt, worüber denn jetzt die Operetten nicht reüssieren. Bei dem Gelächter, was in dieser Unordnung geschah, so daß die Annonce des neuen Stückes nicht gehört werden konnte, hat sich Goethe so echauffiert, daß er laut aus seiner Loge dem Publico Stillschweigen geboten. Man hat aber doch gelacht. Die Jagemann hat an der Löwenstern eine starke Partie für sich, und Kranz das Publikum. Um den „Oberon“ [von Wranitzky] vorzustellen, hat man ihn also ersucht, sein Amt ferner zu verwalten; aber er hat deklariert, daß, da man ihm einmal seine Funktion untersagt, so erwarte er erst hierüber den Ausspruch des Herzogs, der noch in Berlin ist. Die Jagemann surpassierte sich den Abend; hingegen alle anderen Akteurs ohne Ausnahme sangen so schlecht als möglich, was diesmal den Beifall des Publikums hatte, weil man es für Verdruß über den abwesenden Kranz auslegte. Man glaubt, Goethe und Schiller haben diese Oper machen lassen, um Wielands „Oberon“ herunterzusetzen.

Fritz von Stein II, 80

1110. BÖTTIGER AN ROCHLITZ

Weimar, 13. März 1801

Goethe ist zwar völlig genesen, und die kleinen Überreste einer Beule, die er noch über einem Auge hat, sind von gar keiner Bedeutung. Indessen will man doch bemerken, daß er äußerst reizbar und wieder in andern Rücksichten weicher und menschlicher sei. Sein „Tancred“ mißfiel hier das erste Mal durchaus, wurde aber das zweite Mal durch das Spiel der trefflichen Jagemann als Amenaide sehr gehoben... Wir sind nun einmal nicht für diese pathetische Sentimentsparade.

GoeJb XVIII, 145f.

1111. CHARLOTTE VON STEIN AN IHREN SOHN FRIEDRICH

Weimar, 13. April 1801

Zeig doch Goethe Deinen Anteil! Wenn er gleich uns, seine alten Freunde, nicht mit Ehren verlassen hat, so hat er doch von dem Teil seines Lebens, wo er uns Gutes bewies, eine Anforderung an Dankbarkeit.

Stein II, 138

1112. KAROLINE HERDER AN KNEBEL

Weimar, 15. April 1801

Mit Gutskaufen geben Sie sich ja nicht ab! Ich muß Ihnen den Schleier über Wielands und Goethes Lage in Absicht ihrer Güter aufdecken ...

Goethe hat das Roßla überteuer mit 14000 Rtlr gekauft, mit schlechtem Haus und Stallung, alles baufällig, und schlechter Gegend. Er hat darauf 6000 Rtlr bezahlt. Jetzt soll er abermals 4000 Rtlr abzahlen und sucht in Apolda und umliegender Gegend bei *Rentbeamten* und dergleichen das Geld zusammen!

Mit seinem Pachter, der ihm zwei Jahre den ordentlichen Pacht nicht gegeben hat, hatte er bei dem Hofgericht einen Prozeß, den er zwar gewonnen und den Pachter herausgeworfen hat, indessen aber Unkosten und Verdruß davongetragen. Jetzt, heißt es, will er das Gut selbst administrieren – durch die Mademoiselle Vulpius. Die Nachbarschaft prophezeit aber kein Gelingen, da er und sie die Landwirtschaft nicht verstehn. Das Gerede über ihn tut uns oft sehr leid; er wird meist in zweideutigem Licht beurteilt, und wir haben zu tun, die Menschen eines andern zu überzeugen.

BrKn II, 7f.

1113. KAROLINE SCHLEGEL AN IHREN MANN

Braunschweig, 20. April 1801

Von Jena will ich Dir mitteilen, daß Loder mit Gewalt Himly hinzubringen sucht, daß er an den Herzog geschrieben hat, dieser aber seit seinem häßlichen Ebenteuer zu Berlin sehr verstimmt ist und nichts hören will von Jena. Goethe mag sich auch im Namen Seiner Durchlaucht schämen; er ist sogleich auf sein Landgut gegangen, was er noch nie getan hat und auch gewiß seine Absicht nicht war.

Car II, 105

1114. KAROLINE HERDER AN KNEBEL

Weimar, 22. April 1801

Wieland lassen wir gewiß nicht fallen. Wenn er nicht von Goethe gerückt und verschoben wird, so ist sein erstes Gefühl doch so rein und schön. – Er hat in seinem ersten Gefühl über die „Adrastea“ [Herders] an mich geschrieben, so rein und wahr. Böttiger, dem ich's vorlas, meinte, es müsse in den „Merkur“; Besseres und Herzlicheres könnte Wieland nichts darüber schreiben. Er schlug's Wieland vor, und er genehmigte es. Sie werden's also im nächsten Stück lesen. Goethe hat ihn bald nach diesem Brief in Oßmannstedt besucht, ihn nach Roßla eingeladen, wieder besucht usw. Kurz, ich merkte durch Gerning, daß W[ieland] für Goethe und Schiller das Wort sprach.

Goethe spielt ewig seine Buhlerkünste, wenn er glaubt, jetzt sei ein Augenblick, da ein anderer außer seiner Clique etwas geleistet hat. O Lieber, uns ekelt dieser Buhlerlist! Niedrig, eitel!

Einen Zug habe ich vorgestern von ihm gehört, der uns bisher fremd und unmöglich schien – einen edlen Charakter hatten wir ihm doch zugetraut!

Kn II, 338f.

1115. CHARLOTTE VON STEIN AN IHREN SOHN FRIEDRICH

Weimar, 23. April 1801

Vorgestern saß ich mit Frau von Trebra in der ehemaligen Rosenhecke. Goethe kam, mit seiner Kammerjungfer an seiner Seite, an uns vorbeigegangen. Ich schämte mich in seiner Seele und hielt mein Sonnenschirmchen vor, als hätte ich ihn nicht bemerkt.

Stein II, 139

1116. KARL VON STEIN AN SEINE MUTTER

Kochberg, Anfang Mai 1801

Ich komme mir alle Tage häßlicher vor, und zumal heute sah ich frappant wie der Geheime Rat Goethe von außen.

Stein II, 140

1117. KAROLINE SCHLEGEL AN IHREN MANN

Jena, 11. Mai 1801

Auf diese leere Stelle will ich gleich noch etwas Amüsantes setzen, das uns Schelling diesen Mittag zum besten gab, wie ihm Goethe einmal beschrieben, daß er mit Jean Paul einen ganzen Abend Schach gespielt, figürlich. Der hat nämlich ein Urteil über ihn und seine Gattung herauslocken wollen und ihn nach G[oethes] Ausdruck auf den Sch-dr- führen, hat einen Zug um den andern getan, von Yorick [Sterne], von Hippel, von dem ganzen humoristischen Affengeschlecht – G[oethe] immer neben aus! Nun, Du mußt Dir das selbst mit den gehörigen Fratzen ausführen, wie Jean Paul zuletzt in die höchste Pein geraten ist und sich schachmatt hat nach Hause begeben. Einen durchtriebnern Schalk gibt es auf Erden nicht wie den G[oethe], und dabei das frömmste Herz mit seinen Freunden!

Car II, 136

1118. KAROLINE HERDER AN KNEBEL

Weimar, 28. Mai 1801

Welche Langmut gehört dazu, die zwei großen Dichter zu sehn, wie sie ihre ausstaffierten falschen Götzenbilder als den alleinigen dramatischen Gott aufgestellt haben! Das neueste Stück von Schiller, „Das Mädchen von Orleans", soll so sublim sein, daß es jetzt vorderhand wegen zu *großer Sublimität* nicht aufgeführt werden kann!! Auch spielt es nicht weniger als sechs Stunden.

Herr von Goethe hat letzthin, da mein Mann auf dem Stadthaus in einer geschlossenen Gesellschaft aß, wobei Schiller und Goethe auch waren, wieder einen hohen Spruch getan. Es war nämlich von den neuern Systemen die Rede; da sprachen Hochdieselben: „Das Neuere zeichnet sich vor allem andern dadurch aus, daß es ganz allein, ohne sich an das Alte zu heften, dasteht." Sie sehen daraus, daß wir unmittelbar vom Heiligen Geist empfangen und geboren worden sind. Amen!

BrKn II, 11 f.

1119. KAROLINE SCHLEGEL AN IHREN MANN

Jena, 31. Mai 1801

Den alten Meister wirst Du nicht vorfinden, und wenn Du Flügel nähmest. Er ist zwei Tage hier gewesen, um Jena noch einmal zu sehn, hat auch sonst nichts hier gesehn wie Jena und Schelling. Er geht auf sieben bis acht Wochen nach Pyrmont, und ich wünsche, das Bad möge sich noch *einmal* recht königlich beweisen. Er ist sehr munter. Ich habe ihm sagen lassen, er soll Söder nicht versäumen, da dieses vermutlich das einzige Mal ist, daß er Niedersachsen berührt. Er hat die Erinnerung dankbar aufgenommen ...

Wir haben für den sonnenklaren *** [Fichtes „Sonnenklaren Bericht an das größere Publikum"] ein Motto ausgefunden:

> Zweifle an der Sonne Klarheit,
> Zweifle an der Sterne Licht,
> Leser, nur an meiner Wahrheit
> Und an deiner Dummheit nicht!

Das Fundament des Einfalls ist von Schelling, die letzte Zeile von mir. S[chelling] hat es Goethen mitgeteilt, der, sehr darüber ergötzt, sich gleich den „Sonnenklaren" geben ließ, um sich auch ein paar Stunden von Fichte malträtieren zu lassen, wie er sich ausgedrückt hat.

Car II, 156f.

1120. KAROLINE SCHLEGEL AN IHREN MANN

Jena, 11. Juni 1801

Goethe ist vorige Woche abgereiset, nachdem er seinen Sohn vorher hat legitimieren lassen, und nur diesen und seinen Geist hat er mitgenommen. Die Weimaraner behaupten, Goethens Finanzen wären in einem sehr schlechten Zustande, und zwar durch die Vulpius, die ihre Unordentlichkeit und ganze Sippschaft mit ihnen nähret. Sie hat am Tage nach G[oethes] Abreise ihren Leuten in G[oethes] besten Zimmern ein Fest gegeben, dessen Evan Evoe in der ganzen Gegend umher erschollen ist. O das Unkraut, die Weiber!

Car II, 163f.

1121. SCHILLER AN COTTA

Weimar, 17. Juni 1801

Goethe ist zu Pyrmont und nur mit Wiedererlangung seiner Gesundheit beschäftigt. Von ihm dürfen Sie für den Kalender [„Taschenbuch für Damen“ von 1802] diesmal nichts erwarten; denn er ist seit lange ganz unproduktiv, und es ist nur zu wünschen, daß er nicht ganz alle seine poetische Tätigkeit verlieren möge.

SchiBr VI, 284

1122. KAROLINE SCHLEGEL AN IHREN MANN

Jena, 22. Juni 1801

Goethe hat sich acht Tage in Göttingen aufgehalten – wie mag er das angefangen haben? Die Loder wußte nichts Genaues davon, weil ihre Eltern nicht da sind; sie war selbst neugierig und hat mich ordentlich gebeten, an Fiorillo darüber zu schreiben, um das Nähere zu erfahren. Die Studenten haben ihm eine Musik gebracht, sicher auf Winckelmanns Anstiften. Er hat darauf seinen Geist heruntergeschickt mit einem Gegenkompliment, weil er schon ausgekleidet sei. Sie hatten es freilich darauf angelegt, ihn selbst zu hören, wäre es auch mit der Nachtmütze auf dem Kopf und sans culottes gewesen. Auch den allgemeinen Klub hat er besucht, wo denn die sämtliche Gesellschaft ihm ein Vivat brachte. Übrigens hat er wohl allerlei zu sehn gehabt, und die Loder meinte, die Bibliothek hätte ihn gewiß sehr beschäftigt, denn ich könnte nur glauben, er gäbe sich seit einiger Zeit sehr viel mit reellen Wissenschaften ab.

Car II, 174

1123. KAROLINE SCHLEGEL AN IHREN MANN

Jena, 6. Juli 1801

... vom Goethe weiß er [Fiorillo] weniger, als ich wissen wollte. Er sah ihn nur einmal bei sich und kam krankheitshalber nicht anderwärts mit ihm zusammen. Sartorius hat das Los getroffen, sein Führer zu werden; den hat ihm Loder zugewiesen. Und denke, er hat sich auf einen Monat in Logis im Körnerschen Hause auf der Allee mieten lassen, nach vollendeter Kur. Fiorillo sagt, er habe ihn gefunden garbato, cortese ed amabile wie vor zehn Jahren in Weimar.

Car II, 184

1124. KANZLER VON MÜLLER IN SEINEM TAGEBUCH

Weimar, 21. September 1801

Goethes Bekanntschaft und Gespräch mit ihm. Er ... spricht sehr ruhig und gelassen, wie etwa ein bedächtiger, kluger Kaufmann. Nur das Aug ist scharf. Er war recht artig und gesprächig.

Mü 4

1125. SCHILLER AN KÖRNER

Weimar, 23. September 1801

Goethen habe ich wohl aussehend und gesünder als vor der Reise gefunden. Ich habe noch wenig mit ihm sprechen können, weil ihn, außer den theatralischen Dingen und dadurch veranlaßten Gesellschaften, die Ausstellung der eingesandten Preisstücke beschäftigt. Es sind jetzt in allem 22 Preisstücke eingekommen, außer einem ganzen Saal voll anderer Kunstwerke: Nahls, Catels, Burys und mehrerer anderer, welche wirklich zum Teil sehr schön und sehenswürdig sind. Das Institut scheint in Aufnahme zu kommen, und leicht könnte in einigen Jahren eine allgemeine Kunstausstellung der neuesten Künstlerwerke bei uns zustande kommen. Goethe läßt die Entree bezahlen, und der Ertrag wird zu dem Preis geschlagen.

SchiBr VI, 301

1126. BÖTTIGER AN ROCHLITZ

Weimar, 8. Oktober 1801

Von den Gesinnungen der Herren Goethe und Schiller gegen Sie und gegen Ihr Stück weiß ich weder im Guten noch Bösen das mindeste. Sie wissen, wie wenig ich von ihnen selbst etwas erfahren kann, da ich ganz von ihnen entfernt bleibe. Goethe lebt ganz in seiner Kunstausstellung, die seit drei Wochen in den Zimmern des Komödienhauses für acht Groschen Entree jedem sichtbar ist. Die Verteilung des Preises mag ihm bei der vielfachen *wichtigen* Konkurrenz viel Not machen ... Goethe (nicht Schiller) liegt ganz in den Händen der Schlegel. Einer aus ihrer Clique, der Bildhauer Tieck, der Bruder des Dichters, modelliert jetzt hier Goethes Büste und sitzt ganze Tage vor ihm, wie man sagt.

GoeJb IV, 325

1127. SCHILLER AN KÖRNER

Weimar, 16. November 1801

Wir suchen uns hier aufs beste durch den Winter hindurchzuhelfen. Goethe hat eine Anzahl harmonierender Freunde zu einem Klub oder Kränzchen vereinigt, das alle vierzehn Tage zusammenkommt und soupiert. Es geht recht vergnügt dabei zu, obgleich die Gäste zum Teil sehr heterogen sind, denn der Herzog selbst und die fürstlichen Kinder werden auch eingeladen. Wir lassen uns nicht stören; es wird fleißig gesungen und pokuliert. Auch soll dieser Anlaß allerlei lyrische Kleinigkeiten erzeugen, zu denen ich sonst bei meinen größeren Arbeiten niemals kommen würde.

SchiBr VI, 315

1128. GENTZ IN SEINEM TAGEBUCH

Weimar, 20. November 1801

Wir verbrachten den Abend bis 9 Uhr bei Herrn von Goethe, wo man Wieland, Herder, Schiller beisammen sah. Diese Abendgesellschaft hätte glänzend sein sollen, aber sie kam mir kalt und fast schal vor.

GentzTb 8. Aus dem Französischen

1129. SCHILLER AN COTTA

Weimar, 10. Dezember 1801

Sie fragen mich nach Goethen und seinen Arbeiten. Er hat aber leider seit seiner Krankheit gar nichts mehr gearbeitet und macht auch keine Anstalten dazu. Bei den trefflichsten Planen und Vorarbeiten, die er hat, fürchte ich dennoch, daß nichts mehr zustande kommen wird, wenn nicht eine große Veränderung mit ihm vorgeht. Er ist zu wenig Herr über seine Stimmung; seine Schwerfälligkeit macht ihn unschlüssig, und über den vielen Liebhaberbeschäftigungen, die er sich mit wissenschaftlichen Dingen macht, zerstreut er sich zu sehr. Beinahe verzweifle ich daran, daß er seinen „Faust" noch vollenden wird.

SchiBr VI, 321

1130. KAROLINE SCHLEGEL AN IHREN MANN

Jena, 10. Dezember 1801

Wenn Friedrich nur das *eine* Lied [nach Heinrich von Veldeke ?] von den kleinen Liedern hingegeben hätte [zum „Musenalmanach auf das Jahr 1802", hrsg. von Bernhard Vermehren], so wäre es charmant von ihm gewesen; aber die Distichen [„Die Werke des Dichters"] auf Goethes Werke! Fi donc!

Lieber, stimme nicht in die Lästereien Goethes ein, die sie da unter sich zur miserabeln Mode gemacht haben!

Car II, 235

1131. KAROLINE HERDER AN GLEIM

Weimar, 18. Dezember 1801

Eine Erscheinung auf unserm Theater muß ich Ihnen auch mitteilen. Lessings „Nathan" ist aufgeführt worden, nachdem er hie und da verkürzt ist. Die Schönheit dieses Kunstwerks und die Wahrheit hat allgemeinen Eindruck gemacht ... Nach dieser Vorstellung fühlen wir aufs neue, wohin unsere Schauspieldichter gesunken sind und wie hoch Lessing steht!

VaH I, 295

1802

1132. KAROLINE SCHLEGEL AN SOPHIE BERNHARDI

Jena, 4. Januar 1802

Goethe hat sich vorgenommen, die Aufführung des „Jon" noch immer weiter auszubilden. Ein paarmal will er die Schauspieler noch ungestört spielen lassen, dann ihn aber von neuem vornehmen ...

Er hat sehr artig darüber gesprochen, was sie nach und nach den Spielern und dem Publikum zumuteten. Erst hätten sie die drei Stücke von Schiller zu sich nehmen müssen (die sie indessen unverdaut wieder von sich gegeben haben), und überhaupt hätten sie sie recht zum *Hören* gezwungen. Nun sie auch den „Jon" hinunter hätten, da könne man wieder etwas Tüchtiges darauf bauen.

Car II, 258f.

1133. KAROLINE SCHLEGEL AN AUGUST WILHELM SCHLEGEL

Jena, 4. Januar 1802

Ja, Freund, es verhält sich so; Du kannst ganz und gar zufrieden sein [mit der Aufführung des „Jon"]. Ich bin entzückt gewesen. Meine Hoffnung war gut nach allem, was Goethe geschrieben hatte; indes saß ich nicht ohne Herzklopfen da; aber ich wurde ruhig, sowie ich die Jagemann sah und hörte. Wir sahn uns gleich an, Schelling und ich, und nun ging es alles in *einem* Guß fort ...

Goethe hat mit unendlicher Liebe an Dir und dem Stück gehandelt. Ich weiß nicht, was Kotzebue dort gesagt hat; aber es kann sein, daß die Schauspieler anfangs rebellisch waren, ja die Jagemann soll dumm genug gewesen sein, den Jon für eine undankbare Rolle zu halten. Aber er hat alles

Kostüme zu „Jon" von August Wilhelm von Schlegel zur Weimarer Aufführung 1802

überwunden. Sie sind hoffentlich nun zufrieden, denn sie sind alle sehr applaudiert worden ... Auch ist keine Frage, daß es allgemein gefallen hat, gewiß mit manchen Ausnahmen, manchen Rückhalten und auch wider Willen, aber gefallen dennoch ...

Car II, 259f.

1134. KAROLINE HERDER AN KNEBEL

Weimar, 6. Januar 1802

Den Tag darauf wurde „Jon", von August Wilhelm Schlegel *frei* übersetzt und bearbeitet, gegeben. Ein schamloseres, frecheres, sittenverderbenderes Stück ist noch nicht gegeben. Jena war wieder herüberzitiert zum Klatschen. Bei der zweiten Vorstellung waren wenige darin; zum dritten Mal wollen sie's nicht wagen; denn da möchte das Haus ganz leer bleiben. Ach, Freund, wohin ist Goethe gesunken!

BrKn II, 23

1135. CHARLOTTE VON STEIN AN IHREN SOHN FRIEDRICH

Weimar, 7. Januar 1802

Schreib mir ja keine leeren Briefe à la Goethe, welcher mir zwar schon lange keine mehr schreibt, wenn er abwesend ist. Gestern fuhr er mit seiner Hausmamsell auf dem Schlitten.

Stein II, 145

1136. SCHMID AN SALZMANN

Frankfurt, 9. Januar 1802

Er hat im Frühjahr 1801 eine große Krankheit ausgehalten; man bemerkt aber davon keine Spuren mehr, denn er ist von gutem Aussehn und beträchtlicher Korpulenz. Wir hatten, nämlich mein seliger Schwager, meine Schwester und ich, viele Empfehlungen von seiner hier lebenden Mutter, deren ich mich in einem schicklichen Augenblick entlud. Nachher kam er uns als wohlwollender, freundlicher Landsmann selbst bei jeder Gelegenheit entgegen, und wir fühlten, daß es gut gemeint war. Andere, und wohl der größte Haufen, wollten ihn stolz finden. Allein nicht besser kann ich antworten als mit einem Auszug aus der „Zeitung für die elegante Welt", welchen ich Sie um Erlaubnis bitte, nach der Länge herzusetzen:

„Sein Äußeres erweckte die Frage: Ist Goethe stolz? Ach, wie vielsinnig ist das Wörtchen stolz, um mit einem Ja oder mit einem Nein die Frage beantworten zu können. In dem alten, veralteten Sinne, wo ein Mensch, nur aufgebläht durch äußere Vorzüge, selbst des Verdienstvolleren Bekanntschaft geringschätzt, weil ihm dieser an Vorzügen nicht gleichkommt, sind ja wohl nur noch wenige stolz; und Goethe unter diese Klasse zu rechnen, wird hoffentlich keinem einfallen. Den Wert seines gesuchten Ichs aber soweit zu kennen, daß ihm ein eigener Stempel der Absonderung aufgedrückt werde, der manchen Unberufenen zurückhält, sich an seine Person und Zeit zu wagen, dies versteht Goethe meisterlich. Ob dies bloße Schutzwehr oder Naturgabe sei, ist schwer zu entscheiden; aber fast sollte man aus der Bemerkung, daß er auch in kleinern und bekanntern Zirkeln eine gewisse Kälte nicht ablegt, urteilen, daß dieses Zurückziehen ihm sehr natürlich sei. Den neugierigen Brunnengästen war es nicht angenehm, gegen alle Ideale, die sie sich von dem gewandten, feinen Dichter gemacht hatten, einen ernsten, majestätischen Mann zu finden, der, die Hände in beiden Rocktaschen, mit quer in die Breite stehendem Hute, in mäßigem, gleichem Schritte die Allee auf und ab wandelte, ohne auf die Sterblichen um ihn her zu achten. Hätten alle die Unterhaltung genießen können, die er dann denen, die zunächst um ihn waren, gewährte, gewiß, sie wären versöhnt worden. Langsam sich entwickelnd, aber immer deutlich malend waren seine Beschreibungen, anziehend und fortgesetzt, suivis, seine Gespräche über interessante Gegenstände. Sein munterer zehnjähriger Knabe scheint in den lebhaften braunen Augen den Geist des Vaters zu fassen."

Er schien sich Ihrer, bester Freund, mit vieler Wärme zu erinnern und lächelte zufrieden und freundlich dabei. Wenn nicht obige Bemerkung von einem feinen Beobachter herrührte, so hätte ich darauf keine Rücksicht genommen; aber besser Ihren Freund zu schildern wäre mir unmöglich gewesen.

Salz 109f.

1137. KARL VON STEIN AN SEINEN BRUDER FRIEDRICH

Weimar, 9. Januar 1802

Dieser Tage her waren einige mit Musik begleitete Schlittenfahrten zum großen Vergnügen meiner Frau, die gern Schlitten fährt. Niemand fährt aber mit einer triumphierenderen Miene und mit mehr Passion, scheint es, als der dicke Geheimrat Goethe, neben seiner Gattin sitzend ..., fährt aber nicht selbst, sondern läßt sich fahren. Bei den großen Gesellschafts-Schlittenfahrten aber gibt er den Platz seiner Füchsin an eine Dame der Gesellschaft ab. Zu einem Konzert bei Zobels frug ich ihn, wenn ich ihm gelegen käme, ihm einmal meinen Besuch abstatten zu dürfen. „Meine Geschäfte", antwortete er, „erlauben mir nicht, Ihnen eine Zeit zu bestimmen; aber schicken Sie nur einmal morgens um 9, mich fragen zu lassen." Da sonst sein Haus und unser Haus wie eins anzusehen waren, er auch nicht in dem Fall ist wie Bonaparte, ein Land zu repräsentieren und den Geschäften zu unterliegen, so schien mir seine Antwort etwas eitel, er müßte denn meine Frage so genommen haben, als wenn ich ihm etwas Spezielles zu sagen hätte. Ich würde, sagte ich ihm, ihm gern einmal besuchen, wenn ich wüßte, ihn nicht zu inkommodieren, und wenn er eben einmal melierte Gesellschaft hätte.

Fritz von Stein II, 81

Oßmannstedt, 15. Januar 1802

Ich unterscheide, wie in allen Dingen, so auch hier, das Formale vom Materiali. Mit dem letztern wird es wohl, was die dem Stücke [Schlegels „Jon"] gemachten Vorwürfe betrifft, seine Richtigkeit haben ... Das Formale dieses Aufsatzes [der Rezension von Böttiger] hingegen kann ich weder rechtfertigen noch entschuldigen; und nur unter der Voraussetzung, daß Sie G[oethe]n selbst empfindliche Streiche, Stiche und Stigmata ... haben beibringen *wollen,* kann ich sogar begreifen, warum Sie nicht nach Überlesung dessen, was Sie (vielleicht noch in derselben Nacht und ganz warm von dem *Unwillen,* der Sie während der Aufführung erhitzte) geschrieben hatten, sogleich selbst hätten sehen sollen, daß G[oethe] Ihnen eine solche öffentliche Flagellation des „Jons", des Dichters und dessen, der das Stück vorstellen ließ und alles Mögliche anwendete, damit es reüssieren sollte, nie, in seinem Leben nie verzeihen würde noch könnte ...

Ihnen dieses ... Urteil gehörig zu motivieren, müßte ich in eine Umständlichkeit eingehen, wozu ich keine Zeit habe und deren Sie auch wahrlich nicht bedürfen, da Ihnen, bei einer nochmaligen gelassenen Durchlesung, Ihr eigener guter Genius bei jedem von Ihrem Kakodämon eingeschwärzten Wort, Sarkasm, ironischem Lob, Judaskuß und Dolchstich von hinten unfehlbar selbst einen Stich geben wird. Ich setze also nur noch dies hinzu: wenn Sie mein leiblicher Bruder oder Sohn wären, könnte ich Sie ... weder verteidigen noch entschuldigen; und an G[oethes] Stelle würde ich die Sache ebenso genommen, ebenso hoch empfunden und ebenso gehandelt haben wie er. Das schlimmste an dieser Sache und was mir am leidesten tut, ist, daß dem Übel nicht mehr zu helfen ist. G[oethe] nimmt sie als eine guerre ouverte, und zwar als einen Vertilgungskrieg auf, wo einer von beiden auf dem Platz bleiben oder vielmehr den Platz räumen muß.

GoeJb I, 327 ff.

1139. WIELAND AN BÖTTIGER

Oßmannstedt, 19. Januar 1802

Nun triumphiert freilich Monsieur Schl[egel], und Sie machen diesem Herren gegenüber eine traurige Figur. Das schlimmste ist, daß es Ihnen nichts hilft. Denn G[oethe] wird Ihnen Ihr Stillschweigen für nichts anrechnen, und Sie wieder mit ihm auszusöhnen, ist so unmöglich, als den Mond mit den Zähnen vom Himmel herabzuziehen. Auch bin ich versichert, wenn in irgendeinem deutschen Tagblatt etwas nur halbweg Nachteiliges über „Jon" gesagt werden sollte, so wird es Ihnen vor die Tür gelegt werden. Eine ehrliche guerre ouverte wäre für Ihren Ruhm das beste; aber wer könnte Ihnen in Ihrer hiesigen Lage dazu raten?

GoeJb I, 329

1140. SCHILLER AN KÖRNER

Weimar, 21. Januar 1802

Hier wollen wir im nächsten Monat Goethes „Iphigenia" aufs Theater bringen. Bei diesem Anlaß habe ich sie aufs neue mit Aufmerksamkeit gelesen, weil Goethe die Notwendigkeit fühlt, einiges darin zu verändern. Ich habe mich sehr gewundert, daß sie auf mich den günstigen Eindruck nicht mehr gemacht hat wie sonst, ob es gleich immer ein seelenvolles Produkt bleibt. Sie ist aber so erstaunlich modern und ungriechisch, daß man nicht begreift, wie es möglich war, sie jemals einem griechischen Stück zu vergleichen. Sie ist ganz nur sittlich; aber die sinnliche Kraft, das Leben, die Bewegung und alles, was ein Werk zu einem echten dramatischen spezifiziert, geht ihr sehr ab. Goethe hat selbst mir schon längst zweideutig davon gesprochen – aber ich hielt es nur für eine Grille, wo nicht gar für Ziererei. Bei näherem Ansehen aber hat es sich mir auch so bewährt. Indessen ist dieses Produkt in dem Zeitmoment, wo es entstand, ein wahres Meteor gewesen, und das Zeitalter selbst, die Majorität der Stimmen, kann es auch jetzt noch nicht übersehen. Auch wird es durch die allgemeinen hohen

poetischen Eigenschaften, die ihm ohne Rücksicht auf seine dramatische Form zukommen, bloß als ein poetisches Geisteswerk betrachtet, in allen Zeiten unschätzbar bleiben.
SchiBr VI, 335f.

1141. BÖTTIGER AN ROCHLITZ

Weimar, 21. Januar 1802

Gereizt von jenem Unsinn [August Wilhelm Schlegels „Jon"], vielleicht auch von prickelndem Krankheitsstoff, schrieb ich fürs „Modenjournal" eine Kritik desselben mit der möglichsten Schonung unserer Theaterdirektion, mit der ich um alles in der Welt in keinen öffentlichen Krieg geraten wollte. Goethe erhält indes, noch ehe das Stück die Druckerei verließ, Nachricht davon und fulminiert so fürchterlich auf mich und schreibt so drohende Billette an Bertuch, daß dieser die Unheilsbogen sogleich kassierte, ob er gleich Zensurfreiheit hatte und ganz anders hätte verfahren können. Doch Goethe drohte, sogleich seine Demission von der Theaterdirektion zu geben, wenn es geschähe. Die Sache machte hier Aufsehn und indignierte jeden, der kein Sklave der Schlegelschen Clique ist. Wahrscheinlich wird auch auswärts manches davon erzählt. Ich teile Ihnen hier im strengsten Vertrauen die für mich zurückbehaltenen Aushängebogen mit ... Urteilen Sie, ob etwas gegen Goethe Achtungswidriges darin ist und ob nicht alles vielmehr nur zuviel gelobt scheint. Auf jeden Fall macht dies meine hiesigen Verhältnisse noch unangenehmer. Sei es! Ich will furchtlos und meiner Überzeugung gemäß handeln.
Alt-Weimar 44

1142. KAROLINE HERDER AN KNEBEL

Weimar, 23. Januar 1802

Der Artikel „Drama" im vierten Stück der „Adrastea" soll und muß Ihren Beifall und Ihre Zustimmung erhalten. Zwei herrliche Blätter aber über den „Jon" kommen nun heraus;

denn mein Mann will mit Goethe nichts zu tun bekommen.

Denken Sie! Böttiger schreibt im „Modejournal“ eine Kritik über den „Jon“, wobei er unvermeidlich Wahrheiten sagen mußte. Als der Bogen gesetzt war, forderte ihn Goethe von Bertuch, und nachdem er ihn erhalten, schrieb er an Bertuch: wenn er diese Kritik über „Jon“ nicht augenblicklich unterdrücke, so ginge er sogleich zum Herzog und fodere seine Dimission als Direktor des Theaters. Auch wolle er künftig die Theaternachrichten im „Modejournal“ selbst liefern und wolle im nächsten Stück mit dem „Jon“ den Anfang machen.

Sehn Sie, so steht's mit unsrer Theaterwahrheit!

Dies alles aber ist ein *großes Geheimnis,* das indessen schon von Ohr zu Ohr sachte herumgeht. Böttiger hat den Bogen als den einzigen Abdruck gerettet – er wird ihn gewiß für Sie geben, wenn Sie ihn sehen mögen!

Kn II, 328

1143. KNEBEL AN KAROLINE HERDER

Ilmenau, 25. Januar 1802

Der neu-revolutionär-republikanisch durchgesetzte „Jon“ hat mich etwas in Erstaunen gesetzt. Der arme Böttiger nur dauert mich. Er ist in der Tat nicht wohl und nimmt sich doch sonst so in acht, die Blitze des Jupiters zu reizen. Es war längst zu denken, daß, wenn zwei solche Lüfte so nahe zusammenkommen würden wie Herr Kotzebue und Schlegel, es ein Brausen geben würde. Nur, dachte ich, es würde beim *Schall* verbleiben. Nun aber hat Jupiter die Schale gesenkt.

VaH III, 204

1144. CHARLOTTE VON STEIN AN IHREN SOHN FRIEDRICH

Weimar, nach dem 29. Januar 1802

Diese Unschicklichkeit kam von der Gräfin Egloffstein. Ich schämte mich besonders für die russischen Damen, und Goethe ist mir einige Klafter tief heruntergefallen, daß er es zugegeben.

Stein II, 147

1145. KNEBEL AN KAROLINE HERDER

Ilmenau, 3. Februar 1802

Die Unterdrückungsgeschichte der Böttigerschen Kritik hat mir viel Ärger gemacht. Ohne Zweifel fand man sie zu richtig und wahr, um sie erscheinen zu lassen. Sie darf aber nicht untergehn. Trösten Sie den guten Böttiger, der uns soviel Ehre bei den Ausländern macht wie unsere Genies und Schöngeister eben nicht.

VaH III, 204f.

1146. HENRIETTE VON KNEBEL AN IHREN BRUDER

Weimar, 3. Februar 1802

Schicke uns doch nur ja Deinen „Jon" [von Euripides], lieber Bruder, denn der Schlegel verstümmelt alles und läßt das Edle weg. Eine ewige Schande für Goethen, daß er diesen Menschen so in Schutz nimmt.

KnHe 144

1147. SOPHIE VON SCHARDT AN FRIEDRICH VON STEIN

Weimar, 4. Februar 1802

Kotzebue ist der humanste unter unsern Poeten; dafür hat er aber auch gute Revenuen und geht an Hof mit seiner Frau. Goethe hat eine Mittwochs-Souper-Gesellschaft; die ist aber geschlossen, und er sagt: „Frägt ja man, warum, so sprecht, ich sei der Bär." Unter der Elite der Gesellschaft, die dort versammelt ist, glänzte der Kapitän Egloffstein und Karoline Egloffstein mit heiserm Stimmchen, auch der dicke Gemahl von Agnes Lilie [Friederike von Wolzogen]. Ferner gibt's Redouten, wo man der Herzogin gratuliert: ein Kind der Liebe [August von Goethe] stellte den Amor dar, der der Herzogin Verse brachte. Die Leute sagen, das sei unrecht gewesen, ein Kind der Liebe hätte nicht dürfen als Amor unter honetten Leuten erscheinen. Der arme Wurm wird doch nicht dem berühmten Edmund im „King Lear" nachschlagen – er ist ein gutes Kindle.

Fritz von Stein II, 85f.

1148. SCHILLER AN COTTA

Weimar, 5. Februar 1802

Bei Goethen will ich tun, was ich kann, um Ihnen einen Beitrag von ihm für den „Damenkalender" zu schaffen. Aber noch sehe ich nicht, wo es herkommen soll, da er in ganz andern als poetischen Beschäftigungen steckt. Es hatte ihn verdrossen, daß Sie Böttigern wegen des Gangs der „Propyläen" Eröffnungen getan, weil er nicht gut gegen ihn gesinnt ist und B[öttiger], dessen Indiskretion bekannt ist, mit Begierde alles ergreift und verbreitet, was der guten Sache, für welche Goethe streitet, Nachteil bringt.

SchiBr VI, 346f.

1149. KNEBEL AN KAROLINE HERDER

Ilmenau, nach dem 7. Februar 1802

Ich will nichts dazu sagen. *Charakterlosigkeit* von allen Seiten! Nur soviel: Da die Schlegels und Konsorten beinahe die ganze weimarische Welt und Böttigern und specie aufs infamste öffentlich und persönlich in ihren Schriften dargestellt haben, so finde ich dagegen die *Rache* höchst unbedeutend, wenn es auch nur bloße Rache wäre, die Böttiger gegen ein Stück des Herrn Schlegel, das nach dem Ausspruch aller gesunden Welt verhunzt ist, hätte nehmen können. Noch dazu, da er seine Kritik mit *Gründen* belegt, die durchaus nichts Persönliches haben. Genug hievon! Wenn Wieland, der am meisten Ursache hätte, jene Teufeleien zu ahnden, sich so gefällig in diesen Weltlauf fügt, so habe ich ja auch weiter nichts zu sagen ...

Daß es Herdern so sehr betroffen hat, tut mir nun freilich wehe. Auch mich hat es betroffen, ob ich gleich soviel entfernter bin. Freilich, wenn Böttiger kein Mode- und Luxusschreiber wäre, so würde er sich manches weniger dürfen gefallen lassen. Sat! Sat! Ich bitte *Sie,* ziehen Sie sich diese Sachen nur nicht zu sehr zu Herzen!

VaH III, 205f.

1150. KAROLINE SCHLEGEL AN IHREN MANN

Jena, 8. Februar 1802

Böttiger hat nicht umhingekonnt, für das „Modejournal" einen Bericht über „Jon" abzufassen, der erstlich dartut: wenn man es anders wie Euripides machen wolle, müsse man es besser machen, und das habest Du nicht getan; nebst allen dazugehörigen Erörterungen. Zweitens aber: Dein Stück sei von der größten Anstößigkeit. Bis diese Stunde ist es indes bei der Genugtuung des Abfassens geblieben, denn Goethe hat die Sache erfahren und ist dergestalt ergrimmt, daß er sogar zu dem Donnerkeil seine Zuflucht genommen. Er hat dem Herzog und Voigt gesagt, er wolle mit der ganzen Direktion nichts mehr zu tun haben, wenn solche Schmeißfliege immer hinterher kommen und sich auf das Beste, was sie lieferten, hinsetzen dürfe. Er verlange, daß künftig alles, was in Weimar über ihr Theater erschiene, seiner Zensur unterworfen wäre. Man hat ihm denn das gern zugestanden, und er hat sie auch ganz gegen Böttiger aufgebracht und gegen dessen Hinterlist. (Denn die Vorstellung als Vorstellung hatte dieser mit Lob überschüttet.) Hierauf hat er den formellen Beschluß Bertuchen deklariert und, wie ich bis jetzt von der Froriep [Wilhelmine, geb. Bertuch] weiß, selbst den Theaterartikel übernommen, besonders aber den „Jon". Das „Modejournal" für diesen Monat wartet nur auf seinen Aufsatz [„Weimarisches Hoftheater"], um zu erscheinen, ja er hat ihnen auch die Zeichnung der Kostüme versprochen. – Böttiger hat nun wollen sein Geschriebenes in die „Allgemeine Literatur-Zeitung" rücken lassen; diese aber, durch Bertuch präveniert, hat nicht das Herz gehabt, es aufzunehmen.

Car II, 294

1151. COTTA AN SCHILLER

Tübingen, 15. Februar 1802

Ich kann nicht begreifen, daß Goethe, der mich doch kennen sollte, glauben kann, ich hätte Böttiger Eröffnungen wegen der „Propyläen" getan. Alles, was ich in dieser Sache weiß, ist, daß B[öttiger] fragte, ob ich die „Propyläen" fortsetzte, und daß ich ihm hierauf erwiderte, dies hange von Goethe ab. Und als er mir erwiderte: „Aber Sie haben doch keinen großen Gewinn daran?", so antwortete ich ihm: „Ich habe die Unternehmung nicht des Gewinns, sondern der Sache wegen gemacht." Es wäre sonderbar von mir gewesen, wenn ich eine andre als diese Antwort gegeben hätte, denn bei einem Werk, das in Weimar gedruckt und spediert wird, läßt sich aus der Anzahl der den Buchbindern abgegebenen Exemplare ohne große Mühe berechnen, daß ich wenigstens nichts gewinne, wenn man das Honorar auch noch so mäßig berechnete. Ich bitte Sie, mein Vertreter bei Goethe zu sein. Es wäre doch sonderbare Fügung, wenn ein Opfer von 2500 Gulden, das ich durch diese Unternehmung G[oethe] brachte, einen Gegenstand beträfe, der mich um dessen Gunst brächte oder sie verminderte.

SchiCo 447 f.

1152. SCHILLER AN KÖRNER

Weimar, 18. Februar 1802

Es ist eine erstaunliche Klippe für die Poesie, Gesellschaftslieder zu verfertigen – die Prosa des wirklichen Lebens hängt sich bleischwer an die Phantasie, und man ist immer in Gefahr, in den Ton der Freimäurerlieder zu fallen, der (mit Erlaubnis zu sagen) der heilloseste von allen ist. So hat Goethe selbst einige platte Sachen bei dieser Gelegenheit ausgehen lassen, wiewohl auch einige sehr glückliche Liedchen mit unterliefen, die aus seiner besten Zeit sind.

SchiBr VI, 354

1153. HERDER AN KNEBEL

Weimar, nach dem 19. Februar 1802

Goethens edictum praetorianum ... in Ansehung des Theaters [„Weimarisches Hoftheater"] werden Sie bald lesen. So geistlos und so platt hat er noch nichts geschrieben. Der Himmel lasse uns nie so sinken! wenn wir gleich fest und breit auf der sella curiali säßen.

Kn II, 273

1154. KAROLINE HERDER AN GLEIM

Weimar, 1. März 1802

Über das Drama war er [Herder] scharf und in heiligem Eifer. Das neueste Gesetz des Theaters, das hier regiert und täglich unverschämter und frecher wird, setzt die dramatische Kunst auf *Repräsentation* und *Deklamation;* der Inhalt des Stücks ist diesen ersten tief untergeordnet oder kommt gar nicht in Betracht in Ansehung des Zuschauers. Als hölzerne Puppen sollen wir unten im Parterre sitzen und die hölzernen Puppen auf der Bühne anschauen und deklamieren hören; übrigens mir nichts dir nichts leer und trostlos von dannen gehn. Schlegel hat des Euripides „Jon" übersetzt, aber so ungriechisch, so beleidigend die Schamhaftigkeit und

Sittlichkeit! Statt der Pallas erscheint Apollo selbst und erzählt mit einer Frechheit die Szene in der Höhle mit Kreusa, daß einem Hören und Sehen vergeht. Auf solche Weise will man uns die Griechen kennenlernen und geben! Mein Mann hatte etwas darüber in die „Adrastea" wollen einrücken lassen; er hat aber die Blätter wieder zurückgenommen; er will mit Goethe, der die Direktion des Theaters hat, nichts zu tun haben. Goethe ist auch der Verfasser der Theaterartikel von Weimar im „Modejournal" vom Monat März an. Das Wichtigste, das jetzt in der Welt existiert, ist dies Puppenspiel auf den Brettern! Und was könnte es sein und werden nach den Regeln des Aristoteles!

VaH I, 301

1155. KAROLINE SCHLEGEL AN IHREN MANN

Jena, 4. März 1802

Gries kam eben und erzählte mir allerlei von Zelters Aufenthalt. [Gottlieb] Hufeland, der sich gleich seiner bemächtigt hatte, war mit ihm nach Weimar hinübergefahren, ganz gegen seine Art auf zwei Tage auszusetzen; er hätte diese Gelegenheit, meint Gries, recht absichtlich genutzt, um Goethen einmal wieder näherzukommen, der ihn seit Jahr und Tag in auffallender Entfernung hält. Das ist ihm denn auch insoweit gelungen, weil man ihn nicht hat ausschließen können, und er soll ganz taumelnd von den Dingen sein, die er gesehn und gehört hat, und erwähnt alles so geheimnisreich, als wenn er eben den dritten Grad erlangt hätte. Goethe und Schiller sollen sehr eingenommen von dem guten Zelter sein. G[oethe] hat ihm, wie es scheint, etwas vom „Faust" mitgeteilt und ihm neue Sachen zu komponieren gegeben, die aber nicht zum Vorschein kommen sollen. Sie wollen auch eine Oper für ihn machen. Kurz, diese große ruhige Säule von Mann hat recht viel Bewegung hervorgebracht. Uns ist er ebenso unschuldig wie bürgerlich vorgekommen. Er sagte, er wüßte nicht, womit er das alles verdienet.

Car II, 310f.

1156. BÖTTIGER AN ROCHLITZ

Weimar, 8. März 1802

Hier ... Goethes Theater-Edikt, wie es hier genannt wird. Hier bringt es eine sehr widrige Sensation hervor, besonders unter den Schauspielern, die nur Iffland und Demoiselle Unzelmann gelobt, ihre trefflichen Bemühungen aber ganz verschwiegen sehen ...

Da nun auch Kotzebue, der sich Goethes eigenmächtige Korrekturen in seinem neuesten, echt komischen Stücke, „Die Kleinstädter", nicht gefallen lassen konnte – sie betrafen Stellen, worin Goethe Anspielungen auf seine Lieblinge, die Schlegel, witterte –, nichts mehr von sich auf unserm Theater aufführen läßt, so ist in der Tat die schrecklichste Dürre und Hungersnot eingebrochen.

Die Eingebungen der Schellingisch-Schlegelschen Clique, von welcher sich jetzt Goethe ganz beherrschen läßt, machen ihn täglich herrischer und gewaltsamer in seinen Maßregeln. Alle Unparteiischen beklagen dies um so mehr, da noch weit unangenehmere Folgen aus diesem allem vorauszusehen sind. Goethe ist jetzt fast beständig in Jena, wo er sich in Weihrauchwolken einhüllen läßt!

GoeJb IV, 326

1157. KAROLINE SCHLEGEL AN IHREN MANN

Jena, 11. März 1802

Du mußt wissen, daß er [Kotzebue] sich's angelegen sein läßt, ein sehr brillantes Haus in Weimar zu machen, daß er alle Woche einen adeligen und einen bürgerlichen Tee gibt und sein Adelsdiplom produziert hat, damit seine Frau an den Hof gehn kann. Da es mit Goethe nicht glückt, macht er Schillern unsinnig die Cour, und Frommanns zum Beispiel behaupten auch, daß er ihn gänzlich anbetet und aufrichtig über alle Schauspieldichter der Erde setzt. Nun hatte er auf Schillers Namenstag eine Fete veranstaltet, wo aus der „Jungfrau", dem „Don Carlos" usw. Szenen aufgeführt werden sollten, ja sogar die „Glocke" dramatisch rezitiert, und man spricht von einer großen Glocke von Pappe, die dazu verfertigt wurde. Die Imhoff, die Egloffstein und fast lauter Adelige waren die Spielenden. Der Saal im Stadthause sollte den Schauplatz abgeben, und er hatte ihn vorläufig besprochen, ohne genau anzugeben, daß er ein Theater wollte aufschlagen lassen. Dieses wird von Etter[s]burg herbeigefahren; wie es aber vor dem Stadthause abgeladen werden soll, lassen es der Rat und Bürgerschaft nicht ein, weil es den Saal verderben würde. Kotzebue unterhandelt, aber erlangt nichts, und nun geht das ganze Fest in Trümmern, denn das Anerbieten andrer Lokale, welche ihm geschahen, nahm er nicht an, weil sich im Moment die Sage erhob, Goethe habe als Baudirekteur dem Stadtrat das Nötige inspiriert, und er [Kotzebue] wieder vollständig die Rolle des Verfolgten und Beneideten zu spielen gedachte. Auch gerät ganz Weimar über die Sache in Aufruhr. Die Teilnehmenden hatten sich, besonders die Damen, herrliche Sachen angeschafft; viele Ausgaben waren von allen Seiten gemacht. Wer nicht laut zu schimpfen wagt, tut es doch in geheim. Es gehn die dummsten Gerüchte und Urteile herum, Goethe soll neidisch sein, nicht sowohl auf Kotzebue als vielmehr auf Schiller, weil es dem galt, und er habe sich gleich hieher geflüchtet, wie er immer tue, wenn er dergleichen angestellt habe. Nun trifft noch ein andres Ereignis hiemit zusammen. Kotzebue hat ein Stück gegeben: „Die [deutschen] Kleinstädter", aller Wahrscheinlichkeit nach dasjenige, welches als Tollhaus angekündigt wurde. Goethe hat alle *Persönlichkeiten* darin gestrichen, und Du kannst Dir denken, auf wen diese gingen; ja ein Stück der Intrige darin deutet das weimarische Publikum auf eine Hausgeschichte von Goethe selbst. Kotzebue hat manches wegstreichen lassen, ist aber auf einigem bestanden, was Goethe durchaus nicht zugab. Nun nahm er das Stück ganz zurück. Über dieses kommt es in einem Konzert bei der Herzoginmutter zu einem Wortwechsel zwischen G[oethe] und K[otzebue], in welchen sich Frau von Kotzebue mischt und versichert, ihr Mann solle nun gar nichts mehr aufs Theater in Weimar geben. Nicht genug, die alte Kotzebübin schreibt Goethen einen Brief – welchen, das magst Du ermessen. So ist der

Gott unter die Fischweiber geraten! Er hat ihr geantwortet, und das müßte freilich lustig zu lesen sein. Dies hat die Alte ohne Vorwissen ihres Sohnes getan, welcher sich dem Teufel hat darüber ergeben wollen; allein es war geschehn.

Schelling hat Goethe diesen Morgen gesprochen; er ist sehr gut gelaunt gewesen ... Wir glauben freilich auch, daß Goethe an der Saal-Affäre nicht unschuldig ist, vermutlich mit Schiller und dem Herzog einverstanden. Aber ist es nicht prächtig von ihm? ...

Goethe hält sich denn doch tapfer gegen die Halunken und prononciert sich scharf. Es kann auch nicht schaden, daß er selbst einmal ins Handgemenge mit ihnen kommt ...

Wegen obiger Geschichte muß ich noch melden, daß sie mit der Unterdrückung Böttigers in Verbindung gebracht und über den Despotismus geschrien wird. Das Volk stellt sich ganz demokratisch an, nun es einmal nicht den Hammer machen soll.

Car II, 315–318

1158. KAROLINE SCHLEGEL AN JULIE GOTTER

Jena, 11. ? März 1802

Was Du mir übrigens erzählst, damit hat mich gestern die Niethammer prächtig unterhalten. Aber Minchen Conta hat Dir bei allen dem doch eine Menge Lügen debitiert, selbst nach denen aus Weimar herübergekommenen Berichten. Der Rat und die Bürgerschaft hat sich nicht wollen den Saal verderben lassen; Kotzebue *will* nur durchaus, daß es Goethe sein soll, um den Gedrückten und unschuldig Verbannten zu spielen, und hat auch eben deswegen kein Anerbieten eines andren Lokales, die ihm geschehn sind, angenommen.

Goethe hat ferner in den „Kleinstädtern" nur – einige wenige Persönlichkeiten gegen Schlegels usw. gestrichen, weil sie dazu das Theater nicht hergeben könnten. Kotzebue ist so unverschämt geworden seit den Rubeln und dem Adelsdiplom, das er produziert hat, damit *sie* an den Hof gehn kann – daß er Goethe bei der Herzoginmutter darüber angefallen hat. Ja die liebe Christel ist herzugetreten und hat gesagt, nun solle ihr Mann auch kein Stück mehr hergeben, und die alte Kotzebübin hat Goethen einen ganz pöbelhaften Brief geschrieben darüber, daß sie ihren Sohn von Weimar verdrängen wollten. So manifestiert sich die Niederträchtigkeit, und so wird sie in Schutz genommen. – Schiller ist herzlich froh gewesen, daß sie ihm seine „Glocke" nicht aufgeführt haben. Fräulein Lesbos [Amalie von Imhoff] hat freilich sehr gejammert, denn ihre Kleidung hätte ihr schon 50 Goldgulden gekostet. Was es mit Goethes Flucht auf sich hat, weißt Du ja, und daß seine Ankunft schon lange bestimmt war ...

NB. Mit der *Gegenvisite* verhält es sich auch nicht so. Du wirst Dich entsinnen, daß Frommanns sogar gegenwärtig waren, wie Goethe die Gegenvisite bei Kotzebue machte. Er war nur steif und sprach nicht.

Car II, 319ff.

1159. KAROLINE HERDER AN KNEBEL

Weimar, 18. März 1802

Der gute Wieland hat seine Übersetzung des „Jon" aus dem Euripides bei uns gelesen, der uns allen um so mehr gefallen hat, da er ihn zart, einfach und edel gehalten hat – das gerade Widerspiel von dem Schlegelschen. Ich habe mit Wieland einen Tag besonders über das vierte Stück der „Adrastea" gesprochen. Er stimmt den Grundsätzen des Aristoteles und meines Mannes Erklärung ganz bei, gestund aber, daß er einige Stellen gemäßigter gewünscht hätte. Ich sagte ihm, daß das Gemäßigte ganz und gar keine Wirkung tue beim jetzigen Publikum; man müsse sich stark ausdrücken. Überdem sei es sein Metier, über Sittlichkeit und Moralität zu halten, da diese auf dem hiesigen Theater so frech und gegen alle Regeln der Kunst selbst beleidigt würden. Wenn *er* nicht darüber schreibe, so schreibe kein Mensch; alles werde schwankend und ungewiß durch diese Herren gemacht, und so gut man in der physischen Welt alles auf mathematische Berechnung gebracht habe, ebenso könne und müsse man's in der moralischen. Auch in dieser ist ein Einmaleins; zweimal zwei könne nicht fünf oder sieben nach Willkür der Herren *gesetzt* werden usw. Er stimmte mir bei, und ich sah vorgestern bei der Herzoginmutter, daß es gewirkt hat.

BrKn II, 25f.

1160. CHARLOTTE VON STEIN AN IHREN SOHN FRIEDRICH

Weimar, nach dem 25. März 1802

Du weißt, daß einige mit besondern Vorzügen geschmückte Personen einen Tag in der Woche abends beim Goethe nach der Komödie sich versammelten. Unter diesen waren auch die drei Egloffsteinschen Frauen, Fräulein Wolfskeel und Fräulein Göchhausen. Nun wurde ein artiger Brief geschrieben von der Gräfin Egloffstein, welchem die übrigen ihren Namen untersetzten, und sehr zärtlich vom Freund Goethe Abschied genommen, unter dem Vorwand, daß es nunmehr Frühlingsanfang sei, so lange man zur Dauer der Gesellschaft bestimmt gehabt. Und den nächsten Abend wurde nach der Komödie bei Kotzebue soupiert. Die Amalie Imhoff war die einzige, die nebst Schillers bei Goethe blieb (die Wolzogens waren verreist). Die Lolo [Charlotte von Schiller] wollte mich bereden, die leere Tafel beim Goethe mitbesetzen zu helfen; aber ich versicherte ihr, daß ich viel zu müde wäre, nach der Komödie noch zu einem Souper zu gehen.

Stein II, 149f.

1161. WIELAND AN BÖTTIGER

Oßmannstedt, 11. April 1802

Goethe hat mir allerdings am verwichnen Donnerstag einen ebenso unerwarteten als angenehmen Nachmittagsbesuch gemacht. Wir waren mehrere Stunden vergnügt und traulich und sprachen von mancherlei; aber von allen theatralischen Abenteuern der letztvergangenen Wochen und Monate ne *γρυ* quidem. Da K[otzebu]e zufällig erwähnt wurde, sprach er im Vorbeigehen unbefangen und *gut* von ihm; ebenso unbefangen wurde auch der Schlegelsche „Jon“ und meine Übersetzung des Euripidischen berührt. Überhaupt schien er sich keines Dings, das einer Apologie bedürfte, bewußt zu sein; und ich glaube fast, daß dies wirklich der Fall bei ihm ist.

GoeJb I, 331

1162. SCHILLER AN COTTA

Weimar, 18. Mai 1802

Vielleicht könnten Sie aber alle diese Risikos nicht achten, in der Hoffnung, sich auf einmal an dem *Goethischen „Faust“* für alle Verluste zu entschädigen. Aber außerdem, daß es zweifelhaft ist, ob er dieses Gedicht je vollendet, so können Sie sich darauf verlassen, daß er es Ihnen, der vorhergehenden Verhältnisse und von Ihnen aufgeopferten Summen ungeachtet, nicht wohlfeiler verkaufen wird als irgendeinem andern Verleger, und seine Forderungen werden groß sein. Es ist, um es geradeheraus zu sagen, kein guter Handel mit G[oethe] zu treffen, weil er seinen Wert ganz kennt und sich selbst hoch taxiert und auf das Glück des Buchhandels, davon er überhaupt nur eine vage Idee hat, keine Rücksicht nimmt. Es ist noch kein Buchhändler in Verbindung mit ihm geblieben, er war noch mit keinem zufrieden, und mancher mochte auch mit ihm nicht zufrieden sein. Liberalität gegen seine Verleger ist seine Sache nicht.

SchiBr VI, 387

1163. MINNA KÖRNER AN CHARLOTTE SCHILLER

Loschwitz, 30. Mai 1802

Sag mir nur, wie's kommt, daß auf einmal der Goethe wieder so freund mit Reichardt ist? Er ist immer auf Giebichenstein, logiert da, wenn er wegen des Baues vom Komödienhaus in Lauchstädt sein muß. So erzählt die

Schwester von Madam Reichardt. Die hübschen Mädchen mögen ihn wohl anziehen, die Reichardt hat.

SchFr III, 38f.

1164. KAROLINE HERDER AN KNEBEL

Weimar, 2. Juni 1802

Das neueste, armseligste Produkt der dramatischen Kunst, „Alarcos“ von Friedrich Schlegel, ist am Sonnabend unter dem *monarchischen* Zepter aufgeführt worden. Wir waren nicht darin. Das hiesige Publikum soll sich auf der einen Hälfte recht brav betragen haben; jedes monarchische Beklatschen des Unsinns wurde mit einem Lachen des Publikums beehrt.

Nach dem Stück ist Friedrich Schlegel mit seiner Lucinde, der Madame Veit, nach Paris gereist, vermutlich die Franzosen über die Meisterwerke der deutschen Dichter zurechtzusetzen.

Kn II, 352

1165. KÖRNER AN SCHILLER

Dresden, 9. Juni 1802

Gestern habe ich ... [Friedrich] Schlegels „Alarcos“ geschickt bekommen. Es ist wirklich ein merkwürdiges Produkt für den Beobachter einer Geisteskrankheit. Man sieht das peinliche Streben, bei gänzlichem Mangel an Phantasie, aus allgemeinen Begriffen ein Kunstwerk hervorzubringen. Dabei ist viel Mühe auf einen künstlichen Rhythmus verwendet. Trimeter, Trochäen und Anapästen, auch Reime sind mit großer Verschwendung angebracht. Man sieht, es war völliger Ernst, seine ganze Kraft aufzubieten, und doch hat das Ganze so etwas Possierliches, daß man oft versucht wird, es für eine Parodie zu halten. Für den eigentlichen Wohlklang der Verse muß er gar kein Ohr haben. In dem Stil ist ein Gemisch von Schwulst und Gemeinheit: bald das Abenteuerliche von Jean Paul, bald der Ton der Staatsaktion.

SchiKö IV, 219f.

1166. KAROLINE VON WOLZOGEN AN IHRE SCHWESTER CHARLOTTE SCHILLER

Paris, 16. Juni 1802

Die Schweizern ist eine recht gute, originelle Frau ... Sie sagt mir, daß sie Goethen, als er in der Schweiz war, nur einmal durch eine Tür gesehen und sich gleich in ihn verliebt hätte, daß sie ihn nicht hätte noch einmal sehen mögen, da sie eben versprochen war.

SchFr II, 72

1167. KÖRNER AN SCHILLER

Dresden, 20. Juni 1802

Ich höre mit Verwunderung, daß man in Weimar den „Alarcos" mehrmal gegeben hat und daß ihn Goethe protegieren soll. Will er etwa wie Bonaparte in der literarischen Welt auch die Terroristen anstellen? Glaubst Du, daß G[oethe] im Ernste an einem solchen Produkte Geschmack finden kann?

SchiKö IV, 221

1168. HEIBERG AN RAHBEK

Weimar, 2. Juli 1802

Falk ist mit Goethe sehr intim und bewies mir klar, wie dieser aus Prinzip stolz ist, wenn er repräsentiert oder sich in Gesellschaft von Leuten befindet, mit denen er nicht harmoniert, dagegen ungemein liebenswürdig ist unter denen, die er kennt und schätzt ... Trotzdem er Goethes sehr guter Freund ist, folgt er doch nicht blind allen dessen Ansichten, sondern persifliert oft, was Goethe lobt, und vice versa ...

Fräulein von Imhoffs Urteil über Goethe und Schiller ist so charakteristisch, daß ich es Dir mitteilen muß. „Wenn ich jemanden Goethes Werke tadeln höre, schweige ich und streite niemals, weil ich bestimmt weiß, kein Mensch, ja selbst kein Gott vermöchte es, mich glauben zu machen, diese seien anders, als sie sein müßten. Tadelt man dagegen

Schillers Arbeiten, ärgert es mich, und ich verteidige sie, weil ich denke, es ließe sich doch möglicherweise etwas dagegen einwenden."

GoeJb XXIV, 77ff.

1169. SCHILLER AN KÖRNER

Weimar, 5. Juli 1802

Mit dem „Alarcos" hat sich Goethe allerdings kompromittiert. Es ist seine Krankheit, sich der Schlegels anzunehmen, über die er doch selbst bitterlich schimpft und schmält. Das Stück ist aber hier nur einmal und völlig ohne allen Beifall gegeben worden.

SchiBr VI, 400

1170. JEAN PAUL AN OTTO

Meiningen, 15. Juli 1802

In Weimar fand ich den alten Herder (nicht sie) mit alter Liebe, aber lebenssatt, krank und doch bald wieder zur vorigen Freude wach; die alte Herzoginmutter als eine Mutter; den alten Wieland als trüben Witwer ...; Goethen in Giebich[en]stein ... Er besuchte – trotz der „Xenien" – Reichardt zuerst, bracht ihn nach Weimar, logierte ihn und jetzt bei ihm; er sinkt nun. In Weimar ist alles Feldgeschrei gegen Schlegel und dessen „Alarcos", bei dessen Darstellung alles um den klatschenden Goethe lachte, schlief, fortging. Indes ist doch der „Alarcos", zwei große Fehler abgerechnet, echt tragisch und gut.

JP IV, 160

1171. CHRISTIANE VULPIUS AN NIKOLAUS MEYER

Lauchstädt, etwa Mitte Juli 1802

Schon seit drei Wochen bin ich mit dem Geheimen Rat und August in Lauchstädt ... Ich war schon hier auf sechs Bällen, wo es sehr brillant ist. Es sind viele junge Komtessen

Christiane Vulpius mit ihrem Sohn August

hier, die alle recht hübsch sind, viele Offiziere sind nicht da, aber die hallischen Studenten sind meist sehr gescheute Leute, und der Geheime Rat ist sehr mit ihrem Betragen sowohl auf Bällen als im Theater zufrieden ... Ich tanze auf jedem Ball mit einem wie mit dem andern, weil sie mir alle gleich sind. Sie erweisen mir alle, wo ich bin, sehr viel Artigkeit. Sie haben auf den Geheimen Rat und mein Vivat zugerufen. Das Theater ist hier sehr schön geworden; es können tausend Menschen zusehen. Im ersten Stück, das mit einem kleinen Vorspiel vom Geheimen Rat anfing, betitelt „Was wir bringen", waren achthundert Menschen. Wir waren auf dem Balkon in einer sehr schönen Loge, und wie das Vorspiel zu Ende war, so ruften die Studenten: „Es lebe der größte Meister der Kunst, Goethe!" Er hatte sich ganz hinten hingesetzt; aber ich stand auf, und er mußte vor und sich bedanken. Nach der Komödie war Illumination und dem Geheimen Rat sein Bild illuminiert und sein Name brennt. Und wir speisen mit im Salon, wo auch wieder alles illuminiert war und der ganze Saal mit Blumengirlanden geschmückt.

MeyerN 32f.

1172. KAROLINE VON WOLZOGEN AN IHRE SCHWESTER CHARLOTTE SCHILLER

Paris, 6. August 1802

Madame de Vaudreuil, Diderots Tochter, gleicht ihrem Vater sehr und ist eine ganz schlichte, sehr lebhafte Frau.

Goethens Gestalten begegnen einem oft in der Welt; so ist mir diese unter andern äußern Lagen ganz seine Therese.

SchFr II, 81

1173. DORA STOCK AN CHARLOTTE SCHILLER

Zerbst, 13. August 1802

Liebe Lotte, es ist nicht fein von Dir, daß Du uns die wichtigsten Vorfälle in Weimar nicht meldest! Goethe hat ja seine Strunzel verabschiedet, und Meyer ist Direktor der Akademie der Künste mit einer Gehaltsvermehrung von 800 Taler geworden!

SchFr III, 31

1174. SCHILLER AN COTTA

Weimar, 10. September 1802

Goethe hat Ihnen sein Drama [„Was wir bringen"] angeboten, wie er mir sagt, und das Honorar Ihnen überlassen. Auf eine Anfrage, die er vorher bei mir getan, was er ohngefähr dafür erwarten könne, habe ich ihm von 60 Karolin gesprochen, und er scheint damit zufrieden ... Die Buchhändler aus Berlin und Leipzig haben sich, wie ich von guter Hand weiß, darum gerissen, und es ist ein gutes Zeichen, daß Goethe sich nicht durch ihre Anerbietungen blenden ließ.

SchiBr VI, 417

1175. KAROLINE SCHLEGEL AN IHREN MANN

Jena, September 1802

Ich habe mich also an einen Mann gewandt, der guten Willen für uns beide und Macht genug hat, es bei ihm durchzusetzen. Er hat auch versprochen, zu tun, was er vermag; nur hat er mich auf die Möglichkeit einer abschlägigen Antwort bereitet, die mir indessen nicht glaublich scheint, da er es einmal unternommen. Er wird die Sache unmittelbar mit dem Herzog verhandeln, und er ist der einzige, dem sie mitgeteilt worden ist; außerdem ist kein Wort und kein Wink vorgefallen. An seiner Verschwiegenheit ist kein Zweifel. Sogar habe ich ihm versprochen, *ihn* gegen niemand zu nennen, weswegen ich im Fall des Erratens auch bitten muß, diese Diskretion gegen ihn selbst sowohl wie gegen andre zu beobachten.

Car II, 340f.

1176. SCHILLER AN COTTA

Weimar, 8. Oktober 1802

Für das Goethische Stück [„Was wir bringen"], da es nur fünf kleine Bogen gibt, werden 60 Karolin vollkommen hinreichen. Vergreift es sich schnell, nun, so können Sie immer noch ein übriges tun.

Jetzt beschäftigt ihn die Ausgabe des „Cellini" sehr ernsthaft. Er tut sehr viel für die Übersetzung und erhöht den Wert des Buchs durch vortreffliche Anmerkungen und Beilagen. Aber da er dieses Werk mit Liebe und vielem Studium bearbeitet, so will er es nicht mit Nachteil verkaufen, und freilich wär es schade, wenn er oder Sie dabei zu kurz kommen sollten. Das Werk ist in der Tat von der höchsten Bedeutung sowohl in psychologischer Rücksicht, als die Selbstbiographie eines gewaltigen Naturells und eines charaktervollen Individuums, als auch in historischer und artistischer, weil es eine Zeitperiode aufklärt, die für die neuere Kunst die wichtigste war, und selbst schätzbare Winke über Kunst und Kunstgeschichte verbreitet. Sollte es auch für den Moment keinen großen Absatz finden, so wird es immer ein schätzbarer Artikel auf Ihrem Lager sein und immer gesucht werden.

SchiBr VI, 418 f.

1177. SCHELLING AN AUGUST WILHELM SCHLEGEL

Jena, 13. Oktober 1802

Wenn Goethe in dieser Sache weniger tut, so ist es, weil er im Grunde ganz in derselben Lage ist wie wir, da er in Weimar ganz allein steht und selbst seine unmittelbaren Bekannten mehr oder weniger auf beiden Achseln Wasser tragen. Soviel ich merken kann, denkt er auf eine ziemliche Zeit wegzugehen. Wohin, weiß ich nicht.

Schell I, 423

1178. VULPIUS AN NIKOLAUS MEYER

Weimar, 15. Oktober 1802

Was den Schauspieler Zwick anbetrifft, so wissen Sie, wie der Geheime Rat ist; wenn er einmal nicht will, so will er nicht und ist sehr soupçonös, sobald man sich einer Sache recht ernstlich annimmt ... Ich will aber dennoch, wenn ich ihn einmal bei Laune finde, mit ihm darüber sprechen ...

Noch haben wir kein einziges neues Schauspiel hier gesehen. Es gehet etwas lahm, zumal da die J[agemann] jetzt so *öffentlich hochsteht,* daß sie macht, was – sie will.

MeyerN 47 f.

1179. SCHILLER AN COTTA

Weimar, 24. Oktober 1802

... hier schicke ich Ihnen nun ein kurzes Schema, welches Goethe darüber aufgesetzt hat und welches Sie mit seinem Werk [„Cellini“] näher bekannt machen wird.

Wenn ich in dieser Sache meinen unmaßgeblichen Rat geben sollte, so würde ich Ihnen proponieren, Goethen selbst zu einer runden Erklärung zu vermögen, was er für das Werk erwartet, und, hat er diese gegeben, bloß als Kaufmann zu berechnen und zu entscheiden, ob Sie sich darauf einlassen können oder nicht.

SchiBr VI, 424

1180. FRIEDRICH TIECK AN AUGUST WILHELM SCHLEGEL

Weimar, 27. Oktober 1802

Schreibe mir unverzüglich, ob Du oder Genelli der Verfasser des Aufsatzes über die hiesige Ausstellung in der „Eleganten Zeitung“ bist ... Goethe ist wütend darüber, spricht von Buben, die sich unterfangen ..., und da Sachen darin sind, die nur ich gesagt habe, so meinen sie, ich sei auch mit im Spiele. Meyer stellt sich ganz gelassen und sagt, es sei dumm und platt und er begreife nicht, wie es Goethe ärgern könne. Der Herzog amüsiert sich am meisten und neckt Goethe rasend damit.

TieckF 39

1181. SCHILLER AN KÖRNER

Weimar, 15. November 1802

Ich lege Goethens Neuestes bei [„Was wir bringen"] ... Es hat treffliche Stellen, die aber auf einen platten Dialog, wie Sterne auf einem Bettlermantel, gestickt sind. – In der theatralischen Vorstellung nimmt sich's ganz gut aus, bis auf die allegorischen Knoten, die ein unglücklicher Einfall sind.

SchiBr VI, 428

1182. KAROLINE HERDER AN KNEBEL

Weimar, 18. November 1802

Die Anzeige der weimarischen Ausstellung in der „Erfurter Zeitung" ist doch gewiß genialisch. Die hocheingebildeten Herrens werden, wie billig, in ihrem eigenen Fett gebraten und geträuft. Ihr Übermut und ihre Pasquillsucht hatte keine Grenzen; ihr eigen Gefühl wird's ihnen sagen, an wem und wo sie dies alles verdient haben. O habe man doch noch Ehrfurcht vor der Nemesis! Es geht nicht mehr so an, daß man alles, was nicht dieser Herren Speichel leckt, so gerade mit Füßen treten kann und sich deshalb mit dem Elendesten zu verbinden sich nicht scheut.

BrKn II, 36f.

1183. KÖRNER AN SCHILLER

Dresden, 19. November 1802

Goethens „Was wir bringen" ist allerdings aus sehr ungleichartigen Bestandteilen zusammengesetzt. Auch ich habe schöne Stellen darin gefunden, aber sie sind nicht zahlreich. Im Ganzen herrscht eine behagliche Stimmung, die mir an Goethe sehr begreiflich ist, durch die aber, deucht mich, kein Kunstwerk entsteht. Es gibt eine Ruhe in den Werken der Kunst, die sehr verdienstlich ist, aber diese entsteht nicht durch Nachlässigkeit. Warum machte er nicht lieber einen kurzen Prolog, wenn er auf eine solche Gelegenheitsarbeit nicht viel Kraft verwenden wollte?

SchiKö IV, 237

1184. VULPIUS AN NIKOLAUS MEYER

Weimar, 1. Dezember 1802

Merkel und Kotzebue haben sich vereiniget, der literarischen Welt eine Brille aufzusetzen, und in einem eigenen Journale werden sie beweisen, daß Goethe gar kein Dichter ist, daß M[erkel] und K[otzebue] allein Kenner des Geschmacks sind und daß K[otzebue] eigentlich Deutschlands einziger Dichter ist, wie er sein soll ...

Übrigens hat sich bei uns in W[eimar] ein großer Wind gelegt, seit K[otzebue] ihn nach Berlin mitgenommen hat, und B[öttiger] sitzt ganz still in der antiquarischen Ecke, um Bolzen zu schnitzen für die beiden literarischen Buben der eleganten Gosse, soi-disant der kritischen Welt.

MeyerN 56

1185. HENRIETTE VON KNEBEL AN IHREN BRUDER

Weimar, 1. Dezember 1802

Über das schlechte Begräbnis unsrer guten Schröter betrüben wir uns sehr, und Prinzeßchen [Karoline], der sie so viele Freundschaft und Gefälligkeit erwiesen hat, bittet Dich angelegentlichst, daß Du auf ihre Kosten, doch ohne sie zu nennen, einen hübschen Leichenstein mit anständiger Inschrift besorgen möchtest ... Mit dem Einsiedel mag ich nicht sprechen. Es ist hier in Weimar, wo das Leben aus vollen Pulsen quillt und die Tätigkeit und Wirksamkeit zur höchsten Anstrengung steigt, nicht Sitte, von Toten oder gar von Begrabenen zu sprechen. Als man an dem Todestag der guten Elise Gore mit dem Goethe von ihr sprechen und ihren Verlust bedauern wollte, so wies er das Gespräch gleich zurück und sagte, wie man sich nur von einem Märchen, das immer dasselbe wäre, unterhalten könnte! Ganz kurz zuvor hatten ihm Gores sehr viel Gutes und Angenehmes erzeigt. Aber in dem sogenannten Genuß seines vollen Lebens darf ihn nichts stören.

KnHe 157f.

1186. KNEBEL AN KAROLINE HERDER

Ilmenau, 7. Dezember 1802

... unser literarisches Wesen liegt in einem schändlichen Pfuhle. Die *Buben* haben sich, unter Goethens falschem Deckmantel, den Ton herausgenommen und drücken alles Rechtliche nieder ...

Meine Schwester (unter uns gesagt!) schreibt mir, wie die *Geniemeister* an ihren vollen Tischen so voll und laut des *Vollgenusses* ihres Lebens sich berühmen, daß es den armen Damen, wie wohl zu denken, etwas sehr zum Ekel und Überdruß wird ... Weimar ist einmal der Ort nicht, wo ich selig werde; denn alle Weisen der Welt können dort, wie es scheint, nur einen sehr schlechten, etwas verhaßten Staat hervorbringen ...

VaH III, 219

1187. KAROLINE HERDER AN KNEBEL

Weimar, 15. Dezember 1802

Bergrat Werner ist vorigen Sonnabend, von Paris kommend, hier durchgekommen. Er hat mit meinem Mann bei Goethe zu Mittag gegessen ... Goethe, der sonst ein Gegner von Werners System war, lenkt nun ein und tat Werner sehr schön ... Über Tisch war er ein *Selbständiger, Hober* usw. Kurz, mein Mann hat es fast nicht verdauen können. Ihre Briefe und Blätter [Epigramme] haben die Verdauung befördert und *vollendet.*

BrKn II, 38f.

1188. VOSS AN BOIE

Jena, 24. Dezember 1802

Goethe hat mir neulich seine jüngsten Arbeiten geschickt und mein mündliches Urteil über den Versbau verlangt. Er wünscht nach meiner Anleitung (wie er sich ausdrückt) die Sprache des Theaters etwas höher zu stimmen, auch im Gebrauch edlerer Versmaße. Ja, er scheint nicht abgeneigt, sich auch in der Ode zu versuchen: welches doch immer als Beispiel von Nutzen sein könnte.

J.H.Voß III/1, 174

1189. VOSS DER JÜNGERE AN HELLWAG

Jena, Ende 1802

Goethe und mein Vater gewinnen sich immer lieber. Neulich war Goethe mit seinem allerliebsten Knaben acht Tage hier; jetzt wird er wieder erwartet. Nie kann ich Goethe ansehn, ohne daß mir Stolberg einfällt, so auffallend ist mir eine gewisse Ähnlichkeit des Profils. Goethe hat freilich etwas Steifes in seinem Wesen, aber es verliert sich bei näherer Bekanntschaft. Er schreibt jetzt an seiner Optik, und man verspricht sich viel von diesem Werke. Er und Schelling sind unermüdet im Experimentieren, und von zwei so ausgezeichneten Köpfen und leidenschaftlichen Naturforschern läßt sich was erwarten.

VoßH 2

1803

1190. VULPIUS AN NIKOLAUS MEYER

Weimar, 19. Januar 1803

Seit meinem letztern Brief war meine Schwester mit einem Mädchen in die Wochen gekommen, das meine Frau heben und das den Namen Katinka erhalten sollte; es ist aber drei Tage darauf gleich wieder gestorben ...

Unser Theater kränkelt sehr, und die Oper taugt wenig noch ...

Fürs rezitierende Schauspiel wird auch noch wenig getan, weil G[oethe] täglich verdrüßlicher wird und weil man es recht darauf anlegt, ihm auch deshalb das Leben sauer zu machen. Am 1. Jänner gab er uns sein „Paläophron und Neoterpe". Das Stück ging sehr gut und gefiel. Er hatte einen neuen Schluß dazu gemacht, der sehr enchantierte. Heute ist sein „Clavigo".

MeyerN 62

1191. KAROLINE HERDER AN KNEBEL

Weimar, 25. Januar 1803

Es hat *August* [Herder] bei Ihnen sehr gefallen; Sie haben ihn wieder ganz begeistert. Er hat nach einem Abendgespräch bei der Herzoginmutter, wo er die zwei Ilmenauer Sterne [Knebel und August von Einsiedel] hoch erhob gegen die Weimaraner und wo ihm die Herzogin und [Hildebrandt von] Einsiedel beistimmten, den andern Tag lustige Epigramme auf Weimar gemacht und ist so von dannen geschieden.

BrKn II, 41

1192. CHARLOTTE VON STEIN AN KNEBEL

Weimar, 26. Januar 1803

Gestern abend kam die Herzogin zu mir ... Sie erzählte mir mit Abscheu einige Artikel aus dem „Freimütigen". Es ist ein Kotzebuisches Journal, welches mir aber unbekannt war, Ihnen aber wohl schon vorgekommen ist. Sollte nicht unser Freund Goethe durch seine unglücklichen „Xenien" diesen Geist, sich alles zu erlauben, ein wenig angefacht haben? Auch hat man den Kotzebue hier etwas unhold behandelt. Aber es ist doch unedel von ihm, sich auf diese Art zu rächen.

BodeSt VII, 59

1193. VULPIUS AN NIKOLAUS MEYER

Weimar, 7. Februar 1803

Kotzebuen ist das Land verboten worden. Er verkauft jetzt seinen Garten zu Jena. – Schiller hat ein neues Stück mit Chören [„Die Braut von Messina"] geschrieben. Goethe vollendet sein Trauerspiel [„Die natürliche Tochter"]. Kotzebue hat sich allgemein verhaßt gemacht. Goethe antwortet ihm nicht; aber er soll dennoch gezüchtigt werden.

MeyerN 63

1194. CHRISTIANE VULPIUS AN NIKOLAUS MEYER

Weimar, 7. Februar 1803

Unsern lieben Geheimerat beurteilen Sie ganz recht, wenn Sie überzeugt sind, daß er zu den Kotzebueischen Ausfällen schweigen wird. Was für Zeit und Kräfte hätte er verloren, wenn er seit 30 Jahren von allem Ungeschickten, was man über ihn gedruckt hat, hätte Notiz nehmen wollen! Er arbeitet vielmehr diesen Winter manches, das Ihnen so wie allen Freunden gewiß Freude machen wird. Es geht bei ihm, wie Sie wissen, immer vorwärts, ohne daß er sich viel umsieht.

MeyerN 67 f.

1195. KNEBEL AN KAROLINE HERDER

Ilmenau, 16. Februar 1803

In Berlin macht man sich ja recht über uns lustig. Vorzüglich dient ihnen unser Schauspiel zum Zeitvertreib, und wenn sie witzig genug dazu wären, so machten sie Vaudevilles darauf. Das ist ja alles recht, wie es sein muß. Übermut und kleine Despotie strafen sich gar bald selbst und werden, wo sie nicht auf kräftigern Säulen als bei uns ruhen, zum Gelächter! In der Berliner „[Neuen allgemeinen] Bibliothek" sind gar erbauliche Anekdoten über die Aufführung des „Alarcos" ... Man sollte sagen, Kotzebue habe nur noch der jetzigen preußischen Krone gefehlt.

VaH III, 224

1196. SCHILLER AN WILHELM VON HUMBOLDT

Weimar, 17. Februar 1803

Es ist jetzt ein so kläglicher Zustand in der ganzen Poesie der Deutschen und Ausländer, daß alle Liebe und aller Glaube dazu gehört, um noch an ein Weiterstreben zu denken und auf eine bessere Zeit zu hoffen. Die Schlegel- und Tieckische Schule erscheint immer hohler und fratzenhafter, während daß sich ihre Antipoden immer platter und erbärmlicher zeigen, und zwischen diesen beiden Formen schwankt nun das Publikum. An ein Zusammenhalten zu einem guten Zweck ist nicht zu denken, jeder steht für sich und muß sich seiner Haut wie im Naturstande wehren.

Es ist zu beklagen, daß Goethe sein Hinschlendern so überhandnehmen läßt und, weil er abwechselnd alles treibt, sich auf nichts energisch konzentriert. Er ist jetzt ordentlich zu einem Mönch geworden und lebt in einer bloßen Beschaulichkeit, die zwar keine abgezogene ist, aber doch nicht nach außen produktiv wirkt. Seit einem Vierteljahr hat er, ohne krank zu sein, das Haus, ja nicht einmal die Stube verlassen ... Wenn Goethe noch einen Glauben an die Möglichkeit von etwas Gutem und eine Konsequenz in seinem Tun hätte, so könnte hier in Weimar noch manches realisiert werden in der Kunst überhaupt und besonders im Dramatischen. Es entstünde doch etwas, und die unselige Stockung würde sich geben. Allein kann ich nichts machen, oft treibt es mich, mich in der Welt nach einem andern Wohnort und Wirkungskreis umzusehen; wenn es nur irgendwo leidlich wäre, ich ginge fort.

SchiHu II, 230f.

1197. ERNESTINE VOSS AN OVERBECK

Jena, 21. Februar 1803

Er [Schiller] ist äußerst liebenswürdig, seine Frau auch sehr angenehm ... Schiller lebt sehr abgeschieden von der Welt und ist auch schwächlich; nach Jena kommt er oft in Jahren nicht. Bei Goethe zu sein, danach kann einen auch nicht gelüsten, denn seine Dame wohnt mit ihm unter einem Dach. Wir haben ihn bei Schiller und auch hier in Jena mehrmalen gesehn. Er ist sehr angenehm, sehr unterhaltend; aber fürs Herz findet man nichts bei ihm. Den Winter war er nicht hier; er hat viel gekränkelt und soll jetzt sehr verstimmt sein über manches, was von seinem Theaterdespotismus öffentlich gesagt wird.

Vo II/2, 281

1198. VULPIUS AN NIKOLAUS MEYER

Weimar, 26. Februar 1803

Mich dauert der Geheime Rat sehr. Er ist nun seit sieben Wochen nicht aus dem Hause gegangen, und als er neulich in den Garten, an die Luft kam, ist er umgesunken ...

Der verwitwete Hof hat gleichsam *offene* Fehde gegen G[oethe], und dort hängt alles auf des Kotzenbuben Seite. Man sollte sie alle ihm zu fressen geben. Das Volk verdient G[oethe] gar nicht. Der *Schuft* hat sogar *Partie* hier; können Sie sich das denken? Nur der Herzog steht fest bei G[oethe] und hat K[otzebue] sein Land verboten.

MeyerN 69f.

1199. VULPIUS AN NIKOLAUS MEYER

Weimar, 12. März 1803

Daß der Geheime Rat wirklich, wenn auch nicht *äußerlich*, krank war, ist gewiß. Jetzt ist er schon in neun Wochen nicht vor die Haustür gekommen. Das Kotzebuesche Wesen hat ihn sehr getroffen; auch hat er viel Gram der Cantatrice J[agemann] wegen, die jetzt alles ist. Sie kommt oft mit 5- bis 6000 Taler Schmuck und Ketten aufs Theater ...

Der Geheime Rat hält jetzt wöchentlich dienstags Konzert. Die Sänger singen. Diese Woche waren der Herzog, die Prinzessin und Prinz Bernhard drinne. – Er arbeitet viele Gedichte jetzt aus und sein Schauspiel „Die natürliche Tochter" ...

Jetzt speisen sonntags jedesmal zwei Schauspieler und eine Schauspielerin beim Geheimen Rat.

MeyerN 72ff.

1200. CHARLOTTE VON STEIN AN IHREN SOHN FRIEDRICH

Weimar, 13. März 1803

Das Kästchen mit Proben steht noch unaufgemacht. Goethe und Schiller werden sie bei mir versuchen, aber Goethe will nicht eher als Palmarum ausgehen. Ich weiß nicht, ob ihm Zweige werden gestreut werden.

Stein II, 163

1201. CHARLOTTE VON STEIN AN IHREN SOHN FRIEDRICH

Weimar, 17. März 1803

So was Ridiküles hatte ihm die Herzogin nicht zugetraut. Ich muß lachen, wenn ich dran denke, wie die Bäckers-, Schneiders-, Schlossers- usw. -kinder unsern Herzog und die übrige Familie würden gemacht haben.

Stein II, 164

1202. KAROLINE HERDER AN KNEBEL

Weimar, 18. März 1803

Mein Mann ist in voriger Woche bei Goethe in seinem Konzert gewesen, ist aber krank davon geworden, – mehr aber von der „Bajadere", die gesungen worden war. Er kann nun einmal diese Sachen nicht vertragen. Das ganze Konzert bestand aus Goethe-Schillerschen Romanzen.

BrKn II, 42

1203. KARL VON STEIN AN SEINEN BRUDER FRIEDRICH

Kochberg, 22. März 1803

Goethen sieht man nicht viel. Stein [auf Nordheim] geht wunderbar mit ihm um. Auf einer Redoute sagt er zu ihm: „Schick dein Mensch nach Hause, ich habe sie besoffen gemacht." Also Goethe geht hin und deutet der armen Vulpius an, nach Haus zu gehen, die ganz nüchtern gewesen ist.

Fritz von Stein II, 90

1204. KNEBEL AN KAROLINE HERDER

Ilmenau, 22. März 1803

So ist denn unser Klopstock auch tot ... Bei allen seinen Sonderbarkeiten bleibt er Deutschlands erster Dichter ...

Ich habe ... letzthin einen Schellingischen Schüler, einen Herrn von Podmanitzky, hier gehabt. Es ist ein ziemlich offener Mensch, und da bin ich erstaunt gewesen, welche Geheimnisse ich aus dieser Schule erfahren habe. Sie wissen, daß sich diese über alle Kenntnisse, Wissenschaften und Künste erstreckt. Was mich am meisten betroffen hatte, war, daß sie Goethen, ihren Stifter und *Gott* – gelinder darf man sich, wie Sie wissen, bei dem deutschen Enthusiasmus nicht ausdrücken –, auch so nicht recht mehr für einen Dichter erkennen wollen. Sie sagen, seine *Ideen* seien zwar alle dichterisch, aber das Formelle fehlt ihnen. Ich glaube, sie verstehen darunter die Ausführung, und das wäre, bei einigen wenigstens, so dumm nicht gesagt. In der *Objektivität* habe Goethe mit Shakespeare gar nichts Ähnliches; er könne aus seiner Subjektivität gar nicht herauskommen! (Nun verstehen Sie es, warum er unsern Herder auf *seine Romanzen* einlädt!) Sein bestes Werk sei dennoch „Faust", die „Braut von Korinth" und dergleichen. Die Übersetzungen von „Mahomet", „Tancred" finden sie als ein ganz unwürdiges Produkt von Goethe. Sie können sich wohl vorstellen, daß ich mir hie und da die Freiheit nahm zu widersprechen.

VaH III, 228f.

1205. CHARLOTTE SCHILLER AN FRIEDRICH VON STEIN

Weimar, 31. März 1803

Goethe hat eine unaussprechliche Freude daran [an der „Braut von Messina"].

Über Goethes Stimmung wird Ihnen die liebe Mutter auch sprechen. Schiller ist der einzige Mensch hier, der ihn sieht wie sonst. Er gibt auch dann und wann Concerts und Soupers, wo wir Damen zu ihm kommen; aber er will nicht öffentlich mehr erscheinen. Ob er diesen Vorsatz hält, wissen die Götter ...

Am nächsten Sonnabend wird ein neues Stück von Goethe aufgeführt, der erste Teil erst. Es ist ein Geheimnis; der Name ist „Eugenie". Auch Schiller hat es nicht gewußt, daß Goethe, der sich beinahe drei Monate ganz verschlossen hatte und auch nicht an den Hof ging, mit einer solchen Arbeit beschäftigt war. Mich freut es nur, daß ich ihn tätig weiß; denn wenn ein Mann von solchen Kräften feiert, so schmerzt einen jeder Zeitverlust.

Fritz von Stein I, 159, und SchFr I, 475

1206. BÖTTIGER AN ROCHLITZ

Weimar, 4. April 1803

Endlich ist der geheimnisvolle Schleier gelüftet, und die „Natürliche Tochter" von Goethe ist vorigen Sonnabend unter unglaublichen Erwartungen gegeben worden. Ich selbst ging mit dem reinsten Willen, zu bewundern und anzubeten, was göttlich sei, ins Schauspiel. Freilich hatte mich schon der Komödienzettel halb irregemacht. Lauter Abstraktionen: König, Herzog, Sekretär usw., ohne Kategorie von Zeit und Raum. Dies ... machte mir bange. Auf der andern Seite hieß es: „Erster Teil". Also ein dramatischer Zyklus, wie ihn Schiller in seinem „Wallenstein" versucht, aber gänzlich verfehlt hatte, wie ihn aber schon der Vater der Tragödie, Aischylos, aufs reinste vollendet hat. Dies erfüllte mich wieder mit hoher Erwartung.

Nun die Aufführung! Herrliche Situationen, nichts von Geschlechtsliebe (also hierin ganz griechisch), ein Heldenmädchen voll zarter Weiblichkeit, Tochter-und-Vater-Verhältnis mit sophokleischem Pinsel und doch unserm Standpunkt der Humanität angemessen. Wie groß! Tiefblick in die großen Verhältnisse des Lebens: über Regenten, bürgerliche häusliche Verhältnisse. Wie ergreifend! Welche kristallhelle Sprache, welche Keuschheit der Bilder, wie wenig Schillerschen Bombasts! Dies alles ganz des großen Goethe würdig! Aber nun das Schwebende, Flirrende, Unbestimmte der ganzen Handlung! Welche Krokodile von unwahrscheinlichen, unmotivierten, unsublunarischen zu verschlucken! Welch ungeheure Anmutungen an die Zuschauer, welche Sprünge, welche scènes à tiroir! Nein, dies ist wieder nicht auszuhalten und gießt eiskaltes Wasser auf die Flamme der reinsten Bewunderung. Ein Mädchen, die den Fels herabstürzt und in der zweiten Minute kerngesund dasteht. Einen Vater, der wie Lear wütet, als seiner Tochter Tod bestätigt wird, und der doch bei erstem Anhören der Nachricht zahm wie ein Schöps gewesen sein muß! Eine Hofmeisterin, die aus lauter Liebe zu ihrer Pflegetochter, sehend und hörend, die ärgste Spitzbübin unter der Sonne ist. Eine lettre de cachet, die wie ein Medusenkopf die

Menschen versteint und niemals weder in Frankreich noch irgendwo so vorhanden gewesen ist. Ein Heldenmädchen, die sich wie ein Gänsekopf von einer Grisette auf dem Theater selbst anputzen läßt und zuletzt vor allen ehrbaren Zuschauern sich ausbedingt, reine Jungfrau zu bleiben, wenn sie einem Manne die Hand geben soll. Nein, das ist zuviel der unverdaulichen Kost auf eine Mahlzeit. Und das *πρῶτον ψεῦδος* von allem diesen, die neue Ästhetik! Heiliger Aristoteles, bete vor unsern Verstand! Und gar der erste Teil bloßer Notbehelf, um uns aufs Maul zu schlagen, wenn wir hier schon reine Auflösung erwarten, die erst im zweiten oder dritten Stück kommen soll. Nein, so machte es Aischylos nicht. Bei ihm schließt sich und rundet sich jedes der drei Stücke vollkommen in sich selbst ...

Auch war die Aufnahme des Stücks äußerst kalt und bedenklich vor einem aus Jena gekommnen, im voraus enthusiasmierten Publikum, das vierzehn Tage vorher Schillern wegen seiner „Braut von Messina" ein dreimaliges Vivat gerufen hatte. Dies freilich auch mit großem Unrecht, denn auch Schillers unbegreifliche, empörende Schicksalsfabel ist ein sublimer – Mißgriff. Aber hier fühlte sich doch jedermann ergriffen, tragisch bewegt! ...

Auch bin ich nach allen hier verstreuten Keimen sicher, daß in der Fortsetzung uns noch eine herrliche tragische Saat keimt. Nur diese Abstrakta hasse ich! Wahrlich, auch Sophokles' „Ödipus" ist ein Ideal, spricht eine Gesamtheit einer Klasse von Herrschern und Unglücklichen aus. Aber dies Allgemeine, dies aus Tausenden Erlesene wird in Theben lokalisiert, heißt Ödipus und erhält dadurch festen Boden und dramatische Individualität.

GoeJb XVIII, 146ff.

1207. BÖTTIGER IN SEINEM TAGEBUCH

Weimar, 11. April 1803

Mit Unwillen sprach er [Wieland] von Goethes neuerer Gefallsucht, den Hof durch Sentenzen, welche die Willkür begünstigen, sich zu verbinden, wie dies bei dem neuesten

Produkt, der „Natürlichen Tochter", wieder sehr auffallend gewesen ist. Goethe hatte die vorige Woche ein Déjeuner gegeben, bloß um sich wegen seines neuen dramatischen Produkts von den Hofdamen usw. loben zu hören. Die Tränen hatten ihm in den Augen gestanden.

Bö I, 259

1208. KAROLINE HERDER AN KNEBEL

Weimar, 12. April 1803

Goethes neues Stück [„Die natürliche Tochter"] hat mir eine reine hohe, lange nicht genossene Freude gemacht. Sein guter Genius ist wieder erwacht.

Das Thema des Stücks hat eine große Anlage, menschlich und politisch, nämlich: der *ewige Kampf der menschlichen Verhältnisse mit den politischen.* Der Keim und der Gang des Schicksals wird vor uns entwickelt; wie eine Blume entfaltet sich eine Folge aus der andern; Handlungen und Empfindungen sind *eins,* in vortrefflichen, daraus entspringenden Gesinnungen, Gedanken, ausgesprochen in einer schönen klassischen Sprache, in den schönsten Jamben ...

Was das Interesse noch erhöht, ist, daß es in *unsrer Zeit* spielt. Wieviel kann und wird er uns noch darstellen, *noch lebendig sagen!* Es ist ein wahrhaft hohes, klassisches Stück. Goethes ganz würdig. Nach diesem Anfang [des geplanten Zyklus] zu urteilen, ist es das Höchste, Schönste, was er je gemacht hat. Glauben Sie, es ist ein *Licht der Kunst,* bei dem das Schillersche Irrlicht verschwindet.

Das Publikum und die jenaischen Studenten sind freilich noch zu sehr an den Schillerschen Klingklang und Bombast gewöhnt, der ihre Ohren kitzelt. Daher hat es *den* Beifall nicht gehabt, den ihm aber auch nur die Verständigen geben können.

Schiller soll gesagt haben, *er bedauere, daß zu viel Natur in diesem Stück sei!*

In der fürstlichen Loge wußte man nicht, was daraus zu machen sei. Sie hatten den ruhigen Sinn nicht für den Geist und die Simplizität dieses Stücks.

Mein Mann wird es den künftigen Sonnabend zum erstenmal sehen ... Er ist mit dem, was ich ihm daraus erzählt habe, sehr zufrieden und freut sich eben ganz rein mit mir über die Erscheinung eines solchen Stücks, das in die Klasse von Lessings „Nathan" gehört, aber *wärmer, vielseitiger, lebendiger* fortgeht ...

Daß die Schillersche Partei so laut entgegen diesem Stück ist, ist auch ein Zeichen, wie es mit dem Verhältnis dieser zwei Geister steht. Die Zeit scheidet doch endlich auch bei diesen das *Wahre vom Falschen.* Von Schillers „Feindlichen Brüdern" [„Die Braut von Messina"], diesem grassen Unding, schreibe ich Ihnen ein andermal.

Kn II, 345ff.

1209. KNEBEL AN KAROLINE HERDER

Ilmenau, 16. April 1803

Über nichts möcht ich mich unlieber täuschen lassen als über Charakter und Herz, woraus bei mir alle Basis des Menschenwerts besteht. In Goethes System gehören sie eigentlich nicht. Beiläufig mögen ihm vielleicht anjetzt die Dinge, in Rücksicht auf die *Seinigen,* etwas nähergegangen sein, und so läßt er sich darüber in einem *Schauspiel* aus. Was Kunst und Genie nicht kann! Nur das Herz läßt sich nicht täuschen; man merkt immer, wo es höchstens nur im Viertel stehnzubleiben gewohnt ist.

VaH III, 231

1210. KAROLINE HERDER AN GERNING

Weimar, 17. April 1803

Wir haben einen innigen, hohen Genuß gehabt: Goethes „Eugenia" ward gegeben. Ein hohes, tief gedachtes, tief empfundenes Stück, an Inhalt wie an Kunst. Goethes ganz würdig; sein bester Genius war mit ihm. Der Inhalt ist ganz politisch – das Menschliche im Kampf – oder vielmehr durchflochten mit den Verhältnüssen des Lebens – das ewige Schauspiel der Welt! Und dies alles in der einfachsten, edelsten Sprache, in den schönsten Jamben. Er will das Ganze in drei Abteilungen geben. Ach, es wird noch sehr tragisch kommen! Es ist hochtragisch angelegt, uns innig ansprechend wahr. Unsere Seele ist davon erfüllt und bewegt. Freuen Sie sich mit uns über dies reine ästhetische Kunstwerk.

Frau Rath 500

1211. CHRISTIANE VULPIUS AN NIKOLAUS MEYER

Weimar, 21. April 1803

Ich lebe ganz still und sehe fast keinen Menschen. Das Theater ist noch einzig und allein meine Freude, ich lebe aber sehr in Sorge wegen des Geheimen Rats. Er ist manchmal ganz hypochonder, und ich stehe viel aus. Weil es aber Krankheit, so tue ich alles gerne. Habe aber so gar niemanden, dem ich mich vertrauen kann und mag. Schreiben Sie mir aber auf dieses nichts; denn man muß ihm ja nicht sagen, daß er krank ist. Ich glaube aber, er wird wieder einmal recht krank.

MeyerN 89

1212. SCHILLER AN IFFLAND

Weimar, 22. April 1803

Goethe hat kürzlich ein sehr vortreffliches Stück [„Die natürliche Tochter“] von einer hohen rührenden Gattung auf die Bühne gebracht, das auch einen guten Sukzeß auf unserm Theater gehabt hat. Es wird auch gewiß an andern Orten Wirkung tun, und da es eine große weibliche Debutrolle enthält, so wird es einen lebhaften Kurs auf den deutschen Bühnen bekommen.

SchiBr VII, 35f.

1213. WILHELM VON HUMBOLDT AN SCHILLER

Rom, 30. April 1803

Was Sie mir von Goethe schreiben, tut mir unendlich leid. Aber nach dem, was ich schon neulich in Weimar an ihm bemerkte, kommt es mir weniger unerwartet. Seine Art zu sein hat mich schon damals unendlich geschmerzt. Es ist eine Verstimmung, aus der sein Wesen, das schlechterdings mehr durch die Natur als den Vorsatz bestimmt wird, nur zufällig durch äußere Umstände oder irgendeine innere, in ihm aufsteigende Geistestätigkeit gerettet werden kann. Wenn Sie sehen, daß er wieder so einsiedlerisch wird, als Sie es mir schreiben, und daß Ihr Zusammensein doch verloren ist, so tun Sie alles, um ihn zu einer Reise, sei es hieher oder nach Paris, zu bestimmen. Zwar halte ich selbst den Erfolg für zweifelhaft. Allein es ist dann auch wenig zu verderben, und ich glaube doch immer, ein Aufenthalt hier täte ihm wohl. Es gibt in Weimar Lokalumstände, die Ihnen einfallen, ohne daß ich sie nenne, die übel auf ihn einwirken. Ich rechne hier am meisten auf die Entfernung von diesen und die Einsamkeit; viel auf das Land, die noch übrigen Kunstwerke und das günstige Vorurteil, das er einmal für Rom hat; endlich auf uns. Sie kennen uns genug, um zu wissen, daß wir ihn nie stören werden. Er kann uns sehen oder nicht sehen; bei sich oder uns; allein oder in Gesellschaft. Ich habe bemerkt, daß nichts ihn so verstimmt, als wenn er glaubt, daß man Anspruch auf ihn macht, und das ist doch, wenigstens seiner Meinung nach, in Weimar immer der Fall. Ich würde ihm auch raten, seinen Knaben mitzubringen. Wo er ihm zur Last wäre, schickte er ihn uns, wo er für unsre Kinder sogar ein Gewinn ist, und außerdem würde es ihn erheitern. Teuer ist es freilich jetzt hier entsetzlich. Aber er, sein Sohn und ein Bedienter leben doch reichlich mit 2000 Talern das Jahr, und die bloße Herreise ist unbedeutend. Die ersten Einrichtungen könnten wir ihm sehr erleichtern. Wirklich, lieber Freund, überlegen Sie es ernstlich. Ich halte den Plan für sehr gut, aber freilich doch nur als Mittel gegen ein Übel, und wenn Sie untereinander sich wenig und nicht so, wie Sie beide es wünschen, genießen.

SchiHu II, 232f.

1214. COTTA AN SCHILLER

Leipzig, 13. Mai 1803

In Stuttgart gehet das Gerücht, Goethe komme dahin, um für immer daselbst zu privatisieren!!

SchiCo 486

1215. VOSS AN BOIE

Jena, 16. Mai 1803

Dieser Nachmittag brachte uns Goethe, der gestern von Lauchstädt zurückkam und unsere Studien im Versbau fortsetzen wollte. Er will sich nächstens in Trimetern mit untermischten Sätzen in anapästischen und choriambischen Versen versuchen, und ich hoffe, es wird gehen. Seine Schauspieler, sagt er, bekommen immer mehr Ohr und Gefühl für den edleren Gang des Verses.

Vo II/2, 267

1216. VOSS AN NICOLAY

Jena, 20. Mai 1803

Was sein [Kotzebues] „Freimütiger“ von Goethe etc. erzählt, ist verunstaltet oder falsch. Doch hat Goethe mit seiner Zuneigung gegen die Schlegel es verdient, daß ihm der „Freimütige“ das ausgebrannte Räuchwerk, mit etwas anderem versetzt, noch einmal unter die Nase qualmen läßt. Goethe kömmt oft nach Jena, und ich freue mich seiner Besuche. Er legt es ernstlich auf Reinheit des Ausdrucks und des Verses an und denkt selbst seine „Dorothea“ noch einmal zu verbessern.

Vo II/2, 278f.

Johann Heinrich Voß

1217. CHRISTIANE VULPIUS AN NIKOLAUS MEYER

Weimar, Ende Mai 1803

Zu dem Almanach kamen auch die Noten von Ehlers mit zu der Gitarre heraus ... Er hat wieder sehr viel neue Lieder vom Geheimerat komponiert ..., überhaupt hat er sich wohl als Sänger als auch im Schau- und Lustspiel gebessert, und der Geheime Rat ist sehr zufrieden mit ihm; er ist auch oft bei uns. Der Geheime Rat sieht itzo die Schauspieler mehr als sonst; alle Woche haben wir welche zu Gaste, und so geht es reihum.

MeyerN 95

1218. WILHELM VON WOLZOGEN AN SEINE FRAU

Berlin, 17. Juli 1803

Vor einigen Tagen sagte ich der Königin [Luise], daß Goethe die Attention für seine Mutter gefreut hätte. Sie nahm es sehr gut auf und ging sogleich zum König, es ihm zu sagen; so daß man sieht, das Geschenk hatte mehr als *eine* Rücksicht.

Bode I, 761 f.

1219. FICHTE AN SCHILLER

Berlin, 20. Juli 1803

In voriger Woche hat sich die göttliche Strafgerechtigkeit sehr herrlich an dem Mittelsitze der Barbarei, in welchem ich dermalen lebe, offenbaret.

Das Berliner Publikum hat im Verlaufe dreier Tage die Züchtigung erlitten, Goethes unsterbliches Meisterwerk „Die natürliche Tochter" förmlich auszupochen ...

Daß das ... Stück sehr langweilig ist und daß man bei ihm verteufelt aufpassen muß und daß es keine Handlung hat, darüber sind Hof und Stadt einig. Ein Theaterkritiker in der Ungerschen Zeitung – man glaubt, es sei unser alter Freund Woltmann – tritt hierbei mit vieler Gutmütigkeit ins Mittel. Er ermahnt das kleine auserwählte Häuflein, dem er freilich den hohen Genuß, den es in jenem Werke findet, nicht ganz verkümmern mag, zu der Bescheidenheit, das entgegengesetzte Urteil des großen Haufens denn doch aber auch zu respektieren. Er meint, es komme so ziemlich auf eins hinaus, woran man sich amüsiere, und sei eines des andern wert. Er schließt ungefähr mit dem Resultate: dergleichen Sachen seien zum *Lesen* in einem verschlossenen Zimmer vor einem oder zwei Freunden zwar recht gut; auf das Theater aber gehöre es anders. Und dies ist noch so ziemlich die freundlichste Stimme, die sich öffentlich hören lassen!

SchiFi 68f.

1220. SCHILLER AN WILHELM VON HUMBOLDT

Weimar, 18. August 1803

Goethens „Natürliche Tochter" wird Sie sehr erfreuen und, wenn Sie dieses Stück mit seinen andern, den früheren und mittleren, vergleichen, zu interessanten Betrachtungen führen. Des Theatralischen hat er sich zwar darin noch nicht bemächtigt, es ist zu viel Rede und zu wenig Tat, aber die hohe Symbolik, mit der er den Stoff behandelt hat, so daß alles Stoffartige vertilgt und alles nur Glied eines ideellen Ganzen ist, diese ist wirklich bewundernswert. Es ist ganz Kunst und ergreift dabei die innerste Natur durch die Kraft der Wahrheit. Daß er zu *der* Zeit, wo Sie, nach meinem letzten Brief, an seiner Produktivität ganz verzweifeln mußten, mit einem neuen Werk hervorgetreten, wird Sie ebenso wie mich selbst überrascht haben, denn auch mir hatte er wie der ganzen Welt ein Geheimnis daraus gemacht.

SchiHu II, 248

1221. CHARLOTTE VON STEIN AN IHREN SOHN FRIEDRICH

Weimar, nach dem 27. August 1803

Goethe nahm Schiller von uns weg ins Nebenzimmer, sie stellten sich im Diskurs neben eine Bouteille Wein und ließen sich nicht wieder mit uns ein. Dies mochte wohl Helbig etwas verdrießen. Goethe verdirbt einem meistenteils die Gesellschaft. Wahre Güte des Herzens gibt auch Lebensart. Goethe hat eigentlich nur Schwäche des Herzens; dies habe ich lange für Güte gehalten.

Stein II, 179f.

1222. BRENTANO AN ARNIM

Weimar, August 1803

Goethes „Eugenie" hat mich in der Darstellung nicht im mindesten gerührt. Sie ist unendlich ruhig, vortrefflich und groß und weise und kunstvoll und herrlich und gebildet, so gebildet, daß ich sie sehr hochschätze, aber nur nicht bewundern kann. Die „Braut von Messina" aber ist mir ein erbärmliches Machwerk, langweilig, bizarr und lächerlich durch und durch. Der äußerst steife Chor macht eine Wirkung wie in katholischen Kirchen die Repetition des halben Vaterunsers von der Gemeinde. Eine himmlische Idee von Tieck ist es, einen „Anti-Faust", ein Lustspiel zu schreiben, in dem ein Mensch den Teufel betrügt. Er hat schon einen Akt geschrieben.

Brent I, 198

1223. FICHTE AN SCHILLER

Berlin, vermutlich August 1803

Goethes „Natürliche Tochter" habe ich die beiden Male, da sie hier aufgeführt wurde, mit aller Aufmerksamkeit gesehen und glaube zu der möglichsten Anschauung, die man aus dieser Quelle haben kann, mich erhoben zu haben.

Sosehr ich Goethes „Iphigenie", „Tasso" und, nur in anderem Fache, seinen „Hermann und Dorothea" stets geliebt und verehrt habe, so ziehe ich doch diese Arbeit ihnen allen vor und halte sie für das dermalige höchste Meisterstück des Meisters. Besonders scheint sie mir ein so streng geordnetes, in sich selber zusammenhängendes organisches Ganze zu sein, daß ich es kaum für möglich halte, daraus etwas wegzulassen. Was in dem ersten Teile sich noch nicht erklärt, z. B. die geheimen Andeutungen auf das Verhältnis des Herzogs zu seinem Sohne, dessen und des Herzogs verborgene Komplotte, halte ich für bedeutende Winke auf die folgenden Stücke, die schon hier einen geheimen Schauer und furchtbare Ahnung einflößen sollen.

Daß ein solches Stück von irgendeiner Schauspieltruppe nach seinem wahren Geiste ergriffen und dargestellt werden sollte, darauf ist wohl ohne Zweifel Verzicht zu tun. Dagegen scheue ich mich nicht, dem wahren Zuschauer anzumuten, durch die Beschränktheit der Darstellung das Ideal hindurch zu erblicken. Daß teils schon wegen des Mangels dieser Erhebung solche Stücke für den gewöhnlichen Beschauer hinter mittelmäßigen und flachen zurückstehen, wo Geist (oder Ungeist) und Darstellung natürlich besser zusammenfallen, teils auch wegen der Aufmerksamkeit, die organischer Zusammenhang fordert – während in gewöhnlichen Stücken man allenthalben einzelnes, nämlich Sandkörner bekommt –, und bei dem gänzlichen Mangel an Organ für das innere Leben und Handeln meistens unverstanden bleiben – daher Goethe sich die ganzen zwei letzten Akte durch die seichte Relation hätte sparen können, daß Eugenie dem Gerichtsrat ihre Hand gegeben: – dies ist ebenso unvermeidlich. Ich für meinen Teil aber komme vielleicht darum, weil ich selber fast täglich durch irgendeine Plattheit gedrückt werde, mehr in die unbarmherzige Gesinnung, daß man allerdings das Höchste und immer nur das Höchste darstellen soll, ohne Mitleid mit der Unbehaglichkeit und Langweile der Ungebildeten, deren Besserung nie beginnen wird, solange sie noch etwas ausdrücklich für ihre Gaumen Zubereitetes finden ...

Da ich in meinem letzten Briefe des Auspochens erwähnte, so muß ich nun hinzusetzen, daß es ganz notorisch ist, daß – Sch[adow] die Auspocher bestellt und vorher angeworben. Ich schreibe Ihnen dies zu jedem Gebrauch, denn es ist stadtkundig; nur will ich es nicht Ihnen geschrieben haben. So behauptet man auch, daß der Verfasser der erwähnten Beurteilung in der Ungerschen Zeitung nicht Woltmann, sondern Herr Iffland selber sei.

SchiFi 70ff. und 75

1224. VULPIUS AN NIKOLAUS MEYER

Jena, 4. September 1803

Der Freimütige Schuft [Kotzebue] hat Jenas Untergang prophezeit. Die Clique schlägt sich aber selbst, und Jena wird wohl stehen bleiben. Loder hat aus Dankbarkeit für die vielen Gnaden vom Herzog seinen Abgang nach Halle unvergeßlich machen wollen; er hat deshalb so lange durch Kotzebue und andere große Männer ... negoziiert, bis die „Literatur-Zeitung“ nach Halle kam. Nun gut! K[otzebue] stieß sogleich in die Tuba, und siehe da: Alles ist voll Schrecken und Furcht. Aber sie hatten nicht alles wohl überlegt, und die *„Jenaische* Literatur-Zeitung“ *bleibt.* Goethe und Schiller sind an die Spitze getreten, und Eichstädt wird Redakteur. Es ist ein Fonds von 5000 Taler dazu da. Mit dem 1. Jänner 1804 erscheint das erste Stück.

MeyerN 105

1225. KÖRNER AN SCHILLER

Dresden, 10. Oktober 1803

Von der Göchhausen erhielt ich zuerst Goethens „Eugenie“. Über den Plan des Ganzen läßt sich noch nicht urteilen; aber der erste Teil läßt viel erwarten. Der Stoff ist zum Teil drückend und widrig, und es tut mir fast leid um die große Kraft, die G[oethe] daran verwendet. Indessen darf man dem Dichter nicht vorschreiben, und ich kann begreifen, daß er einen Trieb fühlt, sich auch an einem solchen Stoff zu versuchen. Er ist tief eingedrungen, und in der ganzen Behandlung erkennt man den Meister. Aber auf einen lauten Beifall des Publikums darf er nicht rechnen, und ich wünsche nur, daß er durch eine kalte Aufnahme nicht abgeschreckt wird, das Werk zu vollenden. Für jeden, den der Stoff überwältigt, muß dies Stück unausstehlich sein, je lebhafter er fühlt. Es wird also von vielen gehaßt, von noch mehreren nicht verstanden und nur von wenigen bewundert werden.

SchiKö IV, 271 f.

1226. KNEBEL AN KAROLINE HERDER

Ilmenau, 12. Oktober 1803

Endlich habe ich doch auch Goethes „Eugenie" gelesen; aber, ich darf es wohl sagen, nicht mit sonderlicher Erbauung. Es ist das raffinierteste Werk (so wie es da liegt) von Kunst, Talent und – darf ich das Wort recht aussprechen? – von *Seelenbüberei,* das jemals aus Goethes Feder geflossen. Also sind das die *herrlichen* Gestalten, die uns das *hochheilige* Genie zur Erbauung und zum Muster darstellt! Sind das die hohen Wirkungen der Kunst und des Genies, uns das Leben und die Menschheit durchaus zu vergiften und zu verekeln? O wie muß man im Herzen verdorben sein, ein solches Werk hervorzubringen! Vermutlich weil es schwer sein möchte, nicht bei irgendeinem Individuum eine selbständige freie Seele zu finden, so nahm Goethe die Stände, und diese sind alle par état und de par le roi *Schurken.* Sie mögen es mitnehmen, da ihre Häupter Narren und Schwächlinge sind. So sieht es also in der *moralischen Welt* aus! Und da ist weiter kein Mittel, wenn man doch fortleben will, als daß man auch ein *Bube* werde. *Hier* ist der Sieg des *Verstandes,* der *Kunst* und des *Genies!!* – Welch ein drohender Genius wacht über Deutschlands Literatur? Kann Kunst und Genie vor Infamie schützen??

VaH III, 239 f.

1227. KAROLINE HERDER AN KNEBEL

Weimar, 13. Oktober 1803

Wenn Sie die „Eugenie" in der Vorstellung gesehen hätten, so würden Sie geglaubt haben, der Dichter wollte die *Stände*, denen er alles gräßlich Herzlose gegeben hat, in ihrer Verworfenheit darstellen. Ihr entgegengesetztes Urteil lese ich heute mit Staunen, und wenn man die Grundsätze des Dichters kennt, so ist's nur allzu wahr, daß er das Stück zugunsten der Stände auflösen wird! Welch eine Hölle haben Sie mir hinter meinem gutmütigen Wahn geöffnet! Ich habe das Stück noch nicht gelesen und mag's fast nicht lesen.

Mein Mann gibt Ihrer Ansicht und Ihrem Gefühl recht. Aber lassen Sie uns doch nur die ganze Entwicklung abwarten! Wenn es uns allein wohl wird, da wir die Eugenia in *menschlichen* Armen in Schutz sehen, so hat der Dichter wider Willen das Wort für die Menschlichkeit reden müssen, wenn er auch das Ganze zugunsten der Stände angelegt hat.

Entwickelt er das Ganze zugunsten dieser, so ist er freilich ein Teufel, und sein Talent mag in die Hölle fahren!

Kn II, 348

1228. ROCHLITZ AN BÖTTIGER

Leipzig, 16. Oktober 1803

Goethes „Eugenie" habe ich mit großer Freude gelesen. Besonders den vierten und fünften Akt halte ich für wunderschön. Und die Sprache ist wohl noch nie von einem Deutschen so behandelt worden. Man muß sich jene Akte laut lesen. Aber als Theaterstück kömmt „Eugenie" mir vor wie jene Venus, die man auf den hohen Berg stellete.

GoeJb XVIII, 148

1229. KNEBEL AN KAROLINE HERDER

Ilmenau, 17. Oktober 1803

Ihr Urteil über die „Eugenie“ war nach der gutmütigen Art, wie Sie es genommen haben, wohl verständig. Aber wie lassen sich die Stände in einem Gedicht dieser Art von der Menschheit trennen? Überhaupt finde ich so viele moralische Widersprüche, Inkonsequenzen, Härten und, ich darf wohl sagen: *Verrücktheiten* in diesem Gedicht, daß ich nun fast glaube, daß man auch ein *moralisch guter* Mensch sein müsse, um ein vorzüglich guter Dichter oder Schriftsteller zu sein. Eugenie ist nicht *menschlich gut* gerettet, wie Sie zu glauben scheinen; denn der Herr Gerichtsrat sieht sie doch wohl nur als eine *Speise* an, und die moralische Gouvernantin ist eine Kupplerin. Übrigens liegt mir durch dieses Stück Goethes fast unerklärlicher Charakter leider klar vor Augen.

VaH III, 241

1230. KAROLINE HERDER AN KNEBEL

Weimar, 19. Oktober 1803

Mein Urteil über Goethe kommt mir gerade so vor, als wenn das Lamm dort am Bach dem *Wolf,* der's eben fressen will, eine Lobrede hält.

Ach, er hat eine *Wolfsnatur!*

Kn II, 350

1231. BÖTTIGER AN ROCHLITZ

Weimar, 27. Oktober 1803

Goethe errichtet jetzt eine eigne Schule für jüngere Schauspieler und Schauspielerinnen, welcher er täglich oft mehrere Stunden widmet. Neulich wurde bei verschlossenen Türen von diesen Lehrlingen sein „Mahomet“ über alle Erwartung gut gegeben. Er hatte mir auch Billetts dazu geschickt.

GoeJb XVIII, 149

1232. ERNESTINE VOSS AN LUISE NICOLOVIUS

Jena, Mitte November 1803 ?

Vom Onkel lassen Sie mich zuerst erzählen, der gar große Freude an der unbekannten Nichte hat, die ich ihm als mein Herzblättchen geschildert und dem ich von Ihrem häuslichen Leben und den raschen Knaben erzählt habe. Aus Ihrem letzten Briefe habe ich ihm auch mitgeteilt, als er einmal recht Sinn für so was hatte. Da sagte er wirklich recht gerührt, er erkenne in der Tochter die Seele der Mutter [Cornelia Schlosser, geb. Goethe], sogar in Ihren Schriftzügen die Hand der Mutter. Ich solle Ihnen sagen: er sei kein Rabenonkel, aber schreiben, das wäre eine Sache, die selten bei ihm ausgeführt würde. Herzlich soll ich Sie grüßen, Sie und Ihren Mann, und Ihnen sagen, er sähe Sie gar gern einmal in Ihrem häuslichen Kreise, aber die Reise über die Heide schrecke ihn.

Er ist wirklich allerliebst, wenn er hier in Jena ganz aus seinem steifen Berufe heraus ist und, in seinen langen Mantel gehüllet, mit der Zauberlaterne in der Hand, in unsere Stube tritt.

Gespr I, 894f.

1233. KNEBEL AN KAROLINE HERDER

Ilmenau, 29. November 1803

Gerning schreibt mir, daß Madame de Staël, die jetzt in Frankfurt ist, nächstens auch nach Weimar kommen werde. Da wünscht ich ihr keines als Ihr Haus, das leider jetzt für sie nicht sehr zugänglich sein kann. Dies tut mir sehr leid; denn leider unsere übrigen Herren sind doch – Idioten oder Pedanten. Wieland nehme ich aus ...

VaH III, 243

1234. KNEBEL AN KAROLINE HERDER

Ilmenau, 5. Dezember 1803

Noch ein Wort über Goethens „Eugenie". Ich habe jetzt die französischen sogenannten „Mémoires" [von Stephanie-Louise de Bourbon Conti] hier, aus denen Goethe den Stoff dazu geschöpft hat. Man kann sich kaum vorstellen, wie so ein albernes, verschrobenes Machwerk Goethes Geist so gewaltig habe anziehen können. Man kann es kaum vor Ekel lesen. Nun, da er aus nichtsbedeutenden Karikaturen und Ungeheuern doch etwas sehr Bedeutendes machen wollte, so mußten freilich wieder Ungeheuer, aber bedeutendere und grundverdorbene, entstehen. In der Tat, ich bedaure diesmal nur seinen Geschmack und Urteil. So bös hat er es nicht gemeint, als ich es denken mußte, da ich es für eine Originalschöpfung hielt. Wir haben *beide* viel, viel zuviel hineingelegt. Es bleibt eine kostbare Stickerei auf einem höchst *futilen* Grund. Ich hoffe und glaube nicht, daß er es endigen wird. Er muß die Nichtigkeit des abgeschmackten Märchens doch endlich erkennen.

VaH III, 244

1235. SCHRÖDER AN BÖTTIGER

Rellingen, 9. Dezember 1803

Was macht der literarische Erste Konsul Goethe? Man gibt ihm schuld, daß Jena so viele brave Männer verliert.

Schrö 275

1236. HENRIETTE VON KNEBEL AN IHREN BRUDER

Weimar, 22. Dezember 1803

Goethe wird künftigen Sonnabend herkommen und die Frau von Staël bei sich im Hause zuerst bewirten. Sie hat ihn so dringend und von allen Seiten darum bitten lassen, daß er nicht anders konnte; aber er sträubt sich und ist sehr melancholisch.

KnHe 190

1237. HENRIETTE VON KNEBEL AN IHREN BRUDER

Weimar, 23. Dezember 1803

Vom Goethe hofft sie [Frau von Staël] viel. Wir wollen sehen. Seine „Eugenia" hat ihr, einige wenige Stellen ausgenommen, sehr mißfallen. Sie sagt, in Paris hätte man nicht den ersten Akt ausgehalten. Goethen ist es äußerst beschwerlich herzukommen. Er hat an die Schillern geschrieben, daß er sich am liebsten mit Herdern möchte begraben lassen. Doch kann ich nicht glauben, daß ihm die Staël weh tun wird. Sie hat durchaus nicht das Preziöse und Pedantische, was unsre gelehrten Weiber oft so fatal macht, nichts Überspanntes, Halbreifes ...

KnHe 191

1238. KARL VON SCHARDT AN FRIEDRICH VON STEIN

Weimar, 31. Dezember 1803

Goethe kommt mit ihr [Frau von Staël] besser weg; dieser gibt zur ersten Antwort immer ein Späßchen, und beruhigt sie sich dabei nicht, so hat er doch Zeit gewonnen, sachgemäß zu antworten.

Fritz von Stein II, 92

1239. GERNING AN KNEBEL

Frankfurt, Ende Dezember 1803

Goethen möchte ich zurufen:

Fürchte nur nicht, daß wir auch Dich mit Nänien singen,
Xenien streuet man Dir jetzt schon über das Grab.

Bode I, 773

1804

1240. RIEMER AN FROMMANN

Weimar, 11. Januar 1804

Sie wissen doch, daß Goethe unpaß ist; krank mag ich nicht sagen, ob er gleich meist zu Bett liegt. Es rührt wahrscheinlich von einem zurückgetriebenen Echauffement her und scheint weiter nichts auf sich zu haben, als daß er nun nicht ausgehn kann und manchmal nicht guten Humors ist. Gestern abend las ich ihm einen Gesang von der Vossischen „Iliade" vor; da war er sehr gesprächig, und ich habe manches gelernt, was man eben nicht in der Schule lernt ...

Die Frau von Staël ist noch immer hier und scheint sich mit den schönen Geistern, Wieland und Schiller, gut zu stehen, wie man in der Stadt sagt, aber nicht mit G[oethe].

Rie 40ff.

1241. VULPIUS AN NIKOLAUS MEYER

Weimar, 15. Januar 1804

Unter andern ist der Geheime Rat G[oethe] wieder einmal unpäßlich und hat einige Tage im Bett gelegen. Er ist überhaupt, im ganzen, physisch und moralisch, nicht wohlauf ...

Kotzebue ist bei Nacht hier durchgegangen, hat sich aber nicht getraut, im Tor seinen Namen anzugeben, und hat sich nur 1½ Stunde bei seiner Mutter aufgehalten, aus Furcht, arretiert zu werden. Seine Freunde selbst springen jetzt von ihm ab. Sein „Hugo Grotius" fiel so durch hier, daß man zischte, und sein „Ranudo Colibrados" mißfiel sehr.

Goethe arbeitet jetzt seinen „Götz von Berlichingen" fürs hiesige Theater zu, und der zweite Teil der „Natürlichen Tochter" ist auch bald fertig. – Schiller brütet noch über sein Schauspiel „Wilhelm Tell".

MeyerN 125f.

Christian August Vulpius

1242. WIELAND AN SEINE TOCHTER SOPHIE REINHOLD

Weimar, 16. Januar 1804

Jedermanns Erwartung ist itzt auf die beiden neuen „Allgemeinen Literatur-Zeitungen" gespannt ... Die lächerliche Sage, daß Goethe nach Jena ziehen und notabene, um der sinkenden Universität wieder aufzuhelfen, Vorlesungen daselbst halten werde, hat R[einhold] ohne Zweifel sogleich für das, was sie ist, erkannt.

WR 266

1243. CHRISTIANE VULPIUS AN NIKOLAUS MEYER

Weimar, 17. Januar 1804

... hoffen wir Sie wieder einmal ... bei uns zu sehen, denn zu einer Reise nach Bremen wird der Geheime Rat sich wohl nicht entschließen können; denn er liebt die Ruhe jetzt mehr als alles und ist sehr bequem geworden und wird wohl nicht viel mehr reisen.

MeyerN 127

1244. CONSTANT IN SEINEM TAGEBUCH

Weimar, 23. Januar 1804

Ich habe Goethe gesehen! Scharfsinn, Eigenliebe, physische Reizbarkeit bis zur Schmerzhaftigkeit, bemerkenswerter Geist, schöner Blick, etwas mitgenommenes Aussehen, das ist sein Bild.

Franz 25. Aus dem Französischen

1245. CHARLOTTE VON STEIN AN IHREN SOHN FRIEDRICH

Weimar, 27. Januar 1804

Goethe hat mir zu Deiner Verlobung Glück gewünscht; die beste Qualität der Braut [Helene Freiin von Stosch] waren ihm die sechzehn Jahr. Er war die ganze Zeit krank. Das ärgert Frau von Staël, die ihn gern recht viel sehen möchte. Jetzt hat sie es durchgesetzt und fährt täglich zu ihm. Die Staël ist wie die Königin von Saba; wo sie von einer Weisheit Salomonis hört, da reist sie darnach, was auch für ein zweideutiges Urteil ihr daraus erwachsen könnte ...

Stein II, 193

1246. ANNE-LOUISE-GERMAINE DE STAËL AN NECKER DE SAUSSURE

Weimar, Januar 1804

Die Frauen beehren mich mit jener Hinneigung zur Begeisterung, die den deutschen Frauen eigen ist, und machen mir den Hof wie verliebte Männer. Was die Männer angeht, so gibt es keine außer den Schriftstellern; alle andern sind Wachtmeister, die zwar nicht in Gesellschaft rauchen: aber das allein unterscheidet sie von der Schloßwache. Die drei Schriftsteller Goethe, Schiller und Wieland haben aber originelleren und tieferen Geist in Literatur und Philosophie als irgendein Mensch, den ich kenne. Ihre Konversation besteht ganz aus Ideen.

Bode III, 469. Aus dem Französischen

1247. LODER AN EINEN FREUND IN WÜRZBURG?

Halle, 2. Februar 1804

Goethe macht eine Art von Kanzler in Jena, wenn er da ist, und gibt große Tees, bei welchen alles *steht.*

Archiv CXXXVII, 66

1248. KNEBEL AN BÖTTIGER

Ilmenau, 3. Februar 1804

Doch meinen Sie ja nicht, daß ich die Deutschen allzusehr herausrühmen will. Es fehlt ihnen allgemein an *Geschmack,* und hier hat Frau von Staël nur gar zu recht ... Das ist leider

der Fall bei unsern *größern* Dichtern, denen ein gewisser Takt fehlt, den man mehr aus dem Umgang und der Welt als aus der Betrachtung nimmt. Die neueste „Eugenie" mag sogar hiezu ein kleines Beispiel liefern. – Wieland nehm ich indessen aus.

Kn III, 65f.

1249. RIEMER AN FROMMANN

Weimar, 4. Februar 1804

G[oethe] ... urteilt ... ein wenig anders im Schlafrock, als wenn er in Gesellschaft urteilen soll. Aber ich begreife ihn. Weil man ihn auspumpen will, so gibt er eben nur das, was ihm beliebt und womit er zwischen den Parteien so eben durchkommt. Wo er keine Hinterlist ahndet, da gibt er sich auch frei. Mir wird immer wohler bei ihm.

Rie 42f.

1250. BÖTTIGER AN ROCHLITZ

Weimar, 4. Februar 1804

Wenn ich nur wüßte, wer mein Nachfolger hier werden sollte, um allerlei danach einzurichten. Der Herzog sprach selbst mit mir sehr zutrauensvoll darüber, aber Goethen ist so etwas ein Greuel. Er bleibt sich gegen mich bis auf den letzten Augenblick gleich. Mag er! Bin ich doch bald außer der Spannweite seiner freundlichen Berührungen!

GoeJb IV, 325

1251. BÖTTIGER IN SEINEM TAGEBUCH

Weimar, 9. Februar 1804

Den 9. Februar bei ihr [de Staël] zum Mittagessen ...

Viel über Goethe bei Tische. Er habe das meiste Originalgenie unter allen mitlebenden Dichtern; es werde aber wenig von ihm auf die Nachwelt kommen. Er habe ihr selbst, als sie ihn über die „Natürliche Tochter" (welche sie einen noble ennui nannte) befragte, aufrichtig eingestanden, daß sie, wie so viele andere seiner Arbeiten, nur Künstlerversuch sei, der nach einer Auflösung einer noch nie gelösten Aufgabe strebte. (Darum traut auch Goethe diesem Versuch so wenig, daß er in die erste Vorstellung dieser „Eugenie" gar nicht einmal kommen mochte.)

Gespr I, 909

1252. CONSTANT IN SEINEM TAGEBUCH

Weimar, 16. Februar 1804

Sehr interessantes Souper bei Goethe. Er ist ein Mensch voller Geist, voll plötzlicher Einfälle, von Tiefe und neuen Ideen. Aber er ist der ungütigste Mensch, den ich kenne.

Franz 26. Aus dem Französischen

1253. VOSS DER JÜNGERE AN ABEKEN

Jena, 21. Februar 1804

Ich bin zehn Tage bei Goethe gewesen. Eine himmlische Zeit, die mir noch wie ein schöner Traum vor der Seele steht... Am Abend dieses Tages [13. Februar] nach Tische mußte ich Goethe meine Übersetzung von Horazens sechster Epistel des ersten Buchs vorlesen. Dies gab zu einem sehr schönen Gespräch Anlaß ... Er redete ... über den Platonischen Ausspruch, daß die Verwunderung die Mutter alles Schönen und Guten sei ... Er sprach wohl anderthalb Stunden mit feurigen Mienen, mit der lebendigsten Aktion, aber immer mit solcher Besonnenheit, daß er die Wahrheit seines Themas recht eigentlich durch die Tat beherzigte ... Dann redete er auch über die Empfänglichkeit des Gefühls, wie ein lebendiger Geist in der ganzen Gotteswelt nichts als Wunder erblicke und heilige Gottesoffenbarung ... Als er ausgesprochen, nahm er sein Licht, sagte ein trockenes „Gute Nacht!" und ging davon und ließ mich und Riemer wie Stumme gegeneinander sitzen. Ob Goethe uns in Verwunderung hat setzen wollen, das weiß und glaube ich nicht;

aber daß er's tat, weiß ich. Denn wohl keiner hat einen Mittler Gottes und der Menschen mit solcher Ehrfurcht betrachtet als wir diesen Mann in diesem Augenblicke.

VoßG 16 und 20f.

1254. HENRIETTE VON KNEBEL AN IHREN BRUDER

Weimar, 28. Februar 1804

Goethe wird uns jetzt vielleicht wieder aufgehen, wenn Frau von Staël untergegangen ist. Sie besuchte ihn öfters, aber er kam nicht an Hof. Man nimmt's ihm übel, aber das tut nichts, und ich kann's ihm nicht verdenken. Sich so alle Tage mit ihr am Hof zu präsentieren, ist keinem unsrer Männer zuzumuten. Ihre Sprache, ihre Ausbildung und Gewohnheit, sich mitzuteilen, sind zu verschieden.

KnHe 198

1255. CHARLOTTE VON STEIN AN IHREN SOHN FRIEDRICH

Weimar, 8. März 1804

Goethe hat aus lauter Freude, daß die Staël fort war, seine ihm bequemere Donna zwei Tage nacheinander durch alle Straßen auf dem Schlitten gefahren. Ich wundere mich, daß er Dir nichts über Deine vorseiende Heirat geantwortet. Wenn er kein Herz hat, so sollte er doch Lebensart haben.

Stein II, 195

1256. ANNE-LOUISE-GERMAINE DE STAËL AN FRIEDRICH HEINRICH JACOBI

Berlin, 11. März 1804

In Weimar hat es mir gut gefallen. Goethe ist ein Mann von erstaunlichem Geist. Sein Charakter und seine Ansichten sind mir nicht sympathisch. Aber für seine Fähigkeiten hege ich eine tiefe Bewunderung.

Franz 31. Aus dem Französischen

1257. KAROLINE PAULUS AN CHARLOTTE SCHILLER

Würzburg, 11. März 1804

Sagen Sie doch Goethe gelegentlich, daß Madame Luzifer [Karoline Schelling] ihm die Ehre antut, auf eine bescheidene Art merken zu lassen, daß er unter die Zahl ihrer stillen Verehrer gehört. Er wird sich gewiß auf diese Auszeichnung nicht wenig zugute tun.

SchFr III, 188

1258. VOSS DER JÜNGERE AN HELLWAG

Jena, 13. März 1804

Ich leugne nicht, daß ich anfangs, als ich von Goethe auf ein paar Tage eingeladen ward, mit etwas beklommenem Herzen hinreiste. Ich sollte mich produzieren und hatte natürlich die Besorgnis, ich könnte auch wohl nicht gefallen. Dann auch hätte ich mir jeden anderen Examinator, er sei so strenge er wolle, lieber gewünscht als den Goethe mit diesem furchtbar majestätischen Blicke. Aber wie ward ich anders gestimmt, als ich zu Goethen ins Zimmer trat! Nun fand ich einen lieben, freundlichen Mann, der mich freundschaftlich umarmte und küßte und so besorgt war wegen meiner Gesundheit, die ich zum erstenmal einem so strengen Winter- und Windtage ausgesetzt hatte, und mir zum Frühstück und zu der Labung des Körpers Gott weiß wieviel und wie vieles anbot. In dem Augenblicke hatte ich das tiefste Zutraun zu diesem herrlichen Manne. Als die paar Tage um waren, sagte mir Goethe, an meine Abreise wäre nun gar nicht zu denken; er wäre in dieser Zeit mein Vater und hätte zu befehlen. Das ließ ich mir denn auch gefallen und recht gern gefallen. Diese zehn Tage, die ich in Weimar blieb, gehören zu dem Frohsten, was ich nur auf dieser Welt genossen ... Des Sonntags hat Goethe gewöhnlich junge Leute bei sich, die er im Deklamieren und guten Vortrage übt. Ich bin zweimal in dieser Gesellschaft gewesen. Wir saßen alle um einen langen Tisch und Goethe in der Mitte. Jeder las, sobald an ihn die Reihe kam, auch Goethe selbst, sooft es ihn traf. Auf ihn fiel die Trauung im dritten Gesange [der „Luise" von Voß]. Nie hat wohl diese Stelle einen Mann mehr bewegt als Goethe; die Tränen traten ihm in die Augen, er konnte nicht weiterlesen. „*Eine heilige Stelle!*" rief er mit einer Innigkeit, die mich stumm und sprachlos machte, und gab das Buch seinem Nächsten. Ich konnte von nun an meine Augen nicht von ihm wenden, denn er sah aus wie ein verklärter Heiliger.

Sehn Sie, dieses war am ersten Tage meiner Ankunft; wie war es von nun an möglich, *nicht Zutrauen* zu diesem Manne zu haben? Ich wollte, ich wäre bei Ihnen und hätte mehr Muße . . ., so erzählte ich Ihnen von diesem Manne. Aber ich würde an *einem* Abend nicht fertig, in *einer* Woche nicht.

VoßH 3f.

1259. CONSTANT IN SEINEM TAGEBUCH

Weimar, 18. März 1804

Von Goethe Abschied genommen. Eine eigenartige Methode, das Publikum für nichts zu achten und bei allen Mängeln eines Stückes zu sagen: „Man wird sich daran gewöhnen!"

Franz 27. Aus dem Französischen

1260. SCHILLER AN WILHELM VON WOLZOGEN

Weimar, 20. März 1804

Auch ich verliere hier zuweilen die Geduld. Es gefällt mir hier mit jedem Tage schlechter, und ich bin nicht willens, in Weimar zu sterben. Nur in der Wahl des Orts, wo ich mich hinbegeben will, kann ich mit mir noch nicht einig werden. Es sind mir Aussichten nach dem südlichen Deutschland geöffnet. An meiner hiesigen Pension von 400 Taler verliere ich nichts, weil es hier so teuer zu leben ist, und mit den 1500 Talern, die ich jährlich hier zusetze, kann ich in Schwaben und am Rhein ganz gut leben. Es ist überall besser als hier, und wenn es meine Gesundheit erlaubte, so würde ich mit Freuden nach dem Norden ziehn.

Mein „Tell“ ist vor drei Tagen hier gespielt worden und mit dem größten Sukzeß, wie noch keins meiner Stücke.

SchiBr VII, 131

1261. ERNESTINE VOSS AN OVERBECK

Jena, 25. März 1804

Goethe haben wir diesen Winter viel gesehen und gewinnen ihn mit jedem Male lieber. So ganz allein muß man ihn haben. Einen angenehmeren Gesellschafter kann man sich kaum denken. Voß und er treffen nicht in allen Punkten zusammen, aber doch in sehr vielen; und wo sie nicht zusammentreffen, geht jeder seinen Weg ruhig fort. Er hat eine gewaltige Freude daran, daß Voß nicht fortzieht, ob er gleich das Ding nicht ganz geleitet hat; der Geheime Rat Voigt treibt die Schulgeschäfte ...

... auch ist der Punkt, daß man mit dem Knaben [August Wilhelm] Schlegel säuberlich verfahren muß, einer von denen, wo Voß und Goethe nicht einerlei Meinung haben.

Vo II/2, 281

1262. CHRISTIANE VULPIUS AN NIKOLAUS MEYER

Weimar, Ende März 1804

Soeben ... sind wieder sehr angenehme Freunde bei uns. Es war Voß, der Dichter, mit seiner Frau; sie wohnen itzo in Jena, sind aber ein paar recht liebe Leute. Nachdem sie sich einige Tage bei uns aufgehalten haben, sind sie wieder nach Jena und haben uns ihren ältesten Sohn geschickt, welcher auch ein sehr gebildeter junger Mann ist und dem es bei uns besonders wohl gefällt; und dem August sein Hofmeister [Riemer], welcher auch ein gescheiter Mensch ist. So gibt es alle Mittag ein sehr gelehrtes Gespräch ...

Das Beste ist, daß der Geheime Rat jetzo wieder recht heiter und vergnügt ist. Diesen Anfang aber vom Jahr war er wieder sehr krank. Er arbeitet den „Götz von Berlichingen“ für das Theater um, und wir freuen uns alle schon auf die Aufführung. Auch ein neues Stück von Schiller wird einstudiert, „Wilhelm Tell“ ...

MeyerN 130f.

1263. CHARLOTTE VON SCHIMMELMANN AN CHARLOTTE SCHILLER

Kopenhagen, 8. April 1804

Ich wurde, so wie meine Schwester, ganz im Französischen *unterrichtet,* in keiner andern Sprache; daher z. B. mein schlechtes Deutschschreiben und meine Blödigkeit, da ich eigentlich nur französisch *schreiben kann,* gewiß nicht, weil ich die Sprache vorziehe. Als ich zuerst Goethe las und nachher Schiller, da war mein Geschmack bald entschieden ...

Dieses Verhältnis zwischen Goethe und der Staël hat uns sehr amüsiert. Kühn, wie eine Französin es nur sein kann, stellte ich sie mir dabei vor, als sie Goethe selbst über seine „Eugenie“ zu Rede stellen durfte. Just dieses heilige Dunkel, über seinen Gestalten schwebend, just diese Ungenannten hatten für mich einen eigenen Reiz; ich fürchtete vielmehr *zu viel* zu hören und zu sehen und weniger zu ahnen. Ich ärgerte mich fast darüber, als jemand sie mir zuerst nannte, die wahre Heldin. Ein ätherischer Vorhang verhüllte sie mir bis dahin. Goethe selbst sollte mir ihn nicht heben; so schien es mir damals bei der ersten Erscheinung. Und dieses Stück muß mehr als einmal gelesen werden; es dringt so tief ins menschliche Herz hinein; *alles* läßt sich nicht sogleich fassen, sogleich genießen. Denken Sie sich dann mein Erstaunen bei dem Ausforschen der Frau von Staël und wie ich es für den Dichter empfand. Wie ich dasjenige verstand, was er Ihnen so gestehen mußte.

SchFr II, 404ff.

1264. VOSS DER JÜNGERE AN BOIE

Jena, 9. April 1804

Ich bin abermals in Weimar gewesen bei dem Herrlichen, und diesmal als Stubengenoß und Vizehofmeister seines August ... Ich habe Goethe diesmal noch mehr genossen als das vorige Mal. Seine Aufnahme war so herzlich; und was er mir in dieser Zeit Liebes erzeigt hat, kann ich nicht beschreiben. Er hat wie ein zärtlicher Vater für mich gesorgt; er sinnt recht darauf, mir einen angenehmen Aufenthalt zu verschaffen ...

Es ist kein Gegenstand, der seiner Aufmerksamkeit entgeht; in alles bringt er Geist und Leben, und wenn er auch von entlegenen Dingen redet, so nimmt er doch die um ihn her liegenden und wechselnden Gegenstände zu Hülfe, um seine Gedanken in sie einzukleiden. Nie braucht er je ein anderes Gleichnis, als das von Dingen hergenommen ist, die er grade vor sich sieht, und man wundert sich oft, wie er aus einem erbärmlichen Stoffe etwas so Herrliches und Herzerhebendes zu bilden wußte. Wenn er dann in Feuer gerät, so wird sein Schritt hastiger, oder wenn er gewisse Gegenstände fixiert, um sie tief zu ergründen, dann steht er auch wohl gar stille und stemmt einen Fuß vor den andern, mit dem Körper rückwärts gebogen. Ihm bei Tische grade entgegen zu sitzen und in sein feuriges, tiefes Auge zu blicken, ist eine wahre Wonne ... Es drückt sich in seinen Zügen bei aller Majestät soviel Güte und Wohlwollen aus. Nie aber ist er angenehmer und liebenswürdiger als des Abends in seinem Zimmer, wenn er ausgezogen ist und entweder mit dem Rücken gegen den Ofen steht oder auf dem Sofa sitzt. Ja, da wird es unmöglich, sich ihm nicht hinzugeben. Ob es die Ruhe macht, die abendliche Stille, das Gefühl der Erholung von oft schweren Arbeiten oder was es ist. Dann ist er am heitersten und gesprächigsten, am offensten und herzlichsten. Ja, Goethe kann die Herzlichkeit selbst sein. Dann hat sein manchmal furchterregender Blick auch alles Schreckhafte verloren.

Sobald ich in Weimar etwas eingerichtet bin, will er eine Gesellschaft junger Leute um sich versammeln ... Da sollen

Schriften aus mehreren Fächern und Sprachen gemeinschaftlich gelesen und besprochen werden. Ich weiß schon aus Erfahrung, wie mit Liebe er so was unternimmt und betreibt. Die Früchte dieser Konversationen sollen denn auch zugleich auf die „Literatur-Zeitung" verbreitet werden, und wahrlich, das ist ein glücklicher Gedanke. Denn Goethe, der zum eigentlichen Rezensenten nicht geschaffen ist, gibt doch oft im Gespräche die herrlichsten und treffendsten Urteile, die durchaus nicht verlorengehen dürfen. Und welche Übung wird es für uns sein, Winke und umhergestreute Ideen der Art aus Goethes Geiste auffassen zu lernen und in Aufsätze oder Rezensionen sie zu fixieren! ...

Goethes Zutrauen und seine Liebe zu verlieren, wäre das Schrecklichste, was mir in Weimar begegnen könnte. Aber solange ich bleibe, was ich bin, und fortfahre zu werden, was ich werden kann, solange werde ich sein lieber Sohn bleiben, wie er mich mehrere Male genannt hat.

Vo II/1, 7–12

1265. VOSS DER JÜNGERE AN ABEKEN

Jena, 11. April 1804

Einmal sprach er von Gott und Unsterblichkeit und war dabei in einer Bewegung, die ich Dir nicht beschreiben kann. Aber wohl steht mir noch vor Augen, wie er mit dem Leibe rückwärts sich lehnte und sein unbeweglicher, nur auf den Gegenstand, der seine Seele füllte, fixierter Blick, von dem Irdischen weggewandt, das Höhere und Unnennbare suchte. Dann ist er mehr als ein Mensch, ein wahrhaft überirdisches Wesen, dem man sich mit tiefer Ehrfurcht nur nahen kann.

VoßG 29f.

1266. CHARLOTTE VON STEIN AN IHREN SOHN FRIEDRICH

Weimar, nach dem 12. April 1804

Ich komme vom Goethe, der mich einmal für immer auf alle Donnerstage eingeladen, seine Kunstsammlungen zu sehen.

Ich nehme mir immer noch eine Dame mit, und da lern ich allerhand, denn man muß immer lernen. Ich bleibe von elf bis um eins. Ich glaube, Frau von Staël hat ihm das Besoin beigebracht, wieder etwas gebildetere Frauen zu sehen, als es bisher seine Umgebung war.

Stein II, 198

1267. VOSS DER JÜNGERE AN HELLWAG

Jena, 27. April 1804

Von meinem abermaligen Aufenthalt in Weimar und von Goethens herzlicher Aufnahme könnte ich Ihnen viel Erfreuliches erzählen ... Dieser einzige, herrliche Mann hat so väterlich an mir gehandelt, daß ich's nicht hinlänglich rühmen kann; er hat mir wahres Kindesrecht verstattet und lebenslänglich den freien Zutritt zu seinem Herzen vergönnt. Es tut unbeschreiblich wohl, einen solchen Freund und Führer in der Fremde zu haben, auf den man wie auf die Wahrheit und Redlichkeit selbst bauen kann. Seit ich Stolberg kenne, der mir unvergeßlich sein wird, hat kein Mann eine so unbegrenzte Liebe und ein so tiefes Zutrauen – mir gleichsam *abgezwungen* als Goethe, und ich darf sagen, daß ich stolz darauf bin, ihn so von ganzem Herzen lieben zu dürfen. Mehr Güte und freundliches Wohlwollen, mehr Teilnahme und Freundesgesinnung vereinigt außer ihm kein Sterblicher in sich. Sie sollten ihn nur sehen, um mein Gefühl zu beherzigen. Was er in Rücksicht meiner bei der neuen Schuleinrichtung veranstaltet hat, ist sehr viel; aber bei weitem mehr ist, was er mir als Mensch geworden ist und sein wird. Ich werde sein abendlicher Gesellschafter sein, und in Rücksicht darauf hat er mich ganz in seiner Nähe einquartiert. Wir werden gemeinschaftlich lesen, hoffentlich auch griechische Dichter. Ich werde für Goethe und unter seiner Aufsicht Dinge und Gegenstände ausarbeiten, die er gern geschrieben hätte, zu deren Ausführung aber es ihm an Zeit gebricht. Auf diese Weise wird zum Beispiel manche Rezension erscheinen. Oder ich kann ihm in seinem Studium der alten Kunstgeschichte und Mythologie durch Belesenheit und angestellte Untersuchungen zu Hülfe kommen. Wie ich mich zu diesen Lesestunden freue, kann ich kaum sagen ...

Und was sagen Sie zu der Goethischen Rezension von den Gedichten meines Vaters? Diese habe ich so recht eigentlich entstehen sehen, denn er schrieb sie während meines letzten Besuches. Welch ein gründliches Studium der Gedichte ist darin, und welch eine schöne, fast zu anspruchslose Darstellung! ... Goethe las mir eines Abends das „Herbstlied" und „Trost am Grabe" von meinem Vater vor, und die Tränen liefen ihm über die Backen.

VoßH 4f.

1268. BÖTTIGER IN SEINEM TAGEBUCH

Weimar, Ende April 1804

Es ist unwahrscheinlich, daß sich beide [Goethe und Schiller] stets von Herzen achten und fördern werden, und die Szene während der letzten sechsstündigen Probe von „Wilhelm Tell", wo beide, in der herzoglichen Loge zuschauend, einen Toast auf ihre Meisterschaft im Champagner tranken und die armen Schauspieler hungern und schmachten ließen, dürfte nicht oft wiederholt werden. Goethe ist wahrhaft naiver Dichter und stets im Objekt. Alle Gestalten haben bei ihm Rundung und feste Umrisse. Sie leben in der poetischsten Poesie. Schiller irrlichterisiert in Farbenreflexen und Idealen. Keine einzige seiner Figuren im Trauerspiele hat wahrhafte Haltung und feste Selbständigkeit. Aber er gefällt durch falsch schimmernde Farbengebung und ist jetzt der Götze des Tages. Nur die Johanna gelang ihm, weil diese auch nur in der Idee und nie in der Wirklichkeit war. Goethe ist auch durchaus eine weit kräftigere Natur, im Überfluß gewiegt und erzogen, auf den aber die Hofluft frühzeitig Einfluß bekam ...

Goethe sah nie ein Blatt des „Freimütigen". Man drang es ihm auf; er gab es ungelesen zurück, hat aber darum keinesweges es verschworen, einmal Rache an jenem Gesindel zu nehmen. Er gab einmal eine Karikatur an: Goethe mit einigen andern Kunstfreunden wandelt in den Propyläen unter den Säulengängen vornehm gutmütig herum. Unten hat Kotzebue die Hosen abgezogen und setzt einen Sir Reverence, indem er, sehnsuchtsvoll hinanblickend, spricht:

Ach, könnt ich doch nur dort hinein,
Gleich sollt's voll Stank und Unrat sein!

Bei der „Eleganten Zeitung" schlug er vor, den Buben, der die Greifen zügelt, umzukehren und dem Publikum das Gesäß zeigen zu lassen. Überhaupt liebt Goethe dies Genre des Aristophanes. Auch Nicolai hat er einmal vorgestellt, wie er auf Werthers Grabhügel einen Haufen setzt [„Freuden des jungen Werthers"]. Die Xenienlaune kehrt oft bei ihm ein; nur läßt er sich nicht immer von ihr fortreißen.

Bö I, 62f.

1269. VOSS DER JÜNGERE AN BÖRM

Weimar, 1. Mai 1804

Wer von Goethe, wie es Bürger tat, eine weichliche Hingiebigkeit erwartet, ein zärtliches Entgegenkommen und ein herzliches Anschmiegen, der wird gewöhnlich betrogen. Ich kann mein eigenes Beispiel anführen, da ich, als ich Schiller soeben verlassen hatte, vor drei Jahren zuerst zu Goethe kam und ihn ebenso erwartete. Ich ward zurückgestoßen durch sein Auge; ich fühlte mich zu klein, zu schwach, mit einem Worte: es war der Eindruck einer gewaltigen Masse auf das unvorbereitete Auge. Ich verließ ihn voll Ehrfurcht, aber konnte ihn nicht *lieben.*

Nachher sah ich ihn öfter auf Augenblicke, konnte aber nie meine Schüchternheit überwinden, noch mein reines Zutrauen erwecken.

VoßG 15f.

1270. VOSS DER JÜNGERE AN BOIE

Weimar, 11. Mai 1804

Wenn ich aber sagte, daß G[oethe]s Gesprächen soviel Allgemeines zugrunde läge, so ist das nicht so zu verstehen, als ob er abstraktes Zeug, wie im „Athenäum“, in Sentenzen spräche. Ich meine nur das Ideenreiche dieses so geistreichen Mannes, das aus jeder Hülle und Einkleidung so klar hervorleuchtet. Ich möchte Goethen den popularsten Philosophen nennen, der uns auch bei den geringfügigsten Gegenständen wahre Weisheit in die Seele redet.

Seine Weise, die Menschen zu betrachten, ist ganz die eines kontemplativen Naturforschers, im edleren Sinne des Worts. Kein Mensch ärgert ihn, wenn er einen bestimmten Charakter hat, selbst ein Kotzebue, sogar ein – – [Böttiger?] nicht. Er denkt, so hat ihn einmal der liebe Gott, der von allen Arten etwas gibt, geschaffen, und ist er nicht positiv, so ist er doch negativ zum allgemeinen Heile notwendig. Freilich, wenn er zum Wohle des Allgemeinen *wirken* soll, so hat diese Toleranz auch bei ihm ihre Grenzen. Wenn ein Klotz im Wege steht, da wird er beiseite geschafft, damit die Bahn frei werde, und je hartnäckiger der Widerstand, je heftiger die Gewalt, ihn fortzuschaffen. Ich habe ihn zornig gesehen über Eseleien und Teufeleien; aber es war der Zorn des Gerechten, ein schneidender, kraftvoller Unwille, nicht zügellose Leidenschaft und Ereiferung.

Nie sind Goethes Forderungen an die einzelnen Menschen unbillig; sie richten sich nach der Fähigkeit jedes Subjektes. Aber was einer leisten *kann,* das fordert er ganz und ungeteilt. So ehrt und schätzt er jedes Talent, jede noch so kleine mechanische Fertigkeit. Aber kein Charakterloser fand Gnade vor seinen Augen. Die Losung „Es ist doch ein guter Mensch“ ist ihm unausstehlich. Und wehe dem, der seine Erwartungen und sein Zutrauen durch träges, hartnäckiges Stillstehen, durch Schlaffheit oder gar Scheinsucht statt des reellen Wertes zu täuschen anfängt. Anfangs ist er noch milde und sucht schonend zum Guten zurückzulenken; hilft es nichts, so wird er zornig und wendet sein Antlitz auf ewig.

Voß II/1, 16ff.

1271. VOSS DER JÜNGERE AN SOLGER

Weimar, 15. Mai 1804

Dem herrlichen Goethe bin ich nun in meiner neuen Wohnung recht nahe. Ich kann ihn täglich sehen, weil mein Fenster grade auf die seinigen gerichtet ist, und darf zu ihm kommen, wann ich will ... Wie lehrreich das für mich ist, brauche ich Dir nicht zu sagen. Aber es ist noch etwas in ihm, das nicht bloß auf den Kopf und Verstand wirkt, sondern auf den ganzen Menschen ... Ich möchte sagen, schon der Anblick, die Gegenwart dieses Mannes hat einen Zauber, der unwiderstehlich wirkt.

ArchivLit. XI, 104

1272. RIEMER AN FROMMANN

Weimar, 22. Mai 1804

Ich lebe ziemlich schlaraffisch ... Bei G[oethe] höre ich einige Collegia über Metamorphose der Pflanzen, Theorie der Farben. Wir besehen den Mond durch einen siebenfüßigen Herschel und wissen uns sonst über allerlei zu unterhalten.

Rie 46

1273. SCHILLER AN COTTA

Weimar, 8. Juni 1804

Kann ich aus Goethen einen poetischen Funken herausschlagen, so soll es an mir nicht fehlen; aber leider sehe ich jetzt wenig Anschein dazu, da ihm andre Sachen den Kopf warm machen.

SchiBr VII, 155

1274. CHARLOTTE VON STEIN AN IHREN SOHN FRIEDRICH

Weimar, 11. Juni 1804

Ich fühle, daß es ihm unheimlich ist, und unsere Denkarten sind so auseinandergegangen, daß, ohne es zu wollen, ich ihm alle Augenblicke einmal weh tue.

Zum Unglück wurde mir eben der „Freimütige" gebracht. Er erwähnte der Dummheit des Publikums, das eine solche Schrift lese: da hatte ich also auch mein Teil! Er wollte es gar nicht sehen, und ich mußte es verdecken.

Stein II, 202

1275. JEAN PAUL AN OTTO

Koburg, 19. Juni 1804

Wer Zähne hat, knirschet sie – damit beißen wäre freilich besser –, sobald er „Kaiserliche Majestät in Gallien" hört. Doch haß ich Bon[aparte] nicht so sehr, als ich die Franzosen verachte. Und Goethe war weitsichtiger als die $^2/_2$ Welt, da er schon den Anfang der Revolution so verachtete als wir das Ende.

JP IV, 301

1276. HEINRICH BECKER AN KIRMS

Lauchstädt, 4. August 1804

Sie sagen wohl, man soll nichts dazu sagen; aber schlimm wäre es, wenn man erst so abgestumpft ist, daß man nicht mehr empfindlich wäre, ob einen Lob oder Tadel trifft. Das ist ein schlechter Künstler, der für beides kein Gefühl mehr hat. Und obgleich der Geheime Rat zu allem so geschwiegen hat, so weiß ich doch, daß alles dies, was man auf ihn losgebrannt hat, einen großen Teil seiner Unzufriedenheit ausmacht und ihn öfters sehr angreift; und wenn er was sagen könnte, wider solche Leute würde er es wohl tun; aber so erlaubt es seine Lage nicht. Daß aber so ein Mensch wie Falk noch trotzdem, daß er so auf die Direktion und Schauspieler loslegt, doch immer noch in Weimar das größte

Publikum auf seiner Seite hat, wie ich bestimmt gehört, daß sich die halbe Stadt freut, daß man so ihre Schauspieler behandelt, das gibt wahrlich großen Mut, in Weimar zu leben ... Ja, wenn nicht Goethe und Schiller und Sie, lieber Herr Hofkammerrat, am Ruder ständen, so wäre ich auch der erste, der sich fortmachte ...

Th 177f.

1277. HENRIETTE VON KNEBEL AN IHREN BRUDER

Weimar, 5. August 1804

Goethen habe ich gesehen, und er sprach mit Freundschaft von Dir ... Mich dünkt, er hätte was Milderes und Angenehmeres in Wort und Ausdruck bekommen.

KnHe 205

1278. VOSS DER JÜNGERE AN HELLWAG

Jena, 13. August 1804

Goethe ist mir noch immer das, was er anfangs war: ein liebender väterlicher Freund. Ich gewinne ihn immer lieber, je mehr ich ihn kenne, und bin auch täglich bei ihm. In den letzten acht Tagen, die ich in Weimar zubrachte, habe ich eine herrliche Zeit gehabt. Alle übrigen Freunde von Goethe, die seinen täglichen Umgang ausmachen, waren nicht zugegen, und seine Hausgenossen waren ebenfalls verreist. Ich hatte Ferien und konnte nun beständig um Goethe sein. Wir setzten uns einen Mittag um 1 Uhr zu Tisch und standen erst gegen 6 Uhr auf. Da haben wir eine Mittagslektion aus dem Sophokles gehalten und dazu recht geistigen Portwein getrunken und am Ende, wo Goethe unaussprechlich launicht wurde, recht weidlich gelacht. Auf den Winter will Goethe mit mir und Riemer und noch ein paar anderen einen Leseklub, auch das Griechische mit eingeschlossen, halten. Dieser soll zugleich für die „Literatur-Zeitung" berechnet sein. Darauf freue ich mich außerordentlich und verspreche mir viele Vorteile davon.

VoßH 7

1279. VOSS DER JÜNGERE AN BOIE

Weimar, 22. August 1804

Wie war Goethe fröhlich, als ich meine Sachen auf dem Examen so gut beendet hatte, und wie war ich fröhlich, daß er einen solchen Anteil an mir nahm! Dem Mann verdanke ich ja fast ebensoviel als meinen Eltern; er hat mir ja Mut und Selbstvertrauen in die Seele geflößt und weiß mir durch sein Beispiel immer die Bescheidenheit und ein edles Mißtrauen nahe zu erhalten.

Ich lese jetzt griechisch mit ihm. Neulich lasen wir zusammen drei Stunden nach der Reihe, und Goethe ist jetzt außerordentlich warm für diese Sprache, besonders für den Sophokles ...

Wenn wir jungen Leute um Goethe sind, so gefällt mir das so besonders an ihm, daß er nie wie ein Meister zu den Jüngern, sondern wie ein Freund zum Freunde spricht; eine Humanität, die seine Jünger nur um so fester an ihn kettet ...

Voß II/1, 20

1280. BÖTTIGER AN BERTUCH

Dresden, 23. August 1804

Ich kann nicht leugnen, daß ich um so lieber im „Merkur" ein gelungenes Werk von Schadow bekanntmache, je despotischer und wegwerfender Goethe und Kompanie den braven Berliner Künstler, dem [Friedrich] Tieck noch lange nicht gleichkommt, seit einigen Jahren behandelt haben.

GoeJb II, 375

1281. CHARLOTTE VON STEIN AN CHARLOTTE SCHILLER

Kochberg, 22. September 1804

Ich sitze vor dem Schreibtisch, wo sich manche gute Freunde auf die Platte schrieben, unter andern Goethe anno 75 und anno 80 noch einmal, mit dem Zusatz: „Ebenderselbe." Alle diese Freunde besitze ich nicht mehr, aber Sie, treue Lollo, bleiben mir.

SchFr II, 350

1282. HENRIETTE VON KNEBEL AN IHREN BRUDER

Weimar, 26. September 1804

Götz bellt und überschreit sich und verdirbt die Rolle ganz und gar; so noch andre auch. Goethe will das nächste Mal etwas wegstreichen; das vorige Mal dauerte es just bis 11 Uhr. Das ist zuviel zugemutet! Die Gothaer, die expreß kamen, werden dran denken.

KnHe 207

1283. GRIES AN GOTTLIEB HUFELAND

Jena, 5. Oktober 1804

In Weimar habe ich den ersten Teil von Goethes umgearbeitetem „Götz" gesehen. Das Stück ist schon vor meiner Rückkehr ganz aufgeführt worden; da die Portion aber auf einmal zu nehmen zu stark befunden ward (es dauerte bis nach 11 Uhr), so ist sie jetzt geteilt worden. Im ganzen scheint man mit den Veränderungen wenig zufrieden zu sein; es ist nur eine Stimme darüber. Auch glaube ich wirklich, daß der zwischen der ersten Bearbeitung und der jetzigen verflossene Zeitraum ein wenig zu sichtbar ist. Goethe scheint, menschlicherweise, in seiner eigenen Sache die im „Werther" aufgestellte Bemerkung vergessen zu haben, daß ein Autor durch eine Veränderung seines Werkes, wenn es in seiner ersten Gestalt gefallen hat, dem Werke notwendig schaden muß. Er will das Stück jetzt noch einmal überarbeiten und für einen Abend vorstellbar machen. Am besten wär es wohl, er ließe es so, wie es seit dreißig Jahren entzückt hat.

Huf 24

1284. SCHÜTZE AN WILHELM GOTTLIEB BECKER

Weimar, 6. Oktober 1804

Das Theater scheint hier in jeder Hinsicht nur mittelmäßig zu sein; doch fehlt es nicht sowohl an guten Schauspielern als an guten Schauspielerinnen. Außer der Jagemann, die selten auftritt, ist keine vorzüglich. Sehr viel Vergnügen hat mir die Aufführung des umgearbeiteten „Götz von Berlichingen" gemacht. Man merkte gleich, daß der Dichter selbst dahinterstand; und so gut und so richtig als hier möchte das Stück schwerlich an andern Orten gegeben werden... Das Stück selbst ist mehr *aus-* und *nach-* als *um*gearbeitet; die wichtigern Szenen sind verlängert und alles mehr motiviert. Es ist darin durch komische und witzige Züge mehr für die Unterhaltung des gewöhnlichen Publikums gesorgt; es fehlt auch nicht an feierlichen Aufzügen und einnehmenden Schlußszenen. Durch dies alles scheint mir aber das Ganze etwas von seiner alten, ernsten Würde verloren zu haben, und es kommt mir vor, als ob Goethe nun auch anfange, etwas dem Publikum zu Gefallen zu tun. Dennoch hat das Stück nicht sonderlich gefallen. Es war nach dem Ende zu etwas langweilig und dauert auch gar zu lange, nämlich fünf volle Stunden.

GoeJb VII, 216

1285. VOSS DER JÜNGERE AN SOLGER

Weimar, 10. Oktober 1804

Goethe ist jetzt mit der neuen Ausgabe seiner gesamten Werke beschäftigt ... Wir haben bei dieser Gelegenheit Hoffnung, daß der ganze „Faust" erscheint; Goethe wird ihn jetzt schwerlich als Fragment drucken lassen, besonders da er so manchmal die Empfindung im Herzen nährt, daß man jetzt eilen müsse, bevor die ewige Nacht eintritt.

ArchivLit. XI, 113f.

1286. SCHILLER AN COTTA

Weimar, 16. Oktober 1804

Goethe denkt jetzt an eine Herausgabe seiner sämtlichen Schriften in einer Handausgabe, ohne Pracht und Verzierung. Nach den Erkundigungen, die ich darüber bei ihm eingezogen, ist er gesonnen, das Werk so zu verakkordieren, daß die sämtlichen Bände im Verlauf von dritthalb Jahren erscheinen sollen und in fünf Jahren, von Erscheinung des ersten Transports an gerechnet, das Recht einer neuen Auflage an ihn heimfallen soll. Der Verleger müßte sich also freilich tummeln, um in diesem kurzen Zeitraum das Werk zu verkaufen. Wie ich ihn sondiert habe, so scheint er nicht weniger als 4 Karolin für den gedruckten Bogen zu erwarten, und er rechnet das Ganze auf etwa 380–400 Bogen. Einige ungedruckte Sachen aus seiner frühern Jugend sind darunter; auch denkt er vom „Faust" soviel dazu zu geben, als er fertig hat, wenn er auch nicht dazukäme, ihn ganz zu vollenden.

Überlegen Sie sich nun, ob Sie auf seine Vorschläge eingehen wollen, und wenn Sie Lust haben, so wäre es gut, ihn einmal, doch ganz im allgemeinen, um ein Verlagswerk zu ersuchen, daß er dadurch veranlaßt würde, Ihnen seine sämtlichen Werke anzubieten.

SchiBr VII, 180f.

1287. VOSS DER JÜNGERE AN IDEN

Weimar, 29. Oktober 1804

Ich war nun acht Tage beständig bei ihm, und fast alle Abende und Mittage bei ihm, und die Zeit verging unter Gesprächen und Griechischlesen. Es ist eine Wonne, mit Goethe zu lesen, denn bei solchen Gelegenheiten tun sich die Goldgruben seines Innern auf. Er ist recht wie in dem arabischen Märchen das goldene Bassin mit dem goldenen Wasser, das in alle Regionen hin seine verklärten Strahlen sendet. Wir haben viel im Sophokles gelesen, und der Sophokles, durch Goethes Geist belebt, wird zu einer Schule alles Schönen und Trefflichen. Lieben Freunde: da saß ich recht in der Nähe des großen und liebenswürdigen Mannes, denn wir sahen aus *einem* Buche ...

Goethe will nie Meister sein und ist es darum um so sicherer. Er verträgt jeden Widerspruch, und es ist nicht selten, daß er in Disputen gern und willig nachgegeben hat, denn manchmal trifft auch mal solch ein Fall ein, daß, was der Prophet Bileam nicht sehen konnte, sein Esel sah.

Dabei ist Goethe die Liebe selbst und sucht in allen Dingen und bei allen Menschen nur die vorteilhaften Seiten auf und beurteilt den Menschen nach dem Maßstabe dessen, was er seiner inneren Natur nach zu leisten imstande ist. Wie kämen wir schwachen Kinder des Staubes auch sonst neben ihm zurecht! ...

Wenn Du, liebster Iden, Goethe je gesehen hast, so wirst Du wissen, daß er Stolbergen ähnelt. Sie könnten der Gestalt nach Brüder sein. Ihrem edlen Wesen nach sind sie's, denn keiner ist vollkommener als der andere, nur Goethe von einem noch erhabeneren Geiste beseelt.

Bode II, 36f.

1288. DOROTHEA SCHLEGEL AN KAROLINE PAULUS

Köln, 8. Dezember 1804

Ich habe, seitdem ich Goethe kenne, immer eine Art von Mißtrauen gegen ihn gehabt. Man darf ja auch nur den „Meister" recht aufmerksam lesen und dabei sich seine Persönlichkeit recht lebhaft vor die Seele bringen, so wird man es ja schon ganz klar finden, wie er eigentlich weit mehr von einem mittelmäßigen als von einem hervorstechenden Talente hält und wie er nur soviel Sinn von den Menschen verlangt, daß sie seine Ideen, aber gerade nur seine Ideen, auszuführen imstande sind, nicht weniger, aber auch nicht mehr. Er behandelt die Universität wie sein Theater und die Professoren wie seine Schauspieler, die er dressiert, so Gott will, auch bilden will, aber freilich nicht jeden auf seine Weise, sondern hübsch harmonisch, daß ein jeder für sich eben nicht viel, aber alle zusammen das Kunstwerk bedeutend bedeuten. Daß er den Mittelmäßigen jetzt schmeichelt, daß muß er nun wohl tun, weil er keine bessern hat. Aber warum er die Guten hat gehen lassen, das ist es, was wenige verstehen werden und was *mir* ganz natürlich bei ihm dünkt. So ist es ihm eben recht. *Alt* war der alte Herr schon längst, sonst hätte er die „Eugenie" nicht dichten können; aber nicht alle, welche *alt* werden, sind deshalb so *veraltet* als er. Dazu muß man eben nie recht jung gewesen sein. Geh, er hat kein Gemüt und keine Liebe, und wenn es damit nicht richtig ist, kann alles auf die Länge nicht gut werden.

SchlVeit I, 143f.

1289. HENRIETTE VON KNEBEL AN IHREN BRUDER

Weimar, 12. Dezember 1804

Ich kann nicht begreifen, wie man sich selbst ersticken kann, wie es doch mit unserm Goethe der Fall ist. Er hat jetzt an seinem „Götz" so viel verdorben und ihn wirklich durch seine neuen Zusätze lahm gemacht. Wieland ergrimmte neulich über ihn und meint, daß er seinen eigenen Wert gar nicht mehr zu schätzen wüßte.

KnHe 214f.

1290. CHARLOTTE VON STEIN AN IHREN SOHN FRIEDRICH

Weimar, Mitte Dezember 1804

Du sagst mir zu wenig von Dir selbst, und mir fällt immer bei Deinen Briefen ein, was der selige Herder von Goethes Briefen sagte: sie kämen ihm vor wie eine Schüssel mit breitem Rand, wo nicht viel drin wäre.

Stein II, 209

1291. CHARLOTTE SCHILLER AN FRIEDRICH VON STEIN

Weimar, 27. Dezember 1804

Wir waren eben mit der lieben Mutter, ich und meine Schwester [Karoline von Wolzogen] und kleine Tante [Sophie von Schardt], bei Goethe, wo die Herzogin Luise auch war, wo wir uns an den Abguß der Minerva von Velletri ergötzt haben; Goethe hat ihn bekommen und aufgestellt...

Goethe war auch krank und fürchtete, bedeutend krank zu werden. Er geht nicht förmlich aus, weil er sich vor aller Erkältung hüten muß. – Die Hofluft tut den schönen Geistern nicht wohl. – Schiller wird auch immer krank, wenn er an Hof geht.

SchFr I, 487f.

1292. PERTHES AN FRIEDRICH HEINRICH JACOBI

Hamburg 1804

Scham, glühende Scham über die Zerreißung unseres Vaterlandes sollte und müßte unsere Herzen foltern, aber was tun unsere Edelsten? Statt sich zu waffnen durch Nährung der Scham und sich Kraft, Mut und Zorn zu sammeln, entfliehen sie ihrem eigenen Gefühl und machen Kunststücke [„Die natürliche Tochter"]. Sowenig aber Rettung für einen Sünder zu hoffen ist, der, um die Reue nicht zu fühlen, Karten spielt, sowenig wird unser Volk, wenn seine Besten so sich betäuben, dem Schicksal entgehen, ein verlaufenes, über die Erde zerstreutes Gesindel ohne Vaterland zu werden.

Per I, 164f.

1805

1293. RIEMER AN FROMMANN

Weimar, 18. Januar 1805

Unser teurer G[oethe] ist gar nicht wohl. Die chemische Stunde ist ihm schlecht bekommen. Es war stark eingeheizt; er ging zu Fuß nach Hause, und es war kalt. Dies brachte ihm Halsweh und Katarrh; hierauf hat sich das Übel nach dem linken Auge gezogen und es inflammiert. Er muß es daher schonen und sich meiner zum Schreiben bedienen. Doch scheint es weiter nichts auf sich zu haben und wird sich geben, wenn er sich nur zu Hause halten kann. Er selbst will nicht, daß man groß Aufhebens davon mache ...

Am Mittwoch sind die „Mitschuldigen" vom Geheimerat gegeben worden und haben sehr gefallen. Es wird nun öfter gegeben werden und ebenso auch ein früheres von ihm, das er hervorsucht.

Rie 64f.

1294. CHARLOTTE VON STEIN AN IHREN SOHN FRIEDRICH

Weimar, 10. Februar 1805

Diesen Brief wollte ich nicht endigen, bis ich wüßte, daß Goethe, der todkrank ist, außer Gefahr sei; denn bis morgen, hatte Stark geäußert, könnte man's erst wissen. Nun hat er aber die Nacht gut geschlafen und befindet sich nur heute matt. Also, hoffe ich, ist die Gefahr vorüber. Er hatte ein Brustfieber. – Eben schickt mir Goethe August und läßt mir sagen, daß ihn Stark außer Gefahr erklärt.

Stein II, 212

1295. VOSS DER JÜNGERE AN SOLGER

Weimar, 24. Februar 1805

Noch denselbigen Abend kam Stark aus Jena (es war am Freitagabend), der erklärte, wenn Goethe bis Sonntag früh lebte, so sei Hoffnung da ... Aber ... schon in dieser Nacht hatte die Krankheit umgeschlagen, die Krämpfe hatten nachgelassen, das Fieber war sanfter gewesen, und der Geliebte hatte über die Hälfte der Nacht ruhig geschlafen. Um 11 Uhr forderte er mich zu sich, weil er mich in drei Tagen nicht gesehn hatte. Ich war sehr bewegt, als ich zu ihm trat, und konnte ... die Tränen nicht zurückhalten. Da sah er mir gar freundlich und herzlich ins Gesicht und reichte mir die Hand und sagte die Worte, die mir durch Mark und Gebein gingen: „Gutes Kind, ich bleibe bei euch; ihr müßt nicht mehr weinen." – Da ergriff ich seine Hand und küßte sie ... zu wiederholten Malen; aber ich konnte keinen Laut sagen ...

Von dem Tage an ist Goethe zusehends besser geworden.

ArchivLit. XI, 117

1296. CHARLOTTE VON STEIN AN IHREN SOHN FRIEDRICH

Weimar, 7. März 1805

Goethe macht schon wieder Visiten par billets; auch ich erhielt eins. Sehr leid tut mir's, daß ich bis jetzt Dir nicht seine Büste habe verschaffen können. Hätte er mehr Wohlwollen als Eitelkeit in seinem Herzen, so hätte er Dir seine Büste schenken können anstatt Gores. Tieck hatte sie mir versprochen, aber er hat unendlich viel zu tun, und nun geht er mit Jagemann nach Italien. Vielleicht kann ich die Büste noch von Gores bekommen, wenn ich mich engagiere, ihnen eine andere dafür zu schaffen.

Stein II, 213

1297. SCHILLER AN WILHELM VON HUMBOLDT

Weimar, 2. April 1805

Goethe war diesen Winter wieder sehr krank und leidet noch jetzt an den Folgen. Alles rät ihm, ein milderes Klima zu suchen und besonders dem hiesigen Winter zu entfliehen. Ich liege ihm sehr an, wieder nach Italien zu gehen, aber er kann zu keinem Entschlusse kommen, er fürchtet die Kosten und die Mühseligkeiten, auch mögen ihn vielleicht andere Einflüsse binden. Unter diesen Umständen hat er freilich nicht viel im Poetischen leisten können; aber Sie wissen, daß er nie untätig und sein Müßiggang nur ein Wechsel der Beschäftigung ist ... Wir sahen uns diesen Winter selten, weil wir beide das Haus nicht verlassen durften.

SchiHu II, 268

1298. LUISE VON GÖCHHAUSEN AN BÖTTIGER

Weimar, 11. April 1805

Goethe ist noch immer sehr bedenklich krank. Die Zufälle, die zwar schnell vorübergehen, wiederholen aber zu oft, um nicht große Sorge um ihn zu haben. Seine Krankheit hält Stark für ein lokal' Übel in den Eingeweiden. Bald, o wie sehr fürchte ich es! wird in Weimar von allen, was darinnen groß und vorzüglich war, nichts mehr übrig sein als – das neue Schloß.

GoeJb X, 150

1299. CHRISTIANE VULPIUS AN NIKOLAUS MEYER

Weimar, 12. April 1805

Der Geheime Rat hat nun seit einem Vierteljahr fast keine gesunde Stunde gehabt und immer Perioden, wo man denken muß, er stirbt. Denken Sie also mich, ich, die außer Sie und dem Geheimen Rat keinen Freund auf dieser Welt habe, und Sie, lieber Freund, sind wegen der Entfernung für mich doch so gut wie verloren. Sie können sich denken, wenn so ein unglücklicher Fall käme und ich so ganz allein stünde, wie mir zumute ist. Ich bin wahrhaftig ganz auseinander. Und dann kommt noch dazu, daß die Ernestine [Vulpius] sich abzehrt und auch dem Grabe sehr nahe ist, und die Tante [Vulpius] ist auch sehr schwach. Es ist also die ganze große Last der großen Haushaltung auf mich gewälzt, und ich muß fast unterliegen. Es wollen zwar die Leute behaupten, man sehe mir es nicht an; aber lange kann es doch nicht so fortgehen.

Und hier ist kein Freund, dem ich so alles, was mir am Herzen liegt, sagen könnte! Ich könnte Freunde genug haben; aber ich kann mich an keinen Menschen wieder so anschließen und werde wohl so für mich allein meinen Weg wandeln müssen. Vor zwei Tagen begleitete ich August, der mit einer Gesellschaft nach Frankfurt geht zur Messe, bis Erfurt. Ich verließ den Geheimen Rat wohl. Ich war kaum ein paar Stunden da, als ich einen Boten erhielt, daß er sich sehr übel befände. Ich reiste gleich zurück und fand ihn sehr schlecht. Itzo, daß ich Ihm das schreibe, befindet er sich durch Hülfe des Hofrat Stark besser, aber nicht außer Bette, und stelle mir nichts Gutes vor. Wenn Sie mir auf diesen Brief antworten, so adressieren Sie ihn an meinen Bruder oder an die Frau Doktorin Buchholz, weil ich weiß: der Geheimer Rat hat es nicht gern, wenn ich was von seiner Krankheit schreiben. Ach Gott, wenn Sie nur hier wären! Ich glaube, die Ärzte kennen seine Krankheit nicht recht, oder es ist ihm nicht mehr zu helfen.

Ich weiß gar nicht, was ich denken soll. Der Zufall kommt gewöhnlich alle vier Wochen mit den größten Schmerzen, wobei er gewiß noch unterliegen muß. Ich glaube, es sind Hämorrhoidal-Umstände, denn der Schmerz ist im Unterleibe, aber Starke will nichts wissen ... Wenn dieser Brief nicht so geschrieben ist, als er sollte, so verzeihen Sie einer Krankenwärterin. Soeben, als ich dieses schreibe, schläft er ein bißchen.

MeyerN 159f.

1300. FRIEDRICH VON STEIN AN CHARLOTTE SCHILLER

Breslau, 12. April 1805

Goethes Krankheit ist mir nahegegangen, ob mir gleich seine Freundschaft völlig abgestorben ist. Er hat mir seit mehreren Jahren höchstens nur dann ein freundlich Wort gegönnt, wenn er eine Dienstleistung verlangte, und mir übrigens die größte Gleichgültigkeit bewiesen. Unter den Wesen, welche Einfluß auf mich in meinem Leben hatten, ist er eines der wichtigsten, und darum ist mir das Andenken dessen, was er für mich war, noch immer wert. Sollte er sterben, so wird sein armes Kind einer Sippschaft anheimfallen, von der ich mein Kind nicht erzogen haben möchte. Doch vielleicht überzeugt er sich dessen und übergibt den Knaben fremden Händen.

SchFr I, 489

1301. FERNOW AN NAUWERCK

Weimar, 14. April 1805

Goethe ist diesen Winter hindurch einigemal sehr gefährlich krank gewesen, so daß man für sein Leben besorgt war. Und wer wünscht zu erleben, daß dieser Angelstern unserer Kunst und des deutschen Geschmacks untergehe? Ich bin während dieses Winters zur Zeit seiner Rekonvaleszenz oft des Abends bei Goethe gewesen, weil ich wußte, daß ihm in diesen Stunden, wo er doch nicht arbeiten konnte, Gesellschaft und Unterhaltung angenehm ist. Außer mir durften nur wenige Freunde so ohne Umstände zu ihm kommen, Schillers nicht zu erwähnen, der natürlich mit seinem Titanenbruder in der genauesten Freundschaft lebt.

Fer 168

1302. CHARLOTTE SCHILLER AN FRIEDRICH VON STEIN

Weimar, 14. April 1805

Dieser Winter war uns allen unheilbringend ... Meine Kinder wurden zuerst krank, alsdann Schiller zu meiner Sorge, der mich seit langer Zeit stets wieder an das veränderliche Schicksal mahnt. Zu der Sorge um Schillers Gesundheit kam die Sorge um Goethe, der bedeutende, ängstliche Zufälle hat, und nun ist es mir auch, als habe ich eine Hoffnung des Lebens weniger. Er war mir immer durch seine leichte gemütliche Existenz ein Trost, wenn ich um mich herum alles leiden sah. Aber jetzt ist auch mein Herz um seinetwillen ängstlich.

SchFr I, 489f.

1303. HENRIETTE VON KNEBEL AN IHREN BRUDER

Weimar, 17. April 1805

Wir werden den Goethe durch seine Freunde warnen lassen... Ich habe es auch oft bemerkt, daß unsre hiesigen Ärzte auf Lebensart zu wenig Rücksicht nehmen. Ich glaube, daß sie hierzuland nur immer an Hunger denken. Da kommt ihnen das Entgegengesetzte gar nicht in Sinn.

KnHe 221

1304. CHARLOTTE VON STEIN AN IHREN SOHN FRIEDRICH

Weimar, 18. April 1805

Goethe wandelt wieder herum, aber sein Übel ist vielleicht unheilbar und kann ihn schnell zum Tode führen, wenn Entzündung dazutritt. Es ist ein Fehler an der Niere.

Stein II, 216

1305. FALK AN BÖTTIGER

Weimar, 18. April 1805

Goethe ist sehr verfallen, und ich mag es Ihnen nicht verbergen, daß sein Gesundheitszustand mir anfängt wie der des seligen Herder vorzukommen. Ich fürchte sehr vor dem künftigen Winter. Von einem tief brütenden Hypochonder wird er schwerlich zu retten sein.

GoeJb X, 151

1306. FERNOW AN KÖRTE

Weimar, 18. April 1805

Mit Goethe will es gar nicht recht fort. Er ist so verfallen, daß, wenn ich ihn sehe, es mir oft Schreck macht.

Bode II, 46

1307. VULPIUS AN NIKOLAUS MEYER

Weimar, 19. April 1805

Goethe war wieder sehr krank; doch ist es nun besser. Er hat uns diesen Winter hindurch stets sehr besorgt für sein Leben gemacht. – August ist in Frankfurt bei der Großmutter. Christel ist wohl, aber Ernestine [Vulpius] hat sich die Auszehrung an den Hals getanzt und geärgert, und selbst Stark zweifelt an ihrer Rettung.

MeyerN 161

1308. SCHILLER AN KÖRNER

Weimar, 25. April 1805

Goethe war sehr krank an einer Nierenkolik mit heftigen Krämpfen, welche zweimal zurückkehrte. Dr. Stark zweifelt, ihn ganz herstellen zu können. Jetzt hat er sich wieder ganz leidlich erholt. Er ging soeben aus meinem Zimmer, wo er von einer Reise nach Dresden sprach, die er diesen

Sommer zu machen Lust hat. Arbeiten kann er in seinen jetzigen Gesundheitsumständen freilich nicht, und gar nichts vornehmen ist wider seine Natur. So ist ihm am besten geraten, wenn er unter Kunstanschauungen lebt, die ihm einen gebildeten Stoff entgegenbringen.

Er hat diesen Winter doch nicht untätig zugebracht. Außer einigen sehr geistvollen Rezensionen in der „Jenaischen [Literatur-]Zeitung" hat er ein ungedrucktes Manuskript Diderots [„Rameaus Neffe"], welches uns ein glücklicher Zufall in die Hände brachte, übersetzt und mit Anmerkungen begleitet ...

Außer dieser Arbeit hat Goethe auch ungedruckte Briefe von Winckelmann drucken lassen und mit seinen Zusätzen und Bemerkungen begleitet [„Winckelmann und sein Jahrhundert"] ... Poetisches ist nichts entstanden.

SchiBr VII, 240f.

1309. RIEMER AN FROMMANN

Weimar, um den 4. Mai 1805

G[oethe] ist über den schlimmen Tag, der heute eintreten müßte, wie es scheint, hinweg ...

Rie 67

1310. RIEMER AN FROMMANN

Weimar, 11. Mai 1805

Gewiß wird die Nachricht von unsers Schillers Hingange Sie sehr erschreckt haben. Keiner von uns erwartete ihn ... Goethe ist, wie Sie denken können, sehr dadurch alteriert, ob er sich gleich zusammennimmt und vor uns ruhig erscheint, wie es einem Manne seiner Art ziemt.

Rie 68

1311. CHARLOTTE VON STEIN AN IHREN SOHN FRIEDRICH

Weimar, 11. Mai 1805

Goethe ist völlig wiederhergestellt und kommt jetzt öfter zu mir. Schiller bleibt ihm ein unersetzlicher Verlust. Er sprach heute so schön und original über den physischen und geistigen Menschen, daß ich's hätte mögen gleich aufgeschrieben haben.

Stein II, 217

1312. RIEMER AN FROMMANN

Weimar, 13. Mai 1805

Mit G[oethe] steht es gut. Er arbeitet alle Morgen ... an seiner Optik, und ich bin ihm treu dabei behülflich. Die Krankheit scheint sich einen ordentlichen Ausweg verschafft zu haben, der, wenigstens nach des jungen Starkes Versicherung, unschädlich, ja unschuldig ist. Meyer, Fernow und ich sind abwechselnd seine Unterhaltung in den Stunden der Abspannung und Erholung.

Rie 69

1313. RIEMER AN FROMMANN

Weimar, 18. Mai 1805

G[oethe] ist sehr fleißig und war bis auf gestern abend immer wohl. Von dem Eindruck, den Schillers Ableben auf ihn gemacht, ließ er sich nichts merken. Es ward ihm künstlich beigebracht. Bei dem ersten Eindruck war niemand als die V[ulpius] zugegen. Den Tag über durfte niemand davon reden. Am dritten Tage sprach er zuerst selbst mit mir von dem Verlust, den die Literatur erlitten, was Schiller noch alles vorgehabt zu tun und zu leisten.

Vorigen Abend aber befiel ihn sein alter Seitenschmerz, doch nicht so stark wie das vorige Mal. Er hat auch geschlafen und will nur heute noch sich ruhig verhalten.

Rie 70

1314. VULPIUS AN NIKOLAUS MEYER

Weimar, 20. und 21. Mai 1805

20. Mai. Leider, so gesund er auch wieder zu sein schien, so kamen vorgestern seine Krämpfe doch so schrecklich wieder, daß Stark von Jena um Mitternacht herbei mußte. Es hat sich jetzt wieder gegeben, und St[ark] meint, das Übel wird chronisch werden, doch so, daß es immer nur nach längeren Pausen wiederkäme, um endlich zu verschwinden. Aber bis dahin? – Seine Kräfte gehen sehr darauf. Er hört ungern davon reden, und man muß sich hüten, Briefe sehen zu lassen, in welchen davon gesprochen wird.

21. Mai. Morgen wird seine [Schillers] Übersetzung der „Phädra" des Racine gegeben, und vorher wird ihm zu Ehren etwas [Goethes „Epilog zu Schillers ‚Glocke'"] musiziert und gesprochen.

Die Menschen hier sind gar sonderbar! Es ist schon, als wenn gar kein Schiller unter ihnen gelebt hätte, so wie's bei Herdern auch war.

MeyerN 163f.

1315. VOSS DER JÜNGERE AN SOLGER

Weimar, 22. Mai 1805

Goethe arbeitet an der Ausgabe seiner sämtlichen Schriften. Auch an seiner Optik arbeitet er, um nichts unvollendet zurückzulassen, und doch ist bei ihm des Unvollendeten noch sehr viel und wird es auch bleiben. Riemer und ich haben hiebei auch unser Geschäft bekommen. Mir hat Goethe ein Exemplar von „Hermann und Dorothea" gegeben, mit Papier durchschossen. Ich soll die Hexameter mustern und alle meine Einfälle unter den Namen „Änderungen und Vorschläge" beischreiben.

ArchivLit. XI, 126

1316. VOSS DER JÜNGERE AN NIEMEYER

Weimar, Mai 1805

Nach Schillers Tode habe ich mit Goethe einen Auftritt erlebt, den ich nie vergessen werde. Er hatte einen kleinen Rückfall von seinem Übel gehabt und ging zum erstenmal im Park spazieren, wo ich ihm begegnete. An dem Tage hatte er durch Riemer erfahren, daß mein Vater nach Heidelberg gehn würde. Seine Krankheitsschwäche, Schillers Tod und der Verlust meines Vaters – alles lag schwer auf seinem Gemüt. Er fing mit einer Heftigkeit an zu reden, bei der ich vor Entsetzen erstarrte. „Schillers Verlust", sagte er unter andern, und dies mit einer Donnerstimme, „*mußte* ich ertragen, denn das Schicksal hat ihn mir gebracht. Aber die Versetzung nach Heidelberg, das fällt dem Schicksal nicht zur Last, das haben Menschen vollbracht." Ich vermochte ihm nicht zu antworten, aber nie habe ich einen größeren Jammer gefühlt als in diesem Augenblick. Wir gingen wohl fünf Minuten stumm nebeneinander. Endlich ergriff er meine Hand mit einer leidenschaftlichen Heftigkeit und drückte und schüttelte sie, wie er es nie getan.

Voß II/1, 64f.

1317. CHARLOTTE VON STEIN AN IHREN SOHN FRIEDRICH

Weimar, Anfang Juni 1805

Goethe kommt jetzt öfterer zu mir; Schiller ist ihm ein großer Verlust. Nur wer recht geliebt hat, kann und muß an eine Zukunft glauben. Hätten Schiller und Goethe nur *einen* Menschen so geliebt, wie ich Dich liebe, die Zukunft, das Wiederfinden wäre ihnen unentbehrlich gewesen.

Stein II, 218

1318. WIELAND AN GÖSCHEN

Weimar, 6. Juni 1805

Ich kann mir vorstellen, welche Sensation die Nachricht von Schillers Tode in Leipzig gemacht haben muß. Nach Herdern und solange uns Goethe noch erhalten wird, konnte Deutschlands Literatur keinen empfindlicheren Verlust erleiden. Wollte Gott, daß wir nur nicht auch über den Einzigen, der uns darüber trösten kann, noch immer in Sorgen schweben müßten! Ich kann Ihnen nicht ausdrücken, wie leicht mir ums Herz würde, wenn ich gewiß sein könnte, diesen Fall nicht zu erleben. Indessen nimmt doch die Hoffnung täglich zu, daß seine treffliche Natur das Übel, das ihn schon zweimal in diesem Jahr dem Tode nahe gebracht, zuletzt doch, wo nicht gänzlich besiegen, wenigstens so modifizieren und dämpfen werde, daß seine Freunde und die Welt seines Daseins in unsrer Mitte noch lange genießen und sich noch manche Früchte seines herrlichen Geistes versprechen können.

WieL IV, 399f.

1319. LUISE VON GÖCHHAUSEN AN BÖTTIGER

Weimar, 10. Juni 1805

Keine Trauerszene ging auf dem Theater vor. Wer sollte sie veranstalten? Goethe war kränklich und im tiefsten Schmerz ...

Mit Goethes Gesundheit geht es besser, und ich hoffe, er wird uns erhalten. Er besucht wieder Gesellschaften und ist oft bei uns.

Bö II, 250ff.

1320. PRINZESSIN KAROLINE AN CHARLOTTE SCHILLER

Wilhelmstal, 12. Juni 1805

Fritz Stein sein Brief hat uns recht gefreut ... Daß Ihnen unser anderer Freund nicht so wohltätig sein kann, tut mir leid für ihn, denn er muß in einer traurigen Stimmung sein, nicht Stärke genug haben, sich Trost geben zu wollen.

SchFr I, 535

1321. WILHELM GRIMM AN SEINEN BRUDER JAKOB

Marburg, 17. und 24. Juni 1805

17. Juni: Heute hab ich etwas ganz Köstliches gelesen: Diderots „Vetter Rameau", von Goethe übersetzt. Klar, hoher Verstand, witzig; ich weiß nicht, wie ich es anfangen soll, um es recht loben zu können ... Das beste Urteil hat Goethe selbst darüber gesagt in einem Anhang, der äußerst interessant ist und herrliche Gedanken sagt, treffende für das jetzige Zeitalter ... Ich glaube, daß niemand ein solches Werk von der Gediegenheit, Festigkeit und der eben daraus entspringenden Leichtigkeit, Klarheit schreiben könnte als eben Goethe, und es mußte ihm deshalb notwendig zusagen. Wenn man so etwas liest, kann man sich eigentlich erst einen Begriff machen von dem, was Stil heißt ...

24. Juni: Von dem herrlichen Buch ..., Goethes „Vetter Rameau", steht im „Freimütigen" eine erbärmliche Anzeige von Merkel. Er nennt es das Charakterisieren eines stinkenden, zerfließenden Leichnams etc., und es fänden sich nur dann und wann gute Bemerkungen ...

Grimm 61ff.

1322. AUGUST VON GOETHE AN NIKOLAUS MEYER

Weimar, 24. Juni 1805

Der Vater befindet sich jetzt wieder recht wohl, ob er gleich am 21. dieses Monats den sechsten Anfall von den ihn sehr quälenden Krämpfen hatte. Dieser Anfall war aber sehr schwach, und er ging schon den andern Tag wieder aus. Der Herr Geheime Rat Wolf aus Halle war einige Zeit bei uns, und jetzt ist der Herr Geheime Rat Jacobi bei uns. Wir befinden uns alle recht woh[l]... Nur die Ernestine [Vulpius] wir[d] woh[l] bald sterben, denn sie hat die Auszehrung gar sehr.

MeyerN 164f.

Jakob und Wilhelm Grimm

1323. CHARLOTTE VON STEIN AN CHARLOTTE SCHILLER

Weimar, 24. Juni 1805

Die Göchhausen ... ist mit mir von Tiefurt herausgefahren, bei mir abgestiegen und in den Park gegangen, um Philosophen aufzusuchen. Aber es begegnete uns nur einer, der Doyen Wieland. Er hatte bei Goethe mit Jacobi und des Jacobi Schwester zu Mittag gegessen; die Vulpia war von der Gesellschaft. Am Tisch, sagt Wieland, habe er (der Hausherr) ihr mit zarten Attentionen begegnet, und doch ist's entweder Lüge, oder er müßte eine Analogie mit der Mägdenatur haben.

SchFr II, 351

1324. VOSS DER JÜNGERE AN CHARLOTTE SCHILLER

Weimar, 28. Juni 1805

Goethe hat vorigen Sonnabend einen Anstoß seiner Krankheit gehabt, aber schon wieder schwächer als das letztemal. Starks Prophezeiung trifft ein: die Anfälle kehren von Zeit zu Zeit seltener und schwächer zurück, ehe sie ganz aufhören. Nur zwei Stunden hat Goethe gelitten, dann ruhig geschlafen, und am andern Morgen ist er wieder spazierengegangen. Dieses Übel hat in ihm gewühlt, als meine Eltern hier waren. Jacobi ist nach dem Ausbruch gekommen und hat einen äußerst heiteren, geselligen und mitunter lustigen Goethe gefunden. Goethe hat sogar einen Geniestreich gemacht. Kaum ist Jacobi nach Jena abgereist, so folgt ihm Goethe nach und überrascht ihn daselbst. Das freut mich herzlich, daß Goethe meine Eltern noch einmal in Jena sieht.

SchFr III, 201 f.

1325. KNEBEL AN SEINE SCHWESTER HENRIETTE

Jena, 28. Juni 1805

Goethe war gestern hier nebst dem Geheimen Rat Jacobi, der nach München als Präsident der dortigen Akademie der Wissenschaften geht. Wir waren den größten Teil des Abends bei Voß zusammen, und der Abend hat mir einen Teil meiner bisherigen Freudenlosigkeit abgestreift, da unter zusammengestimmten Menschen wirklich eine Art neuen Lebens entsteht. Goethe scheint mir den Rest seiner Tage bloß zum Gebrauch und zu Vollendung seiner Geistesarbeiten anwenden zu wollen, welches denn sehr rühmlich ist. Seine letzten Schriften sind auch vortrefflich und zu einem gewissen zusammenfassenden Endzweck.

KnHe 227f.

1326. CHRISTIANE VULPIUS AN NIKOLAUS MEYER

Weimar, 2. Juli 1805

Der Geheimer Rat befindet sich wieder etwas besser, aber das Übel kommt doch immer wieder, und man ist sozusagen keinen Augenblick sicher davor. Ich lebe in lauter Angst. Seit einiger Zeit ist es bei uns von Fremden nicht leer geworden ...

Und für den schönen Lachs danke ich Ihnen sehr; der Geheime Rat befand sich, als er ankam, recht wohl und hat sehr viel davon gespeist. Auch habe ich den Gästen davon vorgesetzt. Gestern erhielt der Geheime Rat Briefe von Halle, daß der berühmte Gall seine Vorlesungen nun anfängt, und heute um 4 Uhr gehen wir nach Lauchstädt und von da nach Halle.

MeyerN 165f.

1327. DOROTHEA SCHLEGEL AN KAROLINE PAULUS

Köln, 13. Juli 1805

Den „Winckelmann" von Goethe habt Ihr doch gewiß schon gelesen? Was sagst Du zu diesem sächsisch-weimarischen Heidentume? Ich gestehe Dir, mir kömmt das Ganze sehr flach, ja gemein, Goethes Stil unerhört steif und preziös und die Antipathie gegen das Christentum sehr affektiert und lieblos vor. Und wahrhaftig, wenn man *alt* ist, ist man noch lange nicht *antik;* aber wenn man sich so gewaltsam versteinert und durchaus antik sein will, dann wird man vielleicht alt.

SchlVeit I, 155

1328. FRIEDRICH HEINRICH JACOBI AN KOEPPEN

Ems, 24. Juli 1805

Von dem mißlichen Gesundheitszustande, worin Goethe sich seit dem Anfange dieses Jahres befindet, werden Sie gehört haben. Meine Erscheinung machte ihn sehr froh, und nach und nach erheiterte und erholte er sich dergestalt, daß ich die zwei letzten Tage fast meinen alten Goethe wiederhatte. Sein großes Anliegen war, meine Philosophie ganz zu erfahren und hierauf sie mit der seinen verträglich zu machen. Ich glaube, er hätte mir gern dartun mögen, daß er alle meine Wahrheiten in sein System aufnehmen könne, dem meinigen aber einige Wahrheiten des seinigen mangelten. Einmal wurde er fast ärgerlich, da ich es ihm zu klar machte, daß, wie Pascal sagt, ce qui passe la géométrie, nous surpasse, und deswegen eine spekulative Naturlehre nach der neuern Art nur ein Hirngespinst sein könne. Er erholte sich aber gleich wieder, da ich mit Heiterkeit den Beweis fortsetzte und die Gründlichkeit meines Dualismus gegen alle neuere Identitäts-Systeme ins Licht stellte.

JacBr II, 368f.

Eutritzsch, 30. Juli 1805

Vor ungefähr vierzehn Tagen habe ich einen überaus angenehmen Tag in Halle verlebt. Ich war zu Fuße hinübergelaufen, ohne eigentlich zu wissen, warum.

Ich ging ... zu Wolf; wir kamen auf Goethe zu sprechen. Er sagte mir, Goethe sei jetzt im Bade zu Lauchstädt, könne aber nach aller Ärzte Aussage dies Jahr nicht mehr zu Ende leben. Wie ich Abschied nehmen wollte, bat er mich, zum Abendessen wiederzukommen; er habe einige Gesellschaft, die mich gewiß interessieren würde. Wie ich hinkam, fand ich von Hallensern Schütz, Schleiermacher, den Kapellmeister Reichardt, Steffens und Knapp, aber außer diesen Dr. Gall und – rate einmal! – G-o-e-t-h-e-n! Er sprach viel mit mir, denn ich würde gar den Mut nicht gehabt haben, ihn auch nur mit einem halben Wörtchen angeredet zu haben. Um so mehr freute ich mich, daß er mich anredete, denn sprechen mocht ich herzlich gern mit ihm. Beim Weggehn sagte er mir, ich solle ihn besuchen, wenn ich nach Weimar käme; aber ich möchte die Reise nicht zu weit hinaussetzen, sonst suchte ich dort wahrscheinlich vergebens; aber auf jeden Fall hoffe er mich wiederzusehn. Wolfen bin ich unmenschlich gut geworden für diesen merkwürdigen Abend, den er mir dazu so überraschend bereitete. Ich bat Goethen um ein Blatt für mein Stammbuch, wo ich es jedoch nicht will hineinbinden lassen. Er schrieb mir aus seiner Elegie „Euphrosyne“ die Worte der Weihung auf:

> Sei mir lange zur Lust, und ehe mein Auge sich senket,
> Wünsch ich dein schönes Talent glücklich vollendet zu sehn.
> Goethe

Ich werde das Blatt sehr heilig halten, denn ich sehe Goethen wohl nicht wieder.

Pas 54

1330. RIEMER AN FROMMANN

Lauchstädt, 5. August 1805

Goethe ist wohl, und seine Gesundheit scheint, als wolle sie von nun an beständiger bleiben. Die Duschbäder bekommen ihm sehr wohl. Er hält auf Diät und ißt des Abends nichts, außer Tee und vielleicht späterhin eine Suppe. Aber lange wird es wohl nicht dauern, denn der Hausgeist wird ihm so lange zureden, daß der Tee ihn schwäche und er etwas Ordentliches genießen müsse usw., wie wir es schon erlebt haben.

Rie 73

1331. LANGER AN STROMBECK

Wolfenbüttel, 9. August 1805

Das neueste Produkt [„Winckelmann"] von Goethe (diesem Montblanc unsrer Literatur, wie Hans [Jean] Paul ihn sehr treffend begrüßt, denn keinen frostigern Gesellen gibt es auf Gottes Erdboden!) ist patientissime von mir durchgelesen . . .

Lang 11 f.

1332. WILHELM GRIMM AN SEINEN BRUDER JAKOB

Marburg, 10. August 1805

Der „Freimütige" fährt noch auf die erbärmlichste Art fort, an Goethe zu zupfen. Es ist gut, daß er zu hoch steht und der „Freimütige" so niedrig; denn wenn er nur von einiger Bedeutung wäre, so müßte ein solches Betragen empörend sein. Jetzt ist es nur verächtlich. Neulich ließ Merkel groß drucken: „Ein lächerlicher Fehler in der Übersetzung ‚Rameaus Neffe' von Goethe"; sagte darin: „Wenn die Leser der französischen Sprache *so wenig* kundig, als der berühmte Herr Übersetzer es schien" etc. Etwas, was er hernach zurücknehmen mußte. Goethe hat natürlich richtig übersetzt. Ein andermal heißt es, es werde ihm leicht sein, über den Mann (einen englischen Schriftsteller Murphey, glaub ich) ein Buch zu schreiben: „M. und sein Jahrhundert", und darin unwahre und wahre, dumme, einfältige und witzige Stellen hinzuwerfen und alles drucken zu lassen etc.

Der Merkel hat doch noch nie die Ehre gehabt, daß ihm Goethe nur ein Wort geantwortet hätte.

Grimm 73

1333. RIEMER AN FROMMANN

Weimar, 14. August 1805

G[oethe] und August sind noch nicht hier; sie machen erst einige kleine Reisen und kommen nicht leicht vor Ende August wieder.

G[oethe] befindet sich nicht nur leidlich, sondern auf dem Wege zur völligen Gesundheit. Es sind nicht Hämorrhoiden, noch was man sonst glaubte; sondern es war eine örtliche Schwäche des Unterleibs, welche durch das Duschbad und die strenge Diät in Absicht des Champagners und des Abendessens und durch reichliche Bewegung ganz gehoben scheint, denn G[oethe] fühlt auch nicht den leisesten Schmerz mehr an den sonstigen Stellen. Dies gibt uns schöne Aussichten für die Zukunft, da wir Menschen nun einmal so interessiert sind, von jedem Leben auch eine sich auf uns erstreckende Tätigkeit selbst im hohen Alter noch zu verlangen.

Rie 75

1334. CHARLOTTE VON SCHIMMELMANN AN CHARLOTTE SCHILLER

Seelust bei Kopenhagen, 15. August 1805

Alle seine Umgebungen müssen doch den unsterblichen Geist drücken. Ist er noch so leblos geblieben? Sehen Sie sich wieder? Und wie? – Blieb er noch untätig?

SchFr II, 415

1335. ERNESTINE VOSS AN CHARLOTTE SCHILLER

Heidelberg, 15. August 1805

Mit Goethe sind wir gerade da stehengeblieben, wo wir standen, als ich Sie zuletzt sahe. Es ist auch nicht eine Silbe von unserem Wegziehen geredet. Es ist nicht ein herzliches Wort gesprochen. Goethe ist nicht bestimmt, das Wohltätige, was herzliche Verbindung geben kann, sich zu eigen zu machen. Ich beneide auch seine einsamen Stunden nicht, denn er muß doch manchmal eine dunkle Ahndung davon haben, daß es nicht gut ist, daß der Mensch allein stehe. Ich habe auch keine Sehnsucht nach seiner Nähe; mir ist gottlob! die Welt noch nicht wieder so eng gewesen als in seinen Zimmern!

SchFr III, 192

1336. CHARLOTTE VON STEIN AN IHREN SOHN FRIEDRICH

Weimar, 20. August 1805

Gall hat ein bedeutendes Gesicht; er scheint gutmütig, doch schlau zu sein. Wenn er vorträgt, so fährt er sich mit der Hand übers Gesicht, gerade wie Goethe zu tun pflegt, wenn er etwas vorträgt ...

Goethe hat den Dr. Gall in Halle gehört, und da Goethe seinen periodischen Anfall von Kranksein eben bekam, hat er ihn noch dreimal vor seinem Bette gehört. Doch schreibt mir Goethe gar nichts darüber. Weil er aber alle seine Briefe nur diktiert, so kann er doch nie ganz offen sein.

Fritz von Stein I, 168f.

1337. CHARLOTTE SCHILLER AN FRIEDRICH VON STEIN

Weimar, 22. August 1805

Goethe ist jetzt viel besser; er ist nach Helmstedt von Lauchstädt aus gereist, um Beireis kennenzulernen. – Ich hoffe, wenn er wiederkommt, hat er Mut, mich zu sehen. Er war sehr krank; daher habe ich seine zu große Weichlichkeit mir gedeutet. – Ihre Art des Schmerzens, Ihr Anteil an Schiller, mein guter lieber Freund, war meinem Herzen wohltätiger. Das Schonen des Gefühls ist mir schmerzlicher als eine Ergießung des Gefühls.

SchFr I, 495

1338. VOSS DER JÜNGERE AN HELLWAG

Jena, 26. August 1805

Meine verehrten Freunde Goethe und Schiller waren beide krank, und besonders der erste schien uns verlassen zu wollen. Das hat sich anders gewandt; er ist jetzt sehr wohl... Aber Schiller, der edelste Mann, den die Erde trug, ist nicht mehr ...

Goethe ist mir ein zweiter Vater mit wahrer Vatertreue, und mein ganzes Streben ist, auch ihm, wie meinen Eltern, ein lieber Sohn zu bleiben. Gott gebe ihm folgenden Winter eine feste Gesundheit! Aufheiterung wird er dann genug finden in der Ausgabe seiner sämtlichen Werke, die ihn jetzt ganz beschäftigt. Mehreren seiner jüngeren Freunde hat er in dieser Hinsicht Arbeiten aufgegeben, mir zum Beispiel die Durchsicht des hexametrischen Vers- und Periodenbaues in seinen antiken Gedichten, und ich bin vorerst an „Hermann und Dorothea" gegangen, wo ich meine Probe ablege, wieweit ich meinem Vater den Hexameterbau nach den strengsten Regeln abgelernt habe.

VoßH 8

1339. VULPIUS AN NIKOLAUS MEYER

Jena, 30. August 1805

Meine Schwester ist von Lauchstädt seit vierzehn Tagen zurück. – Der Geheime Rat aber ist umhergereiset und in Helmstedt gewesen, um den sonderbaren Bauerreis [Beireis] kennenzulernen. Jetzt ist er wieder in Lauchstädt und schreibt etwas [„Schillers Totenfeier"], womit im Oktober

Schillers Apotheose auf dem hiesigen Theater gefeiert werden soll ...

Hier in J[ena] ist es ziemlich leer. Man zählt etwa 260 Studenten.

Allenthalben ist die Teurung drückend, besonders aber in W[eimar]. Dies hat auf alles sichtbaren Einfluß. Der Mut fehlt überall.

MeyerN 172

1340. CHARLOTTE SCHILLER AN COTTA

Weimar, 12.? September 1805

Goethe ist jetzt zurück von seiner Reise und ist gesünder und stark im Gemüt. Ich habe ihn einigemal gesehen, und er kann jetzt mit Fassung mich sehen. Sein Umgang ist mir wohltuend; er spricht über wissenschaftliche Dinge mit uns und Naturgeschichte. Es scheint, er hat jetzt mehr als je das Bedürfnis, sich mitzuteilen, und ich höre ihn gern. Es tat mir seiner selbst willen weh, daß ich ihn nicht sah, denn es zeigte mir, daß sein Gemüt noch nicht so gefaßt war, als es ihm gut ist. Es ist ja das einzige, was uns bleibt, mit unsern Freunden zu leben und in der Erinnerung an das, was wir verloren. Über Schiller hat er mir noch nicht gesprochen, aber ich fühle, daß sein Andenken ihm nahe ist und daß es ihm auch schmerzlich, doch aber wohl ist, mich zu sehen.

SchiCo 559

1341. GÖSCHEN AN BÖTTIGER

Leipzig, 8. Oktober 1805

Wie ich höre, so gibt Cotta nun auch Goethes Werke heraus, ohngeachtet ich mit Goethe über die folgenden Auflagen einen bindenden Kontrakt habe. Das ist ein feiner Bursche unter dem Mantel des Goethe-Bonaparte! Bald wird Cotta nichts mehr an mich zu plündern finden. Wohl möge es ihm bekommen!

GoeJb VI, 105

1342. LUISE VON GÖCHHAUSEN AN BÖTTIGER

Weimar, 4. November 1805

Goethens wissenschaftliche Bemühungen zugunsten eines kleinen Zirkels von Damen, zu welchem auch ich die Ehre habe zu gehören, haben wieder ihren guten Fortgang. Mittwochs von 10 bis 1 Uhr hält er über verschiedene naturhistorische Gegenstände Vorlesungen, die auch Papa Wieland zuweilen besucht. Diese sind wirklich sehr lehrreich und unterhaltend.

Bö II, 255

1343. RIEMER AN FROMMANN

Weimar, 16. November 1805

Wir haben unterdes allerlei gesehen, den Kaiser. Was wollen wir mehr? Besser A[lexander] als B[onaparte]. – Wenn nur Friede würde! Wir haben die Franzosen so tief in Deutschland, daß wir sie nicht noch mehr reizen müssen. Das Volk ist wie Heuschrecken ...

Unser Herzog ist krank, doch bessert sich's mit ihm. G[oethe] hat sich auch einen steifen Hals am Hofe geholt und war gestern nacht recht krank. Heute geht's ... Durch die Störungen bei Hofe ist er aus der Arbeit gekommen.

Rie 79

1344. RIEMER AN FROMMANN

Weimar, 20. November 1805

G[oethe] ist wieder vollkommen besser und sonst immer wohl und heiter. Der Würzburger als gewöhnlicher Tischwein und zu fetten Braten das englische Gewürz Piccalillo bekommen seinem Magen ... vortrefflich ...

Heute werden die preußischen Helden hier einziehen und morgen hier Rasttag halten. Das Korps der Offiziere hat sich „Wallensteins Lager" ausgebeten. Vermutlich wollen sie sich daraus begeistern!

Rie 80

1345. FERNOW AN BÖTTIGER

Weimar, etwa Ende November 1805

Was die Visitenkarte betrifft, so hat der Kaiser [Alexander I. von Rußland] nicht nur allen Geheimen Räten, sondern auch sogar den Hofdamen samt und sonders welche senden lassen, und es ist allerdings eine ehrende Aufmerksamkeit, daß auch eine auf des Kaisers ausdrücklichen Befehl an Wieland hat gesendet werden müssen, obgleich er weder Geheimer Rat noch Hofdame ist. Es ist aber falsch, daß bloß Wieland und nicht auch Goethe dergleichen erhalten haben sollte. Überhaupt ist der Kaiser hier gegen alle Menschen, die ihm nahe gekommen, so leutselig und zuvorkommend artig gewesen, daß eine solche Auszeichnung oder Zurücksetzung überhaupt bei keinem Menschen stattgefunden hat. Aber was für elendes Zeug wird nicht bei jeder Gelegenheit über Goethe geklatscht und gelogen!

Bö II, 287

1346. VULPIUS AN NIKOLAUS MEYER

Weimar, 6. Dezember 1805

Seit sechs Wochen haben wir täglich Durchmärsche von Soldaten, Geschütz, Preußen, Sachsen pp. Alle Dörfer liegen hagelvoll; z. B. Oberweimar hat 150 Mann. Alles steigt zu enormen Preisen, und wir wissen nicht, was aus uns werden soll ...

Goethe arbeitet an seiner „Farbenlehre", die Ostern erscheinen soll, und hat für gar nichts sonst Zeit.

MeyerN 179f.

1347. HENRIETTE VON KNEBEL AN IHREN BRUDER

Weimar, 14. Dezember 1805

Goethe hat am vergangnen Mittwoch gar schön über die Elastizität der Luft gesprochen und noch hübscher über die moralische Elastizität: wie große und ungewöhnliche Erscheinungen und Begebenheiten auf den Menschen wirken, ganz nach seiner Art, schön und frisch.

KnHe 239

1348. LOUIS FERDINAND PRINZ VON PREUSSEN AN PAULINE WIESEL

Gera, etwa Mitte Dezember 1805

Ich habe nun Goethen wirklich kennengelernt; er ging gestern noch spät mit mir nach Hause und saß dann vor meinem Bette. Wir tranken eine Flasche Champagner, und er sprach ganz vortrefflich. Herrlich deboutonnierte sich seine Seele. Er ließ seinem Geiste freien Lauf; er sagte viel, ich lernte viel und fand ihn ganz natürlich und liebenswürdig.

Preu 62

1349. CHARLOTTE VON STEIN AN IHREN SOHN FRIEDRICH

Weimar, 19. Dezember 1805

Indes alles nur von Krieg und Politik spricht, hören wir alle Mittwoch bei Goethen eine gelehrte Vorlesung. Die meisten Male sagt er einen lichten Punkt, worauf man sich denn freut, daß er ihn ausführen wird; aber er berührt ihn nicht wieder; es müßte denn sein, daß er sie zuletzt wie Raketen zum Himmel steigen ließ und sie nicht vielleicht verhüllt läßt, wie das Büst der Minerva in seiner Stube mit einem abgelegten Schal von Mlle. Vulpius verschleiert ist.

Fritz von Stein II, 112

1350. VULPIUS AN NIKOLAUS MEYER

Weimar, 28. Dezember 1805

Daß Sie von G[oethe] wenig lesen, kömmt daher, daß er gar nicht à son aise ist. Immer kränkelt er. Die Ärzte sagen, er halte sich in Essen und Trinken nicht nach ihren Vorschriften ...

Wir haben so viel Soldaten, daß von Eisenach bis Jena 46000 Mann liegen. Unsere Stadt hat 1600 Mann, und die Teurung wird rasend.

MeyerN 184

1351. PERTHES AN FRIEDRICH HEINRICH JACOBI

Hamburg, etwa 1805

Winckelmanns Briefe wie „Winckelmann" selbst haben mir, so interessant sie sind, wenig gefallen, und Goethe tut Winckelmann zu viel Ehre an, wenn er ihn einen gründlich gebornen Heiden nennt und ihn gleichsam zum Repräsentanten seiner eignen Welt- und Menschenanschauung macht. Schön und wahr finde ich dagegen die Entwickelung des Goethischen Heidentums, welches so scharf und bestimmt wie sonst nirgends als der andere Pol des Christentums erscheint: auf der einen Seite Stärke und Einheit durch die Liebe, auf der andern Seite Selbstverlaß. Das Christentum ist ein Verliehenes, und im Christentum wird alles fortdauernd durch die Gnade Gottes gegeben und durch die Liebe empfangen. Das Heidentum ist die Natur, und im Heidentum ist jedes Produkt ein Selbst. Die religiösen Gefühle des Menschen erscheinen als ein Erzeugnis der Natur; jedes Geschöpf soll als sich selbst schaffend fest und rein auf seinen eignen zwei Füßen stehen; der Mensch soll alles genießen, allem widerstehen, alles Unvermeidliche leiden mit eigner vollen Kraft. Heidentum und Christentum erschöpfen, wie mir scheint, alles, und das zwischen ihnen Liegende ... ist immer nur ein inkonsequentes Bruchstück, ist Lappenwerk und Eitelkeit. Es gibt nur Demut oder Stolz. Daß Goethe den ihm entgegenstehenden Pol haßt, ist natürlich. Und warum wollte der Christ nicht einen vollen Feind lieber sich gegenüber haben als zehn hinkende Schwätzer? Es versuche nur einer ehrlich, ein Goethischer Heide zu werden und wirklich auf eignen Füßen zu stehen – das wird ihm Arbeit genug kosten und dem Christentum viele Proselyten zuführen.

Per I, 151 f.

1806

1352. BRENTANO AN ARNIM

Heidelberg, 1. Januar 1806

... kaum betrittst Du die Dichterbahn, so begegnet Dir der beste lebendige Meister auf der Chaussee ... und bietet Dir tröstend und freundlich die Hand. Dir, dem alle abgeschiedenen großen Dichter geliebt sind, ist Goethe befreundet, von dem kein Jüngling dieser Zeit sich des Vertrauens rühmen kann, den selbst die verehrende Lesewelt stolz nennt. Lieber Arnim, sei doch eine Minute eitel und bleibe ein Dichter. Goethe hat einstens zu Friedrich Tieck gesagt, er wundre sich, daß Preußen keinen Dichter habe als Ramler. Gott segne Dich, Lieber! rette doch Dein Vaterland, steige auf Dein Flügelroß und mache eine Bresche in Goethens Literärgeschichte ...

Brent I, 294f.

1353. VULPIUS AN NIKOLAUS MEYER

Weimar, 7. Januar 1806

Diesen Morgen um 11 Uhr ist meine Schwester Ernestine sanft für immer entschlafen ... Sie ist nun das neunte meiner verstorbenen Geschwister. Seit einem halben Jahre sahen wir ihren Tod voraus; sie zehrte sich aus; und dennoch weinen wir jetzt ...

Wir dürfen es dem Geheimen Rat noch nicht sagen, daß E[rnestine] tot ist; es greift ihn alles gar zu sehr an. Er ist auch nicht recht taktfest.

MeyerN 185f.

Clemens Brentano

1354. CHARLOTTE SCHILLER AN FRIEDRICH VON STEIN

Weimar, 13. Januar 1806

Goethe hat Trauer im Haus. Die Schwester der Vulpius ist gestorben; der arme Mann hat so geweint! Dies schmerzt mich, daß seine Tränen um solche Gegenstände fließen müssen. – Ich hoffe, Goethe bleibt diesen Winter wohl; er war einigemal krank, doch ist es jetzt vorüber. – Seine Mittwochs-Gesellschaften sind sehr interessant. Ich wollte, Sie hätten es hören können. Ich habe manches aufgeschrieben. Seine „Farbenlehre“ wird jetzt gedruckt.

SchFr I, 497

1355. CHARLOTTE VON STEIN AN IHREN SOHN FRIEDRICH

Weimar, 15. Januar 1806

Goethens Vorlesungen gehen alle Mittwoche ihren Weg. Ein Viertelstündchen wird der Politik gewidmet oder vielmehr den jetzigen Begebenheiten; doch hat er das nicht gern. Vor acht Tagen war eben seine Schwägerin, die jüngere Schwester seiner Demoiselle, gestorben, und zwar, wie wir eben da waren. Aber alle Todesfälle in und außer seinen Haus läßt er sich verheimlichen, bis er so nach und nach dahinterkommt. Doch soll er sie beweint haben. Sie war schon lang an der Auszehrung krank. Sein Bube kommt mir auch nicht vor, als könnte er lange leben; gebe der Himmel, daß er nicht vor ihm stirbt! Seine Demoiselle, sagt man, betrinkt sich alle Tage, wird aber dick und fett. Der arme Goethe, der lauter edle Umgebungen hätte haben sollen! Doch hat er auch zwei Naturen. Er liest uns jetzt über die Farben, sagt, daß sie in unsern Augen liegen; drum verlange das Auge die Harmonie der Farben wie das Ohr die Harmonie der Töne etc.

Fritz von Stein II, 117f.

1356. HENRIETTE VON KNEBEL AN IHREN BRUDER

Weimar, 18. Januar 1806

Goethe war diesen Abend auch da [bei Herzogin Anna Amalia] und war sehr lebhaft und brillant, fast ein wenig zu sehr in der Gegenwart vom alten Wieland, welcher jedoch, wie der sanfte Mond, seinen Platz am Himmel auch nicht schlecht behauptete und dem die sanft empfindenden Gemüter fast noch williger folgten. Indes sprach Goethe sehr gescheit, und ich kann sagen, daß ich sein Gespräch mit Vergnügen angehört und behalten habe. Nur daß man den Vorsatz in ihm zu bemerken glaubte, allein gelten zu wollen, schreckte etwas ab.

KnHe 242

1357. HENRIETTE VON KNEBEL AN IHREN BRUDER

Weimar, 27. Januar 1806

Es wäre mir ein wahres Vergnügen gewesen, wenn ich Dir neulich von Goethes und Wielands Kampfgespräch einiges hätte mitteilen können ...

Noch lieber möchte ich Dir von Goethes letztem Vortrag vom vorigen Mittwoch Bericht abstatten können, der mir ganz außerordentlich wohlgefiel. Es war das angenehmste Gefühl, sich mit ihm gleichsam auf eine höhere Stufe gestellt zu sehen, und wirklich die schönste menschliche Natur belebte sich aufs neue in ihm. Er sprach von dem Bezug, den der Mensch zu sich selbst und zu den Dingen außer ihm hat, so reich, reif und mild, daß ich wirklich noch nie so habe sprechen hören. Ich wünschte, er hätte die Rede aufgeschrieben. Mich dünkt, sie allein müßte ihm den Ruhm eines seltnen Menschen machen. Ich selbst dünkte mich glücklicher und vornehmer durch die unzähligen Fäden, durch die wir mit Himmel und Erde zusammenhängen ... Prinzeß [Karoline Luise] freute sich mit mir.

KnHe 242f.

1358. VOSS DER JÜNGERE AN ABEKEN

Weimar, 30. Januar 1806

Goethe ist nicht, wie er sein sollte. Seine Nieren sind wahrscheinlich desorganisiert; er hat täglichen Blutabgang durch den Urin; oft aber stockt dieser, und dann ist er sehr krank. Ich glaube, daß er alt werden kann, aber gesund wird er nie wieder. Gott erhalte ihm nur seine frohherzige Laune! Neulich sagte er: „Wenn mir doch der liebe Gott eine von den gesunden Russennieren schenken wollte, die zu Austerlitz gefallen sind!"

VoßG 98

1359. CHRISTIANE VULPIUS AN NIKOLAUS MEYER

Weimar, Januar 1806

Meine Arbeiten und Bemühungen häufen sich alle Tage mehr, und ich komme fast den ganzen Tag nicht zu mir selbst. Und wegen der Preußen, die bei uns sind, haben wir alle Tage etliche Offiziers zu Tisch und auch welche im Hause. Und nun kommt noch dazu, daß ich dieses alles ganz allein besorgen muß, denn die gute Ernestine hat ausgelitten... Die Tante ist auch ganz stumpf geworden, und ich fürchte auch sehr für sie. – Mit dem Geheimen Rat geht es wieder leidlich, aber ich fürchte auch nur, daß es Flickwerk ist. O Gott, wenn ich mir denke, daß eine Zeit kommen könnte, wo ich so ganz allein stehen könnte, das verdürb mir manche frohe Stunde. Außerdem würden Sie aber, wenn wir uns wiedersehen sollten, mich wenig verändert finden. Die Tanzlust und alles ist noch wie sonst, nur das ist der Unterschied, daß ich etwas stärker geworden bin.

MeyerN 186f.

1360. HENRIETTE VON KNEBEL AN IHREN BRUDER

Weimar, 1. Februar 1806

Wir sind gestern vormittags beim Goethe gewesen, da es den Mittwoch nicht anging. Er hat uns schöne galvanische Versuche gemacht, die mich sehr interessiert haben.

KnHe 244

1361. LUISE VON GÖCHHAUSEN AN BÖTTIGER

Weimar, 12. Februar 1806

Goethe fährt noch immer fort, uns naturhistorische Vorlesungen zu halten. Er verleugnet *hier* das Genialische seines Geistes nicht, der da weiß einen großen Gegenstand groß zu behandeln. Die Vorträge sind sich nicht alle gleich, aber er hat uns vortreffliche gehalten.

Bö II, 259

1362. ARNIM AN BRENTANO

Berlin, 17. Februar 1806

Goethes Urteil [Rezension] über das „Wunderhorn" habe ich mit einer eigenen Demut gelesen. Ich verehre seinen herrlichen Willen für alles an sich Lobenswerte, und wenn er in diesem Willen uns besser sieht, so hebt er uns an sein Auge, an dessen Glanz wir unsre Straße weiter erhellt sehen. Er ist der einzige Feuerwurm in dieser kimmerischen Nacht der Gelehrsamkeit, und genauer betrachtet, wird es ein hoher Wandelstern.

ArnB 162f.

1363. BRENTANO AN ARNIM

Heidelberg, Februar 1806

Ich wäre glücklich, wenn ich Dich hätte Goethens Rezension [des „Wunderhorns"] lesen sehn. Wie muß Dir das Herz gehüpft haben? Das liebe, musikalische Herz ist wohl nicht leicht in adligeren Takten eines frohen Selbstgefühls getanzt.

Brent I, 300

1364. CHARLOTTE VON STEIN AN IHREN SOHN FRIEDRICH

Weimar, 3. März 1806

Goethe war wieder recht krank. Seine Krankheit ist periodisch; er bekommt sie alle drei, vier Wochen. Er sagte mir, er nähme Bilsenkraut statt Opium dafür, und täte ihm letzteres besser. Neulich wurde seine „Stella" gegeben. Er hat aus dem Drama eine Tragedie gemacht; es fand aber keinen Beifall. Fernando erschießt sich, und mit den Betrüger mag man kein Mitleid haben. Besser wäre es gewesen, er hätte Stella sterben lassen. Er nahm mir's übel, als ich's ihm tadelte.

Fritz von Stein II, 120

1365. VULPIUS AN NIKOLAUS MEYER

Weimar, 3. März 1806

Vorgestern früh 7 Uhr ist unsre gute alte Tante, 74 Jahr alt, gestorben. Wir beklagen die gute alte Pflegerin unsrer Jugend recht sehr ... Der Verlust von ihr und der Ernestine so kurz hintereinander muß dem Haushalt viel Schaden und Eintrag tun ...

Goethe ist schon wieder krank gewesen. Monatlich kömmt jedesmal sein Übel zurück und macht ihn sehr mürbe. Es sind böse Hämorrhoidal-Zufälle.

MeyerN 191

1366. CHARLOTTE VON STEIN
AN IHREN SOHN FRIEDRICH

Weimar, 14. März 1806

Napoleon hat gesagt, er verlange nichts von Deutschland, aber er habe noch Arrangements zu machen, qui feront encore beaucoup de carnage. Und drum vergeht mir auch die Lust zum Reisen noch mehr, und ich will lieber Goethens Vorlesungen forthören, um die übrige menschliche Welt zu vergessen. Jetzt kommt er auf sein Farbensystem. Schade, daß aber sein periodisches Übel oft die Vorlesung unterbricht! Er hat sich entschlossen, nach Karlsbad zu gehen. Ich finde ihn mißmütig. Sein Leiden ist sehr schmerzhaft.

Fritz von Stein II, 122

1367. BRENTANO AN ARNIM

Heidelberg, 18. März 1806

Bettine war in Kassel ... Auch war sie öfters bei der Kurprinzessin und in adligen Sozietäten und macht mir eine lustige Beschreibung von dem meschanten Zeug, das dort geschwätzt werde. Zum Beispiel: Wenn Klärchen im „Egmont" doch nicht so gemein wäre, ärger als eine Kammerjungfer! Und seine Romanzen, wie fade! Der „Neue Amadis" zum Beispiel, hätte er doch Wielands „Neuen Amadis" vor Augen gehabt! – Pumps, stürzt ein Gemälde in der Nebenstube von der Wand! Die Rezensenten werden blaß und stehn stumm mit offnem Maul, Bettine lacht laut und ruft: „Da ist der Geheime Rat! Da tritt Goethe herein!"

Brent I, 305

1368. FALK AN JOHANNES VON MÜLLER

Weimar, 25. März 1806

Goethe hat monatliche Anfälle von der güldenen Ader, die bei ihm den Weg durch den Urin nimmt. Sonst, wenn sie kamen, waren sie höchst schmerzhaft, und er schrie so, daß ihn die Wachen am Tor hören konnten. Jetzt ist es gelinder damit.

Kutsche und Pferde hat er abgeschafft und geht, wie die thüringischen Landleute sagen: eben auch proper zu Fuß. Auf jede Weise ist ihm dieses auch zuträglicher.

Gespr II, 59

1369. GRIES AN GOTTLIEB HUFELAND

Jena, 28. März 1806

Auch in Weimar ist es mit der Musik ziemlich vorbei. Überhaupt hat das Theater seit Schillers Tode sehr gelitten; die interessanteste und fast die einzige interessante Vorstellung diesen Winter war Goethes „Stella", nach einer, wie mir scheint, nicht sehr vorteilhaften Veränderung. Denken Sie nur: Fernando erschießt sich, und die arme Stella vergiftet sich am Ende. Wem fällt da nicht die Xenie ein:

Ödipus reißt sich die Augen aus, Jokaste erhängt sich,
Beide schuldlos; das Stück hat sich harmonisch gelöst.

Übrigens befindet Goethe sich jetzt ganz leidlich und arbeitet sehr eifrig an der neuen Ausgabe seiner Werke sowie an einem neuen Werke über die Farben, auf welches er selbst vielen Wert zu legen scheint. Gebe nur der Himmel, daß diese Ausgabe endlich einmal eine vollständige werde und daß er selbst sie noch ganz vollenden möge!

Huf 25

1370. CHRISTIANE VULPIUS AN NIKOLAUS MEYER

Weimar, 4. April 1806

... und dazu kommt noch immer die Sorge um den guten Geheimer Rat, mit dem es doch auch noch immer auf der Spitze steht.

MeyerN 193

1371. KAROLINE SCHELLING AN IHREN MANN

Würzburg, 9. Mai 1806

Er [Gries] sagt, es wäre platterdings in Jena nicht mehr auszuhalten; alles wäre da tot und traurig ... Schelver lebte mit seiner Frau auf *einen* Zimmer und mit sonst niemand. Hegel brächte sich so durch, man könnte nicht sagen wie ... Goethe war mehrermal sehr krank im vergangnen Winter, an den alten Krämpfen, die von der Zerstörung einer der beiden Nieren herrühren. Er weiß diesen Umstand und sagte einmal zu dem jüngeren Voß, der täglich bei ihm ist: „Wenn mir der Himmel nur die gesunden Nieren von einem der Russen bescherte, die in der Schlacht von Austerlitz geblieben sind!" Voß wußte nicht, ob er weinen oder lachen sollte über den Wunsch. Die Ärzte sagen, er könne doch noch lange mit einer halben Niere leben.

Car II, 455

1372. ALEXANDER VON HUMBOLDT AN KAROLINE VON WOLZOGEN

Berlin, 14. Mai 1806

Was Sie auch scherzhaft von meiner Universalität sagen, so trauen Sie mir doch deutschen Sinn genug zu, um mich recht mit herzlicher Rührung täglich Ihrer und Goethens und des Verewigten [Schiller] zu erinnern, um nicht zu fühlen, daß es etwas Großes und Rühmliches für mich ist, einmal zwischen Ihnen und diesen nicht ganz unbeachtet gestanden zu haben ... Überall ward ich von dem Gefühle durchdrungen, wie mächtig jene Jenaer Verhältnisse auf mich gewirkt, wie ich, durch Goethes Naturansichten gehoben, gleichsam mit neuen Organen ausgerüstet worden war.

GoeJb III, 433

1373. VULPIUS AN NIKOLAUS MEYER

Jena, 21. Juni 1806

Ich gehe morgen oder übermorgen von hier nach Weimar, weil der Geheime Rat Goethe jetzt hier ist und in acht Tagen nebst dem Major von Hendrich ins Karlsbad geht, dort seine Gesundheit wiederzuerlangen. Gott gebe es!

Meine Schwester ist schon seit zwei Tagen nach Lauchstädt, und ich kann das Goethische Haus in W[eimar] nicht ganz leer lassen.

MeyerN 196

1374. CHARLOTTE VON STEIN AN IHREN SOHN FRIEDRICH

Weimar, 23. Juni 1806

Becker in Gotha sammelt die Kapitalien, ein Gut für die Schillerschen Kinder zu kaufen. Goethe hat keinen Sinn für solche merkantilischen Dinge, die außer der Literatur liegen.

Stein II, 236

1375. CHARLOTTE VON STEIN AN IHREN SOHN FRIEDRICH

Weimar, nach dem 21. Juli 1806

Für Menschen, die aus dem Herzen nichts mehr zu sagen haben, ist das Diktieren sehr passend und bequem.

Stein II, 237

1376. CHARLOTTE VON STEIN AN IHREN SOHN FRIEDRICH

Weimar, 10. August 1806

Wir haben hier einen neuen Schuldirektor [Lenz], welcher seine Schüler die alten Dichter gleich in deutsche Verse übersetzen läßt. Dieses wird den jungen Leuten sehr schwer, und August Goethe nahm das Wort und sagte ihm, er würde es nicht tun; denn sein Vater habe ihm verboten, Verse zu machen. Bei der unpoetischen Mlle. Vulpius und ihrer Deszendenz [?] mag ihm das wohl natürlich eingefallen sein.

Stein II, 238

1377. VOSS DER JÜNGERE AN NIEMEYER

Weimar, 12. August 1806

In der letzten Krankheit Schillers war Goethe ungemein niedergeschlagen. Ich habe ihn einmal in seinem Garten weinend gefunden; aber es waren nur einzelne Tränen, die ihm in den Augen blinkten. Sein Geist weinte, nicht seine Augen. Und in seinen Blicken las ich, daß er etwas Großes, Überirdisches, Unendliches fühlte. Ich erzählte ihm vieles von Schiller, das er mit unnennbarer Fassung anhörte: „Das Schicksal ist unerbittlich, und der Mensch wenig." Das war alles, was er sagte, und wenige Augenblicke nachher sprach er von heitern Dingen. Aber als Schiller gestorben war, war eine große Besorgnis, wie man es Goethe beibringen wollte. Niemand hatte den Mut, es ihm zu melden. Meyer war bei Goethe, als draußen die Nachricht eintraf, Schiller sei tot. Meyer wurde hinausgerufen, hatte nicht den Mut, zu Goethe zurückzukehren, sondern ging weg, ohne Abschied zu nehmen. Die Einsamkeit, in der sich Goethe befindet, die Verwirrung, die er überall wahrnimmt, das Bestreben, ihm auszuweichen, das ihm nicht entgehen kann – alles dieses läßt ihn wenig Tröstliches erwarten. „Ich merke es", sagt er endlich, „Schiller muß sehr krank sein", und ist die übrige Zeit des Abends in sich gekehrt. Er ahnte, was geschehen war; man hörte ihn in der Nacht weinen. Am Morgen sagt er zu einer Freundin: „Nicht wahr, Schiller war gestern sehr krank." – Der Nachdruck, den er auf das „sehr" legt, wirkt so heftig auf jene, daß sie sich nicht länger halten kann. Statt ihm zu antworten, fängt sie laut an zu schluchzen. „Er ist tot?" fragt Goethe mit Festigkeit. „Sie haben es selbst ausgesprochen", antwortet sie. „Er ist tot!" wiederholt Goethe noch einmal und bedeckt sich die Augen mit den Händen.

Um 10 Uhr sehe ich Goethe im Park gehen. Ich hatte aber nicht den Mut, ihm zu begegnen. Drei Tage lang bin ich ihm ausgewichen. Am vierten paßte ich die Zeit ab, wo er auf die Bibliothek gegangen war. Ich folgte ihm, wünschte ihm einen guten Morgen und fing wohl zehn bibliothekarische Fragen an, bei denen ich sowenig etwas dachte als Goethe bei seinen Antworten, die er mit sichtbarer Geistesabwesenheit, aber mit der größten scheinbaren Geschäftigkeit mir gab . . .

Jetzt spricht Goethe sehr selten von Schiller, und wenn er es tut, so sucht er die heitern Seiten ihres schönen Zusammenlebens auf.

Vo II/1, 60ff.

1378. CHARLOTTE VON STEIN AN CHARLOTTE SCHILLER

Weimar, 14. August 1806

Goethe war vorgestern ziemlich lange bei mir, sehr gesprächig und heiter und zufrieden vom Karlsbad.

SchFr II, 351

1379. BÖTTIGER AN BERTUCH

Dresden, 24. August 1806

Mit Goethe habe ich in den vier Wochen, wo wir zusammen im Karlsbad gewesen sind, mich nur stumm gegrüßt. Es ist nicht meine Schuld. Er wollte es so haben, wie mir Hendrich [?] sagte, und ich fand mich natürlich auch nicht geneigt, ihm zu hofieren. Welch eine sultanische Arroganz!

GoeJb II, 375

1380. ARNIM AN BETTINA BRENTANO

Göttingen, 30. August 1806

Goethe hat an Blumenbach geschrieben, daß er sich nach dem Bade sehr wohl befinde. Er lebe hoch und abermals hoch und immerdar hoch! Hier sah ich ihn zum erstenmal, ich kenne noch die Stelle auf dem Walle, er sah so groß und gewaltig aus, daß ich fürchtete, nicht vorbeikommen zu können.

ArnBe 42

1381. HENRIETTE VON KNEBEL AN IHREN BRUDER

Weimar, 3. September 1806

Die gute Prinzeß [Karoline Luise] hat diese Ruhe recht benutzt. Aufgemuntert durch Goethens schönes Geschenk und Beispiel, hat sie über sechs Landschaften aus dem Kopf gemacht, die mitunter recht artig sind. Sie ist ganz außerordentlich vergnügt über das reiche und angenehme Geschenk und betrachtet sie wie ein kostbares Heiligtum. Es ist sehr artig vom Goethe, daß er der Prinzeß diese Freude gemacht und soviel Zeit und Fleiß daran gewendet hat.

KnHe 252

1382. PRINZESSIN KAROLINE AN CHARLOTTE SCHILLER

Weimar, 11. September 1806

Goethe ist hier, das wissen Sie; aber das wissen Sie wohl nicht ..., daß er 32 Zeichnungen auf seiner Reise gemacht hat, die hübschesten und geistreichsten, und mir sie geschenkt hat. Liebe Loloa, können Sie sich mein Glück recht lebhaft denken? Und meinen Stolz, wenn ich Übermut in der Seele hätte?

SchFr I, 536

1383. RIEMER AN FROMMANN

Weimar, 20. September 1806

Hiesigen Orts sind die meisten Menschen voll Furcht vor den Franzosen; ganz unnötig, da uns die nähern Preußen schützen. Erst gestern sind wieder Fuseliers an uns vorbei ins Coburgsche gegangen. In Eisenach sind auch Preußen...

Der Herzog ist nach Schafstädt in sein Hauptquartier. Die Großfürstin [Maria Pawlowna] ist, glaub ich, noch hier. Die Herzoginnen bleiben ...

G[oethe] ist wohl... Wir arbeiten fleißig an den Farben.

Rie 82f.

1384. BRENTANO AN ARNIM

Heidelberg, Anfang Oktober 1806

Bettine ist jetzt täglich ein paar Stunden bei der alten Goethe und läßt sich Anekdoten von dem geliebten Sohne erzählen, die sie für sich ganz mit den Worten der Mutter in ein Buch schreibt, um eine geheime Biographie dieses Göttlichen zu bilden. Was ich bereits von diesen Geschichten gehört, ist trefflich.

Brent I, 334

1385. CHARLOTTE VON STEIN AN IHREN SOHN FRIEDRICH

Weimar, 12. Oktober 1806

Mein Kopf ist mir heute recht schwer von allem Lärm, Furcht und Hoffnung. Die meisten um mich herum sind aber noch ängstlicher als ich. Goethe sagte, die Franzosen hätten ja schon längst die Welt überwunden, es brauchte kein Bonaparte. Die Sprache, Kolonien von Refugiés, Emigrierte, Kammerdiener, Köche, Kaufleute usw., alles dies hinge an ihrer Nation, und wir wären verkauft und verraten.

Stein II, 241f.

1386. KOËS IN SEINEM TAGEBUCH

Weimar, 13. Oktober 1806

Spaziergang mit Goethe und dem Major Hinrich [von Hendrich] neben dem großen Lager. Der König [Friedrich Wilhelm III. von Preußen] steht jetzt hier mit 95000 Mann. Die Großfürstin [Maria Pawlowna] ist fort, nach Altstädt. Gestern schlugen die Sachsen bei Jena ein Lager auf. So weit wir über die Berge umher sehen konnten, standen Zelte. Die Soldaten kochend, Kohl und Kartoffeln; andere Holz umhauend aus den Alleen, andere Ochsen oder Kühe schlachtend, die nachher stückweise auf Pfählen ins Lager getragen wurden. Marketenderinnen mit Branntwein und Kaffee, Feldwachen, Hauptwache, Kavallerieregimenter defilierten vorbei, ringsherum stieg Rauch aus dem Lager herauf. Es war ein schöner Herbsttag. Goethe ist ein ansehnlicher Mann, herrliche Augen; doch schien sein Gemüt niedergedrückt durch die kritischen Umstände. Gestern zerschlugen ihm die Soldaten die Fenster und Möbel in seinem Gartenhause.

GoeJb XXVII, 120

1387. KOËS IN SEINEM TAGEBUCH

Weimar, 19. Oktober 1806

Heute wurde Goethe mit der Mamsell Vulpius in der Stadtkirche öffentlich getraut. – Proklamation wurde verlesen, daß sich die Bürger wieder ruhig mit ihrem Gewerbe beschäftigen könnten. Jeder Franzose müsse bezahlen, was er verlange. Sogleich lebte alles von neuem auf. Man fing an, die Läden wieder zu öffnen; die Dirnen sammelten sich wieder auf den Straßen usw.

GoeJb XXVII, 123

1388. JOHANNA SCHOPENHAUER AN IHREN SOHN

Weimar, 19. Oktober 1806

Den 12. besuchte mich erst Bertuch ... Kurz darauf meldete man mir einen Unbekannten. Ich trat ins Vorzimmer und sah einen hübschen, ernsthaften Mann in schwarzem Kleide, der sich tief mit vielem Anstande bückte und mir sagte: „Erlauben Sie mir, Ihnen den Geheimen Rat Goethe vorzustellen!" Ich sah im Zimmer umher, wo der Goethe wäre; denn nach der steifen Beschreibung, die man mir von ihm gemacht hatte, konnte ich in diesem Manne ihn nicht erkennen. Meine Freude und meine Bestürzung waren gleich groß, und ich glaube, ich habe mich deshalb besser genommen, als wenn ich mich darauf vorbereitet hätte. Wie ich mich wieder besann, waren meine beiden Hände in den seinigen und wir auf dem Wege nach meinem Wohnzimmer.

Schop I, 17

1389. CHARLOTTE VON STEIN AN IHREN SOHN FRIEDRICH

Weimar, nach dem 19. Oktober 1806

Die Schiller hat wenig verloren, Goethe gar nichts; er hat den Augereau bei sich gehabt. Und während der Plünderung hat er sich mit seiner Mätresse öffentlich in der Kirche trauen lassen, und war dies die letzte kirchliche Handlung, denn alle unsere Kirchen sind nun Lazarette und Magazine.

Stein II, 247

1390. VULPIUS AN NIKOLAUS MEYER

Weimar, 20. Oktober 1806

Welch ein Unglück hat uns betroffen! Den 14. wurde die unglückliche Schlacht bei Jena verloren. Abends 5 Uhr ging bei uns die Plünderung an, die 36 Stunden dauerte und mich von allen, *allen* entblößet hat. Drei Tage waren wir nicht in unserm Hause. Mordgewehre auf uns gezückt, gemißhandelt, beraubt, unendlich unglücklich gemacht. Wir sprechen jetzt gute Seelen um Geld an; und wer hat welches? Denn nicht zehn Häuser, selbst das Schloß nicht, sind verschont geblieben. Die fürchterliche Nacht, Geheul, Gewinsel, Brand – ach Gott! und meine Frau und das Kind ... im Park ...

Etwas Frohes: Gestern hat der Geheime Rat G[oethe] sich mit meiner Schwester trauen lassen. Sein Haus ist verschont geblieben. Er hatte stets Marschälle drinnen.

MeyerN 198f.

1391. JOHANNA SCHOPENHAUER AN IHREN SOHN

Weimar, 24. Oktober 1806

Goethe hat sich Sonntag mit seiner alten geliebten Vulpius, der Mutter seines Sohnes, trauen lassen. Er hat gesagt, in Friedenszeiten könne man die Gesetze wohl vorbeigehen, in Zeiten wie die unsern müsse man sie ehren. Den Tag drauf schickte er Dr. Riemer, den Hofmeister seines Sohnes, zu mir, um zu hören, wie es mir ginge; denselben Abend ließ er sich bei mir melden und stellte mir seine Frau vor. Ich empfing sie, als ob ich nicht wüßte, wer sie vorher gewesen wäre. Ich denke, wenn Goethe ihr seinen Namen gibt, können wir ihr wohl eine Tasse Tee geben. Ich sah deutlich, wie sehr mein Benehmen ihn freute. Es waren noch einige Damen bei mir, die erst formell und steif waren und hernach meinem Beispiel folgten. Goethe blieb fast zwei Stunden und war so gesprächig und freundlich, wie man ihn seit Jahren nicht gesehen hat. Er hat sie noch zu niemand als zu mir in Person geführt. Als Fremden und Großstädterin traut er mir zu, daß ich die Frau so nehmen werde, als sie genommen werden muß. Sie war in der Tat sehr verlegen, aber ich half ihr bald durch. In meiner Lage und bei dem Ansehen und der Liebe, die ich mir hier in kurzer Zeit erworben habe, kann ich ihr das gesellschaftliche Leben sehr erleichtern. Goethe wünscht es und hat Vertrauen zu mir, und ich werde es gewiß verdienen. Morgen will ich meine Gegenvisite machen.

Schop I, 40

Johanna Schopenhauer mit ihrer Tochter Adele

1392. CHRISTIANE KOTZEBUE AN IHREN SOHN AUGUST

Weimar, nach dem 8. November 1806

Es wird Dich von Goethe freuen, daß er kurz nach der Plünderung, wie Kraus begraben wurde, auf dem Kirchhofe zu mir kam, mich fragte, wie es mir gegangen, und wünschte, daß ich in sein Haus gekommen wäre. Er sei nicht ausgeplündert, weil er sich eine Sauvegarde, die ihm zwar viel gekostet, ausgebeten. Er habe bis auf den Wein doch das Seinige behalten und bedauerte mich sehr freundschaftlich über meinen Verlust.

Ko 70f.

1393. VULPIUS AN NIKOLAUS MEYER

Weimar, 10. November 1806

Den 15. bis 17. waren wir im Hause des Geheimen Rats Goethe, und unsre Wohnung war mit allem, was darinnen war, denen preisgegeben, die es besetzen wollten. Und das geschah auch endlich. Gegen sechzehn Mann hausten darinnen, als mich endlich, da Napoleon Bücher von der Bibliothek verlangte, auf Requisition seines Ingenieurs d'Alma Grenadiere in meine Wohnung einsetzten. Den 18. zog ich ein; aber – wie fand ich es? Lassen Sie mich davon schweigen! – Dann tägliche Einquartierung, so daß wir einmal zehn Mann hatten, und kein Geld, keine Lebensmittel! – Meine Schwester stand bei, aber – dem Geheimen Rat selbst hat es über 2000 Taler gekostet; allein zwölf Eimer Wein. Er ist nicht geplündert. Den ersten Abend hat er's mit Wein und Klugheit abgewendet; dann bekam er Sauvegardes, da die General Victor, Marschälle Ney, Lannes, Augereau und andere Offiziere bei ihm logierten; zuweilen 28 Betten in seinem Hause. Aber es hat ihn sehr mitgenommen. Doch ist er gesund, wofür Gott zu danken ist.

MeyerN 200f.

1394. JOHANNA SCHOPENHAUER AN IHREN SOHN

Weimar, 14. November 1806

Ich kann Goethen nicht genug sehen; alles an ihm weicht so vom Gewöhnlichen ab, und doch ist er unendlich liebenswürdig. Diesmal habe ich ihn einmal böse gesehen. Sein Sohn, eine Art Taps, der aber im Äußern viel vom Vater hat, zerbrach mit großem Geräusch ein Glas. Goethe erzählte eben etwas und erschrak über den Lärm so, daß er aufschrie. Ärgerlich darüber, sah er den August nur einmal an, aber so, daß ich mich wunderte, daß er nicht untern Tisch fiel. Ein ausdrucksvolleres, mobileres Gesicht habe ich nie gesehen. Wenn er erzählt, ist er immer die Person, von der er spricht; der Ton seiner Stimme ist Musik. Jetzt ist er alt, aber er muß schön wie ein Apoll gewesen sein.

Schop I, 50

1395. CHARLOTTE VON STEIN AN IHREN SOHN FRIEDRICH

Weimar, 19. November 1806

Goethe läßt Dir Glück wünschen zum neugeborenen Sohn; es schien ihn zu freuen. Seine Besuche sind mir nicht wohltätig; ich kann nicht offen gegen ihm sein. Manchmal ist er ganz wie verrückt, und nicht allein mir kommt er so vor, sondern mehreren Menschen.

Fritz von Stein II, 129

1396. RIEMER AN FROMMANN

Weimar, 22. November 1806

Die alte Neuigkeit aus unserm Hause habe ich halb vergessen, halb darum nicht geschrieben, weil ich schon wußte, daß Sie sie auch ohne mich erfahren würden. Das Wie und Wann und Warum eignet sich nur zur mündlichen Kommunikation.

Rie 86

1397. CHARLOTTE SCHILLER AN FRIEDRICH VON STEIN

Weimar, 24. November 1806

Von diesen schmerzlichen Eindrücken weiß ich den Geist meines ewig geliebten Freundes [Schillers] gern bewahrt, und es ist mir ein Trost, allein zu leiden. Er würde seine Kräfte aufgeboten haben, sich über das Schicksal zu erheben, und gewiß uns allen ein Trost gewesen sein, denn er vermochte alles über sich. Aber daß ich ihm diese Ansicht des Lebens erspart weiß, ist mir eine Beruhigung. Sein Freund hat sich seiner selbst nicht so würdig gezeigt, und es hat mein Gefühl verwundet, ihn in einer schmerzlichen Anschauung zu sehen. Er wollte sich zusammennehmen, wollte heiter scheinen, wie wir noch keinen Sinn dafür hatten. Man fühlte auch, daß es nicht aus der rechten Quelle kam, und deswegen blieb auch der Eindruck verloren.

Die Trauung hat mir etwas Grausenhaftes, gesteh ich. In einer Kirche, wo Tote, Verwundete tags vorher lagen, wo man sicher erst alle Spuren der vorhergehenden Tage sorglich verwischt hatte, eine Zeremonie vorzunehmen, die jeder Mensch nur in den glücklichsten Tagen seines Lebens oder nie feiern sollte, dieses ist mir ein Gefühl, das ich nicht ganz verdrängen kann. Das Nachteilige des Eindrucks, den dieser Schritt auf die Gemüter tun muß, ist nicht zu unterdrücken. Auch ist es so ohne Nutzen und Zweck. Ich habe nicht Glück wünschen können wie andere und schwieg lieber. Es war etwas Unberechnetes in diesem Schritt, und ich fürchte, es liegt ein panischer Schrecken zum Grund, der mir des Gemüts wegen wehe tut, das sich durch seine eigene große Kraft über die Welt hätte erheben sollen.

SchFr I, 498f.

1398. JOHANNA SCHOPENHAUER AN IHREN SOHN

Weimar, 28. November 1806

Goethe fühlt sich wohl bei mir und kommt recht oft. Ich habe einen eigenen Tisch mit Zeichenmaterialien für ihn in eine Ecke gestellt ... Wenn er dann Lust hat, so setzt er sich hin und tuscht aus dem Kopfe kleine Landschaften, leicht hingeworfen, nur skizziert, aber lebend und wahr wie er selbst und alles, was er macht. Welch ein Wesen ist dieser Goethe! wie groß und wie gut! Da ich nie weiß, ob er kommt, so erschrecke ich jedesmal, wenn er ins Zimmer tritt; es ist, als ob er eine höhere Natur als alle übrigen wäre; denn ich sehe deutlich, daß er denselben Eindruck auf alle übrigen macht, die ihn doch weit länger kennen und ihm zum Teil auch weit näherstehen als ich. Er selbst ist immer ein wenig stumm und auf eine Art verlegen, wenn er kommt, bis er die Gesellschaft recht angesehen hat, um zu wissen, wer da ist. Er setzt sich dann immer dicht neben mir, etwas zurück, so daß er sich auf die Lehne von meinem Stuhle stützen kann; ich fange dann zuerst ein Gespräch mit ihm an; dann wird er lebendig und unbeschreiblich liebenswürdig. Er ist das vollkommenste Wesen, das ich kenne, auch im Äußeren; eine hohe, schöne Gestalt, die sich sehr gerade hält, sehr sorgfältig gekleidet, immer schwarz oder ganz dunkelblau, die Haare recht geschmackvoll frisiert und gepudert, wie es seinem Alter ziemt, und ein gar prächtiges Gesicht mit zwei klaren braunen Augen, die mild und durchdringend zugleich sind. Wenn er spricht, verschönert er sich unglaublich; ich kann ihn dann nicht genug ansehen. Er spricht von allem mit, erzählt immer zwischendurch kleine Anekdoten, drückt niemand durch seine Größe. Er ist anspruchslos wie ein Kind; es ist unmöglich, nicht Zutrauen zu ihm zu fassen, wenn er mit einem spricht, und doch imponiert er allen, ohne es zu wollen. Letztens trug ich ihm eine Tasse Tee zu, wie das in Hamburg gebräuchlich ist, daß sie nicht kalt würde, und er küßte mir die Hand; ... alle, die in der Nähe waren, sahen mit einer Art Erstaunen zu. Es ist wahr, er sieht so königlich aus, daß bei ihm die gemeinste Höflichkeit wie Herablassung erscheint, und er selbst scheint das gar nicht zu wissen, sondern geht so hin in seiner stillen Herrlichkeit wie die Sonne.

Schop I, 52f.

1399. KAROLINE SCHELLING AN LUISE WIEDEMANN

München, 30. November 1806

Aus Jena und Weimar haben wir Briefe gehabt. Goethe schrieb an meinen Mann wie derjenige, der fest und unerschütterlich auch in solchen Stürmen geblieben. 72 Stunden brachten sie in der Todesangst gleichsam zu. Geld und Geldeswert verschmerzt man, sagt er, wenn man nur das Teuerste und Liebste durchbringt. Öffentliche Blätter sagen, daß er sich am Tage der Schlacht mit der Vulpius trauen ließ – als wenn er Bande noch hätte knüpfen und fester anziehen wollen in einem Augenblick, wo alle Bande gelöst scheinen! ...

In Jena und Weimar, wo sie nie den Mut verlieren und wie die Ameisen gleich wieder bauen, was eingerissen ist, denken sie nur, sich auch hier wieder zu helfen und alles zusammenzuhalten. In dem Sinn schreibt auch Goethe. Ihre größte Sorge mag sein, ob sie unter der jetzigen Herrschaft bleiben.

Car II, 478f.

1400. VOSS DER JÜNGERE AN LEOPOLD VON SECKENDORFF

Heidelberg, 6. Dezember 1806

Goethe war mir in den traurigen Tagen ein Gegenstand des innigsten Mitleidens. Ich habe ihn Tränen vergießen sehen. „Wer", rief er aus, „nimmt mir Haus und Hof ab, damit ich in die Ferne gehen kann?"

Sich selbst hat er plündern müssen, um nicht geplündert zu werden.

VoßG 102

1401. CHARLOTTE VON SCHIMMELMANN AN CHARLOTTE SCHILLER

Kopenhagen, 15. Dezember 1806

Goethes skandalöse Hochzeit hat einen jeden geärgert. Man schrieb uns gleich, daß die Kanonen von Jena sein Hochzeitlied und sieben brennende Häuser in W[eimar] seine Hochzeitfackeln gewesen wären! Und eine solche Wahl der Person! Alles war in Harmonie, nur keine Muse war dabei.

SchFr II, 424

1807

1402. JOHANNA SCHOPENHAUER AN IHREN SOHN

Weimar, 5. Januar 1807

Goethe ist ein unbeschreibliches Wesen; das Höchste wie das Kleinste ergreift er. So saß er den ersten Feiertag eine lange Weile im letzten meiner drei Zimmer mit Adelen und der jüngsten Conta, einem hübschen, unbefangenen sechzehnjährigen Mädchen. Wir sahen von weitem der lebhaften Konversation zwischen den dreien zu, ohne sie zu verstehen, zuletzt gingen alle drei hinaus und kamen lange nicht wieder. Goethe war mit den Kindern in Sophiens [der Dienerin] Zimmer gegangen, hatte sich dort hingesetzt und sich Adelens Herrlichkeiten zeigen lassen, alles Stück vor Stück besehen, die Puppen nach der Reihe tanzen lassen und kam nun mit den frohen Kindern und einem so lieben, milden Gesicht zurück, wovon kein Mensch einen Begriff hat, der nicht die Gelegenheit hat, ihn zu sehen, wie ich. Ihn freut alles, was natürlich und anspruchslos ist, und nichts stößt ihn schneller zurück als Prätension ... Ich fabrizierte den Abend noch mit Meyern einen transparenten Mondschein, denn Meyer muß immer so etwas vorhaben; die übrigen standen umher und konversierten im zweiten Zimmer; Conta und die Bardua sangen zwischendurch ein Liedchen, und Goethe ging ab und zu, bald an meinen Tisch, wo ich mit Meyern arbeitete, bald nahm er teil an jenem Gespräch. Mit einem Male kam man, ich weiß nicht wie, dort auf den Einfall, die Bardua, die sich ohnehin leicht graut, mit Gespenstergeschichten angst zu machen. Goethe stand gerade hinter mir. Mit einem Male machte er ein ganz ernsthaftes Gesicht, drückte mir die Hand, um mich aufmerksam zu machen, und trat nun gerade vor die Bardua und fing eine der abenteuerlichsten Geschichten an, die ich je hörte. Daß er sie auf der Stelle ersann, war deutlich; aber wie sein Gesicht sich belebte, wie ihn seine eigene Erfindung mit fortriß, ist unbeschreiblich. Er sprach von einem großen Kopf, der alle Nacht oben durchs Dach sieht; alle Züge von dem Kopf sind in Bewegung; man denkt die Augen zu sehen, und es ist der Mund, und so verschiebt sich's immer, und man muß immer hinsehen, wenn man einmal hingesehen hat. Und dann kommt eine lange Zunge heraus, die wird immer länger und länger, und Ohren, die arbeiten, um der Zunge nachzukommen, aber die können's nicht. Kurz, es war über alle Beschreibung toll; aber von ihm muß man's hören und besonders ihn dazu sehen. So ungefähr muß er aussehen, wenn er dichtet ...

Gestern war wieder Gesellschaft, Goethe fing an, von seinem herannahenden Alter zu sprechen, mit einer Weichheit des Tones, mit einem so edlen Selbstbewußtsein, daß er uns alle tief rührte. Dabei hielt er mich fest bei der Hand; er tut das oft und erinnert mich dann lebhaft an Deinen Vater, der mich denn auch so festhalten konnte ... Es ist unbegreiflich, wie er sich an mich gewöhnt hat. Alles wundert sich drüber, und ich selbst wundre mich auch; aber ich freue mich darüber unbeschreiblich ... Er ist mir bei weitem hier das Interessanteste; auch lebe ich so viel mit ihm, daß er sich in alle meine Vorstellungen einmischen muß.

Schop I, 68 ff.

1403. CHARLOTTE VON STEIN AN IHREN SOHN FRIEDRICH

Weimar, 23. Januar 1807

Goethe war eben bei mir; er hat Deinen Brief mitgenommen, um ihn zu Haus zu lesen ...

Goethe war traurig; seine Gesundheit ist nicht sonderlich. Doch ist mir seine Traurigkeit wohltuender als seine unnatürliche Lustigkeit.

Prinz August von Preußen hat, als er hier durch gefangen ging, für den Grafen Schmettau ein Monument beim Goethe bestellt ...

Stein II, 259

1404. RIEMER AN FROMMANN

Weimar, 28. Januar 1807

Unser teurer G[oethe] ist zeither nicht ganz wohl. Er will zwar nicht, daß man es laut werden lasse, und ich sage es Ihnen nur im Vertrauen; allein er kann es doch nicht verbergen. Es sind die schlimmen Monate gerade, und es kommt so vieles zusammen, was auf ihn nicht zum besten einwirkt. Wenn wir nur den Mai erreichen ohne heftigere und eigentliche Anfälle; dann wollen wir ihn schon wieder mit Gesundheit ausrüsten. Das alles unter uns! Denn er hat's nicht gern, wenn ihm aus der Nähe und Ferne die Wirkungen seines Zustandes zurückstrahlen.

Rie 89f.

1405. JOHANNA SCHOPENHAUER AN IHREN SOHN

Weimar, 30. Januar 1807

Klugen, vernünftigen Leuten muß unser Beginnen fast töricht erscheinen. Wenn so ein Senator oder Bürgermeister sähe, wie ich mit Meyer Papierschnitzel zusammenleime, wie Goethe und die andern dabeistehen und eifrig Rat geben, er würde ein recht christliches Mitleid mit uns armen kindischen Seelen haben ... Der Ofenschirm ist fertig und die Bewunderung aller Welt; er ist wirklich über Erwarten hübsch. Goethe hat letzt mit dem Lichte in der Hand wohl eine halbe Stunde davor gesessen und ihn besehen, und wer ihm näherkam, der mußte mit bewundern und besehen ... Goethe ist seit einiger Zeit nicht recht wohl; er ist nicht krank, aber er fürchtet, krank zu werden, und schont sich ängstlich. Doch kommt er zu mir, wenn er irgend kann, und läßt sich in der Portechaise zu mir tragen. Er kommt mir bisweilen etwas hypochondrisch vor; denn seine Krankheit verschwindet, wenn er nur ein wenig warm in der Gesellschaft wird, und das geschieht so leicht. Am Dienstag gab ich einmal eine Extragesellschaft ... Die Goethen kam allein und sagte mir, er wäre nicht wohl, würde aber, wenn es ihm möglich wäre, eine halbe Stunde kommen; doch sei dies nicht gewiß. Miteins sah ich ihn aber im Nebenzimmer zwischen der Bardua und der Conta ganz gemütlich sitzen. Ich lief gleich voller Freude zu ihm, die Mädchen machten mir Platz, und ich habe fast eine Stunde mit ihm geplaudert ... Er war unbeschreiblich sanft und liebenswürdig gestimmt. Du meinst, es sei unmöglich, vis-à-vis ihm nicht ein wenig scheinen zu wollen. Sähest Du ihn nur, Du würdest fühlen, wie unmöglich es ist, ihm gegenüber sich anders als natürlich zu zeigen. Er ist ganz Natur, und seine klaren, hellen Augen benehmen alle Lust, sich zu verstellen. Man fühlt, daß er doch durch alle Schleier sieht und daß diesem hohen, reinen Wesen jede Verstellung verhaßt sein muß. Ich pflegte ihn nach besten Kräften und hatte die Freude, einen Bedienten, der schon um 8 Uhr gekommen war, bis 11 mit der Laterne warten zu sehen.

Schop I, 73f.

1406. CHARLOTTE VON STEIN AN IHREN SOHN FRIEDRICH

Weimar, nach dem 6. Februar 1807

Wir kommen oft in Streit. Das letztemal war's über Meyer. Ich tadelte, er mache Goethe nach. „Den Teufel noch einmal, Dame!" sagte er. „Ich will doch sehen, wer immer mit mir lebt und mir nicht ähnlich werden soll!" Ich erwiderte, es wäre aber nur in seiner Ruchlosigkeit. Wie es Nacht war, ging er, um sich von Meyern die „Weihe der Kraft" [von Zacharias Werner] vorlesen zu lassen ...

Wir haben auch einen jungen Bildhauer hier, der recht geschickt ist; er heißt Weise [Weisser?]. Jetzt läßt Goethe auch von diesem seine Büste machen. In der von Tieck sieht er eitel, prätentiös und schwach aus. Ich bin neugierig, was für Tugenden ihm Weise ausmeißeln wird.

Stein II, 260f.

1407. JOHANNA SCHOPENHAUER AN IHREN SOHN

Weimar, 12. Februar 1807

Bei Goethen war's den Abend, wie ich Dir schrieb, ganz allerliebst. Er hatte einige junge Schauspieler, die er oft bei sich deklamieren läßt, um sie für ihre Kunst zu bilden, eingeladen und las mir mit ihnen eine seiner frühesten Arbeiten, ein Stück voll Laune und Humor, „Die Mitschuldigen" betitelt, vor. Er hatte selbst die Rolle eines alten Gastwirts darin übernommen, was bloß mir zu Ehren geschah; sonst tut er das nicht. Ich habe nie was Ähnliches gehört: er ist ganz Feuer und Leben, wenn er deklamiert, niemand hat das echt Komische mehr in seiner Gewalt als er. Zwischendurch meisterte er die jungen Leute, ein paar waren ihm zu kalt. „Seid ihr denn gar nicht verliebt?" rief er komisch erzürnt, und doch war's ihm halb ein Ernst. „Seid ihr denn gar nicht verliebt? Verdammtes junges Volk! Ich bin sechzig Jahr alt, und ich kann's besser." Wir blieben bis halb 12 zusammen; ich saß bei ihm und die Bardua auf der andern Seite; wir beide sind seine Lieblinge.

Schop I, 79

1408. RIEMER AN FROMMANN

Weimar, 18. Februar 1807

Der „Tasso" ist ganz gut abgelaufen. Das bessere Publikum, welches einigermaßen an dem Stück Anteil nimmt oder nehmen zu müssen glaubt, ist zufrieden, und die Außenbleiber bedauern es hinterher nicht gesehn zu haben. Wolff hat sich übertroffen; er hat leidenschaftliche Heftigkeit gezeigt, die man ihm nicht zutraute. Die Wolff machte die Leonore Sanvitale; man konnte sich begnügen. Becker spielte sehr gut und erhielt sich das ganze Stück hindurch gleich. Die Silie machte die Leonore und mir am wenigsten zu Dank. Hätte sie aber auch die Wolff gemacht, so wäre etwas anders zu desiderieren gewesen. Das Ganze machte sich indessen recht gut, und man desiderierte keineswegs Handlung, wie man's nennt; den Plebs etwa ausgenommen.

Wir waren zeither an Newtons Optik beschäftigt und

übersetzten vor ein paar Tagen zwischendurch Müllers Rede in der Akademie zu Berlin: „De la gloire de Frédéric“.

Rie 90

1409. CHARLOTTE VON STEIN AN IHREN SOHN FRIEDRICH

Weimar, nach dem 20. Februar 1807

Es [die „Farbenlehre“] ist zwar eine trockene Unterhaltung, und doch mag man's wegen der Schreibart, wo nicht, ohne der Deutlichkeit zu schaden, ein Wort zuviel ist, gern lesen. Für wen es vollends Liebhaberei ist, dem kann es sogar interessant sein. Wenn man kann nachfühlen, wie jemand sich so etwas auseinandergesetzt hat, so ist einem diese Klarheit eine wohltuende Empfindung ...

Unendlich gut wurde er [„Torquato Tasso“] aufgeführt. Nur die Rolle der Prinzeß nicht, welche die Silie oder ehemals Petersilie machte. Wieland war so bös darüber, daß er keine Petersilie mehr in der Suppe essen wollte. Schade, daß Goethe die Rolle nicht der Jagemann gegeben hat. Tasso selbst war ein wahrer Schatz; der Akteur heißt Wolff; ich hatte immer eine Zuneigung zu ihm, denn etwas sieht er Dir gleich ... Lies einmal den „Tasso“ wieder: es ist jede Zeile Goldes wert. Er ist mir nie so in die Seele übergegangen.

Stein II, 263f.

1410. VULPIUS AN NIKOLAUS MEYER

Weimar, 22. Februar 1807

Goethes „Tasso“ ist am 16. aufgeführt worden, und zwar mit Glück, woran die Bühnen stets gezweifelt haben. Es ist also ein neuer Beweis, wie gut unsere Schauspieler und wie fein gestimmt unsere Spektatoren sein müssen. – Selbst die Galerie verhielt sich mäuschenstill – und applaudierte wacker mit. Genug, es gefiel ...

Der Geheime Rat G[oethe] ist jetzt ziemlich wohl, nur sehr krittlig und grämlich. Da hat man doch ein wenig seine Not.

MeyerN 205f.

1411. FERNOW AN GERHARD VON KÜGELGEN

Weimar, etwa Ende Februar 1807

Darin ist er aber auch so ganz besonders glücklich organisiert, daß jeder anklingende Ton von außen in seinem Gefühle richtiger widerklingt; und sowie er dergleichen Anklang in sich wahrnimmt, so ist er darauf wie auf eine Naturerscheinung aufmerksam. Dann sucht er sich den Eindruck zur Klarheit zu bringen und ihm womöglich Namen und Ausdruck, wenigstens in einem Gleichnis, zu geben. Er wäre ja der einzige Dichter nicht, der er ist, wenn er das nicht könnte. Daher kommt's aber auch, daß so unendlich wenig Menschen Goethe verstehen und kennen und daß die, welche ihm als Künstler Gerechtigkeit widerfahren lassen, ihn außer dieser Sphäre als Menschen so schief beurteilen. Nach dem, was ich nach so vielfältiger Beobachtung von seinem Charakter begreife, halte ich ihn auch für einen der trefflichsten und edelsten Menschen, überhaupt in jeder Hinsicht für eine der vollkommensten und gediegensten Naturen, die ich unter Menschenkindern gefunden habe. Wer könnte auch ein wahrhaft großer und trefflicher Künstler sein und nicht zugleich ein ebenso großer und trefflicher Mensch!

Fer 198

1412. HENRIETTE VON KNEBEL AN IHREN BRUDER

Weimar, 4. März 1807

Goethes „Tasso" hat mich und wohl das ganze Publikum lebhaft interessiert. Ich hätte selbst nicht geglaubt, daß es bei der Aufführung diese Wirkung hervorbrächte, besonders bei mir; denn ich gestehe, daß ich im Theater fast immer gleich ermüdet bin und öfters sogar einschlafe. Es ist aber ein großer Vorteil, wenn man voraus das Gefühl hat, daß nichts Gemeines gesagt wird. Dann hat Goethe das vor Schiller voraus, daß jeder Charakter sein Eigenes behält und man nicht überall den Autor hören und sehen muß.

KnHe 277f.

1413. VOSS DER JÜNGERE AN CHARLOTTE SCHILLER

Heidelberg, 7. März 1807

Daß der herrliche Goethe sich so wohl befindet! Gott segne ihm die neue Badreise wie die vorige! Nun kann ich recht mit Ruhe an ihn denken, denn ich habe die Überzeugung, daß ihm ein ruhiges, mildes Alter zuteil werden wird. Wie elend war Goethe in der Zeit, als uns der teure Schiller entrissen ward!

SchFr III, 217

1414. JOHANNA SCHOPENHAUER AN IHREN SOHN

Weimar, 10. März 1807

Seit ein paar Abenden liest Goethe selbst bei mir vor, und ihn dabei zu hören und zu sehen, ist prächtig. [August Wilhelm] Schlegel hat ihm ein übersetztes Schauspiel von Calderón [„Der standhafte Prinz"] im Manuskripte geschickt; es ist Klingklang und Farbenspiel; aber er liest auch den Abend keine drei Seiten, sein eigener poetischer Geist wird gleich rege: dann unterbricht er sich bei jeder Zeile, und tausend herrliche Ideen entstehen und strömen in üppiger Fülle, daß man alles vergißt und den Einzigen anhört. Welch ein frisches Leben umgibt ihn noch immer! Der arme alte Wieland kommt mir gegen ihn vor wie der alte Kommandant von Eger, wenn Wallenstein ihm sagt: „An meinen braunen Locken zogen die Jahre leicht vorüber." Du kennst die Stelle; sie heißt anders, aber dies ist der Sinn davon. Auch fühlt Wieland sich durch Goethens Gegenwart gedrückt; deshalb kommt er nicht in meine Gesellschaft, so gern er möchte.

Schop I, 85

1415. JOHANNA SCHOPENHAUER AN IHREN SOHN

Weimar, 23. März 1807

Goethe verläßt mich nicht, er hat jeden Abend seinen „Standhaften Prinzen" standhaft vorgelesen bis gestern, wo er ihn zu Ende brachte ... Mit seiner unbeschreiblichen Kraft, seinem Feuer, seiner plastischen Darstellung reißt er uns alle mit fort. Obgleich er eigentlich nicht kunstmäßig gut liest, er ist viel zu lebhaft, er deklamiert, und wenn etwa ein Streit oder gar eine Bataille vorkommt, macht er einen Lärm wie in Drury Lane, wenn's dort eine Schlacht gab. Auch spielt er jede Rolle, die er liest, wenn sie ihm eben gefällt, so gut es sich im Sitzen tun läßt. Jede schöne Stelle macht auf sein Gemüt den lebhaftesten Eindruck; er erklärt sie, liest sie zwei-, dreimal, sagt tausend Dinge dabei, die noch schöner sind, kurz, es ist ein eigenes Wesen, und wehe dem, der es ihm nachtun wollte! Aber es ist unmöglich, ihm nicht mit innigem Anteil, mit Bewunderung zuzuhören, noch mehr ihm zuzusehen. Denn wie schön alles dieses seinem Gesichte, seinem ganzen Wesen läßt, mit wie einer eignen hohen Grazie er alles dies treibt, davon kann niemand einen Begriff sich machen. Er hat etwas so rein Einfaches, so Kindliches. Alles, was ihm gefällt, sieht er leibhaftig vor sich. Bei jeder Szene denkt er sich gleich die Dekoration und wie das Ganze aussehen muß ...

Zwischendurch singt die Bardua uns ein Lied von Goethe, von Zelter oder Hummel komponiert. Er hat das gern und extert die gute Bardua nicht wenig, wenn sie undeutlich ausspricht oder gar die Verse verwechselt. Letzt habe ich entdeckt, daß sein Lied „Ich hab mein Sach auf Nichts gestellt" [„Vanitas! Vanitatum vanitas!"] recht gut zur Melodie „Es gingen drei Burschen zum Tor hinaus" sich paßt. Darüber hatte er große Freude, und nun muß die Bardua es jeden Abend singen.

Schop I, 88f.

1416. LODER AN CHRISTOPH HUFELAND

Petersburg, 8. April 1807

Die Franzosen haben in Weimar übel gehauset ... Wielands und Voigts Haus rettete nur der Zufall vor der Plünderung am ersten Tage, und am zweiten bat sich jeder eine Sauvegarde aus. Es ist nicht wahr, daß Wieland und Goethe aus Achtung gegen ihren berühmten Namen eine Wache bekommen haben. Goethe ward allerdings geplündert, und ein paar brutale Kerls drangen mit ihren Degen auf ihn ein und hätten ihn vielleicht umgebracht oder wenigstens verwundet, wenn die Vulpius sich nicht auf ihn geworfen und ihn teils dadurch, teils durch einige silberne Leuchter, die sie sogleich hergab, gerettet hätte. *Dafür* hat er sie geheiratet, und der Herzog hat nachher seine Einwilligung dazu gegeben. Auch haben die weimarischen Damen, Egloffsteins Frau mit zuerst, die neue Geheime Rätin in ihre Gesellschaften gebeten und sie dadurch gefirmelt. Daß Goethe sich unter dem Donner der Kanonen hat kopulieren lassen, wie in der Hamburger Zeitung stand, ist ein platter Spaß oder vielmehr eine dumme Lüge.

Alt-Weimar 99

1417. RIEMER AN FROMMANN

Weimar, 15. April 1807

Der Druck unserer „Farbenlehre" leidet durch den Tod der Herzoginmutter und diesen Besuch eine ... unangenehme Unterbrechung, die jedoch so kurz als möglich dauern soll, indem ich besonders darauf dringe, daß die Polemik [aus der „Farbenlehre"] völlig gedruckt sei, ehe wir nach Karlsbad gehen. Denn es ist gar zu unangenehm, nach einer Unterbrechung, wie diese sein würde, wieder ins Alte zurückzukehren und sich von neuem in den Zusammenhang einzustudieren. Nach der Rückkunft gehen wir mit frischen Kräften und größerer Lust zu dem historischen Teil über.

G[oethe] ist übrigens wohl. Die Geheime Rätin ist wieder zurück und unterhält uns von dem, was sie sah und hörte.

Rie 94

1418. RIEMER AN FROMMANN

Weimar, 18. April 1807

Der Tod der Herzogin, die unverhoffte Rückkehr der Geheimerätin, die Ankunft [Friedrich August] Wolfs und seiner Reisegefährten, die zwischenfallende Ausarbeitung gedachten Aufsatzes [„Zum feierlichen Andenken der ... Fürstin ... Anna Amalia“], eine Vorlesung für die Damen, die Übertretung der gewohnten Diät führten am Donnerstagabend den alten Anfall mit schon vergessener Heftigkeit herbei, und G[oethe] mußte gestern noch den ganzen Tag im Bette zubringen ... Die Abäscherung in vier Tagen hintereinander war bei seiner gewohnten Ruhe zu groß.

Rie 95

1419. HENRIETTE VON KNEBEL AN IHREN BRUDER

Weimar, 18. April 1807

Goethe ... hat diesen Morgen die Prinzeß [Karoline Luise] mit schönen Blumen beschenkt, die sie sehr erfreuen, einem Lack- und einem Levkojenstock, in schönster Blüte.

Vorigen Mittwoch waren wir vormittags bei ihm. Der Geheime Rat Wolf war da und hielt anfangs auch einen kleinen Vortrag über die Alten, ihre Geschichte, ihre Sprache usw. Dann brachte uns Goethe einige Frühlingsblumen und zeigte uns recht hübsche Sachen mit guten Bemerkungen; wobei ich das artige Hungerblümchen besonders liebgewann, das so wenige Bedürfnisse hat und bei wenig Saft und geringer Wärme sich so schnell entwickelt und hervorkommt, daß man es fast wachsen sehen kann.

KnHe 281 f.

1420. BÖTTIGER AN BERTUCH

Dresden, 24. April 1807

Ich habe die Blume schon in Händen, die Goethe auf [Anna] Amaliens Grab gestreut hat. Es ist nicht zu leugnen, daß sie manch aromatische Ausdüftung verstreut; aber hie und da riecht man doch auch den Minister, der den Lebenden schöntut. Da ich als Redakteur des „Merkurs" bekannt bin und sich Goethe noch das letztemal, in Karlsbad, so bäurisch grob gegen mich benommen hat, daß es aller Welt auffiel, so kann ich ... sein Specimen nicht in den „Merkur" aufnehmen, ohne den Anschein zu haben, als wollt ich ihm den Hof machen. Auch ist es eine große Frage, ob Vater Wieland mit allem, was Goethe sagte oder *verschwieg,* zufrieden ist. Endlich erscheint dies Andenken auch sogleich in Eichstädts „Allgemeiner Literatur-Zeitung"; wir kommen viel zu spät damit.

GoeJb II, 375

1421. VOSS DER JÜNGERE AN ABEKEN

Heidelberg, 26. April 1807

Mir war es rührend, wie Goethe am zweiten Abend nach der Schlacht [16. Oktober 1806], als wir um ihn versammelt waren, der Vulpius für ihre Treue in diesen unruhigen Tagen dankte und mit den Worten schloß: „So Gott will, sind wir morgen mittag Mann und Frau."

Goethes Heirat scheint mir die Frucht von seinem damaligen Gefühl gewesen zu sein, daß auf Erden eine allgemeine Gleichheit eingetreten sei. Er dachte wohl zunächst an die möglichen Wechsel der Dinge und wünschte die versorgt, der er doch so viele Verbindlichkeiten schuldig ist. Die Vulpius mag sein, was sie will, für Goethe hat sie von jeher mit beispielloser Treue gewacht, und sie durfte mit Recht Anspruch auf seine Dankbarkeit machen. Auch ist sie ja immer die Mutter seines geliebten Sohnes. Irdische Verhältnisse mögen Goethe bisher abgehalten haben, die Vulpius zu heiraten; aber wann konnten solche Rücksichten weniger stattfinden als zu der Zeit, wo alles sich auflösen zu wollen schien. Und welchen Zeitpunkt konnte Goethe bequemer wählen, das zu tun, was er schon lange hat tun wollen, als zu einer Zeit, wo die Stadtfama mit viel wichtigeren Dingen beschäftigt war, als auf eine solche Kleinigkeit zu merken. Als man sich wieder besinnen konnte, war Goethes Heirat schon etwas Altes und Verjährtes.

Lieber, die Vulpius ist nicht so schlimm, wie Du sie denken magst. Sie ist sinnlich, das heißt auf Vergnügungen ausgehend. Aber solange ich sie kenne, hat sie nichts getan, was auch bei dem strengsten Rigoristen ihr Renommee verdächtig machen könnte. Man braucht sie wahrlich nicht zu überschätzen; man lasse ihr nur, was sie hat. Wir haben immer ein gut Leben miteinander geführt ...

Übrigens leben Goethe und seine Frau wie vorher. Er nennt sie „liebes Kind“ wie vorher und sie ihn „lieber Geheimrat“ und „Sie“ wie vorher. Sie macht in ruhigen Tagen ihre Lustpartien, sie hat ihre Schauspielergesellschaften, alles wie vorher.

VoßG 102f. und 161

1422. JOHANNA SCHOPENHAUER AN IHREN SOHN

Weimar, 28. April 1807

Ein großes Unglück hat über uns geschwebt; es ist vorübergezogen. Goethe ist dem Tode nahe gewesen. Seit vierzehn Tagen, die er krank war, habe ich ihn nicht gesehen; jetzt ist er besser und kommt hoffentlich übermorgen zu mir; dann gebe ich meine Gesellschaft zum letzten Male. Es wird jetzt Sommer, und die Zeit der Geselligkeit ist vorüber. Er hat der verwitweten Herzogin eine Standrede geschrieben, die am Tage ihres feierlichen Leichenbegängnisses in der Kirche abgelesen wurde ... Wie wunderbar der große Mann jeden Ton zu treffen weiß! Wie meisterhaft alles ist, was von ihm kommt!

Schop I, 97

1423. HENRIETTE VON KNEBEL AN IHREN BRUDER

Weimar, 29. April 1807

Wir sind diesen Morgen nicht bei Goethen, der auch kürzlich krank war und nun auch noch etwas matt und hinfällig ist...

Eine gute Lektüre, die uns etwas von der Gegenwart entfernt, ist jetzt von großem Wert, und es war mir recht schmeichelhaft, als uns Goethe gestand, da wir ihm kürzlich auf dem Spaziergang begegneten, daß er jetzt am liebsten „Tausendundeine Nacht" läse; denn just so mache ich es auch.

KnHe 282f.

1424. KNEBEL AN SEINE SCHWESTER

Jena, 22. Mai 1807

Wir haben Goethe noch hier, und er wandelt in seiner „halben Hypochondrie", wie er sie nennt, unter uns herum, und seine Gegenwart tut uns wohl. Wie angenehm ist es, unter den gemeinen Gelehrten einen Mann zu sehen, dem es um wahre Wissenschaft und Weisheit zu tun ist! Auch scheint es mir, daß er froh ist, der weimarischen bösen Luft auf eine Weile entronnen zu sein.

KnHe 286

1425. KNEBEL AN SEINE SCHWESTER

Jena, 26. Mai 1807

Goethe ist gestern in der Frühe von hier abgereist. Wir grüßten ihn noch beim Wegfahren aus unserm Fenster. Er scheint sich fast ganz in sich und den weiten Umfang seiner Beschäftigungen und Kenntnisse zu konzentrieren, um den bösen Einflüssen der Zeit und der Umstände widerstehen zu können und das mannigfaltige moralische und politische Übel von sich zu halten. Es ist schlimm, wenn man gewissermaßen an der Welt zu verzweifeln anfängt und sich das Gemüt der freien Mitteilung verschließt. Man bewahrt dadurch Übel, die sich doch vielleicht lindern ließen. Doch was läßt sich sagen! Die Umstände machen vorher das Gemüt krank, und dann kann das kranke Gemüt nicht, wie das gesunde, sich freie Vorstellungen schaffen. Goethe ist indessen glücklich, daß er sich einen so reichen Vorrat von tiefen Kenntnissen und Fähigkeiten aller Art hat anzuschaffen und zu erhalten gewußt. Zu wünschen wäre es, daß er an dem Platze, woran er sich befunden, auch gewisse politische Fähigkeiten oder Eigenschaften sich hätte aneignen können. Aber diese sind, wie schon Bacon bemerkt hat, Gemütern von eigenem reichen Vorrat selten eigen, indem sie anfänglich solche zum Teil auch zu sehr verachten. So hat unser Weimar durch die ganz vorzüglichen Geister, die es besessen, im Politischen auch nicht um ein Haar gewonnen.

KnHe 287

1426. KAROLINE HERDER AN KNEBEL

Freiberg, 30. Mai 1807

O lieber Freund, ich möchte ein Geständnis machen über die hochgepriesenen poetischen Abgötter der Zeit. Wie steif und leer und herz- und geistlos sind sie mir in ihren Formen, mit denen sie uns jetzt eine kunstvolle Menuett vortanzen! Arme, zusammengelesene Gegenstände, die nicht leben; kurz, meist *ausgedrückte Zitronen* gegen unsern *einzig lebendigen* Jean Paul ... *Ein Genius und Heiland seiner Zeit ist er!* Und welcher Dichter dies nicht ist, hat seinen göttlichen Beruf verfehlt.

BrKn II, 90

1427. CHRISTINE VON REINHARD AN IHRE MUTTER

Karlsbad, 1. Juni 1807

Vorgestern ward auf meinem Zimmer über die Begebenheiten der Zeit geschwätzt; gefragt, ob wohl Deutschland und deutsche Sprache ganz verschwinden würden. „Nein, das glaube ich nicht", sagte jemand, „die Deutschen würden, *wie die Juden,* sich überall unterdrücken lassen, aber *unvertilgbar* sein wie *diese* und, wenn sie kein Vaterland mehr haben, erst recht zusammenhalten."

Dieser Jemand war Goethe. Er war wenige Tage vorher hier angelangt, hatte mir am Tage seiner Ankunft einen Brief von Frau Frommann geschickt und durch Riemer seinen Besuch melden lassen.

Mein Mann begab sich gleich nach dem Mittagessen zu ihm. Man führte ihn in ein Zimmer, wo ein älterer, ziemlich starker, mit einer Jacke bekleideter Mann saß, der sofort ins Nebenzimmer verschwand und alsbald, mit einem Überrock bekleidet, zurückkehrte. Er setzte sich aufs Sofa und war bemüht, sich geradezuhalten.

Seine Manieren haben nichts Französisches, sind nicht freundlich, sondern rasch und abgehackt. Sein Ausdruck ist ernst, aber wenn er lächelt, glänzen seine Augen, und Ironie läßt sich in allen Runzeln seines Antlitzes blicken.

Er war sehr zuvorkommend, sprach von Jassy, unserer Gefangennahme und erinnerte sich einer Reise, die er in jene Gegend gemacht hatte.

Das Bild, das ich mir von Goethe vorgestellt, ist, wie es berühmten Leuten gegenüber so häufig geschieht, nicht genau. Er gleicht mehr dem Antonio als dem Tasso. Sein ganzes Auftreten ist das eines Staatsmannes; nur sein Auge verrät den Dichter.

Rei 325f. Aus dem Französischen

1428. CHRISTINE VON REINHARD AN IHRE MUTTER

Karlsbad, 11. Juni 1807

Goethe hielt uns auf einem Spaziergange einen förmlichen Vortrag über seine neue Farbenlehre. Seine Art, sie zu betrachten und darzustellen, ist sehr interessant; trotzdem sagt man sich, sobald man nicht mehr unter seinem geistigen Einflusse steht, es werden viele seiner Ausführungen von kompetenten Beurteilern ins Reich der Chimäre verwiesen werden. Karl folgt diesem blendenden Geist besser als ich. Die geistige Welt, in der er sich bewegt, umfaßt alles: Philosophie, Botanik, Astronomie. Alle Zweige der Wissenschaft sind ihm bekannt. Wenn ich ihm einige Zeit gefolgt bin, wie er alle Gegenstände berührt und sich immer in unersteiglicher Höhe hält, so verweigert mein Verstand jeden Dienst, und ich werde durch das Gefühl meiner Inferiorität vernichtet. Aber ich bin überzeugt, daß dies der von ihm gewünschte Eindruck ist, der ihm außerordentlich schmeichelt.

An einem einzigen Tage kam er viermal. Vormittags, um mir in der Kopie seiner Höhenkarte zu helfen, dann, um das von ihm erbetene Tagebuch unserer Einschließung mir zurückzustellen, später, um uns farbige Gläser zu bringen, die sich auf seine Arbeit beziehen, endlich abends, um sich zu entschuldigen, daß er nicht mit uns speisen könne ...

Der Dichter brachte uns sein Stammbuch und bat uns, daß wir uns hineinschreiben möchten. Ich war darüber sehr betreten, denn er hat bestimmte Ansichten über die Handschrift, die nach ihm Schlüsse auf den Charakter der Person gestatte. So hat er ein förmliches Studium über die Handschrift Napoleons gemacht und ist zu einem sehr richtigen Urteil über sie gelangt. Doch haben wir uns dadurch aus der Prüfung zu ziehen gesucht, daß wir das allumfassende Genie des Mannes lobten, vor dem Natur und Menschenherz keine Geheimnisse mehr besitzen. Diese Schmeicheleien wurden gut von ihm aufgenommen.

Rei 326ff. Aus dem Französischen

1429. CHRISTINE VON REINHARD AN IHRE MUTTER

Karlsbad, 24. Juni 1807

Mein Mann traf Goethe am Vormittag und erzählte ihm, daß die erwartete Schlacht am 14. Juni stattgefunden habe. „Es werden noch mehrere folgen“, sagte er auf französisch.

Nach dem Konzert kam er uns entgegen und ging mit uns in ostensibler Weise spazieren. Diese Demonstration wurde allgemein bemerkt.

Goethe bringt fast alle Abende bei uns zu. Dann ist die Politik völlig aus der Unterhaltung verbannt. Die Herren plaudern über Kunst, Wissenschaft und Literatur. Der funkelnde Geist des Forschers weiß auch den ernstesten Fragen eine neue Wendung zu geben. Man kann ihn nicht auf den ersten Blick beurteilen; nur wenn man mit ihm allein ist, gibt er sich als den allumfassenden Geist kund; sobald man in zahlreicher Gesellschaft ist, wird er schweigsam und bleibt in seine Gedanken versunken.

Unsere Begegnung mit ihm gehört zu den wenigen glücklichen Zufällen unseres Lebens. Für meinen Mann ist die geistige Anregung, die er aus der Intimität mit Goethe empfängt, nützlicher als alle von ihm gebrauchten Heilmittel. Er und Goethe scheinen sich täglich mehr aneinander zu gewöhnen und sich zu schätzen. Wir bringen ganze Tage miteinander zu.

Einmal las Goethe mehrere seiner Gedichte vor. Es war ein großer Genuß.

Rei 329f. Aus dem Französischen

1430. CHRISTINE VON REINHARD AN IHRE MUTTER

Karlsbad, 5. Juli 1807

Der Herzog hat uns sehr liebenswürdig aufgefordert, Weimar auf unsere Reiseroute zu sehen. Goethe lud uns gleichfalls ein und sagte bei der Gelegenheit meinem Mann, er wolle ihm seine Frau vorstellen. Er fügte hinzu: „Ich will sie Ihnen schildern, aber nicht in Gegenwart Ihrer Gattin; die ist eine zu aristokratische Natur. Für meine Frau sind meine Werke tote Buchstaben; sie hat keine Zeile davon gelesen; die geistige Welt existiert nicht für sie. Sie ist eine vortreffliche Wirtschafterin; meine Häuslichkeit, die sie ganz allein leitet, ist ihr Königreich. Sie liebt Putz und Theater und ist dann völlig umgewandelt. Meine Gesellschaft hat sicher einen Einfluß auf ihren Verstand ausgeübt und das Theater ihren Ideenkreis erweitert." ...

Goethe machte uns ein sehr schönes Geschenk mit der eben erschienenen Gesamtausgabe seiner Werke. Auf die erste Seite klebte er eine von ihm selbst gemalte Ansicht Karlsbads nach der Natur, mit der Widmung: „Dem würdigen Ehepaar Reinhard." Diese Aufmerksamkeit rührte uns sehr. Mein Mann verschaffte sich mehrere französische Werke, die er ihm schenken will. Augenblicklich ist nur von „Corinna“ [von Frau von Staël] die Rede. Der Herzog ließ ein Exemplar auf Bitten Goethes kommen. Dieser hat es seit einigen Tagen und scheint entzückt zu sein, wenigstens lobt er es ohne jeden Vorbehalt.

Rei 332f. Aus dem Französischen

1431. PASSOW AN HUDTWALKER

Weimar, 7. Juli 1807

In diesen Stunden wird mir das Katheder zum Dreifuß, und ich *fühle* mich recht als Goethes Mitbürger (dessen Sohn hiesiger Primaner ist).

Goethe ist noch nicht hier, kommt aber im August, da er seinen Plan mit Wien aufgegeben hat. Ich sehe aber, daß er alles vorbereitet hat, mich an sein Haus zu knüpfen. Seine jetzige Frau hat mir das schon zu verstehn gegeben. Und nicht umsonst!

Einen zweiten gesellschaftlichen Berührungspunkt hat mir eine Landsmännin von Dir, eine hier lebende Hofrätin von Schopenhauer, gegeben ... Ihr Haus ist das einzige, was Goethe besucht und wo man ihn ganz Goethe findet. Im Winter ist er und noch einige Weimaraner, z. B. Einsiedel, Meyer, Fernow, Weißer, alle Abende des Donnerstags und Sonntags bei ihr, wo er zum Entzücken liebenswürdig sein soll. Noch vor seiner Reise hat er, gleich nach meiner Berufung, die Schopenhauer gebeten, auch mich zu diesen Zirkeln zu zählen.

Pas 83

1432. CHRISTINE VON REINHARD AN JOHANNA FROMMANN

Karlsbad, 8. Juli 1807

Unser Zusammentreffen hier mit Goethe betrachte ich als ein Geschenk des Himmels. Er und Reinhard scheinen großes Behagen aneinander zu finden. Ich habe eine herzliche Freude, sie ihre Schätze austauschen zu sehen. Goethe lebt hier fast nur mit uns; wir sehen ihn täglich.

Mein eigentliches Urteil über diesen höchst merkwürdigen Menschen, der als Dichter alle meine Gefühle, als Mensch nur meine Verstandeskräfte in Bewegung setzt, behalte ich mir vor, Euch einmal beim Teetisch recht verständlich vorzutragen, um es durch Euch berichtigen zu lassen.

Gespr II, 237

1433. CHRISTINE VON REINHARD AN IHRE MUTTER

Karlsbad, 10. Juli 1807

Ich habe Ihnen schon von unserm täglichen Verkehr und von dem Anteil gesprochen, mit dem ich dieses ebenso außerordentliche wie universale Genie betrachte. Ich sage „betrachte", denn trotz allen Entgegenkommens seinerseits sind unsere Beziehungen, wenigstens soweit es mich betrifft, niemals herzliche geworden. Es ist an ihm zuviel Aufgetragenes und ein Mangel an Natürlichkeit, die kein Vertrauen erwecken und vielmehr jede Ergießung ausschließen. Es wäre anmaßend von mir, wenn ich ihn beurteilen wollte und mir einbildete, dieses einzigartige Wesen begriffen zu haben. Ich werde vielmehr nur versuchen, den Eindruck wiederzugeben, den dieser strahlende Geist auf mich gemacht hat; aber auch dazu sollte man seine Beobachtungsgabe und seine Kühnheit haben.

Der Professor Huber sagt mit Recht, daß Goethe jede Individualität vermeidet. Eben deshalb hat er nie mein Herz bewegt. Er schwebt über dem menschlichen Elend gleich dem Bewohner eines andern Himmelskörpers. Nie spricht er von sich selber, und nie habe ich ihn an den Freuden und Kümmernissen anderer Anteil nehmen sehen. Selten entlockt man ihm ein Zeichen der Billigung oder des Mißvergnügens. Wenn man gegen ihn die Mißgeschicke und Enttäuschungen von Leuten, die er kennt, erwähnt, so nimmt er solche Erzählungen wie Anekdoten und erzählt ähnliche. Nichts erregt ihn. Er lebt völlig im Kreise seines Denkens und Wissens; wahrlich: einem ungeheuren Kreise, der alle Wissenschaften in sich faßt; da macht er sich denn ein Spiel aus den abstraktesten Gegenständen. Er ergibt sich mit Eifer der Botanik, der Chemie, der Steinkunde, der Astronomie: Alles ist ihm vertraut. Die Farbenlehre ist sein gegenwärtiges Steckenpferd, und der Bericht, den er meinem Manne darüber gemacht hat, zeigt, daß sie, von der Chemie ausgehend, zur Philosophie ansteigt.

An die Schmeichelei gewöhnt, wie er ist, verwirrt ihn keine Lobrede mehr. Als im Laufe eines Gesprächs Goethe sich mit ungewohntem Feuer und Schwunge ergossen hatte, sagte ihm Karl: obwohl er doch zu wiederholten Malen mit bedeutenden Männern in beinahe innige Beziehungen gekommen sei, habe er doch bei keinem von ihnen einen solchen Reichtum an Gedanken, einen solchen Zusammenklang, eine solche Erhabenheit der Aussprüche, kurz, ein so vollkommenes Ganzes gefunden wie bei ihm. Er gestand, daß er ihm nur mit Mühe folgen könne, denn sein Geist müsse immer wieder auf das zurückkommen, was er von ihm gehört hatte, und daß er oft von der Richtigkeit und Kühnheit seiner Ideen gleichsam geblendet sei. Solche Huldigung schien den Dichter gar nicht weiter zu erstaunen; er antwortete: man müsse in der Tat an seine Sprache gewöhnt sein, um ihn zu verstehen, weshalb er denn auch auf die gesellschaftliche Unterhaltung verzichtet habe und nur dann sprechen möge, wenn er Menschen seiner Höhe antreffe, wie mein Mann es sei und Schiller es gewesen. Danach begann er dann diesen letzteren zu loben, ohne jeden Hintergedanken der Nebenbuhlerschaft oder ohne an eine Vergleichung mit sich selber.

Sie wissen, liebe Mutter, daß Goethe, wie viele vorzügliche Männer, bei den Weibern sich gern einer geringeren geistigen Höhe anpaßt und daß er bei ihnen eine gewöhnliche Natur einer verfeinerten Intelligenz beinahe vorzieht. Bei seinen Verhältnissen mit unserm Geschlecht läßt er sich vom Eindruck des Augenblicks bestimmen und hat dann doch die Maximen bei der Hand, die seine Launen und alle ihre Folgen rechtfertigen sollen. Aber in seinen Werken rühren und gefallen uns seine erhaben fühlenden Heldinnen nicht, weil der Dichter sie nur deshalb mit soviel Tugenden geschmückt und mit soviel Liebe geschaffen hat, damit es den Anschein habe, daß er den Schöpfer der wirklichen Frauen übertreffe.

Wenn er seine Dichtungen vorliest, ist es ein Hochgenuß. Seine Stimme ist klangvoll, stark und wohlmoduliert. Das Feuer seiner Blicke, sein Ausdruck, seine Bewegungen sind richtig und eindrücklich. Mit Vorliebe deklamiert er Balladen und handlungsreiche Stellen. Er hatte uns gleich gesagt, daß seine Wahl gewöhnlich auf Gegenstände falle, wo eine Situation uns ergreift, und nicht etwa auf gefühlvolle oder gedankenreiche Reden.

Meine unerfahrene Hand hat nun genug über diesen Meister in allen Künsten niedergeschrieben. Ich sollte Ihnen noch die Meinung meines Gatten über den Menschen und den Schriftsteller Goethe mitteilen, aber die Zeit mangelt mir. Sie unterscheidet sich von der meinigen in mehreren Punkten, denn er erhebt seinen Freund dermaßen in die Wolken, daß das Haupt des Helden beinahe von einem Himmelslichte umgeben erscheint. Ich meinerseits beschränke mich darauf, in ihm zwei Augen von unvergleichbarem Glanze zu bewundern und zu gestehen, daß ich ähnliche nie gesehen habe, denn sie erstrahlen von einer Intelligenz über alle Maßen.

Rei 334–337. Aus dem Französischen

1434. BETTINA BRENTANO AN ARNIM

Kassel, 13. Juli 1807

In Weimar ward mir ein einziger Wunsch erfüllt: die vier Stunden, die ich dort zubrachte, schaute ich in Goethes Antlitz, der mich wieder so freundlich ansah, so freundlich! Kein Wesen in der ganzen Natur war mir so angemessen, gab so, was ich begehrte, als eben das seinige ...

Mit Goethe sprach ich viel von Ihnen. Er hat Sie lieb; er kann es sehr gut begreifen, daß ich Sie auch liebhabe. Ich wundre mich, daß ich so ruhig war bei ihm, bei ihm allein, daß ich auf seiner Schulter lag und beinah schlief, so still war die Welt um mich her, und er ließ sich's gefallen und war auch still und war so ehrend in dem wenigen, was er zu mir

Bettina von Arnim geborene Brentano

sprach. Ich trag einen Ring von ihm am Mittelfinger der rechten Hand. Es ist eine kleine Figur in einen blauen Stein geschnitten, die ihre Haare löst oder bindet ...

ArnBe 57

1435. BRENTANO AN ARNIM

Frankfurt, 17. Juli 1807

Indessen reiste Bettine ... durch Berlin und Weimar. Dort war sie bei Goethe drei Stunden, und er steckte ihr einen Ring an den Finger und gedachte unsrer Mutter ... ich mußte sehr weinen, sie wiederzusehen: am Finger die schöne Antike von Goethen, ein Weib, das sich verschleiert. Ich habe sie unendlich lieb ... Bettine ist ruhig wie ein Engel; sie ist geistreicher, als je ein Mensch vielleicht gewesen, unergründlich genial, unschuldig. Ihr Gesang ist viel, viel mehr geworden. Sie ist nicht mehr gespannt; sie ist ein Genius, der die Flügel öffnet und senkt ...

Soeben geht Bettine mit ihrem Schreibebuch zum erstenmal zur alten Goethe, sich erzählen zu lassen und aufzuschreiben. Gestern hat die Alte ihr gesagt: „Main Sohn hat Ufträg vom Kaunig nach Wiehn kriegt, un sie sahge, er werd außem Karlsbad hihngehn. Aber ich weeß besser, er kann nit wohl hihngehn; ich hab em ja Schpahwasser nach Waimar geschickt, un wie kann er dann nach Wiehn, wenn das Schpahwasser in Waimar iss!" Dieses ist die letzte Nachricht in der Biographie.

Brent I, 341 und 343

1436. ELISA VON DER RECKE AN REINHART

Karlsbad, 25. Juli 1807

Goethe und Fernow sind jetzt hier. Ersterer will sich in Karlsbad ansässig machen und auf der Wiese den Goldenen Brunnen kaufen. Ich verdenke dies Goethen nicht, denn Karlsbad bleibt schön, wenn man auch Salzburg, Tirol und die Schweiz gesehen hat.

GoeJb IV, 455

1437. CHRISTINE VON REINHARD AN IHRE MUTTER

Weimar, 9. August 1807

Ich hatte mir fest vorgenommen, die Bekanntschaft von Goethes Frau zu machen, um ihm zu beweisen, daß meine Natur nicht so exklusiv sei, wie er vermutete.

Zugunsten seiner Frau ist, obgleich Goethe eine hervorragende Stellung einnimmt, obgleich alles von ihm abhängt und man überall seinen Geschmack spürt, keine Abweichung von der Etikette gemacht worden. Der Zutritt zu Hofe ist ihr nicht gestattet, und wenige Personen überschreiten ihre Pforte außer den Fremden, die stets begierig sind, das Heiligtum dieses Mannes ohnegleichen zu überschreiten.

Das Äußere von Frau von Goethe ist gewöhnlich, um nicht zu sagen: gemein. Aber sie sieht so aus, als wenn sie einen guten Charakter hätte. Sie hat auf mich einen weniger antipathischen Eindruck gemacht, als sonst Frauen machen, die in die Gesellschaft kommen, nachdem sie lange Zeit eine niedrige Stellung eingenommen haben. Sie drängte uns gutmütig, eine Mittagseinladung bei ihr anzunehmen.

Goethes Wohnung ist ein wahrhafter Musenpalast, in italienischem Stil eingerichtet. Auf jedem Treppenabsatz sind Nischen angebracht, in denen Statuen stehen. Am Fußboden des ersten Salons ist in Mosaik das Wort SALVE zu lesen.

Man meint in einen Tempel einzutreten, aber die darin wohnende Gottheit hat nichts Ätherisches. Wollte ich sie Ihnen genau charakterisieren, so könnte ich sie nur mit der Kammerfrau vergleichen, die ich nach Italien mitnahm. Ihre Person, ihre Manieren und Bewegungen sind durchaus die einer gewandten Kammerfrau. Auch ihr Bildungsgrad steht nicht höher ... Es ist seltsam, daß ein Mann von so erhabenem Wesen, der das Schöne verehrt, in seinen Wohnräumen keine mittelmäßigen Kunstgegenstände duldet, eine so gewöhnliche Frau zu seiner Lebensgefährtin gemacht hat, daß er, der in Kunstgegenständen so schwer zu befriedigen ist, in Gefühlssachen so bescheiden war.

Diese Seltsamkeit, dieser Mangel an Logik stimmt jedoch

mit dem Eindruck überein, den der Dichter mir machte, sooft es sich um sein äußeres Leben handelte.

Rei 345ff. Aus dem Französischen

1438. VOSS DER JÜNGERE AN CHARLOTTE SCHILLER

Heidelberg, 28. August 1807

Dieser Görres gehört unter die Arabeskenschriftsteller. Er hat Witz und Phantasie, aber durchaus keinen Geschmack... Jean Paul ist sein Heros; Schiller verdient nicht den Namen eines Dichters; Goethe soll einige Anlage gezeigt haben, aber die gemeine Natur hat den Sieg davongetragen. Im „Wilhelm Meister" herrscht eine niedrig-ökonomische Ansicht des Lebens, ein irreligiöser Dualismus ... Schade ist es um manchen guten Kopf, der durch eine solche querköpfige Ansicht zugrunde geht ...

Ist Goethe denn noch wirklich im Karlsbade oder nach Wien gereist, wie es hier heißt? Ich fürchte, er ist nach seiner Vermählung nicht so glücklich wie vorher. Vielleicht bleibt er lange auf der Reise, um sich zu zerstreuen und Heiterkeit für den Winter zu holen. Wolle ihm ein gutes Geschick die geben nach dem letzten, für ihn doch zum Teil trüben Winter. Daß er seinen August zu uns schickt, ist wohl gewiß; wenigstens mir hat er es als bestimmt geschrieben...

Gestern fiel mir die Xenie in die Hände:

Ödipus reißet die Augen sich aus, Jokasta erhängt sich,
Und so hat sich das Stück endlich harmonisch gelöst.

Ich war mutwillig genug, folgende Parodie zu machen:

Stella sticht mit dem Dolche sich tot, Fernando erschießt sich,
Und so hat sich das Stück endlich harmonisch gelöst.

Unbegreiflich ist mir's, wie Goethe diese Änderung hat machen mögen und können.

SchFr III, 227–230

1439. BETTINA BRENTANO AN ARNIM

Frankfurt, August 1807

Wievielmal stelle ich mir innerlich vor, wie Sie wiederkommen, was ich sagen will, und so weiter. Es ist mein Spielwerk, mit dem ich mich ergötze, sooft ich allein bin. Es ist mein Lieblingskind, das mir Sorge und Freude macht. Es ist ein Zwillingsbruder von der Begierde, wieder mit Goethe zu sein.

Wenn ich an diesen denke, so möchte ich ewig um ihn herumstreichen, ihn zart anspielen, wie kühler Wind in der Sommerhitze, ihm frisches Wasser reichen, ihn wärmen und pflegen im Winter, ein Tribut meines erfüllten Herzens. Seine Büste steht auf meinem Tisch, oft leg ich die Hand an die kalte breite Stirn. So lebendig ist das Bild, daß ich glauben muß, er winkt mir, er lacht, er scheint traurig, je nachdem ich es selbst bin, alles wie unter einem Schleier ...

Guter Arnim, Sie werden bald Goethe sehen. Ich bitte, denken Sie meiner, wenn Sie vor ihm stehen, so wie ich Ihrer gedacht habe. Fragen Sie nach mir, nur ganz leicht, und wenn er dann freundlich wird, das schreiben Sie mir.

Seine Mutter sehe ich alle Tage und erquicke sie in diesen heißen Tagen mit Trauben und Melonen.

ArnBe 61 und 63

1440. BETTINA BRENTANO AN ARNIM

Frankfurt, Mitte September 1807

Goethe hat mich durch seine Mutter bitten lassen, ihm zu schreiben; er will mir antworten. Diesen hab ich so lieb! So ganz ohne Wache, ohne Ringmauer, ohne Schloß und Riegel; vielmehr sind die Türen ausgehoben wie in Italien. Seht, so muß es sein bei solch einer kräftigen Natur. Ich kann mir mein Wesen gar nicht mehr denken ohne diese Säule, um die meine Lebenskette sich schlingt. Es wär ja dem schönen Land, dem herrlichen belebenden Strom abgeschnitten, wenn ich ohne diese himmlische Freude im irdischen Leben sein müßte.

ArnBe 68

Achim von Arnim

1441. GALL AN BERTUCH

Basel, 23. September 1807

Wenn Goethe da ist, so beschwören Sie ihn doch, daß er mir seinen prächtigen, herrlichen Kopf abdrücken läßt. Alle Welt lacht mich aus, daß ich ihn nicht habe. Ich will recht sanft mit ihm umgehn.

Alt-Weimar 96

1442. RIEMER AN FROMMANN

Weimar, 30. September 1807

Mit nächstem ... wird G[oethe] auch an der Polemik [der „Farbenlehre"] wieder fortfahren. Sich zu dieser Winterarbeit vorzubereiten und Lust dazu zu erwecken, hat er sich vorläufig an den zweiten Teil, der Geschichte nämlich, gemacht, sammelt und liest dazu. Und es wird sehr interessant werden. Von Karlsbad aus gleich in die Polemik einzuschreiten war eine zu ennuyante Sache.

Mit G[oethes] Gesundheit geht es sehr gut, und wenn es auch nur in diesem Grade besteht, so ist schon alles gewonnen. Denn ihn wieder *jung* zu machen, möchte wohl Medeens Sprudel selbst unfähig sein. Gott sei Dank, daß er sich so, heiter und tätig, befindet!

Rie 100

1443. CHARLOTTE VON STEIN AN IHREN SOHN FRIEDRICH

Weimar, 30. September 1807

Goethe ist wieder hier und grüßt Dich freundlich. Übrigens mutet er seinem Herzen nicht viel zu für seine Freunde.

Stein II, 271

1444. VULPIUS AN NIKOLAUS MEYER

Weimar, 4. Oktober 1807

Goethe ist gesunder zurückgekommen und ist jetzt munter und wohl, wiewohl er viel arbeitet an seinem Farbenwerk, an Hackerts Biographie [„Philipp Hackert"] pp. Er hat auch ein neues vortreffliches Vorspiel geschrieben [„Zur Eröffnung des Weimarer Theaters am 19. September 1807"], womit die Großfürstin im Theater empfangen wurde. Es schildert dasselbe die Szenen des 14.–17. Oktobers vorigen Jahrs bei uns, ganz treu und lebhaft, und die Empfangsszenen dieses Jahres. Sie hätten sehen sollen, wie alle Häuser mit Girlanden, Kränzen pp. behangen wurden, wie alles so waldlich aussah. Goethe hat es trefflich beschrieben...

MeyerN 215

1445. PASSOW AN BUCHER

Weimar, 10. Oktober 1807

Neulich hat Goethe angefangen, aus Schlegels Übersetzung von Calderóns „Standhaftem Prinzen" vorzulesen, von der er das Manuskript hat. Das Stück selbst genießen wir nicht sonderlich, aber Goethe desto mehr, weil er sich beim Vorlesen so recht gehnläßt. Erstlich spricht er so laut und heftig, daß die Leute in allem Ernst unterm Fenster stehenbleiben müssen; dann wiederholt er oft lange Stellen, die ihm besonders gefallen, zwei- und dreimal, und endlich spricht er selbst alle Augenblicke dazwischen, wo er etwas zu loben oder zu tadeln findet.

BodeSt VII, 199

1446. RIEMER AN FROMMANN

Weimar, 14. Oktober 1807

Von Goethens Befinden kann ich Ihnen das Beste melden. Er ist wohlauf. Die Diät, strenger als je, bekommt ihm sehr gut. Er ißt bloß zu Mittag, aber gut und hinlänglich. Des

Abends genießt er Tee mit Wein, des Morgens, außer seinem Spawasser, abwechselnd Kaffee, Schokolade oder Fleischbrühe. Des Weins täglich nur ein Nößel. Des Abends geht er sehr oft in Gesellschaft und ins Theater. So hoffen wir, daß sein teueres Leben uns noch lange zugute kommen soll.

Rie 102

1447. VOSS DER JÜNGERE AN CHARLOTTE SCHILLER

Heidelberg, 17. Oktober 1807

Goethes Gesundheit scheint nun doch wirklich fest zu sein ... Gott erhalte uns diesen Edeln an Geist und Herzen! Noch denke ich mit Freude eines Abends, wo Schiller in unserem Hause, auf unserem schwarzen Sofa, unter Agnes' [von Stolberg?] Bilde, ich möchte sagen, mit Begeisterung von Goethes durchaus edler, aber oft verkannter Natur sprach. Und aus welch einem Herzen entsprangen diese Worte! Wahrlich, eine schönere Verherrlichung gibt es nicht! kann es nicht geben! Die Nachwelt wird staunen über die Größe und Tiefe seines Geistes. Lieben und mit Innigkeit an ihm hangen wird sie, wenn sie erfährt, daß ihn Schiller mit ganzer Seele geliebt hat. Den Vorzug hat Schiller in seinen Werken vor Goethe, daß er keiner Verherrlichung durch andere bedarf. Wer ihn, den Menschen, auch nicht aus den theatralischen Werken ganz erkennt ..., der braucht nur in seinen Gedichten zu lesen, dem möchte ich das Lied „An die Freude" zu lesen geben, worin so ganz das Herz und die Gesinnung redet ... Wie sehr wünschte ich, daß auch Goethe mehr solcher Gedichte gegeben hätte, durch die man unmittelbar in sein Herz blicken könnte.

SchFr III, 231 f.

1448. RIEMER AN FROMMANN

Weimar, Ende Oktober 1807

Zugleich meldet er [Fernow] mir von einer Broschüre, die ich mich auch erinnere, angekündigt gesehn zu haben, unter dem ominösen Titel: „Saat, von Goethe gesäet, dem Tage der Garben zu reifen" [von Reinhold], der schon nichts Gutes weissagte. Nun vollends muß ich erfahren, daß es voller Invektiven gegen G[oethe] und das weimarsche Theater ist und daß ein Lump wie Merkel oder Kotzebue der Urheber sein muß. Ich möchte es doch lesen, doch, versteht sich, vor G[oethe] geheimhalten. Er muß es doch nicht erfahren, oder nur höchst indirekt.

Rie 105

1449. CHARLOTTE VON STEIN AN IHREN SOHN FRIEDRICH

Weimar, 11. November 1807

Gestern abend war ich bei der Herzogin. Goethe hat neue Szenen in seinen „Faust" gemacht und las sie vor. Sie werden in sechs Wochen ungefähr gedruckt erscheinen. Es ist ein sehr genialisches Stück, und mit Wahrheit sagt er in der Vorrede, daß er einen vom Himmel bis zur Hölle führe. Es sind jetzt öfterer Vorlesungen vom Goethe in einem sehr kleinen Zirkel bei der Herzogin. Die Erbprinzeß [Maria Pawlowna], Prinzeß Karoline, die zwei Oberhofmeisterinnen [von Wedel und Henckel von Donnersmarck] und ich; selten Herren. Wenn es dem Goethe lange gemütlich bleiben wird, so fortzufahren, wird es hübschere Abende geben als die des ewigen Kartenspiels. Aber beinah noch hübscher sind die Dienstage früh bei Prinzeß Karoline, wo er auch manchmal hinkommt und ohne Vorlesung die geistreichsten Dinge sehr angenehm auseinanderwickelt. Er ist da weniger geniert und weiß, daß er in der Prinzeß Karoline einen feinen Sinn findet . . . Goethe ist auf zwölf Tage nach Jena gereist. Wenn er etwas arbeiten will, so nimmt er immer seine Zuflucht dahin; denn seine Zelebrität setzt ihn immer so vielem Zuspruch aus, daß er hier nicht zu sich selbst kommt.

Stein II, 273f.

1450. KNEBEL AN SEINE SCHWESTER

Jena, 17. November 1807

Goethe lebt so ganz still weg und betreibt seine Geschäfte. Er besucht mich zuweilen, und wir disputieren uns auch ein wenig ...

Das Menschengeschlecht ist zuweilen etwas verkehrt; aber wo ihm Wärme und Güte herkommt, da streckt es doch bald die Köpfe hin. Gerechtigkeit gehört aber auch zu Wärme und Güte, denn ungerechte Güte ist Härte gegen den Gerechten selbst. Und so geht es auch dem guten Goethe, der nicht immer mit gleichgemessenem Maße teilt.

KnHe 313f.

1451. KAROLINE HERDER AN JOHANN GEORG MÜLLER

Weimar, 6. Dezember 1807

Über Ihre herrliche Idee zum Grabmal des Vaters werde ich Professor Meyer fragen. Dieser war ehedem des Vaters Freund; er hat den wahren, einfachen Geschmack. Goethe hatte ihn abgewandt; vielleicht hat er sich seitdem zum Bessern geändert, wie Goethe denn des Vaters Tod sehr angegriffen haben soll und er jetzt gute Gesinnungen über ihn äußern soll. Ach, sie haben nur jetzt keinen Wert für mich. Goethe ist für mich tot.

VaH III, 346

1452. KNEBEL AN SEINE SCHWESTER

Jena, 8. Dezember 1807

Goethe lebt hier recht wohl, und ich sehe ihn fast täglich. Zuweilen bringt er die Abende bei uns zu, und da ist dann jetzt der poetische Luther [Zacharias Werner] auch zugegen. Wir haben Goethe diese letzten Male besonders geistig und mitteilend gefunden, und es scheint, als wenn er es in diesem Kreise mehr noch sei als anderwärts. Es ist zu bewundern, wie tief er den Grund so verschiedner Dinge erforscht hat...

Goethes Gegenwart gibt mir doch einige, wiewohl geringe Hoffnung wegen des dringenden Bedürfnisses unsrer Erziehungsanstalten. Es ist nicht zu sagen, wieviel mit geringen Kosten, vielleicht im Anfange nur mit 3- bis 400 Talern, hierin für das gemeine Beste geschehen könnte und wie sehr sich das in kurzem verinteressieren würde. Denn in der Tat, es würden mehrere Personen hieher ziehen, wenn sie einige Anstalten für ihre Kinder fänden, und da die Universität auf so schlechtem Fuß ist, so würde dieses gar viel zur Nahrung der Bürger beitragen. Aber in Weimar, wo sich zum Unnützen und Willkürlichen so leicht die Summen finden, ist man für das Rechte immer arm.

KnHe 317

1453. KNEBEL AN SEINE SCHWESTER

Jena, 15. Dezember 1807

Goethe hat mir kürzlich einen einsamen Abend geschenkt, wobei er mir ein neues Gedicht von ihm, das er wahrscheinlich erst hier angefangen, „Pandorens Wiederkunft", vorgelesen hat. Ich kann Dir weiter nichts davon sagen, als daß es herrlich gedacht und ausgeführt ist. Die Personen sind gewissermaßen alle neu und mit großer Lieblichkeit entworfen. Vorzüglich gefällt mir die Idee von Pandorens Büchse oder Urne, die nach der Fabel alle menschliche Übel soll enthalten haben und an deren Grunde die Hoffnung allein noch zurückblieb. Goethe hat diese Übel in liebliche Traumgestalten verwandelt, die sich bei eröffneter Urne Dünsten gleich in die Höhe ziehen, nach deren Bildern die Sterblichen immer rennen, aber nur durch den törichten Verfolg derselben unglücklich werden. Die Hoffnung verspricht er sich noch unter dem griechischen Namen Elpore glücklich auszumalen. Der Sorge tragende Gemahl der Pandora, Epimetheus, hat mir auch sehr gefallen.

KnHe 318f.

1454. KNEBEL AN SEINE SCHWESTER

Jena, 17. Dezember 1807

... Goethe versicherte mich, daß das zum nächsten Geburtstag unsrer Herzogin zu gebende Stück [„Wanda"] des Herrn Werner gewiß keine drei Stunden spielen könne. Auch wird das Vorspiel, das er, wie es scheint, selbst dazu machen wollte, wegbleiben, da es nicht fertig wird.

Überhaupt scheint Goethe von der Beschwerlichkeit der Ausdauerung bei solchen festlichen Operationen gänzlich überzeugt zu sein, und er versicherte mich, daß er es selbst bei Schillers Stücken niemals über den vierten Akt habe aushalten können ...

Goethe, der morgen wieder nach Weimar zurückkehrt, hat uns gestern noch äußerst niedliche, hier verfertigte Sonette vorgelesen, und ich glaube, daß er es nicht übelnimmt, wenn Du oder die liebe Prinzeß [Karoline Luise] ihn ersuchen werden, sie vorzulesen. Auch darfst Du es ihm aufrichtig gestehen, daß ich seine „Wiederkunft der Pandora" Dir verplaudert hätte, und der Beifall der Prinzeß würde ihm schmeicheln und das Gedicht selbst ihr großes Vergnügen machen. Diese Geistesblumen haben uns in der Tat diese letzten trüben Tage sehr erheitert. Ich glaube nicht, daß an einem solchen Ort in so kurzer Zeit mehr Geistreiches und Liebliches ist hervorgebracht worden; denn auch Herr Werner hat sehr hübsche Sachen gemacht.

KnHe 319f.

1455. KNEBEL AN KAROLINE VON BOSE

Jena, 24. Dezember 1807

Daß Sie sich Goethen nicht ganz nähern können, kommt wohl daher, weil er wahrscheinlich ebenso *Scheu* trägt wie Sie ...

Wagen Sie es aber nur einmal und befragen Goethe über etwas, was Sie wirklich betrifft – und Sie werden ihm gewiß auf eine freundschaftliche Art näherkommen.

Kn III, 21

1456. PERTHES AN JOHANNES VON MÜLLER

Hamburg, etwa 1807

Ihre Rede auf Friedrich [„La Gloire de Frédéric"] habe ich nun ganz gelesen; es kommt mir aber doch vor, als wäre hierin um des Herrn willen das übrige Menschengeschlecht zu sehr als Pack behandelt. Goethes Übersetzung der Rede ist sehr schön; aber wo meine Achtung und Liebe für Johannes Müller mich nicht überzeugte, wird auch Goethe mich nicht bestechen.

Per I, 196

1808

1457. KNEBEL AN JEAN PAUL

Jena, 25. Januar 1808

Dieser [Goethe] ist seit einiger Zeit heiterer und poetischer, als ich ihn je gekannt. Sein „Vorspiel [zur Eröffnung des Weimarer Theaters...]" haben Sie in den Morgenblättern gelesen; jetzt arbeitet er – außer einer Menge Sonette, die er dazwischen macht – an einem andern, das mir eins der glücklichsten seiner poetischen Feder scheint. Es heißt „Die Wiederkunft der Pandora" ...

Übrigens ist Goethe öfters hier und bringt uns gute Tage und Abende.

GoeG 228f.

1458. WERNER AN CHRISTINE GRÄFIN BRÜHL

Weimar, 27. Januar 1808

... in Jena ... war ich drittehalb Wochen und lernte den hochbegnadigten *Goethe!!!* kennen. Sie kennen diesen nie alternden Apollo von Belvedere, ich brauche Ihnen also nur zu sagen, daß dieser *gesundeste aller fernhinschauenden Titanen* mich Kranken freundlich erträgt und – *gelten läßt* und in bezug auf mich mein Äskulap, also etwas ist, was selbst Hygieia nicht sein kann ...

Kurz, ich sehe den wahrhaft großen Goethe seit dem 2. Dezember vorigen Jahres täglich fast. An jenem mir ewig denkwürdigen Tage lernte ich ihn in Jena kennen, wo ich drittehalb Wochen in seiner *mich begeisternden* Nähe war. Dann ging er hieher nach Weimar und ich auch. Er hat mich in seiner Nähe eingemietet und nimmt sich meiner bis in die kleinsten Details (Sie kennen diesen zarten Riesengeist, dem nichts Kleines zu klein und nichts Großes zu groß ist!)

väterlich an! Er hat mich auf dem hiesigen Hofe präsentiert...

Dieses Trauerspiel, „Wanda, Königin der Sarmaten“, wird, will's Gott, den 30. diesen Monats zum Geburtsfeste der wahrhaft erhabenen Herzogin hier aufgeführt. Goethe wendet alle ersinnliche Mühe daran, was ich dankbar erkenne.

Wer 110f.

1459. WILHELMINE HERZLIEB AN CHRISTIANE SELIG

Jena, 10. Februar 1808

Er war immer so heiter und gesellig, daß es einem unbeschreiblich wohl und doch auch weh in seiner Gegenwart wurde. Ich kann Dir versichern, liebe, beste Christiane, daß ich manchen Abend, wenn ich in meine Stube kam und alles still um mich herum war und ich überdachte, was für goldne Worte ich den Abend wieder aus seinem Munde gehört hatte, und dachte, was der Mensch doch aus sich machen kann, ich ganz in Tränen zerfloß und mich nur damit beruhigen konnte, daß die Menschen nicht alle zu einer Stufe geboren sind, sondern ein jeder da, wo ihn das Schicksal hingeführt hat, wirken und handeln muß, wie es in seinen Kräften steht, und damit Punktum!

From 150

1460. RIEMER AN FROMMANN

Weimar, 16. Februar 1808

Morgen über acht Tage soll „Der zerbrochene Krug“ [von Heinrich von Kleist] sein, wenn's möglich ist ...

G[oethe] ist zwar nicht krank, aber (unter uns) nicht des besten Humors. Er hält sich immer noch auf seiner Stube.

Rie 112f.

1461. HENRIETTE VON KNEBEL AN IHREN BRUDER

Weimar, 5. März 1808

Ein fürchterliches Lustspiel, was wir am vorigen Mittwoch haben aufführen sehen und was einen unverlöschbaren unangenehmen Eindruck auf mich gemacht hat und auf uns alle, ist „Der zerbrochene Krug" von Herrn von Kleist in Dresden, Mitarbeiter des scharmanten „Phöbus". Wirklich hätte ich nicht geglaubt, daß es möglich wäre, so was Langweiliges und Abgeschmacktes hinzuschreiben. Die Prinzeß meint, daß die Herrens von Kleist gerechte Ansprüche auf den Lazarusorden hätten. Der moralische Aussatz ist doch auch ein böses Übel. Ich glaube, bei diesen Herrens hat sich das Blut, was sie sich im Krieg erhalten haben, alles in Dinte verwandelt. Im nächsten „Phöbus", den Dir die Prinzeß bald schicken wird, tritt dieser selbe Autor auch gleich mit so einer abscheulichen Geschichte [„Die Marquise von O..."] auf, lang und langweilig im höchsten Grad.

KnHe 328

1462. BETTINA BRENTANO AN ARNIM

Frankfurt, 7. März 1808

Der Brief [Goethes] hatte mich so kalt und hart gemacht; er selbst schreibt mir so kalt und steif, als ob er sich scheute, eine Leidenschaft in mir zu reizen. Siehst Du, so versteht er mich! Er ist nicht gewöhnt, seinen eignen Wert so tief und fest in der Seele eines andern zu sehen und das, warum er sich selber schätzte, wenn er sich über Lob und Tadel am unrechten Ort hinaussetzte, auf einmal erkannt zu wissen. Er kann sich das nicht vorstellen, und so werde ich wie jeder andre mit Politik, mit Sittlichkeit behandelt.

ArnBe 106

1463. ARNIM AN BETTINA BRENTANO

Heidelberg, 10. März 1808

Daß Du Goethes Brief kalt und steif nennst, weiß ich nur mit sehr künstlichen Brücken mit Deiner Verehrung seines Werts zu verbinden. Ich gestehe Dir, daß ich alles, was mir von Goethe käme, mit Ehrfurcht annehmen würde. Gedenke, daß bei dem Reichtum seines Lebens es eine schöne Gutmütigkeit von ihm ist, Dein und auch mein Vertrauen zu wünschen. Aber es zu erwidern, würde ich fast unnatürlich finden, denn er hat einen größern Kreis des Lebendigen umschlossen, wo wir schon genug seines Vertrauens genossen. Ich bewahre Briefe von ihm, die mir nicht mehr sagen, als daß er die meinen mit Vergnügen empfangen, wie ein Heiligtum. Daß Du nicht so denkst, verwundert mich nicht, Mädchen werden verwöhnt. Aber Du hättest wohl die Kraft, Dich von der Gattung in ihren Fehlern loszureißen.

ArnBe 109

1464. BETTINA BRENTANO AN ARNIM

Frankfurt, 11. März 1808

Der Brief, den ich von Goethe erhielt, hatte mich wohl erfreut und sogar glücklich gemacht. Ich ließ ihn Savigny lesen, der fand ihn kalt. Ich bedachte nun, wie ich eigentlich an Goethe schreibe: mit aller lebendigen Liebe, mit aller Ehrfurcht, die sich in mir mehr wie ein wildes, ungeregeltes Genie ausweisen als wie eine Frucht meiner Erkenntnis, mit einem unwillkürlichen Begehren, mich an ihn zu drängen. Alles Gute von ihm erschüttert mich bis aufs Gebein; aller Schmerz und Unglück, was er erlitten hat, liegt ewig vor mir, und es kann mich immer wieder rühren. Da ich nun überdachte: einen solchen Brief gegen den seinigen, so war mir's, als könnten ihm meine unangenehm oder ängstlich sein ... Glaube nicht, daß ich diesen Prätensionsfehler mit andern Mädchen gemein habe. Ich hatte nie Gelegenheit, denselben zu kultivieren; keiner hat mir je um meiner selbst willen recht gegeben oder Ehre angetan oder einen Wert beigelegt, der der Mühe wert gewesen wäre. Von Goethe ist es nur Natur, die überall erhebend und großmütig sein muß, daß er mich freundlich anhört, daß er mir die Hand reicht, wenn ich sie ans Herz drücken will.

ArnBe 110f.

1465. BRENTANO AN ARNIM

Kassel, 15. März 1808

Ich bin versichert, daß Goethe Dich unterstützt, wenn Du ihn bittest. Das ist ja eben sein Unglück, daß er keine ordentlichen Leute hatte, mit denen er jugendlich bleiben konnte; drum ist er ja etwas steifstellig worden.

Brent I, 365

1466. BETTINA BRENTANO AN ARNIM

Frankfurt, Ende März 1808

Ich habe mir nie ein Bild gemacht von Männern noch von Weibern, die ich hätte lieben können. Aber ich dachte oft: *Hätt ich nur jemand!* Kein Mensch hat noch meiner instinktmäßigen Ansicht, die ich von Freunden habe, beinah wie ein noch verschlafnes Gefühl, so entsprochen wie Goethe. Er war mit mir wie mit einem Kinde, das an denselben Ufern wie er erzogen ward, fühlte meine Unerfahrenheit, meinen Unverstand nicht als Beleidigung für ihn, indem ich mich ihm so näherte, als sei er meinesgleichen. Das Gefühl meiner Unwürdigkeit schlug mir vor ihm nicht im Herzen. Aber die Gelegenheit hätte beweisen können, daß ein Blick von ihm auf mein Leben mir werter war als dasselbe. Frei war ich vor ihm, wie die Tanne vor der Sonne ist, die mit Gelassenheit ihre brennende Strahlen in sich saugt.

ArnBe 119

1467. BRENTANO AN ARNIM

Kassel, März 1808

Ich finde, daß alle kleine Goethischen Stücke durchaus französisch sind.

Brent I, 360

1468. SOPHIE REIMARUS AN CHRISTINE VON REINHARD

Hamburg, vor Mitte April 1808

Den Prolog [„Zueignung"] zum neuen „Faust" mußte ich für Dich und Karl abschreiben; er ist zu schön, und ein Himmelsfunken drinnen, den ich bisher in Goethes Gemüt nicht fand: ein weiches, inniges Gefühl, ein Zusammenhang mit abgeschiedenen Freunden, der in dem Himmelsdome von Goethes Geist nie fehlen konnte, wenn er auch zuweilen durch Erddünste versteckt war. Jetzt sieht man die reine Bläue von Lieb und Freundschaft durch, und dies tut so wohl. Diese Zeit erzieht ihre Menschen! Was im Glück schlummernd lag, wird schmerzhaft wach durch Leiden.

Bode II, 150f.

1469. RIEMER AN FROMMANN

Weimar, 16. April 1808

Goethe wird schon künftige Woche hinüberkommen [nach Jena], und dann werden wir auch bald nach Karlsbad aufbrechen. Es ist noch ein gichtisches Übel dazugekommen, oder vielmehr der Anteil Gicht bei dem bisherigen hat sich auf die Beine geworfen, welches ihm große Schmerzen macht und weswegen er je eher, je lieber ins Bad eilt. Karlsbad hat ihm schon einmal diesen Zufall vertrieben; es war, wie er nach Italien ging. – Doch lassen Sie sich nichts merken, als wüßten Sie was davon; er scheint mir's nicht gern zu haben, daß man davon spricht.

Rie 118

1470. KAROLINE SCHELLING AN GRIES?

München, 18. April 1808

Was sagen Sie denn zu Goethes Fragment „Elpenor"? Liegt nicht alle seine Anmut und Erhabenheit darin, und lebendiger noch wie in „Iphigenien"? Der schöne Knabe ist frisch wie Morgentau. Wenn er das noch vollendete ...

Car II, 525

1471. RIEMER AN FROMMANN

Weimar, 20. April 1808

Ohne bettlägrig zu sein, fühlt G[oethe] denn doch alle Tage, gewöhnlich mittags und abends, wie man seinem Gesicht und sonstigen Gebärden abmerken kann, große Schmerzen. Es ist auch noch eine Art von Gicht, die ihn an den Schienbeinen sehr inkommodiert ...

In den übrigen Stunden ist G[oethe] so ziemlich. Er geht auch ins Theater; aber seine Tätigkeit ist natürlich nicht groß, und dies macht ihn eigentlich mehr unzufrieden als das Übel an sich.

Rie 120

1472. CHARLOTTE VON STEIN AN IHREN SOHN FRIEDRICH

Weimar, 22. April 1808

Goethe führte mich neulich in seinen Garten am Haus, um mir etwas Neues zu zeigen. Es war Deine alte Hütte, die er wieder hatte reparieren lassen; und das war das erstemal seit so vielen Jahren, daß er von seinem alten Verhältnis mit Dir etwas erwähnte ...

Vor einigen Tagen las Goethe aus seiner Fortsetzung von „Wilhelm Meister", welche „Wilhelms Wanderjahre" heißt, bei mir zwei Geschichten vor. Gräfin Henckel, ihre Tochter, Mama Seebach, Henriette Seebach, die Schillern, Bose waren eben bei mir. Er war gekommen, mir etwas Botanisches zu erklären, welches ein besonderer Auswuchs an einem Lackstock, den ich besitze, veranlaßte. Er hat dieses mit einer Deutlichkeit getan, daß man das innere Leben davon ergreifen konnte. Die Damen hätten ihm gern die Hände geküßt – und warum nicht ebensowohl, als wie am ersten Ostertag unsere liebenswürdige Großfürstin [Maria Pawlowna] dem Popen die Hand küßte für das Kruzifix, das er ihr zu küssen gegeben.

Stein II, 286

1473. HENRIETTE VON KNEBEL AN IHREN BRUDER

Weimar, 23. April 1808

... da will ich nur gleich von dem gestrigen Abend sprechen, wo uns Goethe bei der Herzogin einige Erzählungen vorgelesen hat, die uns außerordentlich erfreut haben. Goethe ist im Begriff, eine Fortsetzung von seinem „Wilhelm Meister" unter dem Namen „Wilhelm Meisters Wanderschaft" zu verfertigen, und aus dieser sind die Erzählungen genommen. Wir haben lange nichts gehört und gesehen, was dem „Sankt Joseph dem Zweiten" gleichkäme ... Auch die zweite Erzählung läßt den Meister erraten; sie ist nur etwas weltlicher, unter dem Namen „Der Mann von 50 Jahren"; auch ist sie noch nicht zu Ende.

KnHe 333

1474. CHARLOTTE VON STEIN AN KNEBEL

Weimar, 25. April 1808

Goethe, den ich Sie bitte, freundlich von mir zu grüßen, hat auch einen rechten Regentag getroffen. Wir werden ihn hier recht vermissen, wenn er wieder nach Karlsbad geht. Er wird ordentlich von neuem liebenswürdig! Aber seine Gesundheit ist schwach.

BodeSt VII, 83

1475. ARNIM AN BETTINA BRENTANO

Heidelberg, 29. April 1808

Vom alten Goethe höre ich nichts; ich habe so mancherlei von Herzen weggesprochen an ihn, daß er die Lust verloren zu haben scheint, darauf zu antworten ... Der Sohn erinnert mich so lebhaft an ihn und doch so traurig, denn er scheint so unjugendlich stumpf, wie es eigentlich kein echter Sohn von Goethe sein sollte. Ich schiebe es auf die Mutter, die den Funken in eine blinde Laterne gesteckt hat. In jungen Leuten kann man sich indessen leicht irren; doch habe ich ihn bis jetzt von nichts mit Interesse reden hören wie von ein paar miserablen Schauspielern. Vielleicht war Wilhelm Meister auch so, als er die Mariane liebte?

ArnBe 147

1476. RIEMER AN FROMMANN

Weimar, 4. Mai 1808

G[oethes] Ankunft am Sonntagmorgen war mir ebenso unerwartet als Ihnen seine Abreise. Er entschließt sich immer plötzlich. Nun ist unsre Abreise nach Karlsbad auf morgen über acht Tage festgesetzt, und wir rüsten uns dazu. Er will, wo möglich, in einem Tage von Weimar nach Schleiz, wenigstens nach Pößneck ...

G[oethe] ist übrigens wohl, bis auf die Unbequemlichkeit bei Tische. Er trinkt jetzt wieder Champagner, der ihm gut bekommt. Sonderbar, er darf nicht während des Essens trinken, aber nachher um 4 Uhr; dann fühlt er keine Beschwerde.

Zu arbeiten haben wir uns beide viel vorgesetzt und nehmen das Gehörige dazu mit. Wenn auch nicht alles erfüllt wird, so ist es doch gut, sich immer mehr vorzusetzen; man tut sonst gar nichts.

Rie 121 f.

1477. FRIEDRICH SCHLEGEL AN SULPIZ BOISSERÉE

Weißenfels, 9. Mai 1808

Ich nahm auch Gelegenheit, Goethen Moslers Zeichnungen altdeutscher Gemälde im voraus zu empfehlen, und zwar sehr franchement. Ich sagte ihm, es hätten einige aus der Vorliebe für die *alte* Malerei eine Art Sekte und Phantasterei gemacht; das sei hier gar nicht der Fall; wir wollten bloß der Vergessenheit entreißen, was ohne allen Zweifel in hohem Grade merkwürdig und zum Teil gewiß auch künstlerisch vortrefflich sei. Meine Ansicht, die übrigens bloß historisch und praktisch sein könne, habe wenigstens das gewirkt, daß eine bedeutende Zahl vortrefflicher Kunstwerke vom Untergang gerettet wurden etc. Es schien Eindruck zu machen, und er versprach, die Sache mit Teilnahme und Ernst aufzunehmen, sobald es erschienen sei. Dann muß man ihm also eins der ersten Exemplare schicken. Sein Urteil gilt doch sehr viel. Ich suchte ihm im allgemeinen einen Begriff von der Kölnischen Malerei zu machen, was ihm auch sehr einzuleuchten schien. Er hat sich gewissermaßen bekehrt, indem er neulich etwas sehr zum Lobe von Albrecht Dürer geschrieben. Am meisten sprachen wir doch über das indische Studium, was ihn sehr lebhaft interessierte.

Bois 51

1478. CHARLOTTE VON STEIN AN IHREN SOHN FRIEDRICH

Weimar, 11. Mai 1808

Heute früh nahm Goethe Abschied von mir; morgen reist er nach Karlsbad und will daselbst bis in den Oktober bleiben. Er versichert mir, er könne da seine Autorschaft viel besser betreiben als hier. Er ist manchmal recht freundlich und mitteilend gegen mich und trug mir auch viele freundliche Grüße an Dich auf. Aber mir will das Zutrauen nicht ganz wieder werden.

Stein II, 287

1479. CHRISTIANE GOETHE AN IHREN SOHN AUGUST

Weimar, 16. Mai 1808

Nun bitte ich Dich, sei nur recht fleißig, daß der Vater Freude an Dir hat, und wirst Dich dann auch sehr freuen, wie gut er alles mit Dir vorhat. Denn er hat Dich sehr lieb; das habe ich erst recht gesehen, wie Du weg warst. Die erste Zeit hat er fast nichts gegessen.

GoeJb X, 7

1480. KAROLINE HERDER AN KNEBEL

Weimar, 17. Mai 1808

Ich habe vor einiger Zeit Goethes „Wiederkunft der Pandora" ... gelesen, zwar nur erst die Hälfte vielleicht davon; aber ich weiß nicht, was ich lese; es geht mir alles wie Schatten vorüber – oder wie jener Blinde: „Herr, ich sehe Menschen wie Bäume." Machen Sie mich doch sehend über die neue Goethische Vollkommenheit! Ach, mein Bester, ich sehe darinnen eine verkünstelte, unnatürliche Manier, die mir auch nicht *einen lebendigen Tropfen* gibt. Seine jetzige Manier scheint mir eine wahre Versündigung an seinem eigentlichen Talent. Klären Sie mich doch auf! Übrigens glaube ich: so brav und gut Goethe im Innern ist, so hat er doch seinen großen Beruf als Dichter sehr verfehlt. Er hat einen zu zweideutigen Weg eingeschlagen; das darf der Dichter nicht. Wo er uns auch mit seinem Zauberstab hinführe und verwickele, so muß er uns am Ende immer den wahren, sichern und lichten Punkt zeigen, aus der Nacht das Licht heben!

BrKn II, 105

1481. SCHRÖDER AN BÖTTIGER

Rellingen, 23. Mai 1808

Mit jenem trefflichen Kopfe kann ich nicht einstimmen, Goethes Gedichte durchaus Meisterwerke zu nennen. Doch ich bin ein armer prosaischer Mensch, der – vielleicht zu seiner Schande – gestehen muß, von dem als „außerordentlich“ gepriesenen Goethe ebensoviel Schlechtes als Gutes gelesen zu haben.

Schrö 284

1482. THERESE HUBER AN USTERI

12. Juni 1808

Wie deucht Ihnen Goethes „Faust“, soweit er nun da ist? Nicht als Drama, nicht als geregeltes Kunstwerk, aber als Frucht eines Geistes? Ist da nicht Kunst und Natur erschöpft? Ist nicht das Weh und das Glück des Menschen darin erschöpft? Ebenso zeugt der Anfang der „Achilleis“ von dem Reichtum dieses Mannes. Ich glaubte, sein Geist sei erschöpft. Die „Natürliche Tochter“ hatte mich hoffnungslos gelassen; ich dachte, er sei endlich in einer Manier zugrunde gegangen. So nahm ich den „Faust“ recht furchtsam in die Hand, die „Achilleis“ mit Widerwillen, und der Reichtum in beiden war mir eine neue Schöpfung! Ja, die „Eugenie“ tritt nun als Glied in die Kette seiner Schöpfungen ein, als Blume im Kranz; sie beleidigt mich nicht mehr als letzter kraftloser Trieb oder ausgearteter Schoß. Da habe ich auch den „Großkophta“ wieder gelesen, seit seiner Erscheinung zum erstenmal. Der Mensch ist ein Gott in sich. Er wirkt fort und verbreitet sich über alles. In sich macht ihn das reich; die Wirksamkeit, von ihm abgerissen, ist sich aber nicht stets gleich. So wollte ich, der Teufel hätte alle die Gelegenheitsgedichtchen geholt.

GoeJb XVIII, 124

1483. EBELING AN NICOLAI

Hamburg, 14. Juni 1808

Was sagen Sie zu dem unverschämten „Faust“? Warum haben wir keine „Literaturbriefe“ [von Lessing] mehr! Müßten Zeitungsartikel nicht so kurz sein, daher man alle Beweise schuldig bleiben muß, so machte ich mich in einer Zeitung darüber her. Wie wenig gehalten und fest ist Fausts

Charakter gezeichnet! Wie ein elender Hanswurst sein Mephistopheles! Gegen einige glückliche, kraftvolle Szenen, gegen Gretchens Lied und dergleichen (fast alles die alten, schon gedruckten) wieviel alltägliches, gemeines Geschwätz und Reimerei! War's der Mühe wert, sich dem Teufel zu ergeben, um ein Studentengelag der Art zu sehen und *diese* Hexenszenen, die den faden Faust gar nicht langweilen! Nun vollends das Intermezzo, dann die pöbelhaften Zoten, die er so gern für [unleserlich] möchte geltend machen! Sollte nicht irgendwo ein Mann von Kraft aufstehen und sich diesem Goethischen Unwesen widersetzen? Vielleicht wäre es Ihnen eine Erholung, und wer könnte es besser! Wenn doch Lessing seinen „Faust" vollendet hätte! Ich ehre mir *seinen* Teufel und *seinen* Faust, in der einzigen Szene, die wir haben.

GoeJb X, 158

1484. BÖTTIGER AN ROCHLITZ

Dresden, 19. Juni 1808

Ich werde nicht satt, Goethes unverstümmelten „Faust" zu lesen! Geht es Ihnen auch so? Glauben Sie, daß noch etwas zurück sei? Ich nicht.

Seine „Achilleis" aber fließt im ganzen weder tief noch anmutig. Es ist und bleibt effoetae senectutis debilitas darin sichtbar.

GoeJb IV, 326

1485. WIELAND AN RETZER

Weimar, 20. Juni 1808

Haben Sie unter den Novitäten der letzten Buchhändlermesse auch eine der allermerkwürdigsten, die neue, sehr vermehrte, veränderte und beinahe ganz umgeschaffene Ausgabe des Goethischen „Doktor Faust", schon gesehen? Sie macht ... einen Band der bei Cotta herauskommenden „Sämtlichen Werke" dieses Dichters ... aus, ist aber auch a parte in einem kleineren Taschenformat zu haben. Auch das, was wir jetzt von dieser barock-genialischen Tragödie, wie noch keine war und keine jemals sein wird, erhalten haben, ist nur der erste Teil derselben, und der delphische Apollo mag wissen, wie viele Teile noch folgen sollen. Ich bin begierig zu wissen, welche Sensation dieses exzentrische Geniewerk zu Wien macht, und besonders, wie Ihnen die Wallburgisnacht auf dem Blocksberge gefallen wird, worin unser Musaget mit dem berühmten Höllen-Breughel an diabolischer Schöpfungskraft und mit Aristophanes an pöbelhafter Unfläterei um den Preis zu ringen scheint. Was wird Herr Thomas West zu dieser in jedem Betracht erstaunlichen Erscheinung sagen? Und was wird sich der neue „Prometheus" für lustige Kontorsionen geben, um uns weiszumachen, daß dieser „Faust" das Nonplusultra des menschlichen Geistes und das göttlichst-menschlichste und teuflischste aller Dichterwerke sei? Man muß gestehen, daß wir in unsern Tagen Dinge erleben, wovon vor fünfundzwanzig Jahren noch kein Mensch sich nur die Möglichkeit hätte träumen lassen. Vous voyez qu'à présent il n'y a qu'à oser pour être sûr de réussir. Bei allem dem befürchte ich, unser Freund G[oethe] hat sich selbst durch dieses Wagestück mehr geschadet, als ihm sein ärgster Feind jemals schaden könnte, und sein *Verleger* wird der einzige sein, der sich wohl dabei befinden wird.

WABr II, 81 f.

1486. ROCHLITZ AN BÖTTIGER

Leipzig, 22. Juni 1808

Goethes „Faust" ist allerdings eine wahre und köstliche Bereicherung der deutschen Literatur. Eine Welt bewegt sich hier im Spiegel einer echt poetischen Seele vor uns. Nur das Intermezzo gegen den Schluß des Ganzen scheint mir, aller hübschen Einfälle ungeachtet, Goethes oder wenigstens dieses Platzes unwert; zu geschweigen, daß man die meisten Beziehungen desselben nach wenigen Jahren nicht einmal mehr verstehen wird. Auch zerreißt es die tragischen Szenen viel zu sehr und, bei seiner Länge, sogar widrig. Ob noch mehr zurückgeblieben? Ich glaube, ja! teils aus einigen frühern Äußerungen G[oethe]s gegen mich, die auf das jetzt Hinzugekommene nicht recht passen, teils weil Faust hier doch nur durch eine Stufe hinauf- oder vielmehr hinabgeführt wird, teils weil Gretchen doch nur im ganzen Werk als Episode erscheinen darf, wäre dies aber das Ganze, viel zu sehr herausgehoben wird.

GoeJb XVIII, 149f.

1487. THERESE HUBER AN REINHOLD

24. Juni 1808

Die neuen Teile des „Faustes" haben mir ein unbegrenztes Vergnügen gemacht. Die Ruhe in dem Prolog, die Klarheit, der Mutwille, der Übermut – und die Erschöpfung des Schrecklichen in den letzten Szenen ... Ich las ihn am 3. Juni ein paar lieben Menschen und Emilen [Herder] vor, nachts auf einem Berg an der Donau in einem einsamen Gartenhäuschen, bei einem ungeheuern Gewitter, das in einer großen Weite keinen höhern Gegenstand hatte wie unser kleines Dach. Um halb zwei Uhr gingen wir nach Hause, und obschon ich's zum zweitenmal las, war mir der Kopf doch so voll, daß ich nicht wußte, ob ich nicht auch vom Blocksberg kam.

GoeJb XXIV, 93

1488. DOROTHEA SCHLEGEL AN IHREN MANN

Köln, 24. Juni 1808

Wir haben Goethes „Faust" hier, und ich habe ihn auch schon gelesen. Es sind viele neue Sachen darin; doch hängt es bei alledem nicht mehr zusammen als auch das erste; es sind nur noch mehrere Fragmente. Die Walpurgisnacht ist zwar ausgelassen genug; doch dünkt sie mich nicht so leicht phantastisch und so bedeutend genialisch wie die Szene mit den Katzen und der Hexe. Das Bedeutende in der Walpurgisnacht ist störend, als ob es Persönlichkeit wäre; der Nicolai etc. ist auch wirklich dort mal à propos. Das Verhältnis des Menschen zum Bösen ist, meine ich, auch gar nicht klar und bestimmt genug dargestellt; denn mich dünkt, bei einer solchen besonnenen Überlegenheit des Menschen kann das Böse nicht siegen. Fausts Monolog über die ersten Worte des Evangeliums Johannes: „Im Anfang" etc. ist zwar recht schön; aber Calderón hat in seinem Monolog über denselben Gegenstand (die erste Szene in „Los dos Amantes del Cielo") viel mehr Tiefe und Reichtum. Ergreifenderes aber und so bis ins Tiefste erschütternd habe ich nie etwas gelesen als die letzte Szene von Gretchen im Gefängnis. In dieser Szene glaube ich ganz Calderóns Geist wehen zu fühlen, aber doch ganz deutsch, so daß es jedes deutsche Gemüt erschüttern muß; sie ist romantisch-tragisch im allerhöchsten Sinn ... Es wird mir aber doch klar bei diesem „Faust", daß Goethe wohl nicht so glücklich ist, als man in den Werken seiner mittlern Zeit ihn wohl halten möchte. Es ist doch eine rechte Bitterkeit darin trotz der anscheinenden Lustigkeit.

SchlVeit I, 243f.

1489. RIEMER AN FROMMANN

Karlsbad, 1. Juli 1808

G[oethe] befindet sich ununterbrochen wohl und ist sehr tätig. Die „Pandora" ist bis zur Hälfte dem „Prometheus" zugeführt ... Dann sind andre poetische Arbeiten drangekommen, die zu ihrer Zeit auch an das Licht treten werden, zunächst wenigstens an das Kerzenlicht des geselligen Teezimmers. Allmählich rücken wir in die Prose ein, und da ist die „Farbenlehre" das nächste.

Rie 123f.

1490. RAHEL LEVIN AN VARNHAGEN VON ENSE

Berlin, 22. Juli 1808

Ein *Fest* war sonst ein neuer Band Goethe bei mir; ein lieblicher, herrlicher, geliebter, geehrter Gast, der mir neue Lebenspforten zu neuem, unbekannten, hellen Leben gewiß erschloß. Durch all mein Leben begleitete der Dichter mich unfehlbar, und kräftig und gesund brachte der mir zusammen, was ich, Unglück und Glück, zersplitterte und ich nicht sichtlich zusammenzuhalten vermochte. Mit seinem Reichtum machte ich Kompanie. Er war ewig mein einzigster, gewissester Freund ..., von dem ich wußte, welche Höllen er kannte! Kurz, mit ihm bin ich erwachsen, und nach tausend Trennungen fand ich ihn immer wieder ...

Varn I, 17

1491. PAULINE GOTTER
AN MARGARETE VON SCHMERFELD

Gotha, 9. August 1808

Wer ihn nicht kennt, kann sich keinen Begriff machen, wie liebenswürdig, wie mitteilend und belehrend er in Gesellschaft von *wenig* Menschen ist, denn in größerer Gesellschaft ist er steif und zurückhaltend. Bei all dem Geist, mit dem er die geringste Kleinigkeit, die er sagt, interessant zu machen versteht, verbindet er eine Herzlichkeit und Natürlichkeit, die einem soviel Zutrauen einflößt, die so zum Herzen spricht, daß man ihm alles sagen könnte und ganz den großen Mann vergißt, der einen sonst genieren könnte. Wir [Karoline von Seckendorff und Pauline Gotter] waren beinahe alle Tage mit ihm, und jede bezaubernde Gegend um Karlsbad haben wir mit ihm gesehen; er besuchte uns sehr oft und hat mir sogar botanische Stunden gegeben.

Got 8

1492. CHARLOTTE VON STEIN
AN IHREN SOHN FRIEDRICH

Weimar, 18. August 1808

Unser philosophischer Freund Goethe, welcher jetzt in Eger ist, hat mir nichts erwidert über Deinen Verlust.

Fritz von Stein II, 150

1493. ELISABETH GOETHE AN BETTINA BRENTANO

Frankfurt, 28. August 1808

Liebstes Vermächtnüs meiner Seele! Das ist einmal ein gar erfreulicher Tag für uns, denn es ist unseres lieben, meines liebsten Sohnes und Deines Bruders, Geburtstag. Ich weiß zwar gar wohl, daß Du es gar nicht leiden kannst, daß ich [ihn] Dir als Bruder schenk; aber warum? Ist er Dir zu alt? Da sei Gott vor, denn ein so kostbarer Stoff, wie in diesem seinem Leib und Seele verwirkt ist, der bleibt ewig neu, und ja sogar seine Asche soll einst vor andern das beste Salz haben, an die eine Mutter, absonderlich am Geburtstag, zu denken Bedenken tragen möcht; aber wir zwei sind nicht abergläubig und für seine Unsterblichkeit schon dergleichen Ängstlichkeit überhoben. Ich vorab hab gewonnen' Spiel, denn in diesem Jahr zähl ich 76 Jahr und hab also den Becher der Mutterfreude bis auf den letzten Tropfen geleert. Mir kann nicht Unglücksschicksal aufgeladen mehr werden. – Doch ich muß Dir zutrinken, denn mein Lieschen hat mir alleweil den besten Wein heraufgebracht und eine Bouteille Wasser, denn Du weißt, daß ich ein Wassernymph bin. Und zwei Pfirsich sind daneben, der ein für Dich, der ander für mich; ich werd sie beid verzehren in Deinen Namen. Und jetzt stoß ich mit Dir an, *Er soll leben!*

Frau Rath 589f.

1494. PAULINE GOTTER AN KAROLINE SCHELLING

Gotha, 6. September 1808

Eine unvorhergesehene glückliche Zusammentreffung der Umstände bereitete uns aber dort [in Karlsbad] einen Genuß, den ich keinem Vergnügen in der Welt an die Seite setzen möchte. Gleich in den ersten Tagen wurde uns durch Ziegesars die Freude, Goethes Bekanntschaft zu machen. Unter freiem Himmel war sie geknüpft, und unter freiem Himmel wurde sie täglich fortgesetzt. Spaziergänge, Landpartien und Vorlesungen wechselten angenehm ab, und wir machten bald mit Ziegesars, Goethen und seinem Freund

Riemer einen kleinen Zirkel aus, der fest zusammenhielt und gewiß der lustigste und vergnügteste in ganz Karlsbad war. Um die übrige elegante Welt wurde sich wenig bekümmert, und weder Bälle, Assembleen noch Konzerts verführten uns. Aber dafür wurde auch täglich die entzückende Gegend zu Wagen und zu Fuß durchstrichen, und ich kann wohl sagen, es ist kein schöner Felsen drei Stunden in der Runde um Karlsbad, den wir nicht mit Goethe erklettert hätten. Er war die Seele unsrer Gesellschaft, immer gleich liebenswürdig, heiter und mitteilend. Nachdem Ziegesars weg waren, die vierzehn Tage früher als die Seckendorffen und ich Karlsbad verließen, machten wir beide mit Goethen und Riemer allein die Partien. Und die Abende beim Tee teilte uns Goethe immer sehr artige Kleinigkeiten, die noch im Manuskript sind, mit. Jetzt arbeitet er sehr fleißig an einer Fortsetzung des „Wilhelm Meister". Ich möchte wohl sagen, ohne mich zu rühmen, daß er insbesondere viel Güte für mich gehabt hat und sich auf alle Weise meiner angenommen. Oft ist er früh gekommen, mir botanische Stunden zu geben, und einigemal hat er mich ganz allein zu weiten Spaziergängen abgeholt.

Ein von dem unsrigen sehr verschiedener Zirkel, wo doch gewissermaßen aber auch ein Dichter präsidierte, war der der Frau von der Recke und ihrem Freund Tiedge: „die tugendhafte Gesellschaft", wie Goethe sie immer nannte, weil man dort täglich die „Urania" [von Tiedge] sang und rezitierte. Aber leider waren wir niemals so glücklich ..., so einem Oratorium beizuwohnen, wahrscheinlich unsres profanen Umgangs wegen.

Car II, 529f.

1495. THERESE HUBER AN BÖTTIGER

Göttingen, 18. September 1808

Sie sprachen mir von Goethes neuem „Faust". Alles, was Sie sagen, unterschreibe ich mit vollem Herzen. Mir war's, indem ich's las, wie es Noah sein mochte in seiner Arche, da er den Regenbogen sah: „So lebt der alte Gott noch!" Der

Geist, der den „Faust" schuf, kann also noch unter den Menschen wandeln. Mir deucht, die reichen Zusätze selbst müssen aus ganz verschiedenen Zeiten sein, und ich kann das Gedicht noch nicht für beendigt halten. Lächeln Sie nicht! ich glaube aber, Faust besiegt noch das Böse – es sind einige Winke in dem Gedicht selbst, besonders im Gespräch zwischen Mephistopheles und *dem Herrn,* die mich das ahnden lassen. Allein, wie darf ich mich daran wagen, über ein solches Werk mehr wie meine Freude zu äußern? Ich werde durch so eine Schöpfung im eigentlichen Verstande glücklicher. Es ist nicht nur das Gedicht; es ist des Menschen Geist, der da gemalt wird; es ist der, welcher dichtet; und von dem Geist zum Urquell der Geister hebt sich mein Gemüt so leicht – und welcher Weg kann leichter sein als dieser?

Und der erste Gesang der Achilleide? Freilich, Sie Genosse des erhabensten Altertums, Sie finden vielleicht da Schwächen, wo ich meine alten Götter nur wiedererkenne, nicht in homerischen, aber in göttlichen Glanz. Wie wünsche ich, daß Goethe diese Achilleide vollende! Ich hoffe es kaum – doch vielleicht vermag es Goethe, über dieser Zeit und dieser Welt, ganz in seiner Heroen Welt zu leben.

GoeJb XVIII, 124f.

1496. VULPIUS AN AUGUST VON GOETHE

Weimar, 21. September 1808

Du wirst früher als wir die Nachricht von dem Tode Deiner Großmutter am 13. des Monats erhalten haben. Hier traf sie am 17. ein, gerade an dem Tage, als Dein Vater hieher zurückkam. Das Haus war mit Kränzen, Girlanden, Teppichen behangen, mit Orangeriebäumen besetzt und die Fußboden mit Blumen bestreut. Nach Tische mußte es Deinem Vater gesagt werden. Er war ganz hin.

Vater und Mutter gehen in tiefster Trauer. Das wirst Du auch tun, der Frankfurter wegen wenigstens.

Deine Mutter reiset, wenn entsiegelt wird, persönlich nach Frankfurt ...

Dein Vater ist recht wohl aus dem Bade gekommen, schmal und sine Bauch. Er bewegt sich viel leichter. Ob er mit zum Kongreß müssen wird, weiß ich nicht. Wolzogen liegt in Würzburg krank.

GoeJb X, 17f.

1497. RIEMER AN FROMMANN

Weimar, vor dem 25. September 1808

Glücklich wären wir nun wohl angekommen und auch freundlich aufgenommen. Die jungen Schauspieler hatten die Treppe mit Teppichen und Blumengewinden und Orangerie geschmückt, das einen sehr guten Anblick machte. Goethe war sehr erfreut. Den Nachmittag aber kam die Trauerpost, daß seine Mutter gestorben sei. Es hat ihn natürlich sehr betrübt, und wir vermeiden alles, was den Schmerz in ihn erneuern kann. Sonst ist er wohl, und es hat keine körperlichen Folgen gehabt, soviel ich wenigstens weiß.

Rie 129f.

1498. VULPIUS AN NIKOLAUS MEYER

Weimar, 28. September 1808

Fürchterliche Durchmärsche haben wir gehabt, bei welchen z. B. meine Schwester in 3 Tagen 39 Mann Einquartierung hatte, ich 10 Mann. Und nun logiert der russische Kaiser und sein Bruder, der Großfürst, bei uns im Schlosse, der Erbprinz von Mecklenburg, Herzog von Oldenburg, Dessau, Coburg, Hildburghausen etc. Nun ist alles nach Erfurt, wo Napoleon der Große angekommen ist. Seinetwegen gibt der Herzog in Ettersberg eine Jagd, die über 8000 Taler kostet.

MeyerN 222

1499. HENRIETTE VON KNEBEL AN IHREN BRUDER

Weimar, 1. Oktober 1808

Wie es heißt, so wird die Jagd auf dem Ettersberg künftigen Donnerstag sein, darauf werden die Monarchen mit dem ganzen Train hier speisen und auch die Nacht bleiben. Den folgenden Tag wird in der Nähe von Jena Hasenjagd gehalten. Goethe, heißt es, will den Napoleonsberg dekorieren lassen. Die Leute hier sind gar nicht so feindselig gesinnt; sie sind ganz erstaunlich glücklich und freuen sich alle außerordentlich.

KnHe 345f.

1500. CHARLOTTE VON STEIN AN IHREN SOHN FRIEDRICH

Weimar, 5. Oktober 1808

Die kleine Tante [Sophie von Schardt] sagte mir, Goethe und Napoleon seien die interessantesten Physiognomien im ganzen Theater [in Erfurt] gewesen. – Goethe ist immer in Erfurt, hat eine Audienz von einer halben Stunde beim Napoleon gehabt; aber wie man mir sagt, will er die Unterredung, von der er sehr zufrieden ist, geheimhalten.

Stein II, 298

1501. KARL VON STEIN AN SEINEN BRUDER FRIEDRICH

Kochberg, 10. Oktober 1808

Mit Goethen und Wieland hatte er [Napoleon in Weimar] viel gesprochen. Mit Goethen schon in Erfurt. Ich habe lange Goethen nicht in so gnädiger Laune gesehen als damals. Was doch ein bißchen Weihrauch nicht tut!

Fritz von Stein II, 153

August Kotzebue

1502. CHRISTIANE KOTZEBUE AN IHREN SOHN AUGUST

Weimar, 14. Oktober 1808

Wenn neue Stücke von Dir gegeben werden, hat er die ersten Proben bei sich und hört nicht auf, die Schauspieler zu ermahnen, gut zu spielen.

Ko 71

1503. HENRIETTE VON KNEBEL AN IHREN BRUDER

Weimar, 15. Oktober 1808

Du weißt doch, daß Napoleon nicht allein dem Geheimen Hofrat Stark, sondern auch Goethe und Wieland das Zeichen der Ehrenlegion gegeben hat. Ein Franzos sagte gestern zur Prinzeß [Karoline Luise]: „L'empereur a donné la croix de la légion d'honneur à un de vos chirurgiens et aussi à vos savants."

KnHe 349

1504. BETTINA BRENTANO AN FRIEDRICH HEINRICH JACOBI

München, 15. Oktober 1808

Wenn je leidenschaftliches Andenken in meinem Herzen gezuckt hat, so ist es das von Goethe. Eines Abends hatte er mich ins Theater gebracht. Es war „Tasso". Er ging weg. Die Vorstellung ward mir langweilig; die Kraftworte, die sprudlenden Feuerquellen des Geistes wurden als Zierde der Darstellenden gebraucht. Ich ging mit Freude nach Haus, weil mir Goethe versprochen, noch eine Stunde mit mir zu bleiben. Allein er ward verhindert. Nun fühlte ich den Enthusiasmus, den mir die Hoffnung, ihn noch zu sehen, erregt hatte, mit schwerem Fittich sich niedersenken. Meine bunte Welt löschte ihre Lichter aus. Alle Bilder und Gedanken schwanden. Nur ich war noch wach. Alles schlief im Haus. Ich ging kalt im Zimmer auf und nieder. Mein Herz, das sich selten regt, klopfte stark, ohne daß mein

Gemüt bewegt ward. Ich stand an der Nachtlampe still, schaute in die kleine Flamme, wie sie kümmerlich ihre Nahrung in sich sog. Ich weiß nicht, welches erweichende Gefühl mich in diesem Augenblick berührte. Eine Träne folgte langsam der andern. Da der Schmerz den ersten Damm überwunden hatte, brach er mit Gewalt los. Eine Nachtmusik ließ sich auf der Straße hören; ich legte mich ans Fenster. Ich fühlte, daß mein Schmerz in der üppigsten Gärung lag. Ich starrte mit den Augen gegen die Tränen, die sich losringen wollten. Ich trat vor den Spiegel, ein schmerzvoller Geist, der alle irdischen Züge überwunden hatte, schaute heraus. Mitleidsvoll beleuchtete ich die Gestalt, mitleidsvoll blickte es mich wieder an. Nun war ich auch bis ins Innerste ergriffen, die brennenden Lippen legte ich auf das kalte Glas und küßte, so inbrünstig, so Treue schwörend meinem eignen Wesen. Sonderbar fiel mir der Monolog aus Goethes „Iphigenie“ ein: „Heraus in eure Schatten, rege Wipfel“ etc. Ich deklamierte ihn mit großer Wärme, laut und kraftvoll ... Aller Enthusiasmus war wieder erwacht, tiefes Leben wallte in meiner Brust, ich kniete nieder, bat Gott, mir keine solche Stunde mehr zu geben, und schlief den übrigen Teil der Nacht freier und beruhigter als gewöhnlich.

JacN II, 28f.

1505. VARNHAGEN VON ENSE AN RAHEL LEVIN

Dresden, 16. Oktober 1808

Höre, geliebte Rahel, so bald als möglich leihe oder kaufe den Cottaschen „Damenkalender“! Ich habe Harscher die „Pilgernde Törin“ vorgelesen und soll es heute nochmals tun; er war in *einem* Ausrufen über die Lieblichkeit und Meisterschaft des Dichters. Ich soll Dich aber fragen, ob Du nicht an dem Aufsatze mitgeschrieben oder doch dazugeliefert hast. Er findet überall Erinnerungen an Dich in jenem Charakter, das Vornehme, Künstlerische, Lustige, und der tiefe Sinn, die feste Einsicht, verbunden mit der durchgeführten Kühnheit und Freiheit ... Du hast recht, daß Du den Goethe so liebst, meine teure Rahel. Ich finde *einen* Geist in Dir und ihm; seine Jugendzeit besonders ist eine Nachbarin von Dir. Seit einigen Tagen les ich viel hin und wieder in dem einen Band, den ich bei mir habe und worin der „Faust“ steht. Dabei fühl ich mich noch am nächsten zu Dir hingeschleppt und sehe in Deines Wesens Gegenwart hinüber, fast wie durch Deine Briefe! Dieselbe rein schauende, tüchtige, wahrhafte Natur; alles zunächst real, dann auch lieblich und überschwenglich idealisch!

Varn I, 75f.

1506. KAROLINE SARTORIUS AN UNBEKANNT

Göttingen, 27. Oktober 1808

Des Mittags hatte Goethe Talmas geladen, und hier schien ein wahrer Wettstreit zwischen dem Wirt und seinen Gästen einzutreten, wer den anderen an Liebenswürdigkeit übertreffen könnte. Goethe ist des Französischen nicht ganz mächtig, aber seinem Geist legt keine Sprache, die er nur einigermaßen kann, so leicht Fesseln an ...

Er hinterließ Talmas wie uns alle von seiner Liebenswürdigkeit entzückt, die wirklich diesen Tag über alle Beschreibung war ...

Als sie weg waren, trat Goethe in seiner Hofuniform, mit Stern und Ordensband geschmückt, herein. „Ich komme“, sagte er, „mich Ihnen zu zeigen und zu fragen, ob Sie mich akkreditieren wollen.“ Er war in dieser Kleidung so jugendlich und schön, daß ich ihm um den Hals fiel und ausrief: „Ew. Exzellenz, Ihnen so zu widerstehen, ist unmöglich; aber ich hoffe, Sie werden mein Unglück nicht wollen“ ...

Für den Abschiedsabend [am 18. Oktober] hatte der Dichter seine schönste Gabe, seine Gedichte, uns aufgespart. Er erschien abends bei Tisch mit einer Handvoll Papiere, die er neben sich hinlegte, und war über alle Maßen wohlgelaunt.

Nach dem Essen fing er an vorzulesen, aus dem Kopf zu rezitieren, bis des Nachts 1 Uhr. An diesem Abend übertraf er sich selbst. Des Dichters Glück war von jeher: Weiber,

Wein, Gesang; und unseren Freund, für den ein ewiger Frühling blüht, begeistern die beiden ersten noch im Herbst seines Lebens zu den herrlichsten Gesängen. Verliebt sein ist die Weise des Hauses; verliebt ist jedermann, der darin aus und ein geht; ich war zuletzt wahrhaftig besorgt, auch uns würde die Epidemie ergreifen. So hat er diesen Sommer in Karlsbad ein Liebchen gehabt, dem er seine süßesten Lieder gesungen, und diese Sonette, die noch sämtlich ungedruckt sind, teilte er uns mit. Schön waren sie alle, am schönsten aber die, in welchen er *sie* sprechen ließ und mit deren Zartheit ich nichts zu vergleichen wüßte, wie es denn wohl noch nie einen Dichter gegeben hat, der in das weibliche Gemüt so tiefe Blicke getan hat. Es ist, als habe das ganze Geschlecht, von der Edelsten bis zur Niedrigsten, bei ihm Beichte gesessen. In denjenigen Liedern, worin *er* sprach, herrschte schon mehr das gemäßigte Feuer der reiferen Jahre ...

Alsdann gab es allerhand Gelegenheitsgedichte, zum Teil aus früheren Zeiten, die wegen mancherlei Personalitäten nicht gedruckt sind, noch es werden können, in denen aber eine Laune herrschte, die uns bald in das unsinnigste Lachen versetzte; in meinem Leben glaube ich nicht so gelacht zu haben.

In tiefer Nacht schieden wir endlich voneinander, nachdem er uns in diesen wenigen Stunden durch alle Stufen des Vergnügens geführt hatte.

Ich glaube gern, daß Goethe nur gegen wenige und nur selten ist, wie ich ihn gesehen habe. Aber so, wie er war, habe ich nie einen liebenswürdigeren Mann gesehen.

Sart 161–164

1507. RIEMER AN AUGUST VON GOETHE

Weimar, 30. Oktober 1808

Es ist nunmehr wieder ganz still und ruhig in Weimar geworden. Gott sei Dank! Denn man wußte nicht, wo einem der Kopf stand. Wir haben uns den Winter so viel zu tun vorgenommen, daß, wenn auch nur die Hälfte zustand kommt, es immer mehr sein wird, als man denken kann. Der Vater ist wohl, und ... auf das schönste dekoriert mit dem französischen und russischen Legion- und Annen-Orden. Das hätten Sie und ich am 14. Oktober nicht gedacht! Wieland und Einsiedel haben ihn gleichfalls bekommen.

GoeJb X, 20f.

1508. ARNIM AN BETTINA BRENTANO

Heidelberg, 5. November 1808

Ob es dem alten Meister gefallen würde, die Privattheater? Alles, nur das nicht! Weißt Du so wenig von Deinem alten Freunde? Er hat einen unauslöschlichen Haß gegen alle Privatkomödien. Sein Grund ist, weil er fühlt, wie wenig bei aller Anstrengung und Übung von eigentlichen Schauspielern geleistet werden kann; was soll da von leichten, beschäftigten Liebhabern geschehen? Mit grimmigem Haß hat er solche Unternehmungen in Weimar verfolgt, und ist er bei allen Einladungen doch nie erschienen. Früher in Ettersburg hat er freilich selbst gespielt, aber immer in Verbindung mit den bessern Schauspielern wie die Corona Schröter.

ArnBe 218f.

1509. WILHELM VON HUMBOLDT AN SEINE FRAU

Erfurt, 19. November 1808

Goethe war äußerst freundschaftlich und herzlich gegen mich, aber sonst in keiner guten Stimmung in den beiden Tagen. Er hat unendliche Trakasserien wegen des Theaters, und, was wirklich schrecklich ist, so war ihm gerade, als ich da war, vom Hofe erklärt worden, er solle zwar die Theaterdirektion behalten, aber sich nicht mehr darum bekümmern, was ihn sehr verdroß. Goethe hat eine lange Unterredung mit dem französischen Kaiser gehabt, von der er sehr voll ist. Schlicht historisches Erzählen ist, weißt Du, seine Sache nicht. Aber „Werthers Leiden“ und die französische Bühne sind die Hauptgegenstände der Unterhaltung gewesen ...

Unendlich weh tut es einem, daß Goethe nicht wegen des fremden Einflusses, sondern wegen des inneren Unwesens an allem literarischen Heil in Deutschland verzweifelt. Jeder, sagt er, will für sich stehn, jeder drängt sich mit seinem Individuum hervor, keiner will sich an eine Form, eine Technik anschließen, alle verlieren sich im Vagen, und die das tun, sind wirklich große und entschiedene Talente, aus denen aber eben darum schlechterdings nichts werden kann. Er versichert darum, daß er sich nicht mehr um andere bekümmern, sondern nur seinen Gang gehen wolle, und treibt es so weit, daß er versichert, der beste Rat, der zu geben sei, sei, die Deutschen, wie die Juden, in alle Welt zu zerstreuen; nur auswärts seien sie noch erträglich ...

Vorgestern abend, als wir bei Goethe waren, las er uns eine Art Märchen vor. Aber leider fielen Karoline [von Wolzogen] und mir gar sehr die „[Unterhaltungen deutscher] Ausgewanderten" dabei ein. Es ist eine der Kompositionen, die nur zum Ausruhen bestimmt sein können.

Hu III, 21 ff.

1510. HENRIETTE VON KNEBEL AN IHREN BRUDER

Weimar, 26. November 1808

Du weißt wohl noch nicht, daß Goethe sein Geschäft beim Theater niedergelegt hat. Ich glaube wohl, daß er der großen Plage und beständigen Neckerei längst müde war. Doch hat es ihn hauptsächlich verdrossen, daß kürzlich der Herzog aus eigener Bewegung oder vielmehr aus Bewegung der Jagemann dem Sänger Morhard auf eine etwas ungerechte Weise Arrest gegeben hat. Als einen Eingriff in seine Rechte nahm Goethe das übel, und da weder ihm noch dem Sänger Genugtuung geschah, so zieht er sich nun ganz ab. Unser Theater möchte nun leicht von seinem Ruhme verlieren. Wahrscheinlich übernimmt es nun die Jagemann selbst.

Denke nur, daß hier ein Franzos, Lemarquant, ist, der sonst in Erfurt war, der den „Doktor Faust" ins Französische übersetzt. Er geht dabei nach Spanien und will aber immer von Zeit zu Zeit einen Bogen von seiner Übersetzung an Goethen schicken, daß dieser ihn korrigieren soll. Wir haben den Goethe noch nicht darüber gesprochen, sind aber neugierig, was er zu diesem Feldzug sagt. Es soll schon ein ganzes Stück davon fertig sein.

KnHe 354

1511. PIUS ALEXANDER WOLFF AN BLÜMNER

Weimar, 28. November 1808

Erfahren Sie also, daß Demoiselle Jagemann ihre Absicht, mit dem Theater nach Belieben zu schalten und zu walten, welches wahrscheinlich schon lange ihr Wunsch war, damit erreicht hat, daß sie Goethen durch Eingriffe in seine Rechte, vom Herzog unterstützt, verschiedentlich beleidigte und diese Kränkungen so lange wiederholte, bis er dem Herzog die Direktion, welche er achtzehn Jahre unter sich hatte, zu Füßen legte. Der Herzog, dem sein Verfahren wahrscheinlich durch Umwege abgedrungen und manches Wort durch entfernte Gründe abgelockt worden, war anfangs sehr darüber frappiert, und es kam zu allerhand Vorschlägen, die aber immer so gedreht wurden, daß Goethe auf seinem Entschluß beharren mußte. Heute hat Goethe alles abgeschlossen und nichts mehr zur Unterschrift, das Theater betreffend, angenommen ...

Die erste Beleidigung, die Goethe widerfuhr, ist folgende. Es ist eine merkwürdige Geschichte und ein Meisterstreich eines verschmitzten Köpfchens. Morhard, unser Tenorist, wurde von der Großfürstin unterstützt und war deshalb Demoiselle Jagemann ein Dorn im Auge; es war ihr aber zeither unmöglich, ihm etwas Übles zuzuführen, obwohl sie es schon mehreremal versucht hat. Die gegenwärtige Entfernung der Großfürstin gab ihr nun Gelegenheit; denn Morhard wurde zufällig krank, als die Oper „Sargino [oder der Zögling der Liebe“ von Paer] zum zweitenmal gegeben werden sollte. Der Herzog, durch die Jagemann angespornt, bestand auf der Vorstellung, ließ weder Morhards Entschuldigung noch das Attestat des Arztes gelten und verlangte noch denselben Abend, daß, wenn er nicht singen könnte, er augenblicklich die Stadt verlassen sollte. Morhard hielt sich an Goethe als an seinen Direkteur, und dieser hatte Mühe genug, ihm acht Tage Wache als eine gelinde Strafe für seine Unschuld auszuwirken. Dadurch wurde Morhard verabschiedet und Goethe als Unterstützer seines Ungehorsams verdächtig gemacht. Sie hat sich an Morhard gerächt und ist zugleich in ihrem Plan, Goethen zu verdrängen, vorgerückt.

Th 319ff.

1512. PASSOW AN BREEM

Weimar, 29. November 1808

Möge nur die nächste Generation besser, energischer sein als die jetzige in Tatenlosigkeit und Feigheit versunkene: glücklicher wird sie dann gewiß sein. Und auch ich hoffe noch Bürger des erneuten Deutschlands zu werden, und wer das nicht mit mir hofft und nicht selbsttätig zu werden bereit ist, der kann keine größere Sünde begehn als zu leben ...

Bei dieser Gelegenheit muß ich Ihnen doch die betrübte Nachricht melden, daß Goethe, seitdem ihm Napoleon das Schandkreuz der Ehrenlegion ins Knopfloch gehenkt hat, sich beträgt, wie es einem solchen Legionär ziemt!

Pas 90

1513. CHRISTIANE GOETHE AN IHREN SOHN AUGUST

Weimar, 30. November 1808

Der Geheime Rat hat das Theater völlig niedergelegt, aber der Herzog will es durchaus nicht zugeben. Man schickt täglich sowohl an mich als an den Geheimerat Leute ab, die ihn bereden sollen, es nicht aufzugeben. Aber sein Entschluß ist fest, daß er es entweder ganz allein haben will oder gar nicht. Ich bin es sehr wohl zufrieden und sehe ein, daß es durchaus nicht anders angeht. Die Sache ist nämlich so: Es hat sollen „Sargin“ [„Sargino oder der Zögling der Liebe“ von Paer] gegeben werden, Morhard hat aber so einen fürchterlichen Katarrh bekommen, daß es ohnmöglich war. Die Jagemann hat aber geäußert: „Wenn der Hund nicht singen kann, so soll er bellen, und er muß singen!“ Da das aber nicht möglich war und Morhard nicht in die Probe kam, so hat sie sich an den Herzog gewendet, und dieser hat Morhard noch denselben Abend wollen über die Grenze bringen lassen, wo ihm denn der Geheime Rat nur geschwinde hat Wache geben lassen, um es zu mildern. So stehen jetzt die Sachen. Der Herzog ist am Dienstag nach Jena, und wir wissen nun noch nicht, wie es werden wird.

GoeJb X, 24

1514. HENRIETTE SCHLOSSER AN KLARA VON CLERMONT

Frankfurt, 4. Dezember 1808

Mit der Teilung sind wir nun ganz fertig, und die Goethe zu Hause. Sie schrieb uns allen aus Weimar. Ihr Sohn ist in Heidelberg; sie besuchte ihn dort noch auf ein paar Tage. Er ist ein sehr lieber, braver Junge, gescheut, herzlich und treu; alle Menschen lieben und loben ihn, die ihn kennen. Genialisch wie sein Vater ist er nicht. Auch freut es ihn gewaltig, daß seine *Mutter* nun auch seines *Vaters Frau* ist. Er scheint dergleichen gar nicht zu lieben wie sein Vater und wird gewiß ein bürgerlicher wacker Geschäftsmann werden, ohne doch trocken zu sein. Er ist äußerst lebhaft und lustig und hat Freude an schönen Wissenschaften, hängt kindlich an seinen Eltern und ist gegen uns alle zutraulich – und wir ganz charmiert in ihn.

Sie, die Goethe, haben wir auch alle herzlich gerne, und sie fühlt dies mit Dank und Freude, erwidert es auch und war ganz offen und mit dem vollsten Vertrauen gegen alle gesinnt. Ihr äußeres Wesen hat etwas Gemeines, ihr inneres aber nicht. Sie betrug sich liberal und schön bei der Teilung, bei der sie sich doch gewiß verraten hätte, wenn Unreines in ihr wäre. Es freut uns alle, sie zu kennen, um über sie nach Verdienst zu urteilen und sie bei andern verteidigen zu können, da ihr unerhört viel Unrecht geschieht.

GoeF 142f.

1515. WILHELM VON HUMBOLDT AN SEINE FRAU

Erfurt, 7. Dezember 1808

Ich habe diesmal bei Goethe gewohnt, und er war außerordentlich freundschaftlich, vertraulich und herzlich. Ich bewohnte eine seiner sogenannten Putzstuben im ersten Stock ... Die Händel mit dem Theater dauern noch immer fort und haben dem armen Goethe nun schon volle vier Wochen Unruhe gekostet, in denen er schlechterdings nichts hat vornehmen können. Er möchte es dahin bringen, daß Oper und Schauspiel getrennt und letzteres ihm allein überlassen würde. Allein der Herzog wird diesen Vertrag schwerlich eingehen, und vermutlich geht Goethe ganz vom Theater, das dann in weniger als nichts zerfallen wird, ab. Vermutlich gewinnt aber dann dabei das Publikum. Denn er freut sich schon jetzt, dann mehr arbeiten zu können, und denkt auf eine Fortsetzung der „Natürlichen Tochter", zu der schon alles fertig liegen soll. Die Geheimrätin, die jetzt von Frankfurt a. M., wo sie wegen des Nachlasses der verstorbenen Mutter Goethes war, zurückgekommen ist, ist ein ganz leidliches Wesen, und Goethe tut alles, um zu machen, daß die weimarschen Damen mit ihr umgehen sollen. Karoline [von Wolzogen] tut es ohne Anstand, da sie mit Recht sagt, daß sehr viele von jeher aufs rechtmäßigste verheiratete Damen um kein Haarbreit amüsanter sind, und andere folgen ihr. Goethe ist darum auch äußerst gut mit Karolinen und lobt sie über alle Maßen. Für Theodor [von Humboldt] hat die Geheimrätin wirklich zärtliche Sorgfalt gehabt.

Hu III, 40f.

1516. CHARLOTTE VON STEIN AN IHREN SOHN FRIEDRICH

Weimar, nach dem 17. Dezember 1808

Angenehm ist es mir freilich nicht, in der Gesellschaft zu sein. Indessen, da er das Kreatürchen sehr liebt, kann ich's ihm wohl einmal zu Gefallen tun ...

Stein II, 302

1517. HELENE VON KÜGELGEN AN IHREN MANN

Dresden, 24. Dezember 1808

Du glaubst, ich würde Goethe auch lieben, wenn ich ihn kennte. Ich habe ihn immer geliebt und achte ihn jetzt, nachdem er getan hat, was die Welt verlacht... Ich liebe ihn wahrlich, ob ich gleich nicht zweifle, daß er den Mephistopheles persönlich kennt, den er so treu gemalt hat, und daß er den Faust in hoher Person gespielt hat auf des Lebens Theater.

Küg 123

1518. ARNIM AN BETTINA BRENTANO

Weimar, 25. Dezember 1808

Die erste Bewillkommung von Goethe waren zwei Küsse. Er fragte mit vieler Freundlichkeit nach allen Ereignissen, besonders nach Dir ...

Den andern Tag war bei ihm zum erstenmal Gesellschaft der ersten Frauen der Stadt, unter andern der Frau von Stein, bei seiner Frau. Er fragte mich, ob ich nicht etwas vorlesen wollte, und zeigte meine Kupferstiche herum. Ich las etwas, das Du noch nicht kennst, eine Novelle [„Liebesgeschichte des Kanzler Schlick und der schönen Sienerin"], erst etwas beengt, aber nachher mit einer Art Dramatik, die ich noch nie geübt habe mit solcher Keckheit.

ArnBe 240f.

1519. ABEKEN AN VOSS DEN JÜNGEREN

Weimar, 26. Dezember 1808

Er [Ernst von Schiller] aß neulich mittags bei Goethe, der sehr gütig gegen ihn war; das scheint sehr auf ihn gewirkt zu haben.

Ja, lieber Voß; auch ich bin neulich bei Goethe gewesen ... Gestern vor acht Tagen war ich bei ihm zu Mittag. Ich kann Dir meine Freude darüber nicht genug ausdrücken. Es war mir der schönste Tag, den ich in Weimar gehabt habe.

Es war nur eine kleine Gesellschaft: ein Bremenser [Nikolaus] Meyer, den ich noch von Jena her kenne, eine Dame und unsre Kleinen. Das war mir gerade recht; und ich hatte meinen Platz gerade Goethe gegenüber, so daß ich mich an seinen Reden, seiner herrlichen Gestalt, seinem edlen Gesichte recht weiden konnte. Und er war so gesprächig, so heiter. Das Gespräch kam eben nicht auf erhabene Gegenstände, aber wie bedeutend ist auch das Kleinste in Goethes Munde! wie lebendig, wie frisch und heiter!

Und Goethe hat eine so herrliche Milde. Ich bin sonst schüchtern, wenigstens verschlossen, wenn ich zu großen oder vornehmen Menschen trete. Hier war mir's ganz gemütlich, und bei aller Größe, mit der Goethe einem gegenübersteht, hatte ich doch das schöne Gefühl, mit dem man sich Mensch zum Menschen nahet. Und wenn ich auch Goethe nie wiedersähe, doch werde ich mir immer mit Freude sagen, daß ich ihn gesehen habe.

Gespr II, 395

1520. PIUS ALEXANDER WOLFF AN BLÜMNER

Weimar, 28. Dezember 1808

... Sie sollen durchaus von mir zuerst die erfreuliche Nachricht erhalten, daß Goethe das Theater wiederhat. Seit meinem letzten Brief hat sich die Sache hingezogen; ein Vorschlag verdrängte den andern, eine Bedingung die andere, welche alle so schimpflich waren, daß sie Goethe nicht eingehen konnte. Wie denn nun seine Gegner das Heft ganz in Händen zu haben glaubten und sich über seinen Sturz schon laut zu freuen anfingen, trat unsre regierende Herzogin hervor, wie Karl Moor unter die Räuber, und befahl, daß Goethe jede seiner Bedingungen erfüllt werden sollte, und ihn selbst ersuchte sie mündlich, die Direktion zu behalten. Gestern abend wurde ihm die Beendigung der Sache und die Vollmacht schriftlich zugeschickt ... Da sich die Sache wieder so gemacht hat, ist unserm Theater sehr zu gratulieren. Denn Goethe war wirklich einige Nachlässigkeit vorzuwerfen, und ich bin überzeugt, daß er nun mit neuem Eifer sein Unternehmen beginnen wird. Übrigens wäre es ihm sehr schwer geworden, sich von uns loszureißen; das sah man an seinem ganz veränderten Wesen und an der nun wiedergekommenen Heiterkeit.

Th 321 f.

1521. WILHELM VON HUMBOLDT AN SEINE FRAU

Weimar, 28. Dezember 1808

Ich bin seit dem ersten Weihnachtsfeiertag hier, liebe Li, und wohne bei Goethe ... Ich habe erst hier Goethes neustes Produkt, „Pandoras Wiederkunft", kennengelernt; er hat es uns bei Karolinen [von Wolzogen] vorgelesen ... Es ist eine der wunderbarsten Produktionen, aber der allerschönsten und größesten. Die Hauptsache beruht auf dem Kontrast der beiden ungleichen Brüder, des kalten, rastlosen, gewerbfleißigen Prometheus und des empfindsamen, unglücklichen und müßigen Epimetheus ... Das Neue und Schöne ist, daß alle Urtöne der Leidenschaften, der Gefühle, alle Elemente der menschlichen Gesellschaft darin vorkommen und mit einer Reinheit, ja man kann sagen Nacktheit dargestellt sind, daß daraus selbst eine ungeheure Größe hervorgeht. Dann ist die Sprache, die in den verschiedensten Silbenmaßen abwechselt, himmlisch ...

Mit des armen Schillers nachgelassenen Papieren beschäftige ich mich des Morgens mit der Wolzogen ... *Er bleibt der größte und schönste Mensch, den ich je gekannt.* Wenn Goethe auch noch dahingeht, dann ist eine schauerliche Öde in Deutschland. Doch ist der jetzt überaus wohl.

Hu III, 53f.

1522. CHRISTIANE GOETHE AN IHREN SOHN AUGUST

Weimar, 30. oder 31. Dezember 1808

Denke Dir nur, wer alles bei uns ist: Ein Herr von Kügelgen, der Deinen Vater malt, der Doktor [Nikolaus] Meyer, Herr von Humboldt, Werner, Arnim und noch mehrere Fremde. Dazu habe ich müssen achtzehn vornehmen Damen Visiten machen. Wir hatten einen Tee von dreißig Personen; alle Damen, die Du kennst: Frau von Wolzogen, Stein, Schiller und mehrere. Am zweiten Weihnachtsfeiertag war ein großes Souper bei Wolzogens, wo ich auch dazu eingeladen war, und ich habe die Schillern und Wolzogen recht liebgewonnen ...

Mit dem Theater hat es sich wieder so gut gemacht, da der Herzog Deinem Vater ein Reskript zugeschickt hat, daß er eigenmächtig machen kann, was er will. Und ich sitze nicht mehr auf meiner alten Bank ..., ich sitze in der Loge neben der Schopenhauern. Du kannst also aus diesem Brief ersehen, daß meine jetzige Existenz ganz anders als sonst ist.

GoeJb X, 28

1809

1523. WILHELM VON HUMBOLDT AN SEINE FRAU

Weimar, 1. Januar 1809

Hier habe ich Werner, den Verfasser der „Söhne des Tals“ ..., kennengelernt, auch sein letztes Stück, „Attila“, gelesen. Es hat wohl einzelne schöne Stellen, verdient aber nicht einmal, Dir nach Rom geschickt zu werden. Alles ist locker, ohne Motive, nicht reelle Personen, sondern bloß Burattini. Zuletzt wieder die Sakramente und das mystische Wesen. Gegen das letzte hat Goethe einen Haß, von dem man sich keinen Begriff machen kann, und der arme Werner hat gestern sehr dafür leiden müssen. Er aß bei Goethe, wie er mir erzählt hat, und wollte etwas vorlesen. Obgleich Goethes Frau ihm gesagt hatte, daß das Mystische Goethen unerträglich sei, so ließ er sich beigehn, ein Sonett auf Genua, wo er kürzlich gewesen, vorzubringen, in welchem die Scheibe des Vollmonds zur Hostie gemacht wird. Wie dies Goethe gehört hat, ist er, wie er selbst sagt, *saugrob* ... geworden. Werner hat sich zurückziehen müssen, und obgleich er die Versöhnung durch die Frau versucht hat, mit der er gestern abend auf dem Ball gewalzt hat, so kommt sie so leicht gewiß nicht zustande. Goethe ist seitdem so wild geworden, daß er Karolinen [von Wolzogen] und mir noch heute im Eifer versicherte, auch jede gemalte Madonna sei nur eine Amme, der man die Milch verderben möchte (höchsteigene Worte), und die Raffaelschen stäken im gleichen Unglück. Er treibt jetzt den Haß so weit, daß er nicht einmal mehr leiden will, daß eine irdische Frau ihr Kind selbst im Arm haben soll. Ist das nicht komisch? Aber es ist auch wirklich wahr, daß der Mystizismus so schrecklich getrieben wird, daß man auf solche Übertreibungen fast in halbem Ernst kommen kann.

Hu III, 60f.

Wittenberg, 9. Januar 1809

Goethe hat mir vertraut, daß er einen neuen Roman [„Die Wahlverwandtschaften"] angefangen ..., und sagt, er habe noch einige weibliche Charaktere gehabt, die er bisher nicht habe anzubringen Gelegenheit gefunden ...

So sein recht eigentliches häusliches Leben mit der teuren Hälfte und Riemern ist nichts weniger als interessant oder hübsch. Habe ich Dir schon erzählt, daß er die Frau *Du* und sie ihn *Sie* nennt? Das, siehst Du, liebes Kind, ist ein Respekt! Riemer ist noch breiter, schwammiger und zerflossener geworden, als Du ihn schon kanntest, und so behaglich und gemächlich, daß er um 8 Uhr immer noch im Bett liegt. Er ist ganz eigentlich der Famulus des großen Mannes, redet immer in „Wir" und hat auch zu den kleinsten Dingen, um die man ihn bittet, nie einen Augenblick Zeit. Dabei treibt er unendlichen gesellschaftlichen (auch Goethe nachgemachten), meist sehr tändelnden, meist läppischen und ziemlich arg magistermäßigen Spaß. So macht er jetzt Sonette, die Goethe unendlich protegiert. Nicht genug, daß Riemer sie mir vorlesen mußte, so nahm auch Goethe selbst sie oft und las sie noch einmal. Sie sind nicht geradehin schlecht, meist komisch und satirisch, aber doch oft sehr fade. Die meisten roulieren zuletzt auf einem Wortspiel, einem angewandten Sprichwort oder einer Volksphrase usf....

Mir ist sie [Johanna Schopenhauer] durch Figur, Stimme und affektiertes Wesen fatal; aber Goethe versäumt keinen ihrer Tees, die sie zweimal alle Woche gibt. Nur die Wolzogen und ich haben ihn ein paarmal untreu gemacht.

Mit dem Theater ist alles wieder im Gleise, und Goethe hat wieder die ganze ungehinderte Direktion. Nur haben Goethe und Mademoiselle Jagemann sich jeder einen Schauspieler geschlachtet, und so ist es, nach Karolinens Ausdruck, wie in der „Braut von Messina" gegangen: „Die Diener tragen alle Schuld." Wie viel doch in Deutschland trotz des Unglücks der Zeiten für die Schillerschen Kinder geschehen ist, sollte man nicht denken. Noch jetzt hat man ihnen ein Benefiz in Wien gegeben, das ihnen 6000 Taler, nur freilich in Papiergeld, eingebracht hat. Iffland in Berlin hat sich auch sehr brav gezeigt. Leider aber Goethe gar nicht. Er hat fast gar keinen Anteil geäußert. Als Schiller starb, war zwischen ihm und Goethe eine leichte Brouillerie; teils deswegen, teils weil er selbst eben von einer großen Krankheit kam, hat ihn Goethe in seiner Krankheit nicht gesehen; aber wunderbar ist es, daß er auch Monate nachher die Wolzogen und die Lolo [Charlotte Schiller] vermieden hat. Jetzt erst ist er wieder sehr gut mit beiden. Ohne das Legionkreuz geht Goethe niemals, und von dem, durch den er es hat, pflegt er immer „mein Kaiser“ zu sagen!

Hu III, 64ff.

1525. CHARLOTTE VON STEIN AN IHREN SOHN FRIEDRICH

Weimar, 12. Januar 1809

Alle meine Träume, wie ich mit Dir und Goethe einen Reichtum des Geistes in meinem Alter finden würde, sind auch nur Träume geblieben. Nun bist Du weit von mir...

Stein II, 305

1526. ARNIM AN BETTINA BRENTANO

Berlin, 15. Januar 1809

Den ersten Mittag empfing mich Goethe mit zwei Küssen, was ihm Gott segne mit zwei Küssen höherer Liebe! Seine Lippen (wie die Finger großer Musiker) haben eine eigentümliche Rundung, Bildung und Beweglichkeit, so daß man schon darin sehen und fühlen kann, wie er die Sprache wunderbar erregen und verbinden kann ... Voß [den Jüngeren] erkannte er ganz genau. [Friedrich August] Wolf erzählte mir, daß er [Goethe] dem Voß, wenn er bei ihm gegessen, nie das Delikate präsentiert.

ArnBe 249

1527. ARNIM AN DIE BRÜDER GRIMM

Berlin, 23. Januar 1809

Goethe hat mich sehr gütig aufgenommen. Er und die Weimeraner haben mir soviel Lob über die Zeitung [„Trösteinsamkeit. Zeitung für Einsiedler"] gesagt, daß ich recht von Herzen froh wurde. Er interessierte sich lebhaft für Wilhelms Übersetzungen ... Ich habe für Euch beide den Realschulbuchhändler, wenn Goethe eine Vorrede schreibt. Sonst fürchtet Reimer, in der jetzigen Armut würden Poesien, die näher den Gelehrten als der gemeinen Unterhaltung lägen, sich nicht bezahlt machen ohne solche Empfehlung. Ich werde nächstens deswegen an ihn schreiben ...

Goethe liest wöchentlich einmal acht Damen, worunter die Herzogin, aus dessen [Hagens] Bearbeitung der „Nibelungen" vor, zeichnet Karten dazu, erläutert, Riemer setzt die Vorträge auf.

ArnG 20f.

1528. JOHANNA SCHOPENHAUER AN KÜGELGEN

Weimar, 4. Februar 1809

Falk hatte unendlich zu tun, weil er alles einrichtete und für so viele Masken anzugeben, auch zu besorgen hatte; auch gab es in der Welt nichts Geschäftigeres als ihn. Goethe gab ihm wenig nach, und Falk war oft recht ärgerlich, daß dieser ihm immer auf den Fersen war und so sehr auf Zucht und Ehrbarkeit hielt, wenn Falk gern ein wenig [Wort ausgelassen] gemacht hätte ... Den Dienstagabend waren Falk, Werner und Riemer bei mir ..., um Nußverse zu machen. Da trat plötzlich Goethe unter uns wie Peter der Große unter die verschwornen Strelitzen. Er sollte eigentlich nichts von den Nüssen wissen, denn wir wußten wohl, daß er viel dagegen einwenden würde; aber der treue Werner, der sich vor Freuden, wieder in Gunst zu stehen, nicht zu lassen weiß, hatte es ihm verraten. Er redte uns so sanft und väterlich zu und berief sich dabei auf seine Erfahrung, daß wir, obgleich ungern, ihm folgen mußten. Jetzt sehe ich wohl, wie recht er hatte; wir sind von zu ernsthaften [Leuten] umgeben ... Mit den Nüssen war's also aus; nur ein'ge wenige wurden gerettet, z. B. die an die Schönste in Weimar ..., von welcher 12 Exemplare an 12 verschiedene Damen verteilt wurden; auch Madame Wolff bekam die ihre, und mit großem Recht. Goethe fuhr den Abend so gewaltig gegen Falken auf, der eine kleine Unschicklichkeit beging, daß ich sehr erschrak. Doch der Sturm legte sich; ich und Adele versuchten unsre Anzüge; wir gefielen Goethen gar sehr; das stimmte uns wieder froh, und so blieben wir bis Mitternacht zusammen, in Lust und Freude, und Goethe war gar liebenswürdig und gesellig.

Den Freitag fuhr ich dann um halb 9 nach dem Stadthause und fand in einem für uns von Goethen bestimmten Zimmer den größten Teil unsrer Gesellschaft schon versammelt und Goethen mit Uniform und Ordensband mittendrunter voll Leben und Feuer. Er musterte jeden einzelnen, ob's noch wo fehle. Hernach hat er uns exerziert, arrangiert, kommandiert nach Herzenslust. Ich habe ihn nie so lebendig gesehen; wir alle wurden von seinem gewaltigen Leben ergriffen ...

Endlich war die Herzogin da. Goethe ließ uns bei sich vorbeidefilieren und war doch wieder eher unten als wir ...

Nachdem wir lange dem tollen Wesen zugesehn hatten, ging ich mit Oken, Riemer etc. hinauf, um uns ein wenig mit Speis und Trank zu stärken. Da finden wir Frau von Goethe mit ihrer Gesellschaft, einen Offizier Deng in wilder Lustigkeit bei Tische, der Champagner tobte in den Köpfen, die Pfropfen knallten, die Damen quiekten, und Goethe stand still und ernsthaft in einer Ecke. Wie er uns sah, ließ er gleich einen Tisch und das Nötige besorgen, setzte sich zu uns; es kamen noch mehr aus unserm Zirkel, jener wilde Schwarm ging herunter zum Tanz, und wir blieben ein Stündchen gar gesellig und fröhlich oben. Goethe war über die Maßen zufrieden. Wie wir hierunterkamen, hatten die mehrsten Masken sich schon verlaufen, und wir blieben noch bis 3 Uhr auf der Estrade und sahn dem Tanz zu und hatten unsern Spaß untereinander und mit ein'gen der übrigen

Masken. Es ist fast beispiellos, daß Goethe so lange aufblieb; aber er war gar zu froh über das Ganze.

Schop I, 147–150

1529. CHRISTIANE GOETHE AN BETTINA BRENTANO

Weimar, 4. ? Februar 1809

Goethe befindet sich diesen Winter außerordentlich wohl, welches er doch den heilsamen Quellen zu danken hat. Bei meiner Zurückkunft kam er mir ordentlich jünger vor, und gestern, weil große Cour an unserm Hof war, sah ich ihn zum erstenmal mit seinen Orden und Bändern geschmückt; er sah ganz herrlich und stattlich aus, ich kann ihn gar nicht genug bewundern; mein erster Wunsch war: wenn ihn doch die gute Mutter noch so gesehen hätte! Er lachte über meine große Freude.

JbGoeGes III, 151

1530. BETTINA BRENTANO AN ARNIM

München, 12. Februar 1809

Goethe antwortet mir nicht; es schlägt mich nieder. Ich weiß, daß er andern schreibt. Nun, mag's sein! Ich habe nicht so großen Mut, von ihm geliebt zu werden, als ihn zu lieben mehr, weit mehr, wie andre es vermögen.

ArnBe 256f.

1531. WOLTMANN AN SMIDT

Berlin, 18. Februar 1809

Bei den Regierungen sollen die wissenschaftlich-technischen Deputationen, welche bei den Sektionen des Geheimen Staatsrates schon organisiert sind, in ihren Abstufungen weiterwirken. Ich möchte sagen, daß diese Deputationen die Röhren sind, wodurch die reine Einsicht ohne Beimischung des Geschäftslebens durch alle Kreise der Staatsverwaltung aufsteigen soll. An der Spitze des Plenum aller solcher Deputationen wird *einer* stehen, der unabhängig von den Ministern nur dem gesamten Staatsrat und dem König seine Gedanken und seine Rechenschaft vorlegt. Diese Person wird entweder ein Nichts, ein bloßes vornehmes Gaukelspiel oder von dem ungemeinsten Einfluß sein, welcher eigentlich die Intelligenz ausspricht, die wenigstens den *inneren* Staat beherrschen sollte ... Ich kenne aber in Deutschland nur *einen,* der nach Gehalt des Geistes und der Kenntnisse zu diesem Posten sich eignete, wenn er mehr praktischen Mut und Fleiß hätte, nämlich Goethe.

GoeJb VI, 117f.

1532. PASSOW AN AMALIE VON VOIGT

Weimar, 24. Februar 1809

Auf der Redoute bin ich inzwischen gewesen, um den großen, von Goethe und Falk angeordneten Aufzug auch zu sehn. Schlimm ist inzwischen, daß vor der Redoute entsetzlich viel davon gesprochen wurde, sonderlich von den Aufgezogenen, nachher aber alles sehr still blieb. Auch war's lumpig. Einer unserer Schüler, Herr Burkhardt, zog als Chorführer voran, dann ... Werner als Knecht Ruprecht, horribel anzusehn, dann der Stern, darin die Heiligen Drei Könige: Madame Schopenhauer, Frau Falken und das liebe Adelchen [Schopenhauer]; dann ein Trupp Bauern und Bäuerinnen, unter denen sich besonders Frau von Goethe bemerklich machte. Sonst war noch zu betrachten ein Aufzug von einigen Schauspielern, eine erst am Morgen der Redoute von der Jagemann gefaßte und mit Geist und Glück ausgeführte Idee, von der vorher gar nicht, aber nachher desto mehr und desto günstiger gesprochen ist ... Diese wirklich schönen Gestalten, die *ohne Lachen* erfreuten und erheiterten, hielten schadlos für den Überdruß des ganzen Aufzugs, der nur an Anmaßung, Leerheit und Gefallsucht der respektiven Interessenten erinnerte.

Pas 96f.

1533. COTTA AN CHARLOTTE SCHILLER

Stuttgart, 2. März 1809

Wenn doch Goethe mit seinem Roman [„Die Wahlverwandtschaften"] herausrückte! Anfangs sagte er's mir zu; nun ist er aber wieder abgeneigt, ihn sogleich zu publizieren.

SchiCo 562

1534. HENRIETTE VON KNEBEL AN IHREN BRUDER

Weimar, 4. März 1809

Für die Bekanntschaft mit dem griechischen Philosophen und Geschichtsschreiber [Thukydides] sind wir Dir außerordentlich verbunden. Wir finden es auch gar zu hübsch, daß in jenen Zeiten die Männer von höherer Seele mitunter auch tätigen Anteil an den Geschäften und an dem Wohl ihres Vaterlandes nahmen und nicht eine Sekte für sich ausmachten und durch ihre Geistesvorzüge gleichsam gelähmt wurden.

KnHe 357

1535. KAROLINE HERDER AN JOHANN GEORG MÜLLER

Weimar, 12. März 1809

Könnten Sie mir nicht das Blatt der „Aarauer allgemeinen Weltkunde", worin Goethe [von Zschokke ?] rezensiert ist, senden? Der Schade, den Goethe durch seine Vergötterung des Dichtertalents gestiftet, ist unberechenbar. Aber die Menschen werden erwachen und nach der Wirkung fragen, die der Dichter auf Geist, Gemüt und Charakter, auf das innigste, wahre menschliche Glück und auf die Jugend, auf die Veredlung der Menschheit gemacht hat. Heil dem Schweizer, der es jetzt schon wagt, nach dieser Wirkung zu fragen!

VaH III, 347

1536. CHARLOTTE VON STEIN AN IHREN SOHN FRIEDRICH

Weimar, 13. März 1809

Eben tritt Goethe herein und trägt mir einen schönen Gruß an Dich auf. Einen eigentlich offnen, herzlichen Umgang will mir mit diesen Freund nicht wieder werden, so gut ich ihn auch bin.

Fritz von Stein II, 166

1537. KAROLINE HERDER AN JEAN PAUL

Weimar, 21. März 1809

Jetzt sind Schiller und Goethe an der Tagesordnung des *lauten* Publikums – Richter und Herder haben die stille, unsichtbare Gemeine – aber desto inniger, liebender, dauernder. Ihr seid diejenigen, zu denen Gott spricht: auf diese Felsen baue ich meine Gemeine, und die Pforten der Hölle sollen sie nicht überwältigen. Amen!

HeJ

1538. HENRIETTE VON KNEBEL AN IHREN BRUDER

Weimar, 8. April 1809

Goethe ist jetzt auch ein wenig hypochonder, wie mir Frau von Stein sagt.

KnHe 362

1539. VOSS DER JÜNGERE AN ABEKEN

Heidelberg, 16. April 1809

Wie ist denn Passow so auf Madame Goethe erbittert? und wie es scheint, auch auf Goethe? Die Goethe ist wahrlich nicht so „gemein und durch und durch ekelhaft“, wie er glaubt (er sagt, seine Freunde mit ihm). Ich bin überzeugt, daß Du nicht *diese* Ansicht teilst. Hier findet noch wohl eine

Mittelansicht statt, die auch von der Überschätzung gleich weit entfernt ist.

Ich werde Passow über diesen Punkt nicht antworten, denn wer Goethe angreift, der greift in mein Leben. Und über Madame Goethe mag ich keine Federkriege führen.

VoßG 161

1540. HENRIETTE VON KNEBEL AN IHREN BRUDER

Weimar, 19. April 1809

Es war ewig schade, daß Du nicht die Erzählung [„Die Wahlverwandtschaften"] von Goethe mit angehört hast. Sie ist voll Geist und Leben und versetzt in die mildeste Gemütsstimmung.

KnHe 363

1541. SIEVEKING AN UNBEKANNT

Weimar, 20. April 1809

Am Sonntag mittag war ich bei Goethe und fand ihn im Garten. Du glaubst nicht, wie weit der Mann hervorragt vor allen, die in Deutschland geschrieben haben. Solch ein menschlicher Adel in dem ganzen Wesen, solch ein Feuer in den großen braunen Augen, so gediegen und unmittelbar aus dem Leben gegriffen jedes Wort, auch das unbedeutendste, das er sagt.

GoeJb VIII, 320

1542. CHARLOTTE VON STEIN AN IHREN SOHN FRIEDRICH

Weimar, 29. April 1809

Es tat einem wohl, auf einige Stunden in eine idealische Welt zu kommen. Wieviel Kenntnis des menschlichen Herzens, was für feine Gefühle, wieviel Sittlichkeit, Verstand und Anstand darin [in den „Wahlverwandtschaften"] vorgetragen ist, kann ich Dir nicht genug sagen. Der Himmel gebe, daß er ihn vollenden kann! Er hatte ihn voriges Jahr in Karlsbad angefangen, und nun will er ihn auch dort vollenden, und die Kriegsunruhen verhindern die Reise.

Stein II, 309

1543. HENRIETTE VON KNEBEL AN IHREN BRUDER

Weimar, 29. April 1809

Heute wird Goethe auf einige Tage nach Jena kommen. Er hat uns gestern durch die Fortsetzung seines Romans einen der seltnen und auserlesenen Abende verschafft und hat uns ganz in seinen Zauberkreis hineingezogen. Seine Gemälde sind nicht allein vollkommen richtig gezeichnet, sondern jedes Detail ist zugleich mit so lebhaften Farben und so äußerst delikat ausgemalt, daß man dieses neue Produkt als ein Meisterwerk nicht genug bewundern und sich darüber erfreuen kann. Ich gäbe was darum, wenn er Dir's vorläse. Es hat uns sehr glücklich gemacht.

KnHe 366

1544. HUDTWACKER AN SEINE MUTTER

Jena, Mai oder Juni 1809

Es vergeht kein Tag, wo ich nicht zu Frommanns gehe, wo Goethe bisweilen des Abends ist. Am Sonntagabend war er von 7 bis 11 Uhr dort und sprach sehr viel. Und wie spricht er! Bisher habe ich zuweilen geglaubt, man könne den Menschen Goethe vom Dichter absondern, aber nun ist er recht eigentlich auch meinem Herzen teuer geworden. Jedermann bildet sich ein, wenn er mit ihm spricht, selbst Goethe zu sein, und fühlt sich unbewußt zu ihm hinaufgehoben.

Er schätzt jedes, kennt jedes, beurteilt jedes, was irgend einen menschlichen Geist beschäftigen kann. Am interessantesten ist es, ihn über naturhistorische Gegenstände, besonders über Blumen, zu hören. Seine fast kindliche und rührende Zartheit, die seine Leser kennen, erscheint hier in einer Liebenswürdigkeit, die kein Gedicht erreichen kann. Er spricht mit großer Lebhaftigkeit, und Gries ..., der ja so taub ist, daß er seine Worte nicht hört, versichert mich, er verstehe vieles bloß durch seine Gebärden.

Sein Blick ist hinreißend, und wenn vollends eine Träne sein Auge füllt, was ihm im Feuer seiner Begeisterung und bei seiner sittlichen Reizbarkeit nicht selten begegnet, so möchte gewiß jeder Jüngling ihm um den Hals fallen und jedes Mädchen an seine Brust.

Hudt 482f.

1545. WOLF GRAF BAUDISSIN AN SEINE SCHWESTER

1. Juni 1809

... er ließ uns sagen, wir möchten um 3 aufs Mineralienkabinett kommen, weil das Zimmer, welches er im Schlosse bewohnt und in dem er ißt und schläft, gar zu klein und schlecht sei. Ich erwartete ihn wie ein Kind den Heiligen Christ.

Endlich kam er, redete mich mit einer langen, geläufigen Phrasis an, war äußerst höflich und fing an, in dem Mineralienkabinett herumzuzeigen. Ich verwünschte meine Unwissenheit in der Mineralogie und verwandte kein Auge von ihm.

Ich schwöre, daß ich nie einen schöneren Mann von sechzig Jahren gesehn habe. Stirn, Nase und Augen sind wie vom olympischen Jupiter, und letztere besonders ganz unmalbar und unvergleichbar. Erst konnte ich mich nur recht an den schönen Zügen und der herrlichen braunen Gesichtsfarbe weiden; nachher aber, wie er anfing, lebhafter zu erzählen und zu gestikulieren, wurden die beiden schwarzen Sonnen noch einmal so groß und glänzten und leuchteten so göttlich, daß, wenn er zürnt, ich nicht begreife, wie ihre Blitze nur zu ertragen sind. Ich war in einem solchen Anstaunen und Anbeten, daß ich alle Blödigkeit rein vergaß.

Mehrere Fremde haben über seine Härte und Steifheit

geklagt, gegen uns ist er äußerst human und freundlich gewesen.

Er hatte einen blauen Überrock an und gepudertes Haar ohne Zopf. Seine ehemalige Korpulenz hat er verloren, und seine Figur ist jetzt im vollkommensten Ebenmaß und von höchster Schönheit. Man kann keine schönere Hand sehn als die seinige, und er gestikuliert beim Gespräch mit Feuer und einer entzückenden Grazie. Seine Aussprache ist die eines Süddeutschen, der sich in Norddeutschland gebildet hat, welche mir immer die vorzüglichere scheint; er spricht leise, aber mit einem herrlichen Organ und weder zu schnell noch zu langsam, und wie kommt er in die Stube, wie steht und geht er! – Er ist ein geborner König der Welt ... Die Tiecksche Büste von Goethe ... *ist keineswegs idealisiert*, sondern Goethe jetzt eher noch schöner, indem sein Gesicht schmaler geworden ist und die göttlichen, nicht schwarzen, wie ich vorhin schrieb, sondern braunen Augen nicht einmal der Pinsel darstellen kann.

Gespr II, 441 ff.

1546. LUISE SEIDLER AN PAULINE GOTTER

Jena, 4. Juni 1809

Silvies [von Ziegesar] Entrevue mit Goethe bei Kaysers war ihr ganz unerwartet und, wie es schien, fast überraschend. Sie hatte mir ein Billett geschrieben, um sie dort zu sehen; als ich aber hinkam, war sie ausgegangen, und Goethe war unter der Zeit gekommen. Es war mir auch sehr überraschend, ihn bei Kaysers zu treffen, und eine unausstehliche Verlegenheit überfiel mich, als ich in der engen Stube die ängstlichen Kaysers und die beiden Geheimräte [Goethe und Ziegesar] traf. Wie gerne hätte ich Dich an meinen Platz gewünscht, liebste Pauline! Mir war gar nicht wohl, da Goethe so ganz nur Geheimrat war und blieb! Du würdest ihn gleich umgeschaffen und Dir einen Himmel bereitet haben.

Bald kam Silvie; wir gingen ihr auf der Treppe entgegen, und als ihr Kaysers sagten, daß Goethe da sei, flog sie in die

Stube und an seinen Hals, daß ich glaubte, die beiden Arme könnten ihn erdrosseln. Ich konnte nicht hinsehen; alles war in peinlicher Verlegenheit.

Doch ermannte sie sich bald, verbiß ihre Tränen, kam gleichwohl eine Viertelstunde lang zu mir und näherte sich dann erst nach mehreren Versuchen Goethe, der indessen tief in der Politik mit Ziegesar wieder verwickelt war.

Ich empfahl mich bald, um meine Sachen zu packen, und als ich nach zwei Stunden wieder hinkam, fand ich sie alle um einen Tisch sitzend, Silvie neben Goethe, aber in gleichgiltigen Gesprächen, doch noch rot und glühend wie die schönste Rose. Sie tat mir recht leid: Goethe war noch immer Geheimrat. Meine Anrede wurde höflich kurz erwidert, und ich war froh, als wir im Wagen saßen, weil ich mich peinlich geniert fühlte.

Gespr II, 448

1547. HUDTWACKER AN AUGUST VON GOETHE

Jena, 5. Juni 1809

Er arbeitet an einem neuen Roman, von dem man sich ins Ohr sagt, daß er „Die Wahlverwandtschaften" heißen wird, wohnt eng und schlecht auf einem Nebenflügel des Schlosses, weil, glaube ich, seine ordentlichen Zimmer gebaut werden, wo er in *einer* Stube leben, essen und schlafen muß, und kann sich trotzdem nicht entschließen, nach Weimar, wo ihn so vieles stört, wieder hinzuziehn. Ich brachte ihm Deinen Brief bei meiner ersten Ankunft hierselbst, vor vierzehn Tagen, und er erkundigte sich sehr sorgfältig nach Dir. Seitdem habe ich ihn mehrere Male bei meinem Onkel Frommann und auch einmal im Botanischen Garten gesehn. Er soll magerer geworden sein, was ihm sehr gut steht, und ist meist ziemlich heiter und gesund.

Goe Jb X, 86

1548. CHARLOTTE VON STEIN AN KNEBEL

Weimar, 7. Juni 1809

Die Landschaften vom Kaaz haben mich sehr gefreut... Goethe wird nach beendigter Arbeit in Jena einen ausruhenden Genuß drin finden. Es ist mir lieb, daß ihn hier so etwas erwartet. Danken Sie ihm mit einem Gruß in meinem Namen für das heut Überschickte! Die diktierten Briefe machen mir eigentlich keine Freude (unter uns gesagt), weil kein herzlich Wort drin ist, und ich kann nur aus dem Herzen schreiben.

BodeSt VII, 86

1549. CHARLOTTE VON STEIN AN CHARLOTTE SCHILLER

Ilmenau, 11. Juli 1809

Dem Goethe schrieb' ich wohl gern, aber die diktierten Briefe zur Antwort sind mir fieberhaft. Sagen Sie ihm nur ein freundliches Wort von mir, oder, wenn er in Jena ist, so schreiben Sie es wohl.

SchFr II, 352 f.

1550. CHRISTIANE GOETHE AN IHREN SOHN AUGUST

Weimar, 19. Juli 1809

Dein Vater und ich befinden uns recht wohl und freuen uns, einmal einen Sommer beisammen zu sein. Denn er geht nun wahrscheinlich nicht nach Karlsbad und ich nicht nach Lauchstädt.

GoeJb X, 40

1551. PAULINE GOTTER AN MARGARETE VON SCHMERFELD

Gotha, 21. Juli 1809

So herrlich, so groß seine Werke in jedem Betracht sind, so kommen sie doch in keinen Vergleich gegen seine mündliche Unterhaltung, und es ist der reichste Genuß, den ich gefunden habe. Aber ich glaube auch, daß seine Gegenwart sehr gefährlich sein kann, und ich versichere Dich, daß ich mein ganzes bißchen Verstand zusammengenommen habe, um mir jeden Augenblick klar zu gestehen, daß alle süßen Worte, die er mir ins Ohr raunte, nicht mir insbesondere, sondern jedem jungen Mädchen gelten würden. Ich war weniger besorgt, daß meine Eitelkeit aufgeregt wurde (denn die ist wahrhaftig bei mir nicht sehr groß), als daß mein Herz mit meinem Kopf davonlaufen möchte, wenn ich ihn mit der größten Zärtlichkeit und mit den geistreichsten Wendungen um die Erlaubnis bitten sah, mir die Hand zu küssen, da er gegen andere vornehm, steif zurückhaltend und herablassend ist. Keine Seele hat das von mir erfahren; aber in den Busen der liebsten Freundin kann man es wohl ausschütten.

Got 19

1552. ARNIM AN WILHELM GRIMM

Berlin, 2. August 1809

Daß Goethe nichts hinzugefügt, ist mir nicht allein wegen des Honorars, es ist mir der Sache selbst wegen unangenehm. Er hätte bei der Gelegenheit sicher viel Treffliches über den Eindruck der nordischen Sagen, Götterlehren, so wie sie ihm erscheinen, gesagt. Während er sich selbst nach seiner Bildung so ganz nach den Griechen gewendet, hat seine Natur ihn doch in mehreren seiner schönsten Gedichte, im „Erlkönig", im „König von Thule", wieder in jene Gesinnung und Gemütsfarbe zurückgeführt.

ArnG 41

1553. VARNHAGEN VON ENSE AN RAHEL LEVIN

Zistersdorf, 4. August 1809

Dieser Tage fand ich in einem elenden Buche von Cramer einige Goethesche Verse als Motto angeführt: wie mich das rührte, liebe Rahel! Ich mußte fast weinen; es war wie ein Wiedersehen! Ja, wenn ich hier einen Band Goethe hätte! Wo man auf jedem Worte, jedem Ausdruck in süßem Nachdenken verweilen kann und unerschöpfliche Labung aus den edlen Steinwänden quillt! Leider weiß ich so wenig im Ganzen auswendig; was ich aber weiß, sag ich mir oft im stillen her.

Varn II, 15

1554. CHARLOTTE VON STEIN AN CHARLOTTE SCHILLER

Weimar, 4. September 1809

Gestern bekam ich einen *eigenhändigen,* stattlichen Brief von Goethe, der durch die Anwesenheit aller unsrer Fürstlichkeiten in Jena elektrisiert war. Der Brief sah völlig oder vielmehr sprach zu einem wie ein Herr mit Degen und Orden im Hofkleid. Ich glaube, Sie haben mich verraten, daß ich die diktierten Briefe nicht mag.

SchFr II, 353

1555. WILHELM VON HUMBOLDT AN SEINE FRAU

Königsberg, 8. September 1809

[Friedrich von] Stein ist ein sehr guter Mensch, allein zur Arbeit doch nur sehr bedingter Weise tauglich. Was noch wunderbarer ist, so trägt er auch in diesen Unvollkommenheiten Spuren der Goethischen Erziehung, die man nicht verkennen kann. Ich glaube, daß es ihm geschadet hat, daß Goethe zu sehr mit ihm, wie er überhaupt leicht überall tut, auf das Reale und Praktische gegangen ist und zu wenig auf das eigentliche Lernen gehalten hat.

Hu III, 229

1556. ROCHLITZ AN BÖTTIGER

Leipzig, 23. September 1809

Sage man, was man will: da hat der alte Herr doch wieder ein trefflich Stückchen Arbeit geliefert. Diese Einfalt und Anmut, diese Originalität und schöne Beschränkung, diese köstliche Sprache durch das Ganze und nun so manche, wirklich entzückende Einzelheiten! Und wenn es nun wahr ist, daß er es gleich bei den „*Lehr*jahren“ auf *Wander-*(Gesellen-)Jahre abgesehen hätte, was er wenigstens jetzt behauptet; daß darum der Held dort nur – keiner war, sondern bloß ein hin und her gewehtes Rohr, nur angeregt, nicht einmal empfangend, außer mechanisch; wenn *darum* (was auch die Schlegel, sich selbst lächerlich machend, dagegen behaupteten) jenes Buch nicht zu Ende, sondern nur aus sein konnte: so muß man ja doch schon vor solch einem Plane den Hut abziehn. Nähert er nun wirklich am Ende seinen Helden der Meisterschaft, so kriegen wir damit wohl gar eine versteckte und verklärende Selbstbiographie – worauf freilich schon viele Einzelnheiten in den „Lehrjahren“ hinwiesen.

GoeJb XVIII, 150f.

1557. BÖTTIGER AN ROCHLITZ

Dresden, 27. September 1809

Allerdings hab ich das köstliche Bruchstück aus „Wilhelm Meisters Wanderschaft“ gelesen und wieder gelesen. Welch ein magischer Zauber in dieser Parodie der Heiligen Familie! Die Lilie zwischen Joseph und Maria ist das Sublimste, was ich kenne. Ich wage übrigens zu glauben, daß Goethe, als er seinen „Wilhelm Meister“ vor fünfzehn Jahren schloß, an diese Fortsetzung schwerlich dachte. Damals genoß ich sein ganzes Zutraun und weiß daher Geständnisse von ihm, die mich dies glauben lassen. Um so bewunderungswürdiger ist seine noch nicht erschöpfte Schöpferkraft.

GoeJb XVIII, 151

1558. ARNIM AN BETTINA BRENTANO

Berlin, 29. September 1809

Goethes „Wanderjahre“ werden, nach dem Fragment [„Sankt Joseph der Zweite“] zu schließen, wahrscheinlich alles umfassen, was an Kunstwelt in Italien zu finden, doch wird wenig so reizend ausfallen können als der Anfang, der in Cottas Almanache [„Taschenbuch für Damen auf das Jahr 1810“] abgedruckt; denn es umfaßt ja wahrhaftig alles Reizende aus der ersten Geschichte der Maria.

ArnBe 335

1559. JEAN PAUL AN FRIEDRICH HEINRICH JACOBI

Bayreuth, 4. Oktober 1809

Deine Frage über Goethens „Faust“ begehrt zur Antwort ein – Büchlein. Die poetische Kraftfülle darin begeistert mich. Ich weiß wohl, Deine Frage meint mehr die philosophische als ästhetische Schätzung. Eigentlich ist's gegen die Titanenfrechheit geschrieben, die er sehr leicht in seinem – Spiegel, wenigstens sonst, finden konnte. Aber vor der Vollendung des Werks ist kein gerechtes Urteil möglich. Daß ihn der Teufel nur dann holen solle, wenn er einmal wahrhaft befriedigt und selig wäre, für diesen schweren Punkt gibt's mir keine Auflösung als die, daß er sich bekehrte und sein hungriges Herz durch den Himmel stillte – und dann käme der Teufel!

JP VI, 57

1560. BETTINA BRENTANO AN ARNIM

Landshut, 16. Oktober 1809

Von Goethe in Cottas Almanach [„Sankt Joseph der Zweite“ im „Taschenbuch für Damen auf das Jahr 1810“] habe ich gelesen und freue mich, daß wir zwei eine Liebe für ihn miteinander teilen, die größer ist als gewöhnlich und die auch Jugendkraft hat und stündlich wächst.

ArnBe 339

1561. COTTA AN CHARLOTTE SCHILLER

Weimar, 20. Oktober 1809

Goethes „Wahlverwandtschaften", die ich leider noch nicht ganz besitze, sind mir ein Schatz von Weisheit, ein wahres Lebensbuch, wie alles von Goethe. Aber nun müssen wir doch ernstlich an die Herausgabe denken, besonders wegen der fatalen drei Nachdrucke, zwei in Wien und eins in Köln...

SchiCo 563

1562. WILHELM GRIMM AN SEINEN BRUDER JAKOB

Berlin, 28. Oktober 1809

Goethes „Wahlverwandtschaften" haben wir gelesen. Die erste Hälfte des ersten Bands ist über alle Begriffe langweilig, das andere aber herrlich, rührend und von einer seltenen Gewalt der Darstellung. Aber jenen Fehler vergißt man doch nicht.

Grimm 170

1563. GRIES AN BERGER

Jena, Oktober 1809

Was mir auch das Schicksal nehmen will, die Freude am Schönen und Guten wird es mir doch nicht rauben können. So habe ich in diesen Tagen wieder einen ganz einzigen und unvergänglichen Genuß erworben durch die Erscheinung von Goethes „Wahlverwandtschaften". Ich mag Dir nicht viel davon sagen, weil Du das Buch gewiß noch oft genug lesen wirst. Jedes neue Werk des großen Meisters ist ein nie zu vermindernder Schatz, an dem man sein ganzes Leben zu zehren hat. Er ist der einzige, auf den Deutschland noch mit Recht stolz sein kann, er, dessen Werke länger dauern werden als die ungeheuern Schöpfungen unserer Zeiten, die man für die Ewigkeit hervorzubringen wähnt.

Gries 89

1564. ARNIM AN BETTINA BRENTANO

Berlin, 5. November 1809

Ich will von etwas anderm Schmerzlichen reden ..., von Goethes „Wahlverwandtschaften". Clemens [Brentano] kam ganz tückisch verstört davon: wie Goethe sich hinsetzen könne, den Leuten soviel Kummer zu bereiten! Was kann *er* dafür? Doch mögen wir den Himmel entschuldigen mit der Langenweile, die auf Erden entstehen würde, wenn er nicht zuweilen allerlei Trübsal auf unschuldige Häupter häufte. Diese Langeweile des unbeschäftigten, unbetätigten Glückes, die Goethe in der ersten Hälfte des ersten Bandes so trefflich dargestellt, hat er mit vieler Beobachtung in das Haus eines gebildeten Landedelmannes unserer Zeit einquartiert. Ich habe manchen der Art kennengelernt, und alle leiden an einer ganz eigentümlichen Hypochondrie. Durch ihre Bildung von dem Kreise eigentlicher Landleute geschieden, soviel Wohlwollen und Wirtlichkeit sie in sich sammeln mögen, ohne eine mögliche Richtung ihrer Tätigkeit zur allgemeinen Verwaltung, kochen sie ihre häusliche Suppe meist so lange über, bis nichts mehr im Topfe. Nirgends finden sich mehr Ehescheidungen als unter diesen Klassen; alles Neuhinzutretende muß sie stören in dem Zustande gegenseitigen Überdrusses ...

Unendlich schmerzlich ist's, daß Ottilie Wunder tut und daß die Kirche, um sie zu hindern, zugeschlossen wird. Wessen Schuld ist diese Härte, da Eduard noch lebt? Ich will das durchaus nicht leiden. Will einer Wunder tun, so soll ihn niemand daran hindern. Übrigens wollen wir unserm Herrgott und seinem Diener Goethe danken, daß wieder ein Teil untergehender Zeit für die Zukunft in treuer, ausführlicher Darstellung aufgespeichert ist.

ArnBe 349f.

1565. BÖTTIGER AN ROCHLITZ

Dresden, nach dem 7. November 1809

Wie treffend ist Ihr Urteil über Goethes „Wahlverwandtschaften“! Die ganze Komposition hängt an einem losen Faden und entbehrt doch zuweilen der innern psychologischen Wahrscheinlichkeit (selbst die so bewunderte Charakterentwicklung Ottiliens scheint mir zu kranken, doch muß ich alles noch einmal lesen). Allein man kommt bei den Schönheiten des Details, bei der himmlischen Klarheit des Stils, bei den tiefgeschöpften Lebens- und Klugheitsreflexionen, bei dem Zauber leiser Geisteranklänge in Ahndungen usw. gar nicht zur nüchternen, prüfenden Besonnenheit. Wie werden sich die Anempfinderinnen, wie Goethe sie wohl sonst nennt, hinein-, herauslesen! Schon habe ich einen Begeisterung sprechenden Brief der Dame Spazier darüber.

GoeJb XVIII, 152

1566. PASSOW AN KNEBEL

Weimar, 11. November 1809

Die göttlichen „Wahlverwandtschaften“ haben Sie wahrscheinlich schon gekannt, ehe wir diesen Schatz von Verstand und von Liebe, von klassischer Vollendung und ewiger Jugendglut nur ahneten. Goethe fängt an, zu unvergänglicher apollinischer Jugend zurückzuleben.

Kn II, 480

1567. JAKOB GRIMM AN SEINEN BRUDER WILHELM

Kassel, 11.–12. November 1809

Neulich eines Abends kam der Ferdinand [Grimm], er müsse mir doch etwas weisen, was er sich gekauft habe, ob er es gleich bereue, denn er habe kein Geld, es zu bezahlen. Es waren Goethes „Wahlverwandtschaften“. Ich sagte, daß ich es von Herzen gern bezahlte, wenn es ihm Freude machte. Es rührte mich ordentlich, wie er hinzufügte, das wäre das erste Buch, was er neu erhalte; seine andern kommen fast alle schmutzig aus verauktionierten Lesebibliotheken ...

Von dem Buch bin ich sehr eingenommen worden und kann gar nicht in Deinen Tadel einstimmen. Es ist mir nämlich begreiflich, daß man in dergleichen Geschichten aus moderner Zeit recht leis in das eigentliche Leben, durch alle Konvenienzen hindurch, durch alles förmliche Wesen einbrechen muß. Im „Wilhelm Meister" ist es nicht anders gemacht. Ohne diesen Eingang wäre die Charlotte sicher nicht interessant. Die Luciane hätte meinetwegen ganz wegbleiben mögen und auch der Mittler, der nichts Rechtes zu tun hat. Beim Architekten hat vielleicht Goethe wenigstens an die Gestalt des Engelhardt gedacht. Auffallend ist, wie Goethe den Zufall und ein heimliches Schicksal gegen seine sonstige Art mannigfaltig hat walten lassen.

Grimm 172

1568. VOSS DER JÜNGERE AN CHARLOTTE SCHILLER

Heidelberg, 12. November 1809

Bei Cottas bin ich vierzehn Tage gewesen ..., da habe ich denn auch Goethes „Wahlverwandtschaften" gelesen, von denen ich viel erwartete und doch noch viel mehr fand. Die Erzählung beginnt so einfach, in so kleinem Raume, und wie erweitert sich das alles! Mir ist, als wenn Goethe den ganzen Reichtum seiner Erfahrungen und Lebensansichten hier niederlegen wollen. Aber der Mann ist unerschöpflich wie die Gottheit: von jedem seiner künftigen Werke werde ich dasselbige sagen müssen. Ottilie ist ein lieblicher Engel. Ein bloßes Geschöpf der Einbildungskraft? Das glaube ich nimmermehr. Aber das arme Kind jammert mich, sooft ich daran denke. Soeben hat es noch „so vernünftig in die Welt geguckt", und nun dieser Tod! ... Soweit habe ich gelesen; die folgenden Bogen fehlen Cottan noch – meine Sehnsucht nach dem Ende ist unbegrenzt.

SchFr III, 244

1569. KAROLINE VON WOLZOGEN AN IHRE SCHWESTER CHARLOTTE SCHILLER

Wiesbaden, 16. November 1809

Goethen grüße dreifach. Ich habe dieser Tage ganz in dem Roman [„Die Wahlverwandtschaften“] gelebt und will ihm selbst darüber schreiben, sobald ich einige Ruhe habe, um mein Inneres auszusprechen. Er hat mich unaussprechlich ergriffen und mir meine eigene Natur wieder vereint und in allen Tiefen aufgeschlossen. Wie können die Menschen an so etwas meistern und tadeln, was ewig wahr ist wie die Aussprüche der Natur selbst! Sage ihm für jetzt nur, daß er mir wieder aufs neue durchaus wundervoll und lieb geworden.

SchFr II, 92

1570. BETTINA BRENTANO AN ARNIM

Landshut, 21. November 1809

Ich hatte die „Wahlverwandtschaften“ noch nicht gelesen; vorgestern, an meinem Namenstag, schenkte sie mir Savigny. Ich durchwachte die Nacht, um es durchzulesen; selten hatte ich noch den Eindruck eines Buches so rasch und so deutlich empfunden. Lieber Arnim, die Seele, die mir mit Gewalt durch den Schmerz, der eindrang, geweitet wurde, empfand es als herb. Aber o wie hat Gott mir seinen Sonnenschein mild ins Leben verteilt, daß ich recht fühlen muß, wo seine Wärme am stärksten ist: An demselben Morgen nach der traurigen Nacht, auf demselben Tisch, wo ich vorher noch im Wandspiegel mein durch Betrübnis erblaßtes Gesicht angesehen hatte, fand ich einen Brief von Goethe, der ganz war, als hätte er geahndet, wie ich durch sein Buch des Trostes bedürftig geworden. Lieber Arnim, Gott will es so, daß Ihr beide Euch das Maß haltet in meiner Liebe. Denn noch nie hast Du mir so fest ans Herz gesprochen, und nie ist Goethe in solcher Güte übergeströmt als beide in Euren letzten Briefen. Er sagt: „Ich war auch einmal so närrisch wie Du, aber gewiß auch glücklicher und

Karoline von Wolzogen

besser als jetzt.“ ... Wir wollen uns so an ihn drängen, daß wir ganz wie seine Kinder werden ...

Ich kann Dir nicht genug sagen, wie sehr mir das wohltut, daß Du den Goethe so sehr liebst.

ArnBe 351 ff.

1571. WILHELM GRIMM AN SEINEN BRUDER JAKOB

Halle, 24. November 1809

Das Urteil über Goethes Buch [„Die Wahlverwandtschaften“] ist mir interessant gewesen. Auch darin bewährt sich sein großer Geist, daß seine Werke so verschiedenartige Urteile erzeugen und unendliche Ansichten zulassen. Steffens, Reichardt haben wieder ganz abweichende, seltsame Meinungen; aber noch jeder meint, es habe es doch nur Goethe schreiben können, und jeder hat etwas gefunden, das ihm besonders wert gewesen, so daß schon jeder einzelne Charakter seinen Freund und Feind gehabt hat und alles schon gut und schlecht gewesen. Ich zum Beispiel finde nun die Luciane (Jagemann) wieder sehr reizend und ganz notwendig, indem durch sie der Charakter der Ottilie erst recht deutlich und entgegengestellt wird. Dagegen ist mir der verfluchte Gehülfe ganz unausstehlich.

Ich begreife auch, daß das ganze Verhältnis sehr langsam und sorgfältig mußte entwickelt werden, nur nicht langweilig, wie es mir durchaus ist. Ich erkläre mir es aus der Art der Entstehung des Buchs, weil es durchaus diktiert ist, wo der Faden wohl nicht streng angehalten worden, sondern ganz gemächlich abgehaspelt worden und zuweilen auf die Lehne des Schlafsessels herabgefallen ist. Dann aber soll auch Goethe mehreres von Riemer haben ausarbeiten lassen und ihm nur den Entwurf gegeben haben, wie Raffael malte – wenn es wahr ist.

Grimm 177 f.

1572. CHARLOTTE SCHILLER AN COTTA

Weimar, 27. November 1809

Goethe ist jetzt wieder frisch und kräftig nach seinem letzten Anfall vorigen Sommer, und Meyer versicherte mich neulich, daß er ihn beinah seit zehn Jahren nicht so aufgeregt und kräftig gesehen habe ... Er ist so mitteilend und instruktiv jetzt und spricht sich gern aus – dadurch gibt er uns allen Freude und Trost. Alle Sonntagmorgen hat er Musik bei sich, wo wir Damen dazu geladen, übrigens sehe ich ihn im kleinen Zirkel alle Woche, wo er liest und sich mitteilt über alles, was ihn eben interessiert.

SchiCo 563

1573. FOUQUÉ AN RAHEL LEVIN

Nennhausen, 30. November 1809

Nur noch einige Worte über Goethes „Wahlverwandtschaften". So etwas Herrliches, finde ich, hat der alte Meister noch nicht erschaffen. Diese tiefe künstlerische Besonnenheit bei diesem jugendinnigen Gefühl und stillem heiligen Glauben! Ich habe mich noch nie so zu ihm hingezogen gefühlt. Daß nun der Mann Exzellenz sein muß, ich ein Schriftsteller, und vor allem, daß viele der besten Worte durch unwürdigen Gebrauch nichtsnutzig geworden sind oder gar verdächtig – das tut mir jetzt recht von Herzen leid. Ich glaube, ich schriebe ihm sonst. Ist es aber nicht ebensoviel, wenn ich mich vor ihm neige und im stillen Gemüte sage: „Lieber alter Vater, du bist doch vielmal mehr als wir anderen alle zusammengenommen, die wir heutzutage der Dichtkunst pflegen."

GoeJb XXIV, 97

1574. KNEBEL AN SEINE SCHWESTER

Jena, 1. Dezember 1809

Der junge Goethe war ... auch hier. Dies ist ein wunderlicher Mensch, aber ich habe ihn doch lieb. Er hat eine innere

Rechtlichkeit und einen Ernst, der bis zur Melancholie geht. Wirklich neigt er auch dahin, so daß man zuweilen um ihn besorgt sein könnte. Doch davon sagst Du dem Vater nichts. Er ist gewaltig in seiner Juristerei fleißig und liebt diese mit strengem Eifer. Beinahe sagt er sich zu sehr von allem übrigen los.

KnHe 398

1575. RIEMER IN SEINEM TAGEBUCH

Weimar, 2. Dezember 1809

Mit der G[oethe] und [Karoline] Ulrich zu Tisch. Daß G[oethe] jetzt so heftig werde und sich gehenlasse. Woher es komme.

RieTb I, 286

1576. WILHELM GRIMM AN SEINEN BRUDER JAKOB

Halle, 3. Dezember 1809

Über die „Wahlverwandtschaften" habe ich noch mehrere Stimmen gehört. Am originellsten ist die des Genialen [Reichardt], der in diesem Buch die Studien zu den andern Teilen der „Eugenie", die Goethe aufgegeben, angewendet sieht. Steffens meint, das Kind sterbe wie ein Hund, und doch ist die Szene so rührend und die Nacht darauf recht mit der Stille dargestellt, in welcher man vor oder nach einem großen Unglück angstvoll und bang eine solche zubringt.

Grimm 182

1577. RIEMER AN FROMMANN

Weimar, 12. Dezember 1809

Die ganze vorige Woche hat sich Goethe nicht wohl befunden, indem ein heftiger Katarrh ihm zusetzte und besonders zwei Nächte durch große Brustschmerzen verursachte. Durch Wartung und Mittel hat sich das Übel indes gegeben, und er ist heut zum erstenmal wieder ausgegangen.

... Wir bearbeiten jetzt den Rest der Polemik [der „Farbenlehre"] ...

Madame Schopenhauer ist nun wieder unser geselliger Mittelpunkt.

Rie 148

1578. WILHELM GRIMM AN SEINEN BRUDER JAKOB

Weimar, 13. Dezember 1809

Ich zog mich gleich an und ließ mich nach Goethes Haus führen, das sehr nett und schön dasteht. Er war aber krank, vorher bedeutend gewesen und jetzt in der Besserung, daß er mich nicht annehmen konnte. Also gab ich Arnims Brief ab. Ich ging dann zu der Dame Schopenhauer, die hier die Honneurs macht, und überreichte meinen Brief; wohin bald Goethes Bedienter kam und mir sagte, Herr Dr. Riemer, Goethes Sekretär, werde mich in die Komödie abholen. Das geschah dann, und wir gingen in Goethes Loge, die unter der fürstlichen ist ... Goethes Bedienter bat mich, den andern Tag erst auf die Bibliothek zu gehn und dann um 12 Uhr zu dem Herrn Geheimen Rat zu kommen. Auf der Bibliothek wurd ich artig genug empfangen, und um 12 Uhr ging ich dann hin. Der Hausehren in Goethes Hause ist mit freistehenden Statuen und andern in Nischen schön verziert. Über eine breite Treppe, die vornehm und bequem aussieht, wurd ich erst vor ein Zimmer geführt, wo am Eingang zu den Füßen SALVE mit schwarzen Buchstaben und an der Seite ein Kandelaber steht und das voll Bilder hing; dann in ein Kabinett, das ebenfalls mit Handzeichnungen, altdeutschen Holzschnitten ausgeziert war, und alles eigen eingerichtet, zum Beispiel die Türen mit matter brauner Farbe angestrichen und die Griffe aus goldnen Löwenköpfen bestehend, sehr geordnet und reinlich. Hier mußt ich einige Zeit warten, darauf trat er selbst hinein, ganz schwarz angezogen, mit den beiden Orden und ein wenig gepudert. Ich hatte nun sein Bild oft gesehen und wußte es auswendig, und dennoch, wie wurde ich überrascht über die Hoheit, Vollendung, Einfachheit und Güte dieses Angesichts. Er hieß mich sehr freundlich sitzen und fing freundlich an zu reden ... Ich blieb fast eine Stunde da; er sprach so freundlich und gut, daß ich dann immer nicht daran dachte, welch ein großer Mann es sei. Als ich aber weg war oder wenn er still war, da fiel es [mir] immer ein, und wie gütig er sein müsse und wenig stolz, daß er mit einem so geringen Menschen, dem er doch eigentlich nichts zu sagen habe, reden möge. Tags darauf wurde ich zum Mittagessen bei ihm eingeladen. Seine Frau, die sehr gemein aussieht, ein recht hübsches Mädchen [Karoline Ulrich] ... und Riemer waren da. Es war ungemein splendid, Gänseleberpasteten, Hasen und dergleichen Gerichte. Er war noch freundlicher, sprach recht viel und invitierte mich immer zum Trinken, indem er an die Bouteille zeigte und leis brummte, was er überhaupt viel tut. Es war sehr guter roter Wein, und er trank fleißig; besser noch die Frau ... Der Tisch dauerte von 1 bis halb 4 Uhr, wo er aufstand und ein Kompliment machte, worauf ich mit Riemer wegging ...

Grimm 185ff.

1579. REINBECK AN JOHANNA SCHOPENHAUER

Stuttgart, 16. Dezember 1809

Daß wir hier des großen Goethe neuestes Geschenk, die „Wahlverwandtschaften", mit unbeschreiblichem Vergnügen genossen und bewundert haben, können Sie leicht glauben, und hier gibt es fast nur eine Stimme darüber. – Welch eine Gabe des reichen Genius! – Und wir haben deren noch mehrere – gebe der Himmel noch recht viele! – zu erwarten. – Wenigstens ist unter uns die frohe Kunde davon erschollen. – Welch einen Vorgeschmack gibt uns nicht das göttliche Bruchstück [„Die pilgernde Törin"] im „Damenkalender"! – Wenn man so etwas liest, möchte man gleich verschwören, jemals wieder eine Feder anzusetzen. Und ist man damit zu Ende, so ist es einem wieder, als ob man sich in sich neue Quellen eröffnen fühlte. Sooft ich Goethe lese, ist es für mich eine Stahlkur.

Schop I, 169

1580. FRIEDRICH HEINRICH JACOBI AN VOSS

München, 18. Dezember 1809

Was sagst Du zu Goethes „Wahlverwandtschaften"? Schelling ist davon ganz entzückt. Mir ist das Buch im ganzen ein Ärgernis, ob ich gleich das darin einzeln zerstreute Gute und Schöne wohl zu schätzen weiß.

JacN II, 43

1581. THERESE HUBER AN BÖTTIGER

20. Dezember 1809

Und Goethes „Wahlverwandtschaften"? – Mir tönte bei dem Nachdenken über diesen Geist Händels „Bacchus ever young and fair" aus dem „Alexanderfest" in das Ohr. Aber die sittsamen Leute – die schreien! Jacobis Schwestern meinen, ihr Bruder würde sich schämen, so ein unanständiges, unsittliches Buch geschrieben zu haben. Und so meint auch der sehr sittliche Verfasser von den „Reisen im südlichen Frankreich", Thümmel. – Ja, mein werter Herr! Das sind Wächter Zions!

GoeJb XVIII, 128

1582. RIEMER AN FROMMANN

Weimar, um den 20. Dezember 1809

Mit G[oethes] Gesundheit wackelt es wieder. Er hat vorigen Montag einen heftigen Anfall von seinen alten Krämpfen gehabt, wovon er sich freilich gleich den andern Tag insoweit erholt fand, daß er bei dem schönen Wetter eine halbe Stunde in seinem sonnigen Garten spazierte. Aber es retardiert ihn doch in seinen Arbeiten.

Rie 150

1583. VULPIUS AN NIKOLAUS MEYER

Weimar, 31. Dezember 1809

Seit der Mitte des Oktobers hat eine Nervenfieberseuche bei uns viele Menschen hinweggerückt ...

... im Hause des Herrn Geheimrats von Goethe ist alles gesund; nur bei ihm selbst haben die Krämpfe schon wieder zweimal repetiert. Er ist aber wieder wohl. – Meine Schwester, vom Ball in die Komödie, von dieser auf die Redoute, zu einem Ball nach Jena, zu Traktamenten etc., ganz wohlauf.

MeyerN 230f.

1584. THERESE HUBER AN IHRE TOCHTER THERESE FORSTER

1809

Goethes „Wahlverwandtschaften" könnten gewissermaßen als ein Nebenstück zu Goethes „Werther" angesehen werden. Beide zeigen uns Menschen, zu deren Leidenschaft sich das Schicksal gleichsam zugesellet, um sie ihrem bessern Wissen und Wollen zum Trotze ins Verderben zu ziehen. ... Die Diktion ist wieder so leicht, so einfach, die Gruppen so abgerundet, so lebendig, und die Farben von einer Lebendigkeit, daß man immer glaubt, eine italienische Landschaft zu sehen, die kein Duft einhüllt. Lebensweisheit und Lebenskraft, Ruhe und Herrschaft atmet in dem Ganzen. Gegen das Machwerk, das Ausfüllen der einzelnen Teile wäre wohl noch manches zu sagen; allein die Schönheit der ganzen Erscheinung überwiegt diese einzelne Unvollendung.

GoeJb XVIII, 126

1810

1585. RAHEL LEVIN AN VARNHAGEN VON ENSE

Berlin, 4. Januar 1810

Ich verstehe kein Buch, bis ich mir nicht sagen kann, wie der Autor dazu gekommen ist, es zu machen, wie es in ihm dabei vorging. So muß jedes Buch einen Text in sich tragen wie einen Kern, um den es herumwächst; und ist es sehr gut und je besser es ist, so wieder in seinen einzelnen Teilen! So war mir zum Beispiel der Kopf ganz verschlossen über „Erlkönig", und erst den vorigen Winter verstand ich ihn plötzlich. Noch weiß ich kein Wort über „Das Wasser rauscht', das Wasser schwoll" [„Der Fischer"], hingegen verstehe ich die „Pandora" und die „Natürliche Tochter" von Goethe ganz anders als seine andere Leute. Das ist das Alter. In dem Fürsten ist alle Leidenschaft in Tochterliebe umgewandelt, und diese noch unbehandelte Liebe als Leidenschaft zeigt Goethe. Epimetheus ist alt wie ein Sohn der Erde, von ihr und Kenntnis ihrer, von Alter, von Undank, von der angehäuften *Zahl* der Übel gedrückt, von Hoffnung endlich entblößt! Das *wahre* Alter! Nicht einmal ungeduldig, den „welken Kranz" betrachtend, die Jungen bedauernd, nicht beneidend, und doch rastlos im Schaffen, weil die Not es grade heischt. Mir hat's einen entsetzlichen Eindruck gemacht: ich verstand gleich das Alter; ich wurde damals alt. Auch alt wird man plötzlich; auch das Alter entfaltet sich wie eine Blüte plötzlich aus der Knospe, wennschon die ganze Jugend es vorbereiten muß.

RahelA I, 460f.

1586. FRIEDRICH HEINRICH JACOBI AN KÖPPEN

München, 12. Januar 1810

Ihr Urteil über „Die Wahlverwandtschaften“ stimmt mit dem unsrigen sehr überein; nur scheint das Ärgernis, welches wir an dem Buche genommen haben, größer und stärker zu sein als das, welches Sie und Meta [Köppen] daran genommen. Die zwiefache Ähnlichkeit des Kindes und ihre Ursache hat uns im höchsten Grade empört, und diese Angelegenheit ist doch die Seele des Buchs. Wir können das Göttliche und Himmlische an Ottilia nicht finden und sprechen es ihr geradezu ab, weil sie den armseligen Eduard so überschwenglich lieben kann. In dem ganzen Roman ist keine Figur, an der man ein wahres Wohlgefallen haben könnte. Charlotte und der Hauptmann werden sich nur aus lieber Langerweile gut, denn sie können im Grunde sich nicht leiden. Desto ärgerlicher und ekelhafter wird der doppelte Ehebruch durch Phantasie, der den Knoten des Stücks ausmacht. Dieses Goethesche Werk ist durch und durch materialistisch oder, wie Schelling sich ausdrückt, *rein physiologisch.* Was mich vollends empört, ist die scheinbare Verwandlung am Ende der Fleischlichkeit in Geistlichkeit, man dürfte sagen, die Himmelfahrt der bösen Lust.

Ob Bettina Goethen als Ottilia oder Luciane oder als beide zusammen gesessen habe, darüber lohnt es nicht der Mühe zu streiten. Bei einigen Narrheiten der Luciane können einem Narrheiten der Bettina [Brentano] einfallen, und das ist nicht nur hier, sondern auch in Frankfurt geschehen. Metas plutarchische Vergleichung zwischen Bettina und Luciane ist vortrefflich ...

JacN II, 44f.

1587. KNEBEL AN SEINE SCHWESTER

Jena, 16. Januar 1810

Ich höre, Goethe ist mit seiner Gesundheit gar nicht in gutem Stande. Das tut mir auch wehe. Er greift sich zu sehr an. Er muß ins Karlsbad, wohin er sich auch, wie ich höre, gar sehr sehnet.

KnHe 401

1588. RIEMER AN FROMMANN

Weimar, 20. Januar 1810

G[oethe] ist keineswegs unwohl, obgleich hin und wieder das Gerücht davon erschallen wird und worüber ich Sie ins klare setzen will, damit Sie nicht unnötige Sorge haben. Er mag und kann nicht an den Hoffestivitäten teilnehmen, und so geht er auch an keinen andern Ort und sieht auch weniger Leute bei sich, die ihn oft ungestüm überlaufen. Nun heißt es, er befinde sich nicht wohl; welches denn wahr und nicht wahr ist. Aber wie würde er sonst nur etwas vor sich bringen!

Rie 152

1589. WILHELM VON HUMBOLDT AN SEINE FRAU

Halle, 22. Januar 1810

Die Reise ist mir recht gut bekommen, und meinem Auge ist so gut als nichts mehr anzusehen. Du glaubst nicht, wie lieb Goethe mit mir, auch mit meinem kleinen Übel gewesen ist. Ich mußte alle halbe Stunden etwas ins Auge träufeln. Goethe hat das nun immer selbst und mit einer Sorgfalt getan, von der Du keinen Begriff hast. Er ist noch nie gegen Dich (denn er hat unendlich oft von Dir gesprochen) und mich so lieb gewesen.

Hu III, 322

1590. RIEMER IN SEINEM TAGEBUCH

Weimar, 28. Januar 1810

Mittags Frommann zu Tisch, der allerlei Déraisonnements von Philistern über „Die Wahlverwandtschaften" erzählte. Unter anderen hat sich auch ein Philister ... gewundert; er könne nicht begreifen, wie G[oethe] zwei Bände über diese chemische Sache schreiben mögen, da er ja nichts als das Bekannte, was in einem Kapitel der Chemie vorkäme, abhandle.

RieTb II, 57

1591. BÖTTIGER AN ROCHLITZ

Dresden, 28. Januar 1810

Was sagen Sie denn zu der bittern und einseitigen, doch oft sehr treffenden Rezension ..., womit die Hallenserin diesmal begonnen hat? Gewiß lesen Sie auch meine paar Worte darüber in der „Zeitung für die elegante Welt". Fast werde ich irre an mir selbst. Denn man sagt mir hier laut und bitter, ich hätte Goethen zu sehr geschmeichelt. Das habe ich wahrlich nicht gewollt.

GoeJb XVIII, 152

1592. WILHELM GRIMM AN ARNIM

Kassel, Januar 1810

Als ich in Weimar ankam, war Goethe krank gewesen, gefährlich mit Blutspeien, aber eben in der Besserung. Er ließ mich den folgenden Tag zu sich rufen und war sehr freundlich und gütig. Ich habe auch ein paarmal da gegessen, und der Riemer hat mich in die Komödie abgeholt. Ich gab ihm die dänischen Lieder, die er sich hat vorlesen lassen und die ihm sehr wohl gefallen. Er sagte: „Dergleichen haben wir nicht gemacht." Allein von einer Vorrede ließ er nichts verlauten; wahrscheinlich hat er es vergessen ...

Zu den literarischen Neuigkeiten gehört, daß sich Goethe geäußert, er werde noch einen Roman schreiben, eh die

Fortsetzung des „Meister" erscheine, und habe die Idee dazu schon bei dem letzten Teil der „Wahlverwandtschaften" gefaßt. Zu jener Fortsetzung sind vier einzelne Stücke vorhanden, worunter auch ein Märchen [„Die neue Melusine"] und das [„Die pilgernde Törin"], was im „Taschenbuch" gestanden. Diese müßten aber noch verbunden werden. Wer die Personen in den „Wahlverwandtschaften", hat man längst heraus. Der Architekt ist natürlich der Engelhardt, in welchen die Vulpius verliebt gewesen. Die Luciane ist nicht die Jagemann, sondern ein Fräulein Reitzenstein, welche in Weimar ist und alle Herzen erobern soll. Ich habe sie mehrmals gesehn, aber gar nichts Ausgezeichnetes an ihr gefunden. Die Ottilie ist ein Fräulein, von der Goethe gesagt hat, es stäke nicht ein, sondern tausend Engel in ihr, die aber nicht da war; ebenso nicht der Offizier, der Eduard ist, darum ich auch ihre Namen vergessen ... Der Riemer hat etwas höchst Widriges für mich. Ich meine nicht, daß er ein wenig Goethe spielt und nachmacht, welches nur sehr pedantisch an ihm aussieht; denn das geht wohl natürlich zu. Sondern wegen einer seltsamen Art von Freundlichkeit und Schmeichelei: er packt einem beständig die Hände und drückt sie und dergleichen, wozu er etwas Fatales in seinem Gesicht hat ... Goethe liest jetzt den „Simplicissimus" [von Grimmelshausen] und sprach sehr schön darüber ...

ArnG 47ff.

1593. KNEBEL AN SEINE SCHWESTER

Jena, 6. Februar 1810

Gestern las ich eine böse Kritik über seine „Wahlverwandtschaften" in der „Hallischen Literatur-Zeitung", die man mir zugeschickt hatte. In manchen Stücken mag wohl der Rezensent so ganz unrecht nicht haben; aber es ist unfein gesagt und nur das Widrige herausgenommen.

KnHe 410

Henriette von Knebel

1594. HENRIETTE VON KNEBEL AN IHREN BRUDER

Weimar, 7. Februar 1810

Die böse Kritik über Goethes Roman habe ich nicht selbst gelesen, und sie ärgert mich. Es ist mir verdrießlich, daß man einen Roman so hart und grob rezensieren kann, zumal da man sich, wie ich höre, öfters der eignen Art zu sprechen von Goethe selbst bedient. Eine feine Kritik und zierliche Stacheln würde ich mir noch gefallen lassen. Aber daß die Deutschen nur immer grob und hämisch gegeneinander sind, ist ärgerlich.

KnHe 411

1595. CHARLOTTE VON STEIN AN IHREN SOHN FRIEDRICH

Weimar, 7. Februar 1810

Ich habe von Goethes letztem Roman zwei Rezensionen [von Rehberg und von Delbrück] gelesen, eine in der „Hallischen", die andere in der „Jenaischen Literatur-Zeitung". In der letzteren ist der Ottilie Charakter recht hübsch herausgesetzt, aber das Ende kommt mir nicht als richtige Ansicht vom Rezensenten vor; ich hätte Ottilien lieber an gebrochenem Herzen sterben lassen. Die erstere Rezension ist etwas bitter.

Stein II, 326

1596. CHRISTIAN GOTTLOB VON VOIGT AN BÖTTIGER

Weimar, 8. Februar 1810

Bei den zuchtreichen Damen siegt (und das ist immer glücklich genug) das moralische Gefühl. Als Kunstwerk, als wahren Menschenherzenverrat oder Aussprechung wird es [„Die Wahlverwandtschaften"] nicht betrachtet, ob man wohl immer leicht in den eignen Busen greifen möchte.

GoeJb I, 335

1597. WIELAND AN SEINE TOCHTER CHARLOTTE GESSNER

Weimar, 10. Februar 1810

Verzeihe, liebes Kind, daß ich Dein Verlangen, mein Urteil von den „Wahlverwandtschaften", an welchen dieser Titel, dünkt mich, das einzige Alberne ist, zu wissen, diesmal nicht stillen kann. Das Werk wird von den einen zu übermäßig gelobt, von den andern vielleicht zu scharf getadelt; auch gehört es von einer Seite unter die besten, von der andern unter die tadelnswürdigsten Produkte seines genialischen, aber das Publikum gar zu sehr verachtenden Urhebers. Das Buch muß, wie Goethe *selbst* sagt, *dreimal* gelesen werden...

WieCh 260

1598. SCHELLING AN PAULINE GOTTER

Stuttgart, 12. Februar 1810

... die „Wahlverwandtschaften"! Wie denkt man bei Ihnen davon? ... Wissen Sie etwas über des Verfassers Gedanken dabei? Wann und wo er es geschrieben? Auch dies interessiert mich.

Mir schien es, daß wenige oder fast niemand von meiner Bekanntschaft den rechten Gesichtspunkt dafür habe, so klar er für jeden, dem er nicht überhaupt fehlt, bezeichnet ist; und die teils abgeschmackten, teils bloß äußerlichen Beurteilungen, die in öffentlichen Blättern stehen sollen, deuten auch auf kein besseres Verständnis. In München haben sich ordentlich Parteien darüber gebildet; namentlich die edle Familie ... machte sich's zum Geschäft, es auf alle Weise herabzusetzen.

Schell II, 193

1599. BETTINA BRENTANO AN ARNIM

Landshut, Mitte Februar 1810

Goethe hat mir vorgestern mit viel Freundlichkeit geschrieben und ein Gedicht vom Maskenzug auf den 30. Jänner geschickt [„Die romantische Poesie"], das gar schön ist. Ich glaub, daß er mir sehr gut ist und auch bleiben wird, wie Du auch. Dann kann ich mich wohl für sehr glücklich halten, denn Ihr seid die zwei Besten auf der Welt, aber im Ernst, Ihr seid's.

ArnBe 380

1600. THERESE HUBER AN REINHOLD

19. Februar 1810

Ich habe [„Die Wahlverwandtschaften"] gegen Sie nur gelobt, weil Ihnen so wie mir die Mängel nicht entgehen konnten. Über das vornehme Verruchtsein und verruchte Vornehmsein [bin ich] nicht Ihrer Meinung. Um diese Verkettungen der Schicksale, diese Verirrungen der Einbildungskraft zu schildern, konnte er nicht below stairs bleiben. Bei einem Logis über drei Stiegen, wenn die Frau die Eier selbst einkauft und der Mann erst in die Wirklichkeit versetzt werden soll, nimmt das Gute und Böse eine andere Gestalt an. Diese Willkür und diese Notwendigkeit trägt sich above stairs zu. Verruchtheit? Ist das Geschilderte innerhalb der Bedingungen der Wahrheit und der Schönheit, so ist keine Verruchtheit darin. Die völlige Rücksichtslosigkeit im Mechanischen ist wohl nicht der Eile schuld zu geben, sondern andern Ursachen. Entweder geht's Goethen jetzt mit dem Mechanischen wie mir mit manchem Detail weiblicher Arbeit: ich mache das Schwerste, aber überfahre das Geschniegelte, gebe mich gern nur mit großen Massen ab – oder er macht sich einen Spaß mit dem Tier Publikum. Sobald man das nicht heilig hält wegen dessen, was es sein sollte, ist kein Spott, den es nicht verdient für das, was es ist. Der Mensch Goethe? Was meinen Sie denn vor einen Menschen? Den, mit welchem Goethens Beichtvater zu tun hat? Der Mensch, der sich uns offenbarte von „Götz von Berlichingen" bis zu den Sonetten, die noch nicht gedruckt werden dürfen, ist ein Strahl der Gottheit, vor deren Urquell ich meine Knie dankend beuge. Sonst weiß ich vom Geheimerat Goethe manches Gutes, und der Geheimrat Goethe weiß von den Menschen manches Schlechte. In Mephistophles hätte er sich wohl zur einen Hälfte recht deutlich geschildert, und solcher Mephistophles-Stunden ist sich wohl mancher wackre Mensch *bewußt. Bewußt* – denn unbewußt möchten sie den braven Menschen verunzieren.

GoeJb XVIII, 129f.

1601. KARL VON STEIN AN SEINEN BRUDER FRIEDRICH

Kochberg, 22. Februar 1810

Man hat bei der Gelegenheit zu dem Redoutenstaat Kleider bei dem Schneider und artige Verse [„Die romantische Poesie"] bei dem Hofpoeten machen lassen ... Meine Frau stellte dabei den Sommer dar; die Allegorie war, wie jetzt alles, aus den „Niwlungen".

Fritz von Stein II, 179

1602. ARNIM AN BETTINA BRENTANO

Berlin, 26. Februar 1810

Deine Lust und Deine Arbeit am „Faust" sei Dir gesegnet ... So ungeniert Du mit dem Aufschreiber umgehen magst, ganz ohne Einfluß ist seine Nähe doch nicht; fühlt man doch selbst bei Goethe, soviel älter, sicherer und in langer Gewohnheit abgehärteter er sein mag, den Riemer, der mit fragendem Blicke zu ihm über manche recht hell polierte Stelle ein ledernes Futteral veranlaßt. So nämlich erkläre ich mir manches einzelne, was mir in den „Wahlverwandtschaften" zu lang ist. Die Rezension in der „Hallischen Literaturzeitung" soll von Brandes in Hannover sein; Schellings Briefe im „Morgenblatt" habe ich nicht gelesen.

Jene machte mir durch den eigentümlichen Hochmut Spaß, womit sie so über das Buch hinblickt ... Über „Die Wahlverwandtschaften" habe ich hier vieles herumgestritten. Manche suchten darin Absichten zugunsten Napoleons.
ArnBe 383

1603. BETTINA BRENTANO AN ARNIM

Landshut, Ende Februar 1810

Goethe hat mir wieder geschrieben und mir zum Teil die engen Mauern meiner Verbannung wieder eingerissen. Daß ich's recht sage: ein paar Worte von ihm sind mir wie dem Gefangenen die Sonne, die ihm ins Gefängnis scheint, oder wie ein Frühlingsvogel, der ihm durchs Gitter flattert.
ArnBe 383

1604. CHARLOTTE VON STEIN AN IHREN SOHN FRIEDRICH

Weimar, Anfang März 1810

Goethe, der auch Dienstag früh wie von ohngefähr sich bei der Prinzeß [Karoline] eingefunden hat, liest uns die ausgesuchtesten Sachen von Poesie von sich und andern vor. Neulich las er den „Standhaften Prinzen" vom Calderón, welches Schlegel aus den Spanischen übersetzt; er will es auch hier [auf]führen lassen.
Fritz von Stein II, 180f.

1605. CHARLOTTE VON STEIN AN KNEBEL

Weimar, 2. März 1810

Goethe, wie ich höre, wird bald nach Jena gehen und uns auf lange verlassen. Nicht einmal zur Vermählung der Prinzeß [Karoline] wird er hier sein. Er hat uns hübsche Feste ausgeziert; zur Vermählung werden *Sie* uns welche veranstalten müssen!
BodeSt VII, 88

1606. WILHELM VON HUMBOLDT AN SEINE FRAU

Berlin, 6. März 1810

Schicksal und innere Notwendigkeit vermisse ich vor allen Dingen darin. Auch glaube ich im Gespräch mit Goethe entdeckt zu haben, daß sehr viel Reminiszenzen in dem Roman [„Die Wahlverwandtschaften"] aus dem wirklichen Leben angebracht sind, die er nun nicht genug poetische Kraft oder Stimmung gehabt hat, in ein Ganzes gehörig zu verschmelzen. Ihm aber darf man so etwas nicht sagen. Er hat keine Freiheit über seine eigenen Sachen und wird stumm, wenn man im mindesten tadelt.

Hu III, 356

1607. RIEMER IN SEINEM TAGEBUCH

Weimar, 6. März 1810

G[oethe] kommt mir vor wie der Orpheus in der antiken Paste, der sich vor den auf seinen Gesang andringenden Bestien gewissermaßen fürchtet. Ich gehöre zwar auch zu den Bestien, aber ich will lieber Gott die Ehre geben.

G[oethe] ist die Zärtlichkeit der Tiere unangenehm; sie macht ihm weh. Aber mir macht die Zärtlichkeit gewisser Weiber gegen ihn noch viel weher, die mir viel schlimmer als diese Bestien vorkommen, eben weil es doch Menschen sind. Gegen solche erscheinen mir die Tiere immer noch wie Götter.

RieTb II, 59

1608. PASSOW AN VOSS DEN JÜNGEREN

Weimar, 12. März 1810

Sie wissen wohl, daß die bewegliche und geschwätzige Madame Schopenhauer alle Winter gewisse Repräsentationstees hält, die sehr langweilig sind, besonders seit Fernows Tod, zu denen sich aber alles Gebildete und Bildung Vorgebende drängt, weil Goethe häufig dort zu sehn war. Als ich nach Weimar kam, besuchte ich denn diese Dame auch. Sie lud mich zu ihren Tees, und ich besuchte sie den ganzen Winter, aller Langenweile zum Trotz, weil ich Goethe dort zu sehn und ihn zuweilen sprechen und erzählen zu hören mich erfreute, selbst wenig teilnehmend, weil der ewig mit aufgesperrtem Maul lachende und jachternde, frivole Ton der Tees nicht in mein Fach gehört. Als im Herbst darauf (1808) die Tees wieder angehn sollten, kommt die Schopenhauer zu meiner Luise, und nach einigen Umschweifen eröffnet sie ihr: sie bedaure gar sehr, mich nicht wieder zu ihren Tees laden zu können, denn Goethe habe ihr erklärt, er würde in keine Gesellschaft kommen, wo er mich wisse, und aus ihren Tees ein für allemal wegbleiben, wenn ich käme. Was die Schopenhauer bei diesem Zumuten hätte tun sollen, will ich nicht urgieren, dafür ist sie Madame Schopenhauer. Zugleich bat sie um Gottes willen, Luise möchte verhindern, daß ich Goethen nicht zur Rede setzte etc.; die ganze Sache solle unter uns bleiben. Das versprach Luise gleich in meinem Namen, weil sie über meine Meinung keinen Augenblick im Zweifel war, und verbat die Tees fortan auch für sich. Als ich zu Hause kam, erfuhr ich die wunderliche Geschichte, und sie kränkte mich tiefer, als ich damals selbst glaubte, weil ich das Verfahren immer unedel fand und Goethe Leute um sich duldete, mit denen ich mich in aller Rücksicht vergleichen durfte. Aber ich war lange gewohnt, Goethen nicht nach dem Gesetz zu denken, das uns andern Erdensöhnen unsern Wert oder Unwert streng zumißt. Weil ich in so vieler Hinsicht den Außerordentlichen bewunderte, so gestand ihm mein Gefühl, alle persönliche Kränkung unterdrückend, auch hier, wiewohl mit einigem Widerstreben, das Recht, anders zu verfahren als die gewöhnlichen Zweifüßler, die die Frucht der Erde essen, ruhig zu. Ihn zur Rede zu setzen, wäre mir auch ohne die gegebene Zusage nicht eingefallen. Ich glaubte, ihm mißfalle etwas an mir, das er vielleicht selbst nicht aussprechen könnte, und daß er das so bestimmt und entschieden aussprach, konnte ich seiner herrschenden Natur gerade nicht verargen. Hinfort auf Diskretion hoffend, zog ich mich, um ihn nirgends durch Zusammentreffen mit mir zu verletzen, ganz auf mich selbst und auf zwei, drei vertraute, bewährte Freunde zurück, von aller guten Gesellschaft ohnehin durch dies Pröbchen aus der besten zurückgeschreckt. Ich verschloß die Sache übrigens in mir und erzählte sie niemandem als Schulzen und, wo ich nicht irre, dem guten, mir von Kindheit auf befreundeten Plüskow; selbst Abeken weiß sie von mir noch nicht. In dieser Passivität und gänzlichen Zurückgezogenheit, wodurch ich die Verehrung, die ich gegen Goethe bewahrte, jetzt am richtigsten auszudrücken glaubte, vergingen ungefähr anderthalb Jahre. Im vorigen Jahr kam ein alter Freund meines Vaters, der auch mir schon seit längerer Zeit wohlwollte, der Oberst von Hintzenstern, vormaliger Gouverneur des Prinzen Bernhard, nach Weimar und ließ sich hier nieder. Dieser vortreffliche Mann wurde einer der wenigen, mit denen ich umging, der mich näher kennenlernte und mich liebgewann. Er wünschte, daß ich mehr teilnehmen möchte am geselligen Leben, was ich ablehnte, ohne doch mich berechtigt zu fühlen, ihm den Grund zu sagen. Vor einigen Wochen kommt er zu mir, als ich gerade aus bin, und zwischen ihm und meiner Luise entspinnt sich ein Gespräch über mein verschlossenes und zurückgezogenes Leben. Da er sich so gar liebevoll über mich äußert, fühlt Luise sich getrieben, ihm zu eröffnen, was wir als Geheimnis behandelt hatten, und sie erzählt ihm den ganzen Hergang. Hintzenstern ist außer sich, kann dergleichen von Goethe nicht begreifen und hält alles für Erfindung der Schopenhauer, beschließt indes, der Sache auf den Grund zu kommen, es koste, was es wolle. Er horcht hie und da auf und hat die Freude zu sehn, daß das, was uns als Geheimnis übergeben und von uns mit der äußersten Schonung behandelt war, in allen adligen Häusern längst bekannte und angenommene Sache war (ob durch das Goethesche Haus, ob durch die Schopenhauer verbreitet, weiß ich nicht, verlang es auch nicht zu wissen), und dazu weiß man auch den Grund jenes meines Bannes, den die Schopenhauer nicht zu wissen sich gegen uns gestellt hatte: Goethe sei deshalb aufgebracht auf mich, weil ich öffentlich in der Schule seine Gedichte getadelt und auf sie geschimpft habe. Hintzenstern sagte mir, wie weit er in seinen Nachforschungen gediehn war. Als dieser schöne Grund aber hervorkam, da weiß ich nicht, ob ich das höchst Lächerliche oder das ganz Nichtswürdige einer solchen Lüge am stärksten fühlte. Mir stieg das Blut aber auch vor Freude zu Kopf, daß der Grund nicht in mir selbst, daß er ganz außer mir, daß er in einer Unmöglichkeit lag. Denn daß ich anders als mit höchster Liebe von einem Goethischen Gedicht sprechen könnte, ist pure Unmöglichkeit. Ich sagte Hintzenstern, soviel ich wußte und konnte und soviel es zu meiner vollsten Rechtfertigung bedurfte; und das war mit wenig Worten getan, denn Hintzenstern kennt mich. Nun aber versprach er, alles daranzusetzen, Goethen über seinen Irrtum aufzuklären: er fühlte sich und mich und alles Recht und alle Sitte gekränkt, und das konnte der wohlbesonnene, aber tief und stark fühlende, unermüdliche Mann nicht so mit ansehn. Er mußte alles Mißverständnis lösen; Einsiedel und einige andere rieten ihm zaghaft ab, aber er ließ sich nichts einreden. Im Vertrauen auf Goethes rechten Sinn und auf die gute, reine Sache, für die er sprach, ging er zu Goethe, erzählte ihm die ganze Sache, wie man mich in steter Unwissenheit mit der Hauptsache erhalten habe, wie ich die ganze Sache aus ruhigem Selbstgefühl, nicht aus schuldigem Bewußtsein auf sich habe beruhn lassen, wie er den ganzen Vorgang erfahren habe, und wie sehr unrecht mir geschehn sei. So wie Hintzenstern erwartet hatte, nahm Goethe die Sache, äußerte sich freundlich über mich und wie sehr es ihn freue, ein solches Mißverständnis so, und durch einen solchen Mann, gelöst zu sehn, und versprach ihm, mir zu zeigen, daß ihn nichts mehr von mir entferne. Hintzenstern kam ganz außer sich vor Freude angelaufen, und da ich nicht zu Hause war, erzählte er Luisen, wie gut sich Goethe gezeigt und geäußert habe. So verging wieder eine Zeit von acht Tagen; endlich am letzten Mittwoch ließ Goethe mich und Luise zu Tisch bitten. Es war sonst niemand geladen, und er ließ es sich recht sichtbar angelegen sein, mir auf jede Weise aufs deutlichste zu zeigen, daß keine Spur der alten Mißstimmung und Entfremdung in ihm übrig sei. Die drei Stunden, die wir mit ihm zubrachten, waren mir freilich in mancher Rücksicht peinlich; es war mir alles so fremd und neu und unerwartet; aber es ist auch wieder ein gar süßes Gefühl, sich von einem immerwährend bewunderten und verehrten Manne nach so langer Zwischenzeit nicht mehr verkannt zu sehn, zu sehn, wie der einzig verehrte Mann es sich selbst angelegen sein läßt, jede Spur natürlicher Scheu durch Freundlichkeit und Milde und Hervorsuchen solcher Dinge, die mir die nächsten, liebsten sein mußten, wegzutilgen. So zähl ich diese drei Stunden auch wieder den schönsten meines Lebens bei. Ich kehrte heitrer, als ich je gehofft hatte, recht innerlich befriedigt und in schöner Genüge wieder heim, nun auch der ganzen Zwischenzeit, obgleich sie mir erst jetzt recht dumpf und bänglich erscheint, nicht mehr zürnend. Gestern nachmittag bin ich wieder allein bei ihm gewesen und habe ihm meinen Persius gebracht, von dem ich ihm schon am Mittwoch allerlei hatte sagen und erzählen müssen. Er sprach ganz herrlich über das Altertum: es wird in seinem Munde jedes Wort so bedeutend, und was er sagt, ist so unaussprechlich wahr, daß man es selbst schon, nur nicht so klar, gedacht zu haben glaubt. Aber, lieber Voß, da schreib ich Ihnen im Strom der Freude lauter Sachen hin, die Sie ebensogut und besser wie ich wissen. Morgen geht Goethe nach Jena auf eine ganze Zeit; aber er hat mir selbst den Anlaß und die Erlaubnis gegeben, ihm dorthin zu schreiben, und in den Osterferien marschier ich selbst nach Jena ... Als ich aus Goethes Nähe ausgeschlossen war, habe ich mich nie unglücklich gefühlt, das weiß der Himmel! Obgleich ich meinen höchsten Wunsch, und meiner Meinung nach fürs ganze Leben, verfehlt hatte, so fühlte ich mich selbst zu rein und zu unschuldig dabei, um zu trauern, und der stete Kampf, der dadurch unbewußt in mir blieb, dies gewaltsame Zurückdrängen manches Gefühls hat vielleicht wohltätig auf die festere Ausbildung meines Charakters gewirkt. Jetzt fühle ich erst lebendig, was es heißt, von einem angebeteten Geist auch persönlich gekannt und freundlich in seinem Andenken lebend zu sein, wie das anregt und innerlich treibt und drängt, wie im ersten Frühling nach langem Winter ... Und sollte ich Goethe niemals wiedersehn, diese zwei Besuche bei ihm genügen für ein Leben: Es sind ein paar ganz köstliche helle Punkte, die mir nichts wieder trüben noch verdunkeln soll.

Pas 111 ff.

1609. D'ALTON AN KNEBEL

Tiefurt, 13. März 1810

Lieber Freund, Herders Briefe habe ich erhalten, allein einer davon ist bei Ihnen liegengeblieben. Ich bitte Sie, gleich nachzusehen. Der Inhalt davon ist leicht zu ersetzen, da eine Abschrift davon vorhanden; allein ich wäre nicht imstande, Ihnen andere Briefe zu schicken. In dem fehlenden Briefe geschieht der Taufe von Goethes Sohn Erwähnung. Das muß Goethen gleichgültig sein, da die ganze Welt davon weiß.

Wenn ich Sie wieder spreche, so wird es mir leicht sein, Sie auf andere Gedanken zu bringen, inwiefern diese Papiere wieder an die Familie zurück sollen, der sie angehören; zuvörderst würden solche den Erben der Herzogin zukommen. Wenn Sie aber von den andern Briefen wüßten, was ich weiß, so können *Sie* unmöglich wünschen, daß solche diesen Weg nehmen. Doch davon einst mündlich. Herders gutes Vernehmen mit Goethe hat nicht bis ans Ende seines Lebens gedauert; Goethe soll seine Freunde seinem Ruhm aufgeopfert und solche an die damaligen Genies verraten haben; Herder klagt in einem Briefe sehr über diesen fatalen Stolz ...

Mein Aufenthalt in hiesiger Gegend ist der lehrreichste meines Lebens. Nirgends bin ich mit soviel Vertraulichkeit mißhandelt worden als hier. So hat z. B. die alte Stein mir alle ihre Geheimnisse vertraut, weil sie sich in ihren Fehlern geehrt glaubte. Sie klagte mir Goethens Untreue, der ihr versprochen, ihren Sohn zu Breslau zum Erben zu machen und nie zu heuraten und Gott weiß was alles ... Aber ich habe ihr einen Platz in meinem Ehrenspiegel eingeräumt, der ihr statt einer Grabschrift dienen soll.

Ich habe hier Gemeinheiten kennengelernt, die das Glück geadelt hat und die die Welt für Verdienste hält, daß ich imstande bin, manches Rätsel zu lösen.

GoeG 254f.

1610. CHARLOTTE VON STEIN AN KNEBEL

Weimar, 2. April 1810

Grüßen Sie, wenn ich bitten darf, Goethen von mir. Ich höre, er ist recht vergnügt. Das freut mich. Ich wollte, er lebte hundert Jahr und ließ' mir nur manchmal etwas von seinem Andenken ins Elysium sagen.

BodeSt VII, 88

1611. KNEBEL AN SEINE SCHWESTER

Jena, 2. April 1810

Es war große Gesellschaft da, auch Goethe, der sehr wohl disponiert war und von 2 Uhr bis abends 9 Uhr fast in einem fort sprach. Es ist nicht uninteressant, ihm zuzuhören ...

Goethe ist bei jeder Gelegenheit liebreich und freundlich gegen mich, und das auf seine eigne gute Art. So hat er während meiner Abwesenheit fast täglich meinen neuen Garten besucht und die Arbeiter aufgeregt, fleißig zu sein und alles mit Ordnung zu machen. Auch hat er die Meinigen öfters besucht. Er zeichnet jetzt viel, wie er mir sagt.

KnHe 428 f.

1612. KNEBEL AN SEINE SCHWESTER

Jena, 10. April 1810

Wir haben kürzlich, Goethe und ich, recht herzlich das Lob der Frau von Stein miteinander gemacht. Man muß das Verdienst seiner Freunde auch zu erkennen und zu benennen wissen. Goethe ist hier sehr fröhlich.

KnHe 431

1613. CHARLOTTE SCHILLER AN FRIEDRICH VON STEIN

Weimar, 12. April 1810

Durch unsre musikalischen Gesellschaften bei Goethe habe ich einen eigenen Sinn für Musik erhalten und einen eigenen Genuß darin finden lernen.

Es ist mir recht lieb, daß Sie den „Joseph" [aus den „Wanderjahren"] noch nicht kannten und daß ich ihn Ihnen schicken konnte. Er ist so lieblich und graziös und so rein und schön ausgesprochen.

Sie würden sich über August Goethe freuen. Er ist recht brav und gut und ernsthaft, beinahe melancholisch in seinem Wesen. Er ist recht gebildet und hat eine herzliche Anhänglichkeit in seinem Gemüt. Er ist mir sehr lieb. Zu meiner großen Freude hat er das Organ seines Vaters, und wenn sich seine Stimme ausbildet, so wird sie der seines Vaters ähnlich. Ich weiß mir keine schönere Stimme ...

SchFr I, 509f.

1614. KNEBEL AN SEINE SCHWESTER

Jena, 13. April 1810

Goethe zeichnet fleißig und hübsch und ist nicht selten hier. Wir sind öfters zusammen im Streit, über verschiedne Dinge.

KnHe 432

1615. KNEBEL AN SEINE SCHWESTER

Jena, 20. April 1810

Da er übrigens jetzt den ganzen Tag nichts tue als Landschaften zeichnen, so möchte er gern die alten Vorschriften wieder nachsehen ...

Weiter will ich nun heute kein Wort zufügen, als daß Goethe noch alle Übungen, und so auch in der Poesie, höchlich anpreist, wobei man keine allzu strengen Forderungen an sich machen müsse.

KnHe 436

1616. KNEBEL AN SEINE SCHWESTER

Jena, 24. April 1810

Gestern hatt ich einen vergnügten Abend. Goethe war hier nebst seinem Dr. Riemer, und Seebeck war auch da. Da ich in diesen Feiertagen die philosophischen Schriften des Hemsterhuis wieder las, so sprachen wir viel von dem damaligen Klub, der sich in Münster formiert hatte und wovon gedachter Hemsterhuis, die Fürstin Gallitzin, Graf Stolberg, Jacobi und noch einige mehr die ausgezeichneten Personen waren und der nachher zu dem Katholizismus des Grafen [Friedrich zu] Stolberg mag Gelegenheit gegeben haben. Diese Periode... war zu seiner Zeit interessant genug und hatte mitunter viel Edles. Sie suchten aber zu bekehren, und das gelang nicht überall. Ich habe Goethen ersucht, in seiner Lebensgeschichte diese Gesellschaft vorzüglich zu beschreiben, und er hat es mir versprochen, zumal da ihm die Personen alle noch so gegenwärtig wären. Die Fürstin Gallitzin, geborne Gräfin Schmettau und Schwester des in der Frau von Stein Hause verstorbenen Generals Schmettau, hat schöne und edle Handlungen getan.

KnHe 437

1617. CHARLOTTE VON STEIN AN IHREN SOHN FRIEDRICH

Weimar, 27. April 1810

Goethe hält sich schon lange in Jena auf, schreibt mir nicht ein Wort, aber er ist wohl, hat sogar in Drakendorf bei Ziegesars getanzt – wurde aber schwindlig, fiel hin; es hat ihn aber nichts geschadet. Es ist schade, daß eine so ausgezeichnete Natur nicht immer jung bleiben kann.

Fritz von Stein II, 181

1618. KNEBEL AN SEINE SCHWESTER

Jena, 1. Mai 1810

Meine Gesellschaft ist beinahe allein der gute Goethe, der mich fast alle Abende besucht ... Goethe zeichnet jetzt allerliebste kleine Landschaften nach hiesigen Gegenden wie Visitenkarten. Mein Karl zeichnet auch ...

KnHe 440

1619. KNEBEL AN SEINE SCHWESTER

Jena, 4. Mai 1810

Ich treibe meine Lektionen mit dem Karl, dem ich etwas im Fleiß und gehöriger Aufmerksamkeit nachhelfen muß, wie es die Jahre jetzt bei ihm erfordern. Goethe leistet mir hierin zuweilen einige Hülfe, da er eine ungemeine Gabe hat, die Sachen zu einer anschaulichen Klarheit zu bringen, und dazu die Mäßigung und Geduld, nicht nachzulassen. Ich bin versichert, daß durch diese Art sein eigner Sohn ein sehr gebildeter Mensch werden werde ...

KnHe 441

1620. PAULINE GOTTER AN SCHELLING

Drakendorf, 12. Mai 1810

Von Goethe wird es Sie freuen, zu hören, daß er recht heiter und gesund ist. Den ganzen Winter war zwar sein Befinden ziemlich abwechselnd, und er hat Theater und Gesellschaft wenig besucht. Die Aussicht, nach Karlsbad zu kommen, scheint aber schon jetzt im Vorgefühl genesend auf ihn zu wirken. In Weimar sah ich ihn zuerst wieder und habe ihn ganz gegen mich gefunden, wie ich ihn verlassen hatte: liebevoll und herzlich. Beinah sein erstes Wort war Teilnahme an dem Verlust der Lieben [Karoline von Schelling], und auf eine so zarte, innige Weise, wie ich es von ihm erwarten konnte. Dieser Beweis seiner Freundschaft hat mich mehr erfreut als alles Liebe und Freundliche, was er mir je gesagt hat. Ihnen, werter Freund, dankt er herzlich für Ihr Andenken und hat mir die schönsten Grüße an Sie aufgetragen. Seit dem März hält er sich in Jena auf und hat die Optik [„Zur Farbenlehre"] beendigt, die nun diese Messe in zwei Teilen erscheint, wie Sie wissen, und nun eilt er so bald wie möglich nach Karlsbad. Auf die nächsten Tage hatte er sich bei uns angemeldet, um mit Silvie [von Ziegesar] und mir recht spazierenzugehn; ich werde mich freuen, wenn er Wort hält. Seine Gegenwart ist das einzige, was mich wahrhaft aufregt und erfreut. Schon einigemal war er hier, das erste Mal ganz unter uns von der ausgelassensten Laune. Die Gewalt seines Feuers und seiner Lebhaftigkeit habe ich wohl in einzelnen Momenten, aber nie so anhaltend wie damals gesehn; er vergaß sich ganz, ließ seine ganze Stimme ertönen und schlug immer mit den Händen auf den Tisch, daß die Lichter umherfuhren; es war eine wahre, unbedingte Lustigkeit. Seine Begeisterung machte den wunderlichsten Kontrast mit Hendrichs Prosa und Riemers Phlegma, die ihn begleitet hatten.

Schell II, 208

1621. SCHACHT AN CHERUBIM

Fulda, 13. Mai 1810

Jena steht obenan, denn ich sprach Goethe. Mit dem erhabensten, regelmäßigsten, ruhigsten Gesicht stand er vor mir. Es überraschte mich, doch fühlte ich mich frei bei ihm und durchaus nicht ängstlich. Er sprach viel, lobte meinen Entschluß, nach der Schweiz zu gehen, trug mir einen Gruß auf an Pestalozzi, den er persönlich kennt und den er einen bedeutenden, guten und lieben Mann nannte.

Goethes Stirn ist hochgewölbt; sein Auge nicht groß, aber lebhaft; seine Gestalt und Haltung kraftvoll, ob er gleich einundsechzig Jahre zählt; seine Sprache schlicht, so wie er schreibt. Er verschmäht Prunk und eitle Gesellschaft und lebt jetzt einzig der Kunst und den Wissenschaften ...

Auch den alten Wieland habe ich gesehen ... Es soll ein eigener Anblick sein, ihn mit Goethe zusammen zu sehen:

den eingedorrten Alten und den kraftvollen Goethe. Beide sind übrigens Duzbrüder und haben sich lieb.
GoeJb XXVIII, 244

1622. RIEMER IN SEINEM TAGEBUCH

Jena, 14.–15. Mai 1810

14. Mai. Zu Knebel, wo Goethe und seine Frau. Eifersüchtiges Weinen derselben. Deshalb bald nach Hause. Nachher zusammen, doch sie ohne Anteil.

15. Mai. ... Mittags die Geheime Rätin zu Tische. Verdrießlichkeiten aus Eifersucht. Apaisiert hernach.
RieTb II, 62

1623. KNEBEL AN SEINE SCHWESTER

Jena, 15. Mai 1810

[Nichte] Henriette hat mir durch Langermann den bronzenen Stier geschickt, den ich ehemals bei unserm Bruder schon bewunderte. Er ist vortrefflich. Goethe hat ihn sich eben ausbitten lassen, um ihn näher zu besichtigen. Ob er gleich ein Präsent sein soll, so will ich doch suchen, ihn zu Geld zu machen, um der guten Henriette etwas zu schicken. – Ich schicke Dir hier die Anzeige von Goethes „Farbenlehre", von ihm selbst. – Das Buch selbst ist unendlich reich und vortrefflich.
KnHe 446f.

1624. KNEBEL AN SEINE SCHWESTER

Jena, 18. Mai 1810

Der schöne Stier ist fort. Goethe hat ihn mit sich genommen nach dem Karlsbad. Ich kann zwar nicht sagen, daß ich ganz damit zufrieden wäre; doch mit Freunden seiner Art muß man nicht rechnen. Er ließ ihn von mir abholen und schickte mir ihn nicht wieder zurück ... Nun muß ich zwar sagen, daß ich selbst den Stier nicht ganz antik glaube und nicht von der vollendetsten Arbeit; aber das Ganze war doch geistig gedacht und vermutlich nach einem größern Original. Ich nahm mir sogleich vor, als ich den Stier erhielt, ihn zu verkaufen und das Lösegeld dafür unsrer Nièce als meinen Beitrag zu ihrer Karlsbader Reise zu schicken. Ich sagte deshalb an Goethe, ich glaubte, unser Bruder habe ihn für 12 Dukaten erstanden. Er taxierte ihn etwas leichter; doch sagte er mir nicht, daß er ihn kaufen wolle. Nun muß ich damit zufrieden sein, und unsre Nièce mag es auch sein, der ich die zwei Röllchen, jedes mit 10 Talern, bei nächster Gelegenheit schicken werde.

KnHe 447f.

1625. KNEBEL AN SEINE SCHWESTER

Jena, 25. Mai 1810

Ein Grundübel bei uns ist es . . ., daß auf die erste Erziehung zu wenig gewandt wird . . . Ich habe manchmal mit Goethe deshalb gesprochen. Er ist wohl eben der Meinung, aber er hat vielleicht nur zu wenig Hoffnung zu den Menschen, daß sie gescheiter würden. Wir *lernen* viel und *wissen* wenig, am mindsten das Rechte.

KnHe 451f.

1626. KNEBEL AN SEINE SCHWESTER

Jena, 4. Juni 1810

Goethe hat aus dem Karlsbad ein ganz kurzes Reisejournal an seine Frau geschickt, das aber recht angenehm ist. Er ist wohl und vergnügt und freut sich der dortigen Ruhe zu neuen Arbeiten und Geschäften. Die kleinsten Dinge hat er sich auf seiner Reise angenehm begegnen lassen – und so muß es sein. „Das Glück besteht aus zarten Faden“, sagt Franklin . . .

KnHe 457

1627. KÖRNER AN CHARLOTTE SCHILLER

Dresden, 4. Juni 1810

Ihnen habe ich noch einen Vorschlag zu tun. Schillers Werke, das weiß ich wohl, bedürfen keiner Empfehlung durch einen berühmten Herausgeber. Aber in Schillers Seele würde ich mich freuen, wenn Goethe sich zur Direktion der Herausgabe bekennte und eine Charakteristik Schillers dem ersten Bande vorausschickte. Eine solche Erscheinung wäre an sich schön und würde den merkantilischen Wert der Sammlung erhöhen. Goethe sollte gar keine Arbeit bei der Herausgabe haben. Diese wollte ich ganz übernehmen und hoffte in den Grundsätzen mit ihm übereinzustimmen, wäre auch äußerstenfalls bereit, mich seiner Entscheidung zu unterwerfen. Ich sehe Goethen in Karlsbad, wohin wir zu Ende des jetzigen Monats abgehen. Wollen Sie mir Auftrag geben, mit ihm darüber zu sprechen, so disponieren Sie über mich.

SchFr III, 56f.

1628. HOCH AN DIE K. UND K. POLIZEI- UND ZENSUR-HOFSTELLE IN WIEN

Karlsbad, 7. Juni 1810

Gehorsamste Meldung. Ihre Majestät [Kaiserin Maria Ludovica] unsere allergnädigste Frau geruheten noch gestern abends die im Sächsischen Saale versammelte Gesellschaft der hier anwesenden Fremden in Begleitung Ihrer Kaiserlichen und Königlichen Hoheit der Frau Erzherzogin Therese, des Prinzen Anton und der Prinzessinnen Maria Anna und Amalie von Sachsen mit Höchstihrer Gegenwart zu beglücken, wobei Höchstdieselbe sich besonders mit der Gräfin Potocka, gebornen Lubomierska, auf die herablassendste Art unterhielten. Ihre Majestät geruheten auch den anwesenden Dichter Goethe Ihrer gnädigen Aufmerksamkeit zu würdigen und durch Ihre geistvolle Huld zur höchsten Bewunderung zu verleiten.

Chronik XXVI, 21

1629. PAULINE GOTTER AN SCHELLING

Drakendorf, 17. Juni 1810

Leider hat er uns schon seit dem 20. Mai verlassen. Noch bis zuletzt, von allen Seiten gequält und geplagt, war er doch immer gut und liebenswürdig, und der Abschied wurde uns allen schwer. Durch den rückkehrenden Kutscher hat er Kunde von sich gegeben und Stecknadeln geschickt oder ein Paket Spitzfindigkeiten, wie er schrieb, zum Zeichen seiner glücklichen Ankunft. Sonst haben wir nichts von ihm gehört; er wird immer bequemer und diktiert Riemern alles. Nur seine jungen Freundinnen haben den Vorzug, daß er selbst schreibt, und warten gern dafür etwas länger.

Schell II, 214

1630. GRILLPARZER IN SEINEM TAGEBUCH

Wien, 20. Juni 1810

Was Goethen und die Achtung, die ich ihm zolle, betrifft, so kann und mag ich nicht leugnen, daß zuerst der allgemeine Ruf seiner Vortrefflichkeit und besonders die Lektüre des Sonntagsblatts mich auf seinen Wert aufmerksam gemacht haben (ohne daß sie jedoch mein Urteil geleitet oder wohl gar bestimmt hätten), dieses, sage ich, machte mich zuerst auf seinen Wert aufmerksam, da ich vormals kaum den zwanzigsten Teil seiner Werke kannte, und das, was ich gelesen hatte, ich muß es gestehen, schien mir bei weitem nicht gut genug, um nur einige Vergleichung mit Schillers Schriften auszuhalten. Zwar gefiel mir „Götz von Berlichingen", es entzückte mich sogar; aber die naive Ungezwungenheit, die in diesem Drama herrscht, machte mich, einen jungen Menschen von vierzehn bis fünfzehn Jahren, glauben, es gehöre eben kein so großes Genie dazu, um so etwas zu schreiben, besonders da ich [in] meiner Phantasie genug Materiale zu haben glaubte, um wohl auch etwas Ähnliches zu verfertigen. „Werthers Leiden" war es vorbehalten, mich zu bekehren. Ich las sie mit Entzücken, und hohe Begierde bemächtigte sich meiner Seele, die Werke

dieses außerordentlichen Mannes, dessen Vortrefflichkeit ich nun einzusehen begann, in ihrem ganzen Umfange zu kennen, eine Sache, die in Wien nicht leicht ist. Die Franzosen kamen nach Wien, und ein Nachdruck seiner Schriften erschien. Ich schaffte sie mir so schnell als möglich an und blickte mit unbeschreiblicher Wonne nun in die Tiefen seines unaussprechlich zarten Gefühls. Ich las „Fausten". Er frappierte mich, meine Seele war seltsam bewegt, doch wagte ich kein Urteil zu fällen, da dieses Drama so unermeßlich von der als einzig gut gedachten Form meines infallibeln Schillers ganz abwich, und wohl auch hauptsächlich, weil A[ltmütter], dessen Urteil ich schätzte, ihm beinahe allen Wert abgesprochen hatte. Doch eine zweite Lesung war hinreichend, alle Vorurteile zu zerstören. Fausts schwermütige und doch kraftvolle Züge, Margarethens reine, himmlische Engelsgestalt gleiteten an meinem trunkenen Auge vorüber; der kühne, interessante Mann, in dem ich so oft mich selbst wiederfand oder doch wiederzufinden glaubte, setzte meine Phantasie in Flammen, riß meine Seele auf immer von Schillers rohen, grotesken Skizzen weg und entschied meine Liebe für Goethen. Doch felsenfest gegründet ward sie durch „Tasso'n". Konnte diese Dichternatur dem Dichter fremd sein? Ich selbst glaubte es zu sein, der als Tasso sprach, handelte, liebte. Nur Worte, so schien es mir, hatte Goethe *meinen* Gefühlen gegeben; ich fand mich in jedem Gefühle, in jeder Rede, in jedem Worte. „Iphigenia", „Clavigo", „Die Geschwister", „Egmont" vollendeten, was die vorigen begonnen, und ich betete Goethe an.
Grillp 254f.

1631. HOCH AN DIE K. UND K. POLIZEI- UND ZENSUR-HOFSTELLE IN WIEN

Karlsbad, 21. Juni 1810

Gehorsamste Meldung ... Am verflossenen Dienstag, den 19. des Nachmittags, fuhren Ihre Majestät auch auf die Promenade, welche nach dem Posthofe führt, und wurden daselbst von einer Gesellschaft der vorzüglichsten anwesenden Badegäste empfangen, welche Ihre Majestät baten, einen in diesem romantischen Tale sehr schön gelegenen und ebenso geschmackvoll ausgewählten als niedlich vorgerichteten Ruheplatz mit Allerhöchstihrer Gegenwart zu beglücken.

Ihre Majestät nahmen diese Einladung huldvoll an und begaben sich unter der abwechselnden Harmonie zweier blasenden Musikchöre nach dem ländlich geschmückten und mit dem Allerhöchsten Namenszuge gezierten Orte, welcher itzt mit Ihrer Majestät allergnädigsten Erlaubnis „Der Kaiserin Platz" genannt wird.

Goethes Meisterhand hat hiezu die beiliegende Ode [„Der Kaiserin Platz"] verfaßt, welche, auf diesem Platze mit messingenen Lettern in natürlichen Felsen eingegraben, den spätesten Nachkommen das Glück verkünden soll, dessen sich Karlsbads Bewohner während der alles beseligenden Anwesenheit der angebeteten Landesmutter zu erfreuen hatten.

Chronik XXVI, 25

1632. RIEMER AN FROMMANN

Karlsbad, 10. Juli 1810

G[oethe] ist die Zeit her sehr wohl, beschäftigt und doch auch in Gesellschaft gewesen. Die Anwesenheit der Kaiserin veranlaßte beifolgende Gedichte ... Sie machten bei den guten Östreichern den besten Eindruck, der durch die Gegenwart alles dessen, wovon darin die Rede ist, noch viel mehr verstärkt wird.

Rie 162

1633. KNEBEL AN SEINE SCHWESTER

Jena, 17. Juli 1810

Ich lese jetzt mit Andacht und Verehrung Goethes *historischen* Teil der „Farbenlehre". Größeres ist nach meinem Bedünken noch nichts in Wissenschaft und Kenntnis hingestellt worden. Man steigt zur höchsten Ansicht des Wissens. Es sind Paragraphen darin, die ganze Bücher wert sind; doch will es mit großer Fassung gelesen sein, und manches ist mir selbst noch dunkel. Es sind nur wenige, die den ganzen Wert dieses Buches verstehen können, und es dürfte vielen lange ein Orakel bleiben.

KnHe 468

1634. GÖSCHEN AN BÖTTIGER

Leipzig, Sommer 1810 ?

Unter uns von Goethe. Sein Buch [„Zur Farbenlehre"] beweiset, daß er anfängt, auszukramen mit schönen Worten. Das Licht ruht im Auge und geht dem äußern Licht entgegen. Das ist die Lehre des ehrlichen Black, Professor in Edinburgh, von gebundener und ungebundener Wärme. Denn, sagt Goethe, wir sehen im Traume Farben. Folglich, sag ich, sitzt der Stock im Puckel, weil wir oft im Traume Prügel kriegen. Sagt denn jene Träumerei etwas Besseres als: das Auge hat Empfänglichkeit für Licht und Farbe und ist dazu gemacht und erschaffen. Gemeine Sachen in schönen Worten und gelernte Sachen, mit denen man prunken will, weil man glaubt, andere Leute bleiben so dumm wie die Esel und halten schöne Seifenblasen für Weltkugeln. Der Mann mag recht haben, denn das Publikum verschlingt ihn oder vielmehr hat sein Fleisch und Blut verschlungen; was übrig ist, sind gute und immer sehr ansehnliche, schätzbare Knochen, mit poetischen gewobenen, gestrickten und zusammengenähten Gewändern behangen.

GoeJb VI, 105f.

1635. KÖRNER AN CHARLOTTE SCHILLER

Dresden, 5. August 1810

Mit Goethen habe ich in Karlsbad über Schillers Werke gesprochen. Ich fand bei ihm zwar Wärme für Schiller, aber keine Neigung, sich mit der Herausgabe der Werke zu befassen. Auch zur Fortsetzung des „Demetrius“ schien er keine Lust zu haben. Es wären, meinte er, noch nicht zwei Akte fertig, also über die Hälfte noch zu machen. Auf meinen Vorschlag, daß ich bei der Herausgabe der Werke alles Mühsame besorgen wolle und er nur die Direktion des Ganzen übernehmen möchte, erwiderte er, daß dies sehr tunlich sein würde, wenn wir an einem Orte wohnten, aber durch Briefe lasse es sich nicht machen. Weiter bin ich nicht mit ihm gekommen und habe mir bloß vorbehalten, ihm noch den Plan zur Billigung vorzulegen. Den Aufsatz über Schillers schriftstellerische Eigentümlichkeit lehnte er unter der Äußerung ab, daß ihn dies zu weit führen und zuviel Zeit kosten würde, die er jetzt zu mehreren angestrengten Arbeiten nötig habe.

SchFr III, 57f.

1636. RIEMER AN FROMMANN

Teplitz, 12. August 1810

Nachdem uns die letzte Zeit in Karlsbad etwas unangenehm geworden war durch den ewigen Regen, der so früh Nacht und das Tal so feucht machte, auch G[oethe] seine Rechnung nicht gefunden zu haben schien, machten wir uns den 4. August in einer neu akquirierten, sehr bequemen Batarde auf den Weg nach Teplitz ... Nun sind wir hier, wohnen im Goldnen Schiff, ein großer Gasthof mit vielen Zellen. Goethe wohnt im ersten Stock, ich im dritten und genieße der göttlichsten Aussicht. Zwischen uns wohnt ... einer, der wenig war, als er noch war, was er war, und der jetzt weniger als wenig ist [Louis Bonaparte, der ehemalige König von Holland]. Wir haben ihn aber noch nicht zu Gesicht bekommen.

Gestern besuchten uns Savignys und Bettine [Brentano], die nach Berlin reisen. Sie ist noch so klug und unklug wie sonst und gleich unbegreiflich. Zelter ist unser täglich Brot ... Fichte ist heute abgereist ... Die schöne Frau von Levetzow ist hier, aber sehr zusammengegangen.

G[oethe] ist wohl, und er hat sein Vertrauen auf die

hiesigen Bäder gesetzt, da ihn in Karlsbad seine Übel befielen. Er badet täglich und glaubt Wirkung zu verspüren. Auf alle Fälle bleiben wir drei Wochen hier. In Karlsbad ward er die letzte Zeit schon sehr am Arbeiten verhindert, hier nun vollends durch das Bad und unsern Dux [Karl August].

Rie 164f.

1637. PAULINE GOTTER AN SCHELLING

Gotha, 18. August 1810

Noch einige Gedichte aus Karlsbad könnte ich beilegen, die die Anwesenheit der östreichischen Kaiserin veranlaßte; aber Sie haben sie wohl schon oder werden sie noch in öffentlichen Blättern lesen ... Mich dünkt, man merke ihnen ein wenig den Vorsatz des Dichters an, etwas dichten zu wollen. Es ist nicht so das Leben, der innere Drang, der aus jedem andern Goethischen Gedicht so lebhaft spricht. Den Verfasser würde ich aber immer darin erkennen und kann es nicht leiden, daß man sie so ganz und gar heruntersetzt, wie von allen Seiten, namentlich in Weimar, geschieht.

Auch ein Widersacher von Goethe, aber ein alter Freund unsres Hauses, Meyer[-Bramstädt] aus dem Holsteinischen, war kürzlich hier ...

Schell II, 225

1638. VOIGT AN BÖTTIGER

Weimar, 20. August 1810

Die „Farbenlehre" amüsiert mich ungemein. Goethe als Professor und Disputant zu hören, ist an sich schon artig genug. Was über malerisches Kolorit gesagt ist, unterrichtet mich viel. Correggio scheint mir nicht hoch genug gestellt, aber dem Landsmann Cranach widerfährt alle Ehre.

Alt-Weimar 270

1639. KNEBEL AN SEINE SCHWESTER

Jena, 21. August 1810

Hier schicke ich Dir auch den Brief unsrer Nièce, der Dich amüsieren wird. Ich habe ... sie über Goethes Hochmut ein wenig zurechtgesetzt. Man kann den Ernst im Umgange so wenig vertragen und legt ihn sogleich für Stolz aus. Übrigens ist von Goethe zu ihr und überhaupt zu der gewöhnlichen Gesellschaft noch ein großer Abstand. Doch macht er ja alle Jahre durch seine Schriften dem Publikum die Cour, und er verlangt, daß sie dieses dafür annehmen sollen. Ich habe diese Nacht noch den historischen Teil seiner „Farbenlehre" beendigt, und dies mit großer Erbauung. Ich rate Dir, daß Du das Buch in ernstern Stunden liesest. Wenn Du gleich nicht alles davon brauchen kannst, so wird es Dich doch auf große Urteile führen. Es ist ein Revolutionsbuch der wissenschaftlichen gesunden Vernunft.

KnHe 476

1640. PFUEL AN KAROLINE DE LA MOTTE-FOUQUÉ

Teplitz, 22. August 1810

Ich sehe Goethe täglich bei dem Herzog, und ich kann Dir nicht sagen, wie seltsam mir der Mann wohlgefällt; noch ist mir niemand vorgekommen, der meinem Innern so wohltäte; ich kann ihn nicht ohne ein heimliches Lächeln betrachten! Ich spreche zu niemandem lieber als zu ihm, und wieder fühle ich mich vor niemand so demütig als vor ihm und von niemand so zur Keckheit angeregt als durch ihn. Aus dem einen Auge blickt ihm ein Engel, aus dem andern ein Teufel, und seine Rede ist eine tiefe Ironie aller menschlichen Dinge. Wenn er zuweilen im engen Kreise recht heiter ist und das Gespräch allmählich bunt wird, dann weist er uns zuweilen zurecht und nennt uns: „Ihr Kinder!" Und dann fühle ich, daß der alte Papa recht hat, und beuge mich vor dem alten Meister und sehe ein, wie wahr es ist, wenn er, wie neulich, sagte: „Der Jugend Kenntnis ist mit Lumpen gefüttert!"

Spaßhaft ist es zu sehen, wie der alte Meister diejenigen

behandelt, welche im Bewußtsein eigener Berühmtheit sich an ihn drängen und ihr einseitiges Streben bei ihm geltend machen wollen ...

Goethe spricht leise und sehr gemessen, aber mit einer unglaublichen Sicherheit und funkelnden Augen, die seltsam genug mit der Ruhe und mit dem Maße in seinen Worten abstechen.

Gespr II, 559f.

1641. RIEMER AN FROMMANN

Teplitz, 29. August 1810

Denn G[oethe] war in der letzten Zeit, teils durch Zelters, teils durch anderer Freunde Gegenwart, teils auch durch den Anfall von seinem Übel, aus der Kontinuität des Arbeitens herausgekommen und konnte zuletzt bei dem schlechten Wetter nicht wieder mit der ersten Wärme darankommen. Hier okkupierte ihn nun der Herzog. Und das Baden [in Teplitz] scheint noch weniger als das Trinken [in Karlsbad] große Geistesbewegungen zuzulassen ...

G[oethe] befindet sich übrigens sehr wohl und heiter, das Bad scheint anzuschlagen, und alle Menschen freuen sich, ihn so heiter gesellig und mitteilend zu finden. Ich habe leider das Glück nicht, ihn beständig zu umgeben, indem die Hälfte des Tages, von 11 Uhr an, mit Baden, Ruhen, dem Diner beim Herzog und der Gesellschaft bei Fürst Clary oder andern hingeht, wobei ich denn nicht allerorten gegenwärtig sein kann. Doch haben wir zusammen schon einige Spazierfahrten gemacht ...

Rie 167

1642. WILHELM VON HUMBOLDT AN SEINE FRAU

Eger, 14. September 1810

Es ist sehr närrisch, daß die Fürstin von [Schwarzburg-] Rudolstadt eine ordentliche Antipathie gegen Goethe hat. Sie hat ihn nur bei Hofe gesehen, läßt sich aber auch gar nicht abstreiten, daß er nicht auch anderswo dieselbe Starr-

und Steifheit habe. In ihm ist die Empfindung gegenseitig, und so gern er z. B. die Köpfe der Kolosse sähe, so kann er sich nicht überwinden hinzugehen.

Hu III, 475

1643. NIEBUHR AN DOROTHEA HENSLER

Berlin, 14. September 1810

Zelter erzählt von Goethe, daß er an seiner eignen Biographie schreibt, die aber nicht erscheinen soll, solange er lebt; dann an der Fortsetzung vom „Meister". Zelter hat seinen Fragen über Musik nachgedacht und versichert, daß von ihm, der gar nicht musikalisch ist und nicht einmal etwas Musik gelernt hat, eine Tonlehre kommen werde, die ganz neu, tief und für ihn überzeugend sei. Auch hier entdeckt er das Gesetz divergierender Tendenz. Ist das nicht ein außerordentlicher Triumph des Genies?

Nieb 154

1644. ANDREAS VON MERIAN IN SEINEN AUFZEICHNUNGEN

Dresden, Ende September 1810

Goethe war einfach angezogen, trug Stiefel, runden Hut, seine Orden. Seine Haare sind schwarz, mit Grau untermischt. Er hat eine sehr hohe, etwas zurückliegende Stirn, wie Homer und alle großen Dichter.

Sein Kopf, der eher schmal ist, spitzt sich gegen oben hinten zu. Schwarz und schön und immerfort in Bewegung sind seine Augen. Das Angesicht ist länglich und gefurcht, die Nase adlerisch. Seine Gestalt ist ansehnlich, gerade, fast zurücklehnend; sein ganzer Anstand männlich, sehr ernst, beinahe trocken. Er sprach von ganz gewöhnlichen Dingen auf eine ganz gewöhnliche Weise. Das tut er mit Fleiß. So war Goethe im September 1810.

GoeJb XXIII, 70

1645. SAVIGNY AN JAKOB GRIMM

Berlin, 1. Oktober 1810

Wie ganz anderen Eindruck hat mir Goethe gemacht, den wir auf der Herreise zwei Tage in Teplitz gesehen haben. Wie kräftig, groß, mild, überall ganz er selbst, in allem, was er tut und denkt und spricht, sein ganzes Gemüt gegenwärtig. Er hat mich recht von neuem mit Liebe und Ehrfurcht erfüllt. Ich weiß nichts, was so mit Lust und Freude am Leben erfüllen und so auf dem rechten Wege befestigen kann als solch ein Anblick.

Sav 57

1646. KNEBEL AN SEINE SCHWESTER

Jena, 3. Oktober 1810

Ich schrieb kaum gestern diese letzte Zeile, als Goethe mit lautem Geräusch meine Treppe heraufkam und zu mir hereintrat. Er kommt mit frischem Geist und Mut und hat mancherlei Neues gesehen. Gerne erzählte er von der österreichischen Kaiserin, wie sie lieblich sei, wohlunterrichtet, durchaus ohne Leidenschaft, aber voll gutem Geist, jedem nach seiner Art ihr Wohlwollen zu bezeugen, und immer heiter im Geiste und voll Gunst gegen jedermann ... Von des Königs in Holland [Louis Bonaparte] gutem Verstand, großer Unterrichtung und menschenfreundlichem Wesen erzählten sie mir nur weniges, weil Goethe mittags sogleich wieder nach Weimar abfuhr. Ich hatte gestern vielen Besuch von denen, die Goethe nur einen Augenblick sprechen wollten ... Goethe denkt etwa in vierzehn Tagen wieder hier zu sein, um dann länger zu verbleiben. – In Dresden war er sehr vergnügt und beschäftigte sich sehr mit den dortigen Schätzen der Kunst.

KnHe 494f.

1647. ROCHLITZ AN BÖTTIGER

Leipzig, 4. Oktober 1810

Daß Sie Goethe nicht gesehn, tut mir leid. Ich bin gewiß, Sie beide dürften sich nur einmal recht grade und aufrichtig sprechen und Sie wären für immer im besten Verhältnis. Über sein Farbenwerk mögen sich immer die Federn und die Worte spitzen! Schwächen, Irrtümer im einzelnen kann man vielleicht viele entdecken; die Hauptsache verletzt dies nicht, und diese ist so, daß sie allein Goethen die Achtung und den Dank der ganzen unterrichteten Welt erwerben müßte, besäße er dieselben nicht längst. Das Spaßhafte dabei ist, daß, soviel ich weiß, vor allem die Physiker ex professo das Werk unter die Schere nehmen zu müssen glauben. Das heißt es verstehen wie die Hamburger den „Nathan" – für die Apologie des Judentums.

GoeJb XVIII, 152

1648. BRETSCHNEIDER AN NICOLAI

Krzimiz bei Pilsen, 6. Oktober 1810

Goethe war in Karlsbad. Ich hatte einen Catalogus von alten Münzen der Eybenberg gelehnt, den Goethe von ihr geborgt hatte. Ich hatte ihn schon seit ein paar Jahren zurückverlangt, denn es ist ein einzig Exemplar nur vorhanden. Ich wollte auch gern Goethen wiedersehen, denn wir waren sonst gute Freunde, anno 1772; seit der Zeit habe ich ihn nicht gesehen. Ich war sehr kränkelnd, kam in Goethes Quartier: Seine Exzellenz waren nicht zu Hause. Ich fragte, wann er abgespeist hätte; man sagte mir: um 3 Uhr. Um 3 ging ich wieder hin; er ließ mir heraussagen, er sei beim Essen. Er ließ mich laufen.

Inzwischen kam die Eybenberg nach Karlsbad, und hatte ihr Seine Exzellenz gesagt, daß er gefehlt hatte. Sie wollte mich persuadieren, ihn noch einmal zu besuchen: Das tat ich nicht. Er wollte die Sache wiedergutmachen und kam drei Tage vor seiner Abreise, ließ sich früh um

Johann Friedrich Rochlitz

10 Uhr ansagen. Ich ließ mich entschuldigen, weil ich beim Essen sei – welches ihn sehr verdrossen hat.

Gespr II, 549

1649. HENRIETTE HERZ AN JONAS VEIT

Berlin, 9. Oktober 1810

Ich habe wieder einmal eine schöne Zeit in Dresden verlebt ... und das Glück gehabt, Goethe kennenzulernen, was mir ordentlich an meinem Leben gefehlt hatte. Nie hat irgendeines Menschen Ernst mich so ungewöhnlich abgestoßen, nie eine Liebenswürdigkeit mich so angezogen, als die ich abwechselnd in Goethes Gesicht sah. Auch kenne ich [in] ihm diese zwei Ausdrücke nur. Herrschender ist indessen doch der Ernst, obschon er im ganzen heiter war. Ich habe manch gutes Wort von ihm gehört, und ihn gesehen und gesprochen zu haben, bleibt ein heller Punkt in meinem Leben.

SchlVeit I, 433

1650. CHARLOTTE SCHILLER AN ERBPRINZESSIN KAROLINE

Weimar, 9. Oktober 1810

Ich bin mit unserm Meister in einer Stunde hier angekommen, und er ist mild und heiter und freundschaftlich. Er hat mich auch schon besucht gestern. Er war auch in Dresden und bei der Herzogin von Kurland. Er hat viele Zeichnungen aus „Faust“ und „Götz“ mitgebracht, die wir alle sehen sollen ...

SchFr I, 549

1651. KNEBEL AN SEINE SCHWESTER

Jena, 10. Oktober 1810

Hendrich ... versicherte ... mich, daß Goethe so bald nicht hieherkommen würde. Der Herzog habe ihn engagiert, daß er wöchentlich wenigstens zweimal bei Hofe speisen müsse; dafür schenke er ihm Kutsche und Pferde und gebe ihm auch Unterhaltung für diese.

KnHe 495

1652. PFUEL AN KAROLINE DE LA MOTTE-FOUQUÉ

18. Oktober 1810

In so gigantischer Gestalt sich auch sein Geist vor einen aufpflanzt, so geht ihm doch ein Element ab, welches zu derjenigen Art der Erhabenheit notwendig gehört, die der Mensch mit Liebe umfaßt. Ich möchte dies Element das Christliche im Menschen nennen. Man wird oft an ihm eine gewisse Härte gewahr, die jede freie Hingebung zurückscheucht. Er ist tolerant, ohne milde zu sein ...

Gespr II, 560

1653. VULPIUS AN NIKOLAUS MEYER

Weimar, 21. Oktober 1810

Der Geheime Rat von Goethe ist kerngesund aus Teplitz wiedergekommen und rühmt die Güte der dortigen Quellen sehr. Durchlaucht der Herzog hat ihn mit zwei schönen Pferden beschenkt, Zeug dazu und Fourage für dieselben. Er ist jetzt recht froh und bei Laune.

MeyerN 236

1654. RIEMER AN FROMMANN

Weimar, 31. Oktober 1810

Goethe ist wohl und sehr oft an Hof, wodurch man dort sehr glücklich ist, indem er die beste Laune mitbringt.

Rie 170

1655. CHARLOTTE SCHILLER AN ERBPRINZESSIN KAROLINE

Weimar, 1. November 1810

Der Meister ist gar galant und freundlich, und ich freue mich, daß die Großfürstin sich mit ihm viel unterhält ...

Am 26. Oktober, wo großer Ball war und der Meister mit seinem Sohn erschien (der Kammerassessor geworden), entstand eine höchst komische Situation ... Man meldete seinen Wagen vor dem Souper, und ich nahm seine Einladung an, mit nach Hause zu fahren. Als wir auf die Treppe kommen, sagte er, ich möchte verzeihen, wenn er langsam ginge, denn er habe seit mittags Schmerzen von neuen Schuhen, die er sich in Dresden habe machen lassen. Daß er gerade mich erwählte, mit ihm nach Hause zu fahren, die auch an demselben Übel durch Pariser Schuhe litt, war aber recht lustig, und wir haben recht darüber gelacht. Und Sie können sich unsere beiden nicht unansehnlichen Gestalten auf der gewundenen Treppe wohl nicht ohne Lachen denken ...

SchFr I, 552 f.

1656. PAULINE GOTTER AN SCHELLING

Drakendorf, 8. November 1810

Wir [Pauline Gotter und Silvie von Ziegesar] zürnten ein wenig auf ihn, daß er durch Jena gehen konnte, ohne einen Seitensprung hierher zu tun; neulich hat er aber so artig sein Verlangen ausgedrückt, uns bald zu begrüßen, daß wir ihm um der schönen Worte willen verziehen haben; so gutmütige Geschöpfe sind wir.

Der Herzog tut alles mögliche, ihn wieder an Hof zu ziehen; er schenkt ihm Equipage, stellt seinen Sohn an und bezeigt ihm die artigsten und feinsten Aufmerksamkeiten, alles in der Absicht, daß Goethe diesen Winter nicht nach Jena gehen soll, was sein Plan war. Ich wette aber, daß er ihn doch noch ausführt und Hof und Stadt zum Trotz seinen Musensitz aufsucht. Und wenn wir etwas von ihm lesen wollen, ist das auch nötig; den ganzen Sommer hat er ganz und gar nichts geschrieben.

Schell II, 238

1657. KNEBEL AN SEINE SCHWESTER

Jena, 15. November 1810

Goethe soll sehr wohl sein. Er geht öfters nach Hof und ist auch sonst, wie ich höre, sehr umgänglich. Schwerlich dürfte er vor dem Frühjahr hieherkommen. Seinem Sohn hat der Herzog den Kammerassessortitel gegeben und ihm den Zutritt bei Hof erlaubt.

KnHe 500f.

1658. CHARLOTTE SCHILLER AN ERBPRINZESSIN KAROLINE

Weimar, 16. November 1810

Die Sonntagmorgen sind hier recht bunt, und alle Gestirne durchkreuzen sich!

Graf R[euß], der Kanzler W[olfskeel] und Herr von Poseck; die Frifri [Gräfin Häseler] war neulich auch da mit einer Kusine. Was soll da noch herauskommen? Die Frau von N[iebecker ?] schmachtet auch dort herum und die Töchter. Ich weiß doch nicht, ich kann der Freundin meines *verehrten Freundes* nicht das abgewinnen. Habe ich nicht den rechten Standpunkt oder bin ich zu unpassend? ... Ihre Situation dauert einen, und sie mag mit dem Mann manches gelitten haben; aber ihr Geist und Kenntnisse sind nicht von der freundlichen erweckenden Art wie ein Gemüt, das einem wohlmachen kann.

Ich setze Ihnen im engsten Vertrauen einen Kanon [„Genialisch Treiben“] vom Meister, den Zelter wunderschön komponiert hat. Es ist prächtig, wie das *Unaufhörliche* ausgedrückt ist.

SchFr I, 555f.

1659. EMMA KÖRNER AN CHRISTIAN WEBER

Dresden, 20. November 1810

Goethe war auch in Karlsbad, und ich war äußerst begierig, ihn nach mehreren Jahren wiederzusehen. Die erste Zusammenkunft mit ihm entzückte mich indessen nicht, da er immer etwas Steifes hat, ehe man genauer mit ihm bekannt wird. Und obgleich er meine Eltern doch nun schon so lange kennt, konnten wir es doch während unsers ganzen Aufenthalts in Karlsbad nicht dahin bringen, mit ihm auf einen zutraulichern Ton zu kommen.

Aber bei einem Aufenthalt von vierzehn Tagen, den er nach vollendeter Badekur in Dresden machte, hat er uns reichlich für diese Förmlichkeit entschädigt, indem er ein ganz anderer Mensch war, als wir ihn früher gesehn, und seine Art, sich über so manche Gegenstände mitzuteilen, uns unendlichen Genuß gewährt hat. Er nimmt großes Interesse an Musik, und unsere kleine Singakademie machte ihm sehr viel Freude. Dresden hat ihm so wohl gefallen, daß er uns versprochen, künftiges Jahr wieder hier durchzugehen ...

Einige kleine Gedichte, welche er an die Kaiserin von Östreich gemacht, und seine „Pandora“ ausgenommen, haben wir nichts Neues von seinen poetischen Produktionen gesehen. Er sagt selber, daß er diesen Sommer nicht sehr fleißig gewesen, da ihm Kränklichkeit oft daran verhindert hat. Von den „Wanderungen Wilhelm Meisters“ ist manches fertig, wird aber noch nicht so bald erscheinen. Und wie er uns sagte, wird die Fortsetzung derselben in einen ernsten, strengen Geschmack sein und wenig mit den lieblichen Bildern gemein haben, von denen er uns in den Cottaschen Almanach vorigen Jahres eine Probe gegeben.

Kö 118f.

1660. CHARLOTTE SCHILLER AN IHREN SOHN KARL

Weimar, 23. November 1810

Neulich hat uns [Pius Alexander] Wolff bei Frau von Schardt ein paar Lieder von Hebel deklamiert ... Die Geschichte von dem Bergmann in Falun [„Unverhofftes Wiedersehen“ von Hebel] hat uns der Geheimrat Goethe in einer Gesellschaft vorgelesen. Wir haben alle geweint; so rührend hat er es mit seiner schönen Stimme gelesen.

ESchi 62

1661. CHARLOTTE VON STEIN AN KNEBEL

Weimar, 28. November 1810

Gestern abend war die Großfürstin bei mir; ich habe ihr Goethen dazu gebeten, der auch recht artig war und uns viele hübsche Zeichnungen wies. Er sprach auch mit Liebe von Ihnen und wie es ihm bei Ihnen immer wohl werde ...

Vor einigen Tagen las ich in Herders neuntem Teil ... Über das, was er über die Farben bei Gelegenheit des Newton und Eulers sagt und das ... mir auch merkwürdig war, war Goethe sehr aufgebracht.

BodeSt VII, 91

1662. KNEBEL AN SEINE SCHWESTER

Jena, 10. Dezember 1810

Nun bin ich zwei Tage in Weimar gewesen ... Mittags speisten wir bei Goethe, der eben nicht ganz heiter schien. Seine Frau fragte mich in geheim, ob ich nicht wüßte, ob bei Vermählung der Erbprinzessin ein Präsent an ihren Mann gekommen sei. Er habe nichts erhalten, und sie seien auf den Argwohn gekommen, ob etwa etwas untergeschlagen sei. Ich sagte, ich wollte bei Dir mich erkundigen ... Nun wollt ich die Oper besuchen; es wurde aber keine gegeben. Signor Brizzi ist krank ... Sie gaben „Don Carlos“ dafür. Ich mag das Stück nicht und brachte den Abend vollends mit Goethe zu, der uns überredete, den Professor Voigt und mich, den andern Morgen noch zu seinem Konzert in Weimar zu bleiben und bei ihm zu logieren, das wir auch taten.

KnHe 504f.

1663. CHARLOTTE SCHILLER AN ERBPRINZESSIN KAROLINE

Weimar, 14. Dezember 1810

So ergötze ich mich jetzt an dem zweiten Teil der „Farbenlehre". Ich bitte untertänig, lesen Sie ihn! Es ist so etwas Prächtiges, so rein verständig und groß gesehen. Die Ansichten, die der Meister darinnen ausspricht, sind wunderbar groß, und man steht wie vor einem gefundenen Schatzkästchen und zieht ein Juwel nach dem andern ans Tageslicht. Die Geschichte der Wissenschaft, die Charakterisierung der Individuen ist so prächtig! Dies Kapitel, das „Lücke" überschrieben ist, ist vortrefflich. Was er da klar und schön alles aufstellt, ausspricht, ist unaussprechlich.

SchFr I, 558

1664. KNEBEL AN SEINE SCHWESTER

Jena, 26. Dezember 1810

Ich kann übrigens nicht sagen, daß das Glück jetzt in Weimar wohnt, und das schlimmste ist, daß man bei Abwesenheit desselben die bittre Seite gegen sich selbst kehrt, auch wohl ungerecht und undankbar ist. Doch genug!

Goethe sagte mir noch, er lebe wie die unsterblichen Götter und habe weder Freude noch Leid. Man sieht es ihm auch wohl an. Doch ist er übrigens wohl, läßt fleißig Musik bei sich machen und sucht sich, so gut er kann, emporzuhalten.

KnHe 510

1665. PAULINE GOTTER AN SCHELLING

Drakendorf, 27. Dezember 1810

Jetzt bin ich dabei, die „Farbenlehre“ zu lesen; Goethe gab sie mir, herauszusuchen, was mir Vergnügen gewähren könnte. Nun schrieb er aber neulich ganz boshaft, es freue ihn, daß ich mich daran abmüdete; ich würde ihn wohl nächstens verwünschen und das verräterische Geschenk ins Feuer werfen, er hätte mir es auch nur für meine Sünden gegeben. Bis jetzt habe ich es aber noch nicht den Flammen übergeben. Das Wiedersehen dieses lieben Freundes war eine schöne, heitere Unterbrechung in unserem sonst so einförmigen Leben. Wir waren einen Tag in Weimar; er besuchte uns gleich; dann ging ich mit ihm ins Theater, wo uns ein schlechtes Stück völlige Freiheit ließ, uns nach einer so langen Trennung recht angelegentlich zu unterhalten. Er schrieb früher, die Zeit und die Abwesenheit hätten nichts an ihm und seinen Gesinnungen verändert, und ich fand es auch wahr: er schien ebenso herzlich, ebenso liebevoll wie sonst, was mich innig freute, wenn auch die lebhaftern Versicherungen seiner Zuneigung mich stets beschämen; denn ich fühle recht gut, daß ich sie mehr dem zufälligen Zusammentreffen der Umstände als mir selbst zu verdanken habe. Ich habe Goethen von Ihnen, werter Freund, Grüße gebracht, die er schönstens erwiderte; er freute sich sehr, daß ich ihm sagen konnte, Sie hätten sich mit seiner „Farbenlehre“ diesen Sommer beschäftigt, und er äußerte sehr lebhaft den Wunsch, einmal mündlich mit Ihnen darüber sprechen zu können.

Schell II, 240f.

1666. CHARLOTTE SCHILLER AN KNEBEL

Weimar, 29. Dezember 1810

Wir haben einen recht schönen Abend bei Frau von Stein gestern gehabt. Die Großfürstin war bei ihr und Goethe, und er war unbeschreiblich liebenswürdig und geistreich. Wir hatten aber auch einen Kampf zu bestehen. Der arme

Graf Marschall und seine Frau hatten sich melden lassen; sie sind recht unglücklich durch den Verlust des Kindes. Aber so eine Bitterkeit und Schroffheit des Wesens im Schmerz, wie die Frau zeigt, tut einem entsetzlich weh.

Ich fürchtete, sie würde sich des Gesprächs bemeistern und durch ihre Klagen das Gemüt der Großfürstin bewegen und Goethe würde still werden. Ich war in einem recht peinlichen Zustand. Es gelang mir, dadurch daß ich Goethe und den Prinzen in einen heitern Diskurs brachte, das Gleichgewicht herzustellen, und am Ende wurde das Gespräch allgemeiner, und Goethe sprach so schön, so bedeutend. Die Großfürstin überwand auch die trüben Eindrücke, daß selbst die armen Trauernden sich erleichtert fühlten …

GoeG 256f.

1811

1667. CHARLOTTE VON STEIN AN IHREN SOHN FRIEDRICH

Weimar, 3. Januar 1811

Sie [Maria Pawlowna] kommt manchmal abends zum Tee zu mir und findet gerne den Goethe, den ich ihr denn allemal einlade. Goethen macht's rechten Spaß, in den Geschichten der Münzen das, wornach Du gefragt, herauszubringen, und wenn ihm der Humor bleibt, wirst Du bald Münzen einen Viertelzentner mit allen Erklärungen bekommen.

Stein II, 340f.

1668. LUISE SEIDLER AN SCHRÖDER

Jena, 4. Januar 1811

Sie wissen noch nicht, liebster Freund, wie nahe ich in Dresden mit Goethe bekannt geworden bin, wie er sich meiner annahm, wie er sich mir durch seine Güte, durch seine väterliche Sorgfalt und Fürsorge noch täglich werter machte, wie ich ihn jetzt erst kenne, liebe und verehre ...

... man hat mir oft sehr wehe getan, besonders die Schopenhauer [Adele ?]. Kein Tag verging, wo sie mich nicht durch Worte oder Mienen zu kränken suchte. Goethe erschien mir da als ein rechter Schutzengel und Rächer; er brachte zehn Tage in Dresden zu und übersah mit *einem* Blicke meine Lage. Oder wollte er die anderen demütigen? Ich weiß es nicht, aber er war mir ein väterlicher, aufmerksamer, gütigster Freund, der die größten Aufmerksamkeiten für mich hatte, mich nicht nur bei meinen Arbeiten unendlich aufmunterte, sondern mich auch dreimal selbst besuchte, mich überall mit hinnahm, mich in allem auszeichnete ... Ach, wenn man so allein steht, ist jedes freundliche Wort so viel wert, und nun nach so vielen Kränkungen sich so entschädigt zu sehen! Ich malte grade die heilige Cäcilie von Carlo Dolce (welche die Orgel spielt). Man hatte dies Unternehmen mit vielem Achselzucken bekrittelt ... Goethe stopfte ihnen auch hierin den Mund, indem er meine Arbeit lobte und das Bild sehr passend für mich fand.

Sei 62f.

1669. ERBPRINZESSIN KAROLINE AN CHARLOTTE SCHILLER

Ludwigslust, 14. Januar 1811

Von Kranz [Kaaz] erwarte ich jetzt Zeichnungen, die mir Goethe ausgesucht hat und auf die ich mich recht freue ... Der Meister hat mir (unter uns) eine große Freude gemacht und auf meine Bitten durch Silvie Ziegesar die Ballade vom beschütteten Westchen [„Wirkung in die Ferne"] geschickt, auch Verschen auf eine Volksmelodie, die ich so liebhabe. Durch Knebel hat er mir auch die Rede von Jakobs „Über den Reichtum der Griechen [von plastischen Kunstwerken]" zu lesen geschickt ...

Wie lebt sich's denn recht in Weimar? Genießt man den Meister viel? Gibt's noch kleine Tees im Blauen Zimmer, wo der Meister liest?

SchFr I, 560

1670. CHARLOTTE SCHILLER AN ERBPRINZESSIN KAROLINE

Weimar, 22. Januar 1811

Ich habe sie [Maria Pawlowna] einige Abende gesehen, wo sie recht die Seele des Gesprächs war und so schön sprach, und zumal mit dem Meister, den sie auf eine so leise Art versteht und gewähren läßt, daß es einen recht ergötzt. Er ist auch ganz entzückt darüber und auch recht geistreich und gewandt in einer solchen Sozietät.

Gelesen ist noch nichts, seit Sie uns fehlen, teurer, geliebter Engel!

Jetzt gibt der Meister „Hackerts Leben" [„Philipp

Hackert"] heraus ... Er war zwölf Tage in Jena dieser Arbeit wegen. Ich sehe ihn alle Sonntage Morgen und in der Loge im Theater, wo ich wohl zuweilen mehr seinetwillen hingehe ...

Manchmal ist der Meister recht komisch. Seien Sie so gnädig und lassen sich von Kettenburg ... ein Bild von den Herren [Boisserée] machen ... Diese hab ich auch kennenlernen ...; diese wollten herkommen mit ihren Schätzen. Und der Meister hat durch Minister Reinhard ... diese Herkunft (unter uns gesagt) nicht zustande bringen lassen. Er erzählt' es mir, der Meister nämlich, und freut' sich darüber. Da sagte ich: „Mir ist's auch nicht unlieb, denn ich bin auch entübrigt, diesen Herren eine Artigkeit zu erzeigen." Da entgegnete der Meister: „Liebes Kind! Eure Artigkeiten, nimm es mir nicht übel, kenne ich schon. Da nehmt ihr einen alten Topf, füllt ihn mit Kolonialwaren und setzt die Fremden da herum und glaubt, alles getan zu haben, während wir andern wirklich artig sein müssen." Ich habe lange darüber lachen müssen ...

SchFr I, 561 f.

1671. CHARLOTTE SCHILLER AN ERBPRINZESSIN KAROLINE

Weimar, 27. Januar 1811

Gestern war ich recht erstaunt. Als ich in des Meisters Loge komme, wo noch niemand war, finde ich – raten Sie, was? Vier brennende Lichter und einen Teetisch. Die Lichter und das Öffnen der Türe hatte Sensation gemacht; alle Köpfe waren nach der Loge gerichtet, wo ich ganz betroffen und bescheiden stand.

Der Meister kam und die Gemahlin, die einen heftigen Katarrh hatte, und deswegen waren diese Anstalten getroffen. Die vielen Lichter waren aber ohne Befehl hingestellt, und ich war recht froh, als nur eins blieb. Heute ist die Frau Gemahlin so krank, daß sie zu Bette liegt. Doch waren wir dort, wo prächtige lateinische Gesänge erschallten, und ganz ernsthaft.

Ich darf es manchmal gar nicht sagen, wie mich doch des Meisters Lage einengt und im Innern schmerzt. Denn mir deucht, ich fühle zuweilen in seiner Seele, daß er irre in sich ist. Welcher Dämon hat ihm diese Hälfte angeschmiedet!

SchFr I, 565

1672. KNEBEL AN SEINE SCHWESTER

Jena, 27. Januar 1811

Den Sonntag, den 20., fuhr ich mit Goethe nach Drakendorf, und Himmel und Erde waren mit ungemein hellen und reinlichen Farben geschmückt. Wir wurden daselbst sehr freundlich aufgenommen. Der Alte [von Ziegesar] kam uns an der Haustüre schon entgegen, und die Mädchen, Silvia [von Ziegesar] und Pauline Gotter, die sich seit einiger Zeit bei diesen aufhält, erschienen in niedlicher Schweizertracht. Sie hatten kurze rote Mieders, mit schwarzen Samtbändern eingefaßt, und das übrige war alles sehr proper von weißem Zeug. Auch hatten sie die Haare hübsch geflochten und waren sehr freundlich und graziös. Wir aßen sehr gut zu Mittag, und Silvia machte die Honneurs sehr artig, so wie der Alte sehr beredt und freundlich war. Gegen Abend fuhren wir wieder zurück und unterhielten uns von Leibniz' Philosophie und der Elektrizität der Luft. Goethe reiste tags darauf wieder nach Weimar zurück ...

KnHe 517

1673. SCHELLING AN PAULINE GOTTER

München, 30. Januar 1811

Es wäre gar schön, wenn Sie mir ein Wörtchen über die „Farbenlehre" schrieben. Unser verehrter Herr kann es doch nicht lassen und will auch durch das wissenschaftliche Werk ein weibliches Herz rühren. Was sagen Sie aber zu der kleinen Malice, die er gegen die blaue Farbe ausübt? Ich zweifle nicht, daß sie ihm oft reizend gewesen; aber gewiß hat er sie dann am wenigsten für ein Nichts angesehen.

Übrigens glaubt man in dem Buch oft mit ihm zu Tische zu sein und ihn perorieren zu hören; ich gestehe aber, daß diese Tischreden oft gerade das Ergötzlichste für mich gewesen sind.

Schell II, 245

1674. CHARLOTTE VON STEIN AN IHREN SOHN FRIEDRICH

Weimar, 8. Februar 1811

An der Herzogin Geburtstag hat man den „Standhaften Prinz“ von Calderón ... gegeben. Mir und sehr vielen hat es außerordentlich gefallen, aber freilich den größern Publikum nicht. Die Schauspieler spielten vortrefflich, Goethe war ganz mit jugendlichen Feuer dabei.

Fritz von Stein II, 186

1675. CHARLOTTE SCHILLER AN ERBPRINZESSIN KAROLINE

Weimar, 9. Februar 1811

... will ich dem Befehl des Meisters gehorsam sein, der es sehr zu wünschen schien, daß ich Ihnen Bericht geben soll von der Aufführung des „Standhaften Prinzen“ [von Calderón] ...

Es ist etwas ganz Vortreffliches. Die Art des Spiels, die Einrichtung, Berechnung der kleinsten Effekte war mit solchem Geist und Würde ausgedacht und ausgeführt, daß nur Goethe so etwas möglich machen konnte ...

Das erste Mal hat der Meister und ich laut geweint ...

Unser alter Freund Wieland hat einen ordentlichen Grimm, daß mich das Stück so ergriffen ... Ich hoffe nur, unser Meister wird es nicht gewahr.

Welchen tiefen Respekt man vor seiner Klugheit und Verstand bekommt in solchen schweren Aufgaben, das kann man nicht aussprechen. Alle Schauspieler sind doch nur sein Organ, und ohne ihn, ohne diese geistige Ansicht wäre es rein unmöglich, so etwas unternehmen zu können. Ihre Frau

Mutter und die Hoheit [Maria Pawlowna] haben es sehr gerühmt, und das freut mich Goethens wegen.

SchFr I, 567–570

1676. KNEBEL AN SEINE SCHWESTER

Jena, 13. Februar 1811

Ich lege Dir hier ein paar Verschen bei, die ich gestern an Goethe machte. Ich mag ihm gerne zuweilen etwas Angenehmes sagen, weil das Lob oder der Beifall doch eigentlich das Echo des Sängers ist.

KnHe 522

1677. KNEBEL AN SEINE SCHWESTER

Jena, 15. Februar 1811

Die Verse an Goethe will ich Dir ein anders Mal schicken. Er hat mir auch nicht darauf geantwortet. Ich weiß nicht, was ich von seiner Stimmung denken soll. Es kommt mir vor, als suchte er sich auf gewisse Art zu betäuben, indem er scheint an nichts innigen Anteil zu nehmen als gerade an dem, was ihm Lust macht und womit er sich treibt. Dieser Kaltsinn trägt eben nichts zum Glücke bei.

KnHe 522

1678. RIEMER AN FROMMANN

Weimar, 27. Februar 1811

G[oethe] hat endlich die goldene Dose von der Kaiserin [Maria Ludovica] bekommen; sie ist von Wert und geschmackvoll.

Rie 179

1679. CHARLOTTE VON STEIN AN CHARLOTTE SCHILLER

Weimar, 1. März 1811

Dienstagabend brachte die Großfürstin [Maria Pawlowna] bei mir zu. Sie fehlten uns. Übrigens hatte der Meister eine gute Stimmung, und über mancherlei Gedanken aufwekkende Gegenstände wurde gesprochen. Sie mochte gar nicht gehen, so müde sie auch war, und blieb bis um halb zehn Uhr.

SchFr II, 355

1680. PAULINE GOTTER AN SCHELLING

Gotha, 16. März 1811

Eine Freude ... war die Vorstellung des „Standhaften Prinzen" in Weimar; wohl schwerlich hat Calderón selbst eine so vollendete Darstellung dieses Stücks gesehen. Mir hat es großen Genuß gewährt, aber auch ebensoviel den andern Tag die Tischgespräche darüber. Auch noch einen heitern Wintertag habe ich mit Goethe sehr vergnügt in Drakendorf verlebt, wo er in der besten Laune von der Welt viel Schönes und Herrliches gesagt. Er besuchte uns mit Knebel. Wir hatten es darauf angelegt, die alten Herrn recht aufgeräumt zu haben, und uns deswegen ihnen zu Ehren auf das zierlichste und gewählteste geputzt. Das verfehlte denn auch seinen Zweck nicht, und sie versicherten zuletzt, ihre Füße hätten zwar nicht getanzt, aber ihre Herzen ...

Noch ein kleines artiges Gedicht [„Wirkung in die Ferne"] von dem verehrten Herrn lege ich Ihnen hier bei, das Ihnen gewiß Vergnügen macht. Er teilte es uns schon in Karlsbad mit, und es wurde hernach immer viel darüber gescherzt. Ich bat ihn auch oft darum; er wollte aber nie damit herausrücken. Endlich hat er sich aber doch eines Bessern besonnen, und ich halte es für keinen Verrat, es aus meinen Händen in die Ihrigen zu legen ...

Schell II, 246 f.

1681. KNEBEL AN SEINE SCHWESTER

Jena, 17. März 1811

Die Verse an Goethe will ich Dir doch beisetzen. Sie sind etwas schmeichelhaft, aber sie haben ihm sehr gefallen. Man muß Leuten, die was Außerordentliches tun, auch zuweilen etwas Außerordentliches sagen. Ein französischer Reisebeschreiber, den ich eben jetzt lese, bemerkt, daß die Deutschen einander immer verachten.

KnHe 524

1682. CHARLOTTE SCHILLER AN ERBPRINZESSIN KAROLINE

Weimar, 19. März 1811

Unser geliebter Meister wird zwar von manchen Menschen gescholten, daß er nicht mitteilend sei und finstern Humors; ich fand ihn gestern sehr liebenswürdig, und er war so freundlich zu bemerken, daß ich lange ausgeblieben, statt zehn Tage zwanzig, daß ich schöne Sonntage versäumt. Ich habe dafür doch mit ihm gelebt, denn ich habe die leicht faßlichen und herauszuhebenden Teile der „Farbenlehre" der lieben Fürstin [von Schwarzburg-Rudolstadt] vorgetragen und habe warme Teilnahme gefunden. Manches hatte sie gleich verstanden und zurechtgelegt. Über dieses Kapitel, welches „Lücke" überschrieben ist, im zweiten Teil, hat sie eine solche Freude, daß sie sagte, es sei ihr lieber wie die „Wahlverwandtschaften", und sie hat ordentlich eine Ehrfurcht vor dem Meister bekommen.

SchFr I, 572

1683. CHARLOTTE SCHILLER AN ERBPRINZESSIN KAROLINE

Weimar, 24. März 1811

Ich habe dem Meister ... von Ihrem schönen Brief erzählt, und er war freundlich, daß ich so geschrieben hatte, daß Sie sich ein Bild machen konnten. Sie werden nun auch seinen

Brief erhalten und die Landschaften [von Kaaz]. Er ist gar freundlich und weich gestimmt, und wir haben manche gute, freundliche Gespräche in der Loge. Zuweilen muß ich ihn trösten, wenn er die ästhetischen Erscheinungen nicht mit Zufriedenheit sieht. Und zuweilen teilen wir uns unsere Ansichten über die Welt und Dinge mit und sind recht gute Freunde.

SchFr I, 575

1684. CHARLOTTE VON STEIN AN KNEBEL

Weimar, 30. März 1811

Die Schillern und ich singen oft Ihre Lobsprüche, wie gut Sie die Unwissenden belehren, indessen Goethe einen oft nur mit einem Bonmot abfertigt.

BodeSt VII, 92

1685. KNEBEL AN SEINE SCHWESTER

Jena, 8. April 1811

Nun kam ich mit meiner ganzen Familie zum Mittagsessen zu Goethe, der uns in seinem Garten höchst freundlich aufnahm und sich diesen Tag selbst zu einem Tage des Vergnügens zu machen schien. Es war niemand da als wir. Ich sah mich in gute Stimmung versetzt, und diese dauerte fort. Auch sahen wir die Dose der Kaiserin, die ungefähr so ist wie die, die der Herzog dem alten Ziegesar geschenkt hat . . ., nur oval. Auch hat Goethe noch einen bronzenen Stier zu dem unsrigen bekommen . . . Goethe fand ich um vieles noch mehr gemildert und unteilnehmender der Sachen, die von außen kommen. Er sagte, wir müßten anfangen, alt zu werden.

Was nun das Stück, den „Saul", selbst betrifft, so ward er gar sehr zu meiner Zufriedenheit gegeben . . . Manches wäre freilich noch zu desiderieren, das Goethe selbst fühlt. Er will es gegen den Winter wieder geben lassen, aber alsdann das ganze Stück von Musik akkompagniert, weil es in der Tat viel Opernmäßiges hat . . .

KnHe 530f.

1686. RIEMER AN FROMMANN

Weimar, 27. April 1811

Es tut mir sehr leid, daß ich Sie ... über G[oethe]s Abreise überhaupt und sein Kommen nach Jena so lange in Erwartung gelassen habe ... Noch zu Anfang dieser Woche bezeigte er gar keine Lust hinüberzukommen, und gestern abend, als ich nach Hause komme, höre ich von Karln [Eisfeld], daß er heute nach Jena gehe. Ich bin es so gewohnt, es immer nur einen Tag vorher zu erfahren, daß ich beinahe nicht mehr frage. Über die Abreise nach Karlsbad weiß ich ebensowenig ...

Der junge Schopenhauer ist auch hier, den ich sehr zu seinem Vorteil verändert finde, sowohl an Gestalt als Wesen. Noch nie ist vielleicht einem das Studium der Philosophie äußerlich und innerlich so gut bekommen. Wenn man im Sprüchwort sagt: „Si tacuisses, philosophus mansisses", so ist *er* dadurch zum Philosophen geworden, daß er schweigen gelernt hat. Wenn doch das in der Familie aufwärts wirken könnte! ...

Unsere Singakademie ist am vorigen Sonntag geschlossen worden. Morgen hört auch der Tee bei der S[chopenhauer] auf.

Rie 184f.

1687. CHARLOTTE VON STEIN AN IHREN SOHN FRIEDRICH

Weimar, 30. April 1811

Er weiß gar hübsch zu erzählen [„Dichtung und Wahrheit"], und von Kindheit an ist er schon interessant. Er wird uns sein Christelchen auch interessant zu machen wissen in seiner poetischen Vorstellung, sowenig sie es auch in der Tat ist ...

Unser Herzog ist nie bei solchen Vorlesungen; der hört unterdessen Jagemannsche Späße. Der Erbprinz, seine Gemahlin, die zwei Oberhofmeisterinnen [von Wedel und Henckel von Donnersmarck], die Schillern, Tante Schardt, Frau von Pogwisch und ich sind die Zuhörer. ...

Goethe reist mit seiner Frau Geheimerätin nach Karlsbad. Ich habe nichts wieder von seiner guten Absicht gehört, Dir die Münzen zu schicken. Da er seine Frau immer auf die Studentenbälle nach Jena schickt, haben sie ihr neulich allerhand Polissonerien gemacht. August schämt sich, mit seiner Mutter auf die Bälle zu gehen; man sagt, er sei nie dabei. Jetzt studiert er in Kapellendorf die Wirtschaft.

Stein II, 346ff.

1688. CHARLOTTE SCHILLER AN ERBPRINZESSIN KAROLINE

Weimar, April 1811

Unser Meister ist wohl jetzt, doch hatte er den Katarrh. Er ist heiter und freundlich und besucht Frau von Stein beinahe alle Morgen. Über Karl hat er sich recht gefreut und mir soviel Gutes gesagt. Er spricht recht mit Behagen von ihm und freut sich, daß unsre Söhne keine falschen Ansprüche haben und mit Ernst und Eifer ihrer Bildung nachstreben und daß wir sie so erzogen haben, daß sie nur den Wert ihrer Väter fühlen, um ihnen nachzustreben und nicht darauf zu ruhen und sich zu stützen.

Vor vierzehn Tagen war er bei der Hoheit [Maria Pawlowna] zum Tee und hat mit Ihrer Frau Mutter so interessant gesprochen ... Er hat über seine Lieblingsideen, Bildung und Entstehung der Erde, gesprochen und prächtige Sachen gesagt.

SchFr I, 578f.

1689. KNEBEL AN SEINE SCHWESTER

Jena, 1. Mai 1811

Den 25. April kam Frau von Stein ganz allein bei uns angefahren. Sie war ungemein heiter und wohl und machte uns einen recht lieben Tag ...

Den 27. kam Goethe unvermutet auf mein Zimmer. Seine Gegenwart erfreute mich sehr. Wir teilten uns mancherlei mit. Er sagte mir viel über sich selbst und von seiner Lebensgeschichte, woran er jetzt schreibt und wovon er schon manches der Herzogin vorgelesen hat, das vielen Beifall gefunden. Er nimmt die Sache, wie ich von Frau von Stein gehört habe, etwas weitläufiger und flicht vieles von der Geschichte und den Personen damaliger Zeit mit ein, was das Ganze sehr interessant macht. Er sagte mir, er sei in dieser Geschichte bereits bis in sein zwanzigstes Jahr gekommen und wolle nun, da er so manche andre geschrieben, nun auch seinen eignen Roman schreiben, von dem die ersten paar Bände sogleich, wie sie fertig wären, erscheinen sollten. Wir brachten einen recht hübschen Abend zu; auch war er mit Karls Arbeiten sehr zufrieden.

KnHe 537

1690. CHARLOTTE SCHILLER AN ERBPRINZESSIN KAROLINE

Weimar, 1. Mai 1811

Es ist jetzt eine Lektüre in den Blauen Zimmern, wo ich jedes Wort möchte behalten können, um es Ihnen zu sagen.

Der Meister hat angefangen, sein Leben [„Dichtung und Wahrheit"] zu lesen. So eine schöne große Ansicht, so ein Bild des Ganzen führt er einem vor die Seele, und so liebenswürdig zeigt er das Liebenswürdige! ...

Jetzt sind wir gekommen, bis er nach Leipzig gehen soll.

SchFr I, 577f.

1691. SULPIZ BOISSERÉE AN SEINEN BRUDER MELCHIOR

Weimar, 3. Mai 1811

Ich komme eben von Goethe, der mich recht steif und kalt empfing; ich ließ mich nicht irremachen und war wieder gebunden und nicht untertänig. Der alte Herr ließ mich eine Weile warten; dann kam er mit gepudertem Kopf, seine Ordensbänder am Rock; die Anrede war so steif vornehm als möglich. Ich brachte ihm eine Menge Grüße. „Recht schön", sagte er. Wir kamen gleich auf die Zeichnungen, das Kupferstichwesen, die Schwierigkeiten, den Verlag mit Cotta und alle die äußern Dinge. „Ja, ja, schön, hem, hem." Darauf kamen wir an das Werk selbst, an das Schicksal der alten Kunst und ihre Geschichte. Ich hatte mir einmal vorgenommen, der Vornehmigkeit ebenso vornehm zu begegnen, sprach von der hohen Schönheit und Vortrefflichkeit der Kunst im Dom so kurz als möglich, verwies ihn darauf, daß er sich durch die Zeichnungen ja selbst davon überzeugt haben würde. Er machte bei allem ein Gesicht, als wenn er mich fressen wollte. Erst als wir von der alten Malerei sprachen, taute er etwas auf, bei dem Lob der neugriechischen Kunst lächelte er. Er fragte nach Eyck, bekannte, daß er noch nichts von ihm gesehen hatte, fragte nach den Malern zwischen ihm und Dürer und nach Dürers Zeitgenossen in den Niederlanden. Daß wir gerade so schöne Bilder hätten, weil überhaupt die Kunst in Niederland viel edler und gefälliger als im übrigen Deutschland gewesen, leuchtete ihm ein. Ich war in allen Dingen so billig, wie Du mich kennst, aber auch so bestimmt und frei wie möglich und ließ mich gar nicht irremachen durch seine Stummheit oder sein „Ja, ja, schön, merkwürdig!" Ich gab großmütig meine Gedanken über den Gang der Malerei durch die Einwirkung von Eyck zum besten, jedoch mit aller Vorsicht; zugleich aber ließ ich nicht undeutlich merken, daß man eben bei der noch ganz frischen Entdeckung, die wir das Glück gehabt zu machen, seine Gedanken noch nicht gerne ausspreche; ich gab sie auch nur in allgemeinen Zügen. Das ließ er sich alles sehr wohl und behaglich einlaufen. Endlich war von Reinhard die Rede; das Gespräch führte zu unserm gemeinschaftlichen Besitz vom Apollinarisberg, von seinen Verhältnissen zur Regierung, zu seiner Frau, so daß ziemlich das Wesentlichste berührt wurde. Das machte den alten Herrn freundlicher, das Lächeln wurde häufiger, er lud mich auf morgen zu Tisch, erinnerte mich noch, zum Erbprinzen zu gehen, ich müßte den Herrschaften die Zeichnungen zeigen, er wolle alles schon einleiten.

Ich kündigte ihm Cornelius' Zeichnungen [zu „Faust"] an;

das gefiel ihm ... Ich wollte ihm nur mit ein paar Worten sagen, daß sie in altdeutschem Stil seien, aber er wurde abgerufen; es kam ein anderer Besuch; er gab mir einen oder zwei Finger, recht weiß ich es nicht mehr, aber ich denke, wir werden es bald zur ganzen Hand bringen. Als ich durchs Vorzimmer ging, sah ich ein kleines, dünnes schwarz gekleidetes Herrchen in seidenen Strümpfen mit ganz gebücktem Rücken zu ihm hineinwandeln, da wird er wohl seine Vornehmigkeit haben brauchen können! Ist es ein Wunder, wenn ein Mensch, der sein ganzes Leben hindurch von Schmeichlern und Bewunderern umringt und von klein und groß wie ein Stern erster Größe angestaunt und gepriesen wird, am Ende auf solche hoffärtige Sprünge kommt, die aber auch gleich aufhören, sobald ihm jemand gegenübersteht, der zwar das eminente Verdienst hochachtet, seinem eigenen Wert aber nicht alles vergibt.

Boi 128f.

1692. SULPIZ BOISSERÉE IN SEINEM TAGEBUCH

Weimar, 8. Mai 1811

Nachmittags nach Tisch saßen wir allein. Er lobte recht mit aller Wärme und allem Gewicht meine Arbeit; ich hatte das erhebende Gefühl des Siegs einer großen, schönen Sache über die Vorurteile eines der geistreichsten Menschen, mit dem ich in diesen Tagen recht eigentlich einen Kampf hatte bestehen müssen ... Ich fühlte die uns im Leben nur selten beschiedene edele Freude, einen der ersten Geister von einem Irrtum zurückkehren zu sehen, wodurch er an sich selber untreu geworden war; es konnte keinen wohltätigeren, wahreren Beifall für mich geben. Ich sagte ihm, wie ich es erkenne, wie hoch ich seinen Beifall schätze, der diese Kunst gewissermaßen ein für allemal abgefertigt gehabt, wie sehr mich ein so ernster, wahrhafter Beifall und Erkenntnis meines Strebens um der Sache entschädige für den oft fast schmerzhaften, nie aber das Herz erfreuenden, leider unentbehrlichen Beifall der großen Welt, zumeist der Fürsten, die gewöhnlich jedem Hanswurst und Schauspieler denselben schenken.

Ich sprach, wie eben meine Stimmung mir es eingab; ich weiß nicht, wie ich die Worte setzte; sie mußten meine Bewegung kundgeben, denn der Alte wurde ganz gerührt davon, drückte mir die Hand und fiel mir um den Hals. Das Wasser stand ihm in den Augen.

Boi 386f.

1693. SULPIZ BOISSERÉE AN SEINEN BRUDER MELCHIOR

Leipzig, 15. Mai 1811

Von Weimar und vom alten Herrn hätte ich noch recht viel zu schreiben, wollte ich Euch alles erzählen. Das tut sich aber besser mündlich, dafür müssen wir auch was aufsparen, und dann will ich Euch den alten Herrn dabei *nachmachen*. Es ist ein gar wunderlicher Heiliger. Es geht mit ihm wie mit allen eigentümlichen Menschen, soviel man auch von ihnen weiß und hört, sieht man doch immer noch viel Neues, wenn man mit ihnen selbst zusammenkömmt, und deshalb allein ist mir diese Bekanntschaft über alle Maßen schätzbar. Sie gibt mir einen Beitrag zur Kenntnis der menschlichen Natur und des Lebens überhaupt, den ein Dutzend Bücher und Geschichten großer Männer nicht so verschaffen können und seine *eigene Lebensbeschreibung* nie liefern kann. Er ist gerade jetzt mit dieser Arbeit beschäftigt und hat schon einige Stücke ... bei Hof vorgelesen. Es muß auf jeden Fall ein höchst künstliches und merkwürdiges Buch werden; er hat da von einer Menge Menschen und Dingen zu reden, wovon er durchaus nicht alles mit klaren, baren Worten sagen darf. Das wird dann allerlei wunderbare Tänze zwischen dem verständigen Hofmann und dem tollen deutschen Burschen hervorbringen, der besonders bei solchen Erinnerungen alter Zeiten immer noch wieder aufwacht.

Boi 136

1694. KNEBEL AN SEINE SCHWESTER

Jena, 15. Mai 1811

Vor kurzem las ich Fox' „Geschichte Jakobs des Zweiten" ... Welcher scharfe Geist und doch zugleich welche hohe Mäßigung in allen seinen Urteilen! ... Sein historischer Stil ist von der höchsten Simplizität.

Nun hat mir Goethe, der vorgestern von hier nach dem Karlsbad abgereist ist, seine biographische Skizze von Philipp Hackert hinterlassen. Ich möchte daran fast dasselbe loben, was ich eben an Fox gelobt habe. Freilich ist es in einer andern Art, doch das Ganze äußerst angenehm und interessant.

KnHe 541

1695. CHARLOTTE SCHILLER AN COTTA

Weimar, 22. Mai 1811

Dieser Monat ist mir immer so schmerzlich! In diesem Jahr doppelt, denn sogar der Tag war derselbe, an dem er [Schiller] uns entrissen wurde ... Goethe schrieb mir ein Billett an diesem Tage, einen Auftrag! Aber er hatte auch den Datum vermieden. Aus manchen Äußerungen in seinen Gesprächen fühlte ich in dieser vergangenen Zeit tief, wie er eigentlich niemals wieder jemand findet, der ihm Schiller ersetzen kann, wie er trauert, daß er ohne diese Art von Mitteilung sein und leben muß.

SchiCo 564

1696. SULPIZ BOISSERÉE AN BERTRAM

Dresden, 24. Mai 1811

Unser braver Daub soll mir von Herzen gelobt sein für seine eifrige Rede über Goethe. Er hat den rechten Fleck getroffen; gerade das Heidentum, dem sich der Alte mit Leib und Seele ergeben, ist auch wieder das, was ihn unglücklich macht. Er ist zu tief und gemütvoll, um nicht besonders in jetziger Zeit und bei seinem Alter eine große Leere und Dunkelheit darin zu fühlen, und ich kann mir denken, daß ihm ein verständiger, billiger Umgang, der ihm durch die Geschichte der Völker sowohl als des menschlichen Lebens überhaupt die würdige, wahre Ansicht des Christentums eröffnete, sehr trostreich und beruhigend werden könnte; denn er hat Sinn für die Geschichte auch in höherer Bedeutung ...

Goethe mahnt mich in manchen Stücken an den Faust, nur daß umgekehrt bei ihm das Leben von der leichten, sinnlichen, genußreichen Seite anfing und nun erst aus Ermüdung und Verzweiflung gleichsam zum Grübeln und Tiefsinnen überschlägt. Daher das böse Wühlen in den *Eingeweiden* (möchte ich es nennen) des menschlichen Herzens in den „Wahlverwandtschaften"; daher selbst das Philisterwesen der Farbentheorie. Es käme nur darauf an, daß er das *rechte Grübeln und Forschen* ergriffe, so wie es beim Faust darauf ankam, daß er das rechte und nicht das *falsche, schlechte* Leben ergriff, um in sich selbst zu Einigkeit und Frieden zu gelangen.

Boi 143

1697. PAULINE GOTTER AN SCHELLING

Gotha, 24. Mai 1811

Der liebe alte Herr ist nun bereits wieder in seinem Böhmerwald, bei der Nymphe des Quells, nach der er sich sehr gesehnt hat, und wenn Frau von Staël neulich an unsern Herzog schreiben konnte: „J'ai soif de la mer", so kann man wohl auch von ihm sagen: „Il a eu soif du Sprudel." Bei dem heitern Wetter lebt er gewiß recht vergnüglich und durchstreift die schönen Fichtentäler, die in jenen Gegenden wahrhaft grandios zu nennen sind. Zum Abschied habe ich von Jena aus noch ein kleines Briefchen erhalten, was mir wert ist. Den ganzen Winter über war seine gewöhnliche Hausgesellschaft noch durch einen Künstler Raabe vermehrt, der ihn und seine Familie in Miniatur gemalt, meist zum Sprechen ähnlich. An der Spitze der frappanten Ähnlichkeit steht die Vulpiade. Goethe hat mit Hülfe dieses wirklich braven Künstlers viel von seinen italienischen Kunstsachen geordnet.

Schell II, 254 f.

1698. CHARLOTTE SCHILLER AN ERBPRINZESSIN KAROLINE

Weimar, Anfang Juni 1811

Unser Meister wird nicht lang in Karlsbad bleiben, sondern nach Teplitz gehen; so hat mir Meyer gesagt. Die dicke Ehehälfte haust schon dort, und ich bin ordentlich besorgt, daß die hohe Idee der Verehrung der dortigen nachbarlichen Welt vor den Meister nicht leidet, wenn sie dieses Bild des Lebens erblicken, das so ganz materiell ist und an das sich alles Gleichartige auch hängt. Habe ich doch schon Sorgen als Schlüsseldame für einzelne Freunde, und nun, wenn ein großes Publikum diesen Anblick hat! Daß ich indessen Urlaub habe, freut mich unter solchen Umständen.

SchFr I, 585

1699. CHARLOTTE SCHILLER AN ERBPRINZESSIN KAROLINE

Weimar, 1. Juni 1811

Von unserem Meister hör ich gar nichts und sehne mich recht darnach. Mit Frau von Stein ist in ihren Gedanken weniger Ideenverbindung mehr mit ihm, und sie schreibt ihm nicht und hat auch noch keinen Brief empfangen. Sie wissen, das ist periodenweis. Wenn es mir zu lange dauert, schreibe ich selbst einmal, sobald ich den „Hackert“ gelesen habe. Die gute Emilie [Gore] hat sich darüber erfreut, weil von dem guten alten Papa [Gore] darin vorkommt. Sie will mit mir darin lesen, weil sie viele Menschen kennt. Wenn ich es ihr vorlese, sagt sie, verstünde sie es.

SchFr I, 584

1700. KNEBEL AN SEINE SCHWESTER

Jena, 6. Juni 1811

Die gute [Emilie] Gore ... Die kleine Lebensbeschreibung ihres Vaters in Goethes neuster Schrift über Hackerts Leben hat ihr unendlich wohlgetan. Sie hat mir darüber die zartesten und empfindlichsten Worte geschrieben, die ich wieder an Goethe mitteilen will.

KnHe 544

1701. CHARLOTTE VON STEIN AN KNEBEL

Weimar, 21. Juni 1811

Vom Goethe habe ich gar nichts gehört, solang er fort ist. Ich glaube, er wird etwas mager am Herzen.

BodeSt VII, 93

1702. KNEBEL AN SEINE SCHWESTER

Jena, 3. Juli 1811

Goethe fand ich ein wenig hypochonder. Der Zufall der Herzogin geht ihm sehr nahe, auch scheint es, daß die Badewelt kein sonderliches Interesse ihm mehr gibt. Man hört jetzt nirgends mehr viel Gutes ...

KnHe 551

1703. KNEBEL AN SEINE SCHWESTER

Jena, 5. Juli 1811

Den gestrigen Abend brachte Goethe mit Riemern bei uns zu. Wir waren sehr heiter; auch lieferten uns die neusten Stadt- und Landgeschichten ... Unterhaltung zum Spaß ... So muß die Tollheit der Menschen zuweilen noch zur Lust dienen.

KnHe 552

1704. CHARLOTTE SCHILLER AN ERBPRINZESSIN KAROLINE

Weimar, 7. Juli 1811

Unser Meister ist wieder aus dem Bade, aber in Jena. Ich sehne mich, ihn zu sehen, um einen Begriff seiner Existenz zu haben, seiner poetischen nämlich, denn die reelle ist gar zu realistisch, und die Kugelform der Frau Geheimerat erinnert zu sehr an das runde Nichts, wie Oken die Kugel nennt, und ist doch ein Nichts von Leerheit und Plattheit. Wenn wir ihn in einer bessern Welt ohne dieses Bündelchen sehen können, wollen wir uns auch freuen, nicht wahr?

SchFr I, 586f.

1705. SULPIZ BOISSERÉE AN BERTRAM

Würzburg, 8. Juli 1811

Als ich in Karlsbad zur Geheimerätin Goethe kam, sagte sie: „Goethe ist abgereist; er hat mehrere Tage auf Sie gewartet und hatte sich sehr darauf gefreut, Sie hier bei sich zu haben, aber nachher konnte er nimmer länger warten. Er wird es Ihnen auch selbst geschrieben haben." Ihr könnt denken, daß ich über diesen Bescheid sehr verdrießlich war ... wenn Du aber hörst, daß der alte Herr seiner Frau gesagt hat: „Ich will nur schnell nach Jena eilen, um mein Buch fertig zu machen (den ersten Teil seiner Lebensgeschichte); nachher im September können wir dann vielleicht noch eben nach dem Rhein reisen" – wenn Du das hörst, wirst Du wohl nichts einzuwenden haben. Die Frau bat mich, ich sollte ihm nur recht zusetzen, er hätte mich sehr lieb, ich brächte ihn gewiß zu der Reise. Das will ich nun auch von Köln aus gleich tun ... Ich habe wirklich immer noch gezweifelt, daß der alte Herr so recht eingehen würde, aber nun scheint es ihm ganz Ernst zu sein. Ich merkte das an Meyer, der auch in Karlsbad war und äußerst freundlich gegen mich tat. Ich sagte ihm von der flüchtigen Äußerung wegen der Reise nach Köln, und er antwortete: „Das glaub ich recht gern, denn der Goehoeimderoth ischt soehr aemvänglich dafüer." Beim Weggehen sagte er mir: „Hob'n Soe Donk füer Ihre Erscheinoung!"

Bois 140

1706. KNEBEL AN CHARLOTTE SCHILLER

Jena, 9. Juli 1811

Er kam mit nicht ganz heiterem Mute von seinem gewöhnlichen Heilbade zurück, doch ein Geist wie der seinige ist schneller Heilung fähig, und so lebt er jetzt recht munter unter uns. Seine Geschäfte treibt er fortgesetzt wie immer, doch sind wir auch täglich beisammen ...

Goethe gedenkt, wie es scheint, diesen Monat bei uns zuzubringen, um einen Teil seiner vorhabenden Arbeiten zu vollenden. Hier findet er freilich die Ruhe, die an andern Orten etwas seltener ist, im Überfluß.

SchFr III, 324f.

1707. BERTRAM AN SULPIZ BOISSERÉE

Heidelberg, 15. Juli 1811

Ich habe von Goethen zwei Ansichten. Die erste ist aus den „Römischen Elegien" abstrahiert, wo für den edleren Sinn die ganze materia peccans gemeiner weltlicher Denkart sich offenbaret, wie ich das gegen [Friedrich] Schlegel in Paris, der es nachher in seiner Rezension bonnement angenommen, beständig behauptet habe.

Die schönere Gesinnung zeigt sich in der Freundschaft mit Schiller und dem *Prolog zum „Faust". Lies den* mit Aufmerksamkeit und frage Dich selbst, ob dieser Mann, der mit der höheren Empfänglichkeit für geistige Wechselwirkung unter dem chaotischen Vernichten und Wiedergebären der Zeit *einsam* dasteht, nicht das bessere Streben der Jugend freudig anerkennen wird, wenn es ihm die neu errungene Ansicht versöhnend und vermittelnd entgegenbringt, offen und frei, wie die Redlichkeit der Gesinnung es erheischt, aber auch ohne herben Widerspruch, und die gegründete Achtung für den seltenen Genius es fodert; daß der, welcher am mächtigsten auf seine Zeit gewirkt, in dem verödeten Gebiet der Poesie die Keime neuen Lebens überall aufgeregt und in den mannigfaltigsten Formen und Gestalten entwickelt hat, für das Bessere, was die Zeit in ihrem Fortschritte wirklich zutage gefördert, nicht ganz unempfänglich geblieben, das hat er oft durch Wort und Tat bewiesen. Seine kalte, vornehme Zurückgezogenheit mögen die ihm wenigstens nicht verargen, die, von revolutionärem Schwindelgeiste ergriffen, den Widerspruch schonungslos auf die höchste Spitze trieben und, als die gute Sache Raum gewann, den Erfolg nur nach individuellen Absichten zu lenken und als die Verkündiger des neuen Evangeliums die Richterstühle über Israel für sich einzig in Anspruch zu nehmen bemüht waren. Was hat denn der Alte für Wahl gehabt? Stupide oder absichtliche Bewunderer und Narren und Extravaganten.

Boi 142

1708. KNEBEL AN SEINE SCHWESTER

Jena, 16. Juli 1811

Goethe und Wieland sind zugleich hier ... Es sind jetzt so viel ganz verrückte Bücherschreiber, daß man es nicht denken sollte. Alle wollen Originale sein und was Außerordentliches sagen. Goethe seufzt darüber und sagt, ihr Talent bestehe in der Verrücktheit, und wenn man ihnen diese nähme, so bleibe ihnen fast nichts übrig...

Sonst haben wir auch noch eine andre Erscheinung vor einigen Tagen hier gehabt, nämlich den Maler Friedrich aus Dresden ... Er sieht ganz einem alten Germanen gleich ... Goethe preist sein Talent, aber beklagt, daß er damit auf irrem Wege ginge.

KnHe 552ff.

1709. CHRISTIAN GOTTLOB VON VOIGT AN BÖTTIGER

Weimar, 18. Juli 1811

Herr von Goethe ist schon seit drei Wochen wieder in Jena. Der zweite Band seiner Lebensbeschreibung ist schon gedruckt und geht bis auf die Studien in Straßburg. Es wird also ein großes Werk werden, de se ipso, und ein Gemälde, wie man gern von dem gegenwärtigen und künftigen Publikum angesehen sein will.

GoeJb I, 335

1710. CHARLOTTE SCHILLER AN ERBPRINZESSIN KAROLINE

Weimar, 18. Juli 1811

Am Sonntagnachmittag haben wir Knebel in Jena und unsern Meister besucht ... Der Meister war gar gut, freundlich, mitteilend und ernsthaft gestimmt mitunter, wie ich es gern habe. Er ist mit der Welt nicht im Frieden, scheint es, und sagt, er wollte ein indischer Einsiedler werden, wie die waren, die Apollonius von Tyana aufsuchte. Er sieht wohl aus, und keine Abspannung ist in seinen Zügen sichtbar.

SchFr I, 589f.

1711. CHARLOTTE SCHILLER AN ERBPRINZESSIN KAROLINE

Weimar, 30. Juli 1811

Diesen Morgen kam er zu mir und war gar freundlich und mild und mitteilend. Er fragte nach Ihnen, meine gnädigste Prinzeß, recht teilnehmend; da sagte ich ihm, daß ich Ihnen etwas aus den Mémoires [„Dichtung und Wahrheit"] vertraut hätte; da war er recht weich und sagte mit aller Tiefe und Güte seines Gemüts, ich sollte Ihnen von ihm viel Herzliches sagen. Ich sage es geradeso, wie er es gesagt hat. Ich habe neulich wieder den kleinen Kunstroman in den

„Propyläen“ gelesen: „Der Sammler [und die Seinigen]“. So etwas Grazioses und Heiteres und Verständiges in dieser Art gibt es nicht wieder. Das sagte ich ihm. Das freute ihn sehr, und ich fühlte, daß es ihn bewegte und freute. Karoline [von Schiller] und ich sollen zu ihm kommen und die Zeichnungen aus dem „Faust“ [von Nauwerck] sehen ...

SchFr I, 591

1712. KNEBEL AN CHARLOTTE SCHILLER

Jena, 31. Juli 1811

Wieland hab ich gestern besucht. Er sah recht wohl aus und war auch heiteres Gemüts. Er gab mir die Ursachen von dem Wechsel seines Aufenthalts auf einige Wochen an, und ich mußte ihm Beifall geben. Sie lassen sich leicht erraten.

Von G[oethe] sprachen wir nicht. Sie kennen aber Wielands Gemütsart. Es ist natürlich, daß er gegen das Außerordentliche sehr reizbar ist; harmoniert nun dieses nicht gerade mit seiner Ansicht und Stimmung, so ist er dagegen aufgebracht und überschreitet, da sich Phantasie dazumischt, öfter im Ausdruck das Maß. Derselbe Gegenstand darf sich aber nur wieder etwas in seine Ansicht fügen, so ist er ebenso zum Beifall und Lobe geneigt. G[oethe] hat freilich manches, das seinem Wesen und seiner Natur aufstößt, und ohne einige Eifersucht kann es auch nicht unter zwei berühmten Künstlern bleiben. Aber ich bin versichert, daß er ihn im Herzen doch sehr hochhält.

SchFr III, 325f.

1713. CHARLOTTE VON STEIN AN KNEBEL

Weimar, 31. Juli 1811

Goethe sah ich einigemal und finde ihn recht wohl und recht – kalt. Bei der großen Hitze, die wir zeither haben, kann man sich bei ihm abkühlen. Ich lasse gern jedem seine Art und weiß gar nicht, wie ich zu der Bemerkung gekommen bin; ... nur in Vergleichung mit Ihnen fiel mir das so ein!

BodeSt VII, 94

Berlin, Mitte August 1811

Die Unterhaltung nahm sogleich einen höheren Flug. Er ergriff die ganze deutsche Literatur der Vergangenheit und Gegenwart und ging mit Riesenschritten, indem er in großen Zügen, mit schnellen Strichen, aber höchst kräftig und mit lebendigen Farben malte, so daß ich mich nicht genug verwundern konnte. Von seinen eigenen Werken sprach er wenig und bescheiden, viel dagegen von den französischen Meisterwerken jeder Gattung, von den großen Männern, die die Ehre Frankreichs sind, von dem Glück seiner Sprache, von den schönen Genies, die sie immer handlicher gebildet hätten, von den gegenwärtigen Schriftstellern, ihrem Charakter und demjenigen ihrer Erzeugnisse. Kurz, ich war als Franzose gekommen, um dem schönsten Genie Deutschlands meine Huldigung darzubringen, und ich bemerkte alsobald, daß mir Goethe in Deutschland die Ehre Frankreichs machte. Man kann unmöglich mehr Geist mit mehr Bescheidenheit und jener Artigkeit verbinden, die auf das Wissen einen so liebenswürdigen Glanz legt. Ich sagte ihm, als von unserer Literatur die Rede war, daß wir uns in enge Schranken eingeschlossen hätten, aus denen wir uns nicht herauswagten, daß wir hartnäckig immer dieselben Straßen gingen, was andere Völker nicht täten. Er antwortete mir mit unendlicher Höflichkeit: er finde gar nicht, daß die Franzosen einen Widerwillen hätten, von ihren gewohnten Straßen abzugehen; sie seien nur kritischer als andere Völker, wenn es in Frage gebracht werde, neue Wege einzuschlagen. Sein Auge ist voller Feuer, aber von einem sanften Feuer. Sein Gespräch reich und überfließend, sein Ausdruck immer anschaulich und sein Gedanke selten alltäglich!

GoeRei 163f. Aus dem Französischen

1715. RIEMER AN FROMMANN

Weimar, 17. August 1811

Die Exkursion nach Erfurt ist ganz gut abgelaufen und reut uns nicht. Das Wetter wurde günstig, indem es sich um die Zeit, als der Zug in den Dom ging, sich aufhellte. Die Musik war wohl der Mühe wert. Das Lokal sehr günstig, und die besonders eingeübten Sachen, als die Symphonie aus der „Zauberflöte", machten sich vortrefflich. Die Frau von Heygendorf und Stromeyer sangen, wie ich mich nicht erinnere, sie gehört zu haben, und wurden erstaunlich applaudiert. Die Beleuchtung in der Kirche und der öffentlichen Gebäude war sehr anständig. G[oethe] speiste bei de Vimes, der von den Aufmerksamkeiten des weimarischen Hofs sehr zufrieden schien ... Den andern Morgen um 11 Uhr fuhren wir wieder ab, ohne die „Schöpfung" zu hören, weil es uns denn doch zuviel wurde, und auch, weil unsre Privatwohnung nicht sehr erfreulich war.

Rie 188

1716. RIEMER AN FROMMANN

Weimar, 22. August 1811

Wir arbeiten jetzt am sechsten Buche [von „Dichtung und Wahrheit"] ... Es liegt schon vor mir; nur ist ein anderer Eingang zu machen ...

Leider werden wir dieser Tage eine Unterbrechung haben. Arnim mit seiner Bettine kommt heran und hat sogar ein Quartier durch mich mieten lassen. Die Morgen wollen wir uns aber ungestört zu erhalten suchen.

G[oethes] Geburtstag, der 28., rückt heran, und ich möchte ihm gern eine Freude machen. Er ißt kein Obst weiter als Trauben und Feigen, letztere ungemein gern.

Rie 189f.

1717. CHARLOTTE SCHILLER AN ERBPRINZESSIN KAROLINE

Weimar, 25. August 1811

Ich muß Ihnen doch auch berichten, wie klug der Meister ist. Da er einmal seine dicke Hälfte im Bad mit hatte, so empfahl er sie der Obhut der Frau von Recke, der berühmten nämlich. Diese und ihre Nichte, die Fürstin Hohenzollern, haben sie protegiert und an alle öffentlichen Plätze eingeführt. Unter dieser Ägide ist ihr Ansehn und Ruf trefflich geblieben, und der Meister weiß seine Freunde zu brauchen. Jetzt hat sie hier keine brillante Bekanntschaft und ging neulich mit einem russischen Kurier und Sekretär [Lewandowsky], der überhaupt der Cicisbeo ist, während der Mann bei der Gesellschaft war, auf den Schießplatz. Seinetwegen würden wir sie gut aufnehmen, versteht sich; wenn sie sich aber selbst ihren Platz in der Gesellschaft sucht, wer kann das hindern? Wenn *er* nur nicht gekränkt wird! Das ist alles, was wir wünschen können.

SchFr I, 595

1718. PASSOW AN VOSS DEN JÜNGEREN

Jenkau, 29. August 1811

So nahmen wir von Eger bis Karlsbad einen ehrlichen Karlsbader Bürger in unserm Wagen mit; da der vernahm, daß ich von Weimar käme, fing er gleich von Goethe zu erzählen an, den er nie gesprochen, aber bisweilen in seinem Hause gesehn hatte, weil [Friedrich August] Wolf bei ihm wohnte. Ganz besonders aber erfreute mich der Scharfrichter von Eger, der eine schöne Münzsammlung hatte und zu dem Goethe deshalb einigemal gekommen war. Wenn der alte ernsthafte Mann an den Kasten kam, in dem er ein kleines Goldstück bewahrte, das Goethe ihm geschenkt hatte, wußte er gar in seiner Begeisterung sich nicht zu lassen und kam immer darauf zurück: es hätten ihn wohl allerlei Fürsten und Prinzen besucht, aber ein solcher Herr, der so ganz was Absonderliches wäre wie der Herr Geheime Rat, sei ihm doch all seine Lebtage nicht vorgekommen, und konnte er gar nicht wieder loskommen von Goethes ganz absonderlichem Wesen. Vor so gesunden Naturen, die gleich unbestochen sind von Eigensucht wie von Mode und nachbetendem Vorurteil, steht man recht klein da mit seinem bißchen mühsam erworbener Bildung, die einem endlich zur Anerkennung des Herrlichsten und Höchsten verhilft. Denn wer steht uns dafür, daß uns Goethe durch seine einfache, ruhige Gegenwart, die so gar geräusch- und prunklos ist, ebenso ergreifen würde wie den Egerschen und Karlsbader Bürgersmann, wenn wir keine Zeile von ihm gelesen hätten? Denn daß uns jetzt in seiner Nähe hoch und frei ums Herz wird, das danke uns der Henker!

Pas 151

1719. ERBPRINZESSIN KAROLINE AN CHARLOTTE SCHILLER

Ludwigslust, 5. September 1811

Gestern abend sind nicht die Fäuste [„Faust"-Zeichnungen von Nauwerck] angelangt, aber die Hiobspost, daß in Lüneburg die Douaniers sich eines Pakets an mich bemächtigt haben, und ich zweifle nicht, daß dieses meine Fäuste sind. Nun wird heute mein Brief an den Meister anstatt mit süßen Worten mit bittern angefüllt werden, daß er nicht für seine Kunstwerke den sicheren Weg über Leipzig und Berlin gewählt hat, sondern den höchst unsicheren durch das französische Reich. Das hat man von seiner Anhänglichkeit an das rote Bändchen! Es wird gewiß noch mehr Anstände über Meister und Lehrlinge bringen. Inzwischen hoffe ich doch, daß nach Verlauf von acht Tagen ich mein Eigentum aus den Händen der Räuber reißen werde. Daß der Meister die dicke Hälfte im Karlsbad sicherzustellen wußte, ist indessen nicht ungeschickt von ihm, und ich lobe ihn darum. Könnte er sie nur auch zur neuen Erscheinung in Weimar machen und ihr dadurch einen Standpunkt geben, der ihm und seinen Freunden bequemer wäre!

Kaum hatten Sie mir den Kunstroman [„Der Sammler

und die Seinigen"] in den „Propyläen" genannt, nahm ich auch meine „Vorhallen" zur Hand, die ich zwar schon seit einiger Zeit mir angeschafft, aber noch nicht hineingesehen hatte. Außerordentlich bin ich dadurch befriedigt. Aufs neue habe ich den Meister liebgehabt und verehrt. In ihm verehre ich immer den Schöpfer in seinem Geschöpf, in der Fülle seiner Natur sehe ich den Widerschein des Reichtums der ewigen Natur. Wie vor einem hohen Gebirge stehe ich vor ihm, das ich nicht zu erklimmen vermag, nicht zu studieren, nicht durchzukommen, das mir aber das Herz erhebt, nach dem ich blicke und sage: „Mein Heil kommt von den Bergen!", und dessen hohen Empfindungen, die mir's einflößt und die mir doch hin und wieder das Verständnis öffnen, ich treu mich hingebe. Ihnen kann ich es sagen, dem Meister nicht. Plump hingesetzte Lobsprüche schmecken so schlecht als der Tadel. Auch lobe und preise ich da eigentlich nicht den Meister, sondern nur seine Natur.

SchFr I, 595f.

1720. PAULINE GOTTER AN SCHELLING

Drakendorf, 7. September 1811

Die Herausgabe des „Wilhelm Meister" [die „Wanderjahre"] wird vorderhand noch unterbleiben. Dagegen erscheint Michaelis der erste Band seiner Biographie. Mit dem Titel hat er sich vorgesehn, und wie es hieß „*Zur* Farbenlehre", so heißt es diesmal: „*Aus meinem Leben*", ja vielleicht mit dem Zusatz: „*Wahrheit und Dichtung*"... In die ersten zwanzig Bogen bin ich so glücklich gewesen zu blicken und nun erst recht begierig auf das nächste. Es ist eine Grazie in der Erzählung der unbedeutendsten Zufälle, die nur aus Goethes Feder fließen kann und die einen entzücken muß. Oft hätte ich ihn in der Freude meines Herzens in die Arme schließen mögen, als die einzige Äußerung, die uns Menschen herzliche Empfindungen als wirkliche aus dem Herzen kommende nur einigermaßen zur Genüge ausdrückt. Mit den kleinsten Vorfällen seiner Kindheit wird man nach und nach vertraut, und es ereignet sich alles (möcht ich sagen) fast sichtbar vor unsern Augen, daß man eben sich zuletzt einbildet, man hätte es mit ihm erlebt.

Schell II, 264f.

1721. RIEMER AN FROMMANN

Weimar, 11. September 1811

Er speist jetzt die Woche dreimal am Hofe und war gestern auch bei dem Souper, was der Klub zum Beschluß im Schießhause gab. Heute ist er wieder bei Hofe.

Die Schauspieler sind nun wieder zurück. Das Theater, d. h. die Bühne, ist erweitert und wird auch dem Gesang zuträglich sein ...

Der Komet erregt alle Nächte unsere Betrachtung.

Rie 192f.

1722. ARNIM AN BRENTANO

Weimar, 14. September 1811

Hier in Weimar fand ich alles in Festen. Riemer hatte uns eine allerliebste Wohnung am Park gemietet. Goethes, des Herzogs, Wielands Geburtstag folgten aufeinander; es war Vogelschießen; ich ließ mich bei Hofe vorstellen; Bettine wollte nicht. Von Goethes „Leben" erscheinen Michaeli zwei Bände; nach allem, was ich davon höre, in vieler Hinsicht sehr zurückhaltend, aber doch sehr merkwürdig. Auf ihn scheint dies Beschreiben seines Lebens dahin gewirkt zu haben, sein Leben aufzugeben; wenigstens sagt er es. Auch nimmt er bei aller Freundlichkeit den wenigsten Anteil an allem Neuen in der Welt und wehrt sich vielmehr dagegen. Die Frau macht ihm wohl manchen Kummer und entfremdet ihn von den Menschen.

ArnB 288f.

1723. CHARLOTTE VON STEIN AN KNEBEL

Weimar, 18. September 1811

Eben hatte mich Goethe im Schreiben unterbrochen ... Ich war etwas im Streit mit ihm über Frau von Arnim, eine geborene Brentano, die ihn anbetet, die er sogar veranlaßte hierherzukommen und die er bitter gekränkt hat. Freilich mag wohl seine Frau schuld daran gewesen sein. Das kleine närrische Wesen, nämlich die Arnim, hat mir sehr wohl gefallen und allen, die sie gesehen haben. Auch hatte er sie mir sonst sehr gelobt. Es ist schlimm für seine Freunde, daß er alle Liebe für einen Irrtum des Herzens hält. Wir wollen nicht so denken!

BodeSt VII, 96f.

1724. CHARLOTTE SCHILLER AN ERBPRINZESSIN KAROLINE

Weimar, 19. September 1811

Seit vierzehn Tagen sind Arnims hier. Er ist graziös, liebenswürdig wie sonst ... Die Frau ist recht geistreich und lebendig und erzählt vortrefflich. Sie ist viel stiller geworden, als sie sonst war, und da kann ich auch mit ihr fortkommen. Sie liebt den Meister auf eine rührende Weise, aber denken Sie nur, daß ihr die dicke Hälfte das Haus verboten, de but en blanc eine Zänkerei in der Ausstellung angefangen und ihr gesagt hat, sie würde sie nicht mehr sehen usw. Die Bettina ist eigentlich bloß des Meisters wegen hier, freute sich auf ihn, sehnte sich, ihn zu sehen, und seit diesem Vorfall nimmt er auch keine Notiz von ihr. Sie hat ihm vorgestern geschrieben, gesagt, sie wollte der Frau ihr Betragen ganz vergessen, er würde ihr immer lieb bleiben. Und er antwortet nicht, kommt nicht! Das ist eines meiner Leiden, denn die Frau wirft mir nun auch alle Tage Brocken hin über Herzlosigkeit und Schwäche des Meisters. Die Frau sieht ihn gar nicht wie ich. Verteidigen kann ich ihn nicht und doch auch nicht verdammen.

SchFr I, 597f.

1725. ARNIM AN WILHELM GRIMM

Berlin, 22. September 1811

Du weißt, daß zu Michaeli schon zwei Bände seiner Lebensgeschichte erscheinen; es scheint nun, daß diese Erinnerung seiner Jugend ihn in seinen Gedanken plötzlich mit Absicht alt macht. Während er sonst mit einer Art Absicht alles mit zu umfassen strebte, so tut er jetzt, als ob er alles von sich hielte, und es war oft bis zum Lächerlichen, wie er bei allem Neuen in der Kunst, wovon ich ihm sprach, immer sagte: „Ja, das sind nun recht gute Späße, aber sie gehen mich nichts mehr an." Einmal kam er darin so weit, daß er mir weismachen wollte, er kümmere sich um weiter nichts als um die alten griechischen und römischen Pasten. Es scheint aber seine Arbeitsmethode, daß er sich mit Absicht in einem Studio isoliert ... Mehrmals sagte er mir, daß er die Welt jetzt durch andre berühre ... Ich komme immer wieder in meinen Gedanken auf Goethe zurück. Du glaubst nicht, in welcher kuriosen Umgebung er lebt. Durch die Frau von allen rechtlichen Menschen in Weimar abgeschnitten, die nun alle Schuld auf ihn werfen, ihn herzlos und charakterlos nennen, scheint in ihm ein künstlicher Stolz und eine tiefe Zerknirschung abzuwechseln. Denk Dir, daß er vor vier Wochen in Jena heimlich kommuniziert hat und gegen mich mit einem Spott vom Christentum sprach als von etwas Abgetanem. Seine älteste Geliebte, eine Frau von Stein, schwört darauf, er werde Herrenhuter. Sonderbar ist's, daß ich in Berlin, als die Nachricht kam, ein berühmter Gelehrter sei katholisch geworden, gegen Steffens behauptete: wenn Goethe auch nicht katholisch würde, er würde gewiß fromm. Aus den Stanzen auf Schiller [„Epilog zu Schillers ‚Glocke'"] hat er bei der Wiederaufführung alles, was auf Vaterland Beziehung hat, ausgestrichen. Was das Geschichtliche von Deutschland und Nationelle [anlangt], so scheint er in einer ähnlichen kuriosen Verwirrung wie Johannes Müller. Kurz, ich bin fast niemals ohne eine Art Verzweifelung von ihm gegangen, indem ich deutlich fühlte, er habe unrecht, aber ich sei nicht der, welcher es ihm beweisen solle.

ArnG 146f.

1726. PAULINE GOTTER AN IHRE MUTTER

Drakendorf, 25. September 1811

Arnims sind von W[eimar] fort, und ich habe Euch eine köstliche Geschichte von ihnen zu erzählen, einen Zank betreffend zwischen Bettina und der Frau Gemeinerätin. Ihr lacht Euch tot, wenn Ihr's hört. Dank sei's der Vulpiade; ich habe nun nichts mehr von dieser Nebenbuhlerin zu befürchten. Goethe hat sie nicht wieder sehen wollen!

Got 38

1727. CHARLOTTE VON STEIN AN IHREN SOHN FRIEDRICH

Weimar, 29. September 1811

Goethe hat mir den ersten Teil seiner Mémoires geschenkt, aber noch unter dem Siegel des Geheimnisses, und doch läßt er's drucken; vielleicht will er's noch an jemand Vornehmes dedizieren. Das Exemplar war ohne Titel irgendeiner Art. Es ist sehr unterhaltend, aber ich könnte nicht gegen das Publikum so offen sein in seiner Stelle.

Die Arnim mit ihrem Mann ist wieder abgereist und hat sich mit Goethen entzweit, nach allem Vermuten durch einen Klatsch, den die Goethen gemacht hat. Die Arnim hat mich recht gedauert. Sie sagte, es sei ihr, als wenn ihr das Liebste aus ihrem Herzen hier sei begraben worden; denn sie betet den Goethe an.

Stein II, 354

1728. CHARLOTTE SCHILLER AN ERBPRINZESSIN KAROLINE

Weimar, 3. Oktober 1811

Von unserem Meister kann ich einmal nicht viel sagen, denn ich sehe ihn nicht. Ich war anfangs betreten und fürchtete, man hätte mich auch mit in das Ungewitter gezogen ohne Schuld; aber ich denke es doch im Ernst nicht und halte es nur für Ungeschicklichkeit von seiner Seite und für andere

Ursachen, die ihn unter anderem bewogen haben, mir einen Platz in meiner ehemaligen Loge anzubieten. Diesen habe ich nicht angenommen und ihm die Gründe geschrieben, denn ich kann mich an diesem Platz im Leben nicht mehr erfreuen, warum sollte ich das Schauspiel da aufsuchen? Ich gehe jetzt auf den Balkon. Die Menschen, die sich alles gleich deuten, werden wohl auch sagen, die dicke Hälfte habe mich aus der Loge des Mannes vertrieben. Aber er hat mir geschrieben, daß er sich einige Zeit als ein Einsiedler halten müßte usw. Ich schreibe Ihnen einmal das Billett ab. Ich habe ihm freundlich geantwortet und ihm gesagt, warum ich in meine ehemalige Loge nicht gehen könne; ich hätte aber ihn immer fragen wollen, ob er, da sein Sohn hier ist, nicht lieber en famille wäre. Ich saß freilich sehr gern bei ihm, denn wir haben manches schöne Gespräch geführt. Anfangs, da eben Arnims noch hier waren und ich alle Tage bald die Bettina klagen, bald meine Schwester [Karoline von Wolzogen] schimpfen hörte, wurde ich auch betreten und dachte mir alles viel ernstlicher. Ich sage meiner geliebten Prinzeß alles, wie es in mir vorgeht, aber ich warte ordentlich sehnlich auf eine Ebbe, denn die Flut des Klatschens ist *ungeheuer.* Die ganze Stadt ist in Aufruhr, und alles erdichtet oder hört Geschichten über den Streit mit Arnims. Da die Bettina mit der dicken Hälfte doch viel war im Anfang und mit einer andern Macht [Karoline Jagemann] auch, so mag eine unendliche Tiefe des Klatsches entstanden sein, da die beiden Damen sich doch des Theaters wegen nicht lieben. Wer da alles hineinverflochten ist, weiß der Himmel. Ich kann nichts tun als schweigen und dem Meister dadurch zeigen, daß ich in kein unwürdiges Licht gegen ihn mich stellen mag, aber auch mir nichts vergeben kann. Zuweilen denke ich, die Frau will ihn ganz isolieren, um ihr Wesen mit ihren Kindern – das sind die Schauspieler – nach Lust zu treiben, und sie fürchtet einen jeden Umgang, wo sie nicht in Anschlag kommen kann. Auch habe ich sie zuweilen gestört, wenn er nicht in der Loge war und sie hatte Besuch dorthin bestellt. So suchte sie Lewandowsky sehr oft auf; deswegen könnte sie auch etwas über mich ausgesprochen haben, was nicht wahr wäre. Die Wahrheit wird am Ende siegen.

Ich habe Meyer gesagt, wenn er vernähme, daß der Meister auch von mir vorgefaßte Meinungen hätte, so möchte er zu meinem Besten reden. Das hat er mir versprochen. Er ist jetzt beinahe alle Abende bei ihm.

Zu Frau von Stein kommt der Meister auch zuweilen früh; ich traf ihn nur noch nicht. Ich werde immer dem Epigramm treu bleiben, das ich Ihnen schrieb; aber ich bin doch zuweilen, wie im „Werther" steht, als hätte man mir meinen Degen abgenommen, wenn ich nicht recht weiß, was der Meister von mir denkt.

SchFr I, 601 f.

1729. ERBPRINZESSIN KAROLINE AN CHARLOTTE SCHILLER

Ludwigslust, 10. Oktober 1811

Die Geschichte von unsers Meisters Hälfte und der Bettina hat hier in der Kolonie Zwistigkeiten angerichtet. Ich bin nicht mit des Meisters Verfahren zufrieden, wundere mich aber nicht darüber und verkenne ihn deswegen nicht und lieb ihn deswegen nicht weniger. Denn ich sage: Wer Dreck anfaßt, besudelt sich ..., und daß er den angefaßt hat, weiß ich schon lange und habe ihn trotzdem doch immer frischzu geliebt ... Fräulein Knebel aber will mir das Tun in sich selbst entschuldigen, will gar finden, daß Goethe recht habe und daß sie es sehr natürlich fände, sich eine in Liebe zudringliche Dame wie Bettina vom Halse zu halten. Ich gebe ihr hierin gar nicht recht und bedaure nur die arme Bettina, weil ich zu ihren Ehren glauben will, daß ihr das Verfahren leid tut. Ich bedaure den Meister, der sich dem T. ergeben hat. Bedaure die arme Lolo, die notwendigerweise um ihn leiden muß, und bedaure von uns einen jeden der Eidgenossen des Schutz und Trutzes, die nun doch ins Gedränge kommen, denn am Ende gehören Arnims trotz aller ihrer Liebe doch nicht so ganz zu unserem Bündnis, und wenn's auf Schutz und Trutz ankommt, mögen sie und können nicht vom losen Maule lassen.

SchFr I, 603

1730. VOSS DER JÜNGERE AN CHARLOTTE SCHILLER

Heidelberg, 19. Oktober 1811

Meine Eltern sind sehr froh, Sie, verehrte Freundin, wiedergesehen zu haben ... Aber über Goethens Aufnahme sind sie nicht froh gewesen. Ich gestehe Ihnen, daß mich lange nichts so sehr gekränkt hat. Meine Aufnahme war, wie ich hinterdrein merke, im Grunde auch sehr kalt. Ich merkte das nur damals nicht, weil meine Freude, den Mann wiederzusehen, zu groß war und weil er wirklich das zweite und dritte Mal anders war. So wäre er auch meinem Vater geworden; aber dem verdenke ich's nicht, wenn er es nach dem ersten Mal nicht zum zweiten Mal versuchen wollte. Daß mein Vater ihm (zum mildesten gesprochen) gleichgültig geworden ist, sehe ich deutlich; auch fand ich, was ich meinen Eltern nicht sagen will, im Gartensaale seine Büste nicht mehr, die ihm ehemals so teuer war. Wie würde Schiller sich gefreut haben, meine herrlichen Eltern wiederzusehen!

SchFr III, 254f.

1731. PAULINE GOTTER AN SCHELLING

Gotha, 23. Oktober 1811

Goethen mochte ich nicht nach ihr [Bettina von Arnim] fragen. Er will nichts mehr von ihr hören und sehn nach einem heftigen und pöbelhaften Streit, der sich zwischen ihr und Frau von Goethe an einem öffentlichen Orte begeben hat. Daß die Gemeinheit nur von *einer* Seite obwaltete, hoffe ich zu Bettinens Ehre; wenigstens ist es nur von dieser zum Handgemenge gekommen, wenn man so sagen will, indem sie der unglücklichen Bettine die Brille von der Nase gerissen und auf dem Boden zertrümmert hat. Es wäre wohl zu wünschen, daß sie jedermann so die Augen über sich öffnete, wenn auch auf eine etwas sanftmütigere Weise.

Schell II, 268

1732. ARNIM AN RIEMER

Frankfurt, 28. Oktober 1811

Daß es Goethe leicht gewesen wäre, ohne seiner Frau etwas zu vergeben, meine Frau für ihre langgehegte fromme Anhänglichkeit tröstend zu belohnen und mit ein paar Worten für die erlittene Kränkung zu entschädigen, wird Ihnen eingeleuchtet haben ... Gern hätte ich ihm am Hofe noch ein paar Worte zum Abschiede gesagt; er vermied es aber, ungeachtet er mich freundlich begrüßte.

GoeRom II, 277

1733. KNEBEL AN SEINE SCHWESTER

Jena, 31. Oktober 1811

Goethe war eben bei mir, der den Einfall bekam, mittags herüberzufahren, und abends nach 8 Uhr im Mondschein wieder zurückfuhr. Ich fand diese Visite recht artig ...

Goethe wird noch etwas zurückgezogener und, wie ich merke, mit den Menschen eben nicht zufriedner. Dies läßt sich bei seiner Weise und bei dem mehrern Hofleben, das er nun führt, wohl denken. Er schützt sich dagegen mit Arbeiten und Beschäftigung, und diese, da sie ihm glücken, sind freilich eine gute und mächtige Notwehr. Der Gedanke, seine Lebensgeschichte zu schreiben, kommt ihm dabei wohl zustatten, da er, wie er mir selbst gestern sagte, zu dem Höhern und Poetischen jetzt schwerlich im Geiste gelangen dürfte.

KnHe 573f.

1734. KNEBEL AN SEINE SCHWESTER

Jena, 1. November 1811

Goethe hatte mich vorgestern zum besten. Er reiste nicht ab, und ich brachte den gestrigen Abend bei ihm zu.

KnHe 575

1735. JAKOB GRIMM AN ARNIM

Kassel, 1. November 1811

Ich habe nun eben den ersten Teil von Goethes „Leben" gelesen, und es ist natürlich wieder ein außerordentliches und schönes Buch. Wenn es mir erst schien, als ob auf den anmutigen, reizenden Eingang es in der Mitte hin ärmer würde, so ist das letzte Drittel wieder herrlich, und ich nehme alles zurück. Es kam auch daher, weil ich mir wohl das Ganze enger und stärker gedacht hatte. So aber ist mir diese Weitläufigkeit viel lieber, und ich freue mich auf die nachfolgenden zwölf Teile, wenn sie nur herauskommen. Das Epische, Gründliche, Historische ist ja immer das Weitaufgenommene, von Farbe Himmelblaue, das in der Nähe vergeht, je ferner man aber davon rückt, desto duftiger wird. So wird dieser erste Teil, aus den folgenden besehen, immer an Interesse zunehmen. Der Zusammenhang mit seinen Schriften ist schon an vielen Orten deutlich und angenehm zu wissen. Er und Gretchen ist Wilhelm und Mariane, außerdem auch Gretchen in den „Faust" und als Klärchen in „Egmont" eingegangen. Ich möchte nun Deine Frau erzählen hören, die so vieles von der Mutter gehört hat und sicher von andern Seiten. Überhaupt für Frankfurter muß das Buch mit seiner lebendigen Lokalität einen großen Reiz mehr bekommen. Die ganze Krönungsfeierlichkeit ist ausnehmend erzählt und von ihr und dem Siebenjährigen Krieg ein reines historisches Bild gegeben. Er muß eine bewunderungswürdig gedächtnisreiche Seele haben. Seine Individualität ist mir häufig nicht das liebste; das heißt, ich hätte an seiner Stelle da und da nicht so sein können und mögen, und es ist mir einigemal lieber, was er von andern erzählt ... Eine Menge Eindrücke, die er hätte beschreiben können, weil er sie doch gewiß erlebt hat, findet man nicht beschrieben, und sie haben ihn daher nicht so berührt, zum Beispiel die Konfirmation. Was mir am wenigsten gefällt, ist das Knabenmärchen [„Der neue Paris"] ...

Was Du nun von ihm, besonders im vorletzten Brief, schreibst, ist freilich kurios, und es war mir einiges darunter unerwartet und leid. Ihn selbst kann ich mir einmal unmöglich anders als gut, lieb und darum auch recht denken. Was er für sich selbst tut, ist ihm gewiß notwendig, und ob es mich gleich überraschte, so finde ich es doch nicht tadelnswert, daß er sich von dem Äußeren abwendet und zu sich selber sammelt. Es ist das ein uralter Trieb, der alle alte Helden aus dem Geräusch in die Einsamkeit zieht. Sein Abweisen des Äußeren und Neuen ist daher erklärlich; nur daß er es nicht mit Liebe und manchmal mit Spott tun soll, mir nicht verständlich noch erfreulich. Besonders da er mit seiner Ruhe Mißverständnisse, die wohl andere befangen können, leichter zu ebenen und zu überschauen imstand ist ... Daß er viele herrliche Sachen nicht anerkennt, oder nicht genug, und seine Herrlichkeiten darüber setzt, heißt nichts anders als das Gewöhnliche, daß kein Mensch alles zusammen begreifen und lieben kann. Schätzt er also meiner Meinung nach die altdeutsche Poesie, die deutsche Geschichte zuwenig, so betrübt mich das insofern gar nicht, als es meine andere Überzeugung davon nicht widerlegt. Ja ich fühle, daß ich die römischen Pasten und antiken Monumente ebenfalls viel höher achten würde, wenn ich sie genauer studierte; denn in allem Einzelnen ist Liebe und Segen möglich, allein nicht in allem zusammengenommen, wo er sich zerstreuen würde.

ArnG 152ff.

1736. WILHELM GRIMM AN ARNIM

Kassel, 1. November 1811

An Goethes „Leben“ hab ich mich in diesen Tagen sehr gefreut. Ich sehe, daß der Jakob schon manches darüber geschrieben, was auch meine Meinung ist. Ich glaube nicht, daß es ein solches Buch gibt, was so einfach ansprechend und so bedeutsam zugleich ist. Ich könnte mir denken, daß, wenn man die zart und süß poetische Klasse, der es Langeweile machen wird, übergeht, es ein allgemeines Lesebuch werden könnte, wo dann nur die Erzählung der biblischen Geschichten in dieser Manier wegbleiben müßte. Die Liebesgeschichte mit der Gretchen ist von ganz unbeschreiblicher Anmut und Lieblichkeit ...

Nachdem ich dieses Buch von Goethe gelesen, ist mir noch mehr unbegreiflich, was Du von ihm schreibst. Welche milde Gesinnung, welche Achtung gegen das ganze Streben ... ist darin ausgedrückt! Nehm ich dazu, daß er selbst so oft gegen das Isolieren gewarnt und gegen absichtliches Ausschließen und Geringhalten, so ist mir sein Urteil gegen Görres' Buch ... unerklärlich. Es ist gewiß, daß Goethe, wie jeder, unwillkürliche Vorliebe und Abneigung für manches haben wird. Zuweilen denk ich, daß der Riemer, gegen welchen ich zum Beispiel eine solche unwillkürliche Abneigung empfinde, ihm dies abgelauert und ihn, um sich zu empfehlen, in solchen Gesinnungen bestärkt und ihm nur das, was Goethe das Bequeme nennt, vor die Augen rückt. Ich glaube, der größte, sicherste Geist mißtraut seiner Ansicht; aber er wird fest darin, wenn er sie in einem andern ebenso erblickt und meint, sie sei auch lebendig in diesem entstanden. Riemer hat mir als Goethe geschrieben ... Der [Friedrich August] Wolf, dem Reichardts nachsagten, er habe viele Westen angetan, um Goethe in der Korpulenz zu gleichen, auch den Leib so vorgestreckt, ist mir viel angenehmer und unschuldiger auf diese Art ...

Hast Du in dem Taschenbuch „Urania" ein Bruchstück aus Reichardts Denkwürdigkeiten seines Lebens gelesen? ... Da Kotzebue ebenfalls seine Lebensgeschichte herausgibt, so erhalten wir in diesen dreien einen merkwürdigen Zyklus, der viel Vergnügen auf die verschiedenste Art machen wird. Wie reines Gold wird Goethe sein; Reichardt wie stark poliertes Messing, das ebenso aussehen soll, das man aber am Geruch erkennt, wenn man's anrührt; und Kotzebue wie Blei, das durch vieles Umschmelzen endlich ganz verbrennt wird.

ArnG 157f. und 160

1737. KNEBEL AN SEINE SCHWESTER

Jena, 4. November 1811

Vorgestern nahm mich Goethe mit zu einer hübschen Spazierfahrt, wo es um die Mittagszeit so schön war als am schönsten Frühlingstag. Die Felder sind grün, und einige

Früchte, als Erbsen und dergleichen, blühen sogar. Häufig fanden wir die Blumen am Wege, und die ganze anmutige Gegend zerfloß in einem duftigen Frühlingsschimmer …

Ich hatte gestern mit Goethe eine artige Unterredung, worin er mir sagte, daß er sich nie in seinem Leben eines *zufälligen* Glückes habe rühmen können und daß er solches auch im Spiel erfahren, wo ihn das Glück durchaus fliehe.

KnHe 575ff.

1738. ARNIM AN DIE BRÜDER GRIMM

Frankfurt, 19. November 1811

Über Goethes „Leben“ spreche ich das höchste Lob in allem, was Frankfurt darstellt. Von ihm selbst, von Eltern und Schwester erhält man nirgends ein Bild. Offenbar hatte er das meiste vergessen, manches absichtlich verändert. Das Märchen [„Der neue Paris“] ist, bis auf den Schluß mit Tafel, Baum und Brunnen, neu erfunden. Die biblische Geschichte stimmt auch nicht in die Zeit und noch weniger in das Buch. Es tut einem leid, daß die Mutter nicht mehr lebt; die würde prächtige Anmerkungen und Berichtigungen hinzugefügt haben: Sie war es, die vom Prellstein den Kaiser begrüßt hat. Ein großer Mangel ist die Auslassung aller Jahrzahlen. Da verwirrt sich auf eine eigne Art Knaben- und Jünglingsalter, und er läßt einem den kuriosen Eindruck bald von einem vorzeitigen Knaben, bald von einem leeren Jüngling, weil die verschiednen Anekdoten so ineinander verlaufen. Die Geschichte mit Gretchen ist so herrlich erzählt, als er je einen Roman erzählt hat. Auch hat er die Krönung gar sinnreich zwischengeschoben. Wahrscheinlich ist es aber wohl nicht, daß während derselben, wo der Magistrat in einem steten Andrange wichtiger Anfragen, wo die Stadt damals mit Tausenden von Vagabunden aller Art angefüllt, zu einer Zeit, wo fast noch keine Polizeieinrichtung bestand, die Zusammenkünfte von einigen jungen Leuten so belauscht und aufgesucht worden wären.

ArnG 164

1739. CHARLOTTE SCHILLER AN ERBPRINZESSIN KAROLINE

Weimar, 23. November 1811

Des Meisters „Leben" klingt nicht dem großen Haufen, merke ich, und es wäre mir leid, weil er empfänglich für die äußeren Stimmen ist. Mit rechter Wärme, wie man es ergreifen soll, fürchte ich, wird es nicht aufgenommen; sonst sprächen wohl alle Menschen davon. Sie wird es freuen und ansprechen, nicht bloß, weil es vom Meister ist; es ist so ein reiches, schönes Gemälde des Lebens, der Verhältnisse jener Zeit, und er selbst steht als Gegenstand lieblich und freundlich da. Ich finde es musterhaft erzählt und so heiter gestellt und begreife gar nicht, wie man sich nicht daran freut und so, wie man sich über nichts mehr freuen kann; denn es gibt doch nur einen Meister. Ich weiß nicht, ob ich mich täusche oder ob die Welt kalt ist; aber mich dünkt es so, als spräche man nicht genug davon. Ich glaube, die Welt wird so albern und hat kein Urteil mehr. Wenn Goethe selbst nichts darüber sagt, so weiß man nicht, was man sagen soll. Und über sich selbst kann er doch nichts sagen. Daß man die „Farbenlehre" nicht mehr anerkennt, schmerzt mich auch. Ich wollte, der Meister wäre so höfisch gewesen, als Sie unter uns lebten, geliebter Engel! denn Sie hätten ihn und er Sie erfreut. Er ist gar oft an Tafel.

SchFr I, 608

1740. WILHELM GRIMM AN ARNIM

Kassel, 26. November 1811

Von Deinem Tadel über Goethes Buch [„Dichtung und Wahrheit"] leuchtet mir ein, was Du sagst, daß man von ihm kein rechtes Bild bekomme und von der Mutter auch nicht. Mir ist das im Lesen auch ähnlich eingefallen; doch hab ich geglaubt, daß die Fortsetzung hier alles auseinandersetzen und anordnen wird. So glaub ich sicher, daß er ausdrücklich angeben wird, man habe ihn bloß mit der Polizei erschreckt; angedeutet wird es wenigstens schon. Von dem Vater und dem Großvater hab ich hingegen eine deutliche Vorstellung, bis zu ihren Umgebungen. Seltsam ist die Nachricht von seinem Katholischwerden. Der Louis [Ludwig Emil Grimm] hat sie von München als Gewißheit geschrieben, und hier der Buchhändler Thurneißen hat uns mit dieser Neuigkeit dienen wollen.

Unbegreiflich ist mir seine Freundschaft mit einem Manne [Karl Friedrich Graf von Reinhard] hier, den ich zwar nur gesehen, der mir da einen unangenehmen Eindruck gemacht hat, den aber der Jakob mir bestätigt, der ihn gesprochen. Verstand mag er haben, doch nicht soviel, um den Hochmut abzulegen.

ArnG 167f.

1741. PAULINE FÜRSTREGENTIN ZUR LIPPE AN HERZOG FRIEDRICH CHRISTIAN VON AUGUSTENBURG

Detmold, 28. November 1811

Wäre der Verfasser dieses Werkes [„Dichtung und Wahrheit"], von dem nur der erste Band heraus ist, weniger berühmt, so würde man kaum davon reden, und man würde es übel finden, daß er uns die Geschichte seiner Jugend verspricht, uns dagegen die Geschichte der Erzväter, das Krönungsprotokoll Josephs des Zweiten und ein Feenmärchen, das ich nicht so schön finden kann, wie man sagt, in den Kauf gibt.

Bode II, 338f. Aus dem Französischen

1742. RAHEL LEVIN AN FOUQUÉ

Berlin, 29. November 1811

Vor vielen Jahren, als wir noch nicht so sehr liiert waren und er [Louis Ferdinand Prinz von Preußen] nur viel zu mir kam, attackiert' er mich über Goethe. Ich sprach *nie* von Goethe. Fing mich in einer Türe und dozierte, wie schlecht „Egmont" sei, sehr lange, mir zur marterndsten Langenweile, weil ich nur der Schicklichkeit fünf Worte opferte und gar nicht antwortete. Wie Goethe einen Helden habe *so* schildern können! In einer miserablen Liebschaft mit solchem Klärchen usw. Ein Jahr vor seinem Tod schrieb er aber seiner Geliebten [Pauline Wiesel], er sei vom Herzog von Weimar mit Goethen zu Hause gegangen, habe sich in sein Bette gelegt, Goethe davor, und da wäre er denn bei Punsch aufgetaut; er habe über alles mit ihm gesprochen, und nun habe er gesehen, was es für ein Mann sei; mit noch vielem Lobe, welches er so beschließt: „Laß dies ja der Kleinen lesen, denn alsdann bin ich ihr gewiß unter Brüdern dreitausend Taler mehr wert." Dies, Fouqué, war mein größter Triumph in der Welt.

Ein großer Prinz, mein Freund, der Vetter meines Königs, der Neffe Friedrichs II., der noch von Friedrich selbst gekannt war, mußte mir das schreiben, ohne daß ich je von Goethe mit ihm gesprochen hatte. Es *mußte* der menschlichste Prinz seiner Zeit in seinen eigenen leibhaften Freunden dem größten Dichter huldigen. *Dies* schreib ich Ihnen *aus Eitelkeit.* Nun aber setzt ich mich hin und schrieb Louis einen großen Brief, worin ich ihn bat, sich zu erinnren, daß ich nie mit ihm von Goethe gesprochen hätte, nie ihm gesagt, er soll etwas von ihm lesen. Jetzt aber möcht er es tun, und nicht einzelnes, um Goethens Werke kennenzulernen, sondern alles von ihm, um Goethe kennenzulernen aus ihrem Zusammenhang. Jetzt sei er's wert, denn jetzt liebe er usw.

RahelA I, 558f.

1743. CHARLOTTE SCHILLER AN ERBPRINZESSIN KAROLINE

Weimar, 5. Dezember 1811

Ich möchte, Sie hätten ... meinen merkwürdigen Streit ... über des Meisters Christentum mit der Schardt gehört. Sie stellt ihn gegen Werner und meint, er wäre kein Christ, weil er nicht den, von dem wir den Namen haben, so hoch stellt als Werner. Ich sagte, er sei mehr Christ, als er sagt, und hätte ein tiefes Gefühl für Religion ...

Es hat Frau von Stein sehr unterhalten, daß wir beide so warm wurden, und der Meister würde auch gelacht haben, daß ich für seinen Glauben streite.

SchFr I, 610f.

1744. PAULINE GOTTER AN SCHELLING

Schleusingen, 5. Dezember 1811

G[oethe]s „Leben“ ist nun wohl endlich in Ihren Händen? Die Herausgabe hatte sich verzögert, weil es Frommann beim letzten Bogen an Papier fehlte. So kam es nicht mit auf die Messe. Meine Mutter und Schwestern sind jetzt dabei und behaupten steif und fest, der Brief des Freundes in der Vorrede sei aus Goethes Feder geflossen und die einzige Dichtung im ganzen Buch; was ich aber nicht zugebe, nicht einsehend, wozu es dieser Einleitung als bloßer Erfindung bedürfe. Gern hätte ich mich hier noch einmal daran erquickt, aber in dieser Geisteseinöde ist es nirgends zu erhalten. G[oethe] ist sehr fleißig an dem Folgenden. Er möchte gern den Herzog von W[eimar] bewegen, mit manchen Gedichten und interessanten Notizen aus ihrem früheren Zusammenleben, die dieser sorgfältiger gesammelt hat als Goethe, herauszurücken; aber er verweigert es bis jetzt noch standhaft.

Schell II, 275f.

1745. WILHELM GRIMM AN GÖRRES

Kassel, 12. Dezember 1811

Goethe hat mir durch seinen Sekretär [Riemer] sehr höflich mit einigen ihm nachgeschlagenen, inwendig kupfernen Perioden danken lassen, was mir nicht zulieb gewesen. Soviel ich weiß, fürchtet er sich, bei dem „Wunderhorn“ zuviel gesagt zu haben, so daß man ihn eines zu großen Anteils an dergleichen Dingen beschuldigen könnte.

GoeRom II, 361

1746. RAHEL LEVIN AN VARNHAGEN VON ENSE

Berlin, 15. Dezember 1811

Wenn er wissen will, wer die Verfasser sind: mich kannst Du nennen! ... Mir liegt (außer wegen des Pekuniären für Dich) gar nichts dran, ob es gedruckt wird: wenn Goethe es nur *gesehen* hat, er nur weiß, welche bewußte Liebe für ihn schon mit ihm zugleich lebt. Wie vergöttert er in Deutschland, in *Berlin* wird ... Ich hab ihm seit drei Wochen, wo „Tasso" zum erstenmal gegeben wurde, alle Tage anonym schreiben wollen ... Ein einzig Publikum, Leute mit Büchern, sitzen und hören's da; junge Offiziere, gespannt wie bei Schlachten, stehen und horchen. Meine *Wonne!* Es *mußten* achthundert Menschen Goethens Götterworte hören und in die Seele einnehmen. Es wurde weit besser gespielt, als man je denken sollte ... Referiere mir ja von Goethe! Ich glaub, er leidet es nicht! Gott, wie verabgöttre ich *den* immer von neuem! Gottlob, daß Du sein „Leben" gelesen hast. Wie weint ich im „Tasso" bei jeder Stelle, wie der Souffleur im „Meister", aus Schönheit.

Varn II, 199

1747. RIEMER AN FROMMANN

Weimar, Mitte Dezember 1811

G[oethe] und ich sind zeither sehr mit „Romeo und Julie" beschäftigt gewesen und sind es noch ... Es ist freilich keine kleine Arbeit, wenn es unsern Forderungen an Theatralisches nahegebracht werden soll und die zersplitterten Szenen zu Massen gedrängt erscheinen sollen. Indes ist doch die Mühe sehr belohnend und unverloren für unser und alle deutsche Theater.

Rie 200

1748. VARNHAGEN VON ENSE AN RAHEL LEVIN

Prag, 19. Dezember 1811

Mit Dir hab ich diesen Sieg erfochten, Dich hab ich als unbezwingliche Waffe geführt ... Das hab ich zuwege gebracht, daß wir nun von dem weisesten Dichter die edelsten Aussprüche über Deinen Geist besitzen, daß Ihr wie Geister Euch im dunklen Nebel entgegenwinkt! Ihm ist eine Freude zuteil geworden: er weiß, daß er im Sterben nicht untergeht und nicht erst durch wüste Jahrhunderte sich durchkämpfen muß, um den liebevollen Geist, der ihn lebendig begreift, zu finden. Ich bin gerührt, daß ich ihm diese Freude zuwenden konnte. Er weiß nicht, wer G. ist noch wer E.; aber mit schlauen, strengen Blicken erkennt er unfehlbar die Menschenart und ergänzt aus wenigen Angaben die Charaktere solcher Naturen ... Und nun, liebe Rahel, darf ich Dich ihm doch nennen?

Varn II, 201

1749. RAHEL LEVIN AN VARNHAGEN VON ENSE

Berlin, 26. Dezember 1811

Seit Goethens Brief vor mir liegt. Wie eine Überschwemmung ist es über mich gekommen: ein Meer ist alles ... Du weißt, ob ich eitel nach Beifall strebe, den ich mir nicht selbst gebe; ob ich große Bemühungen anstelle, um gelobt zu werden. Aber meine wirklich namenlose Liebe und bewundernde Verehrung dem herrlichsten Mann und Menschen einmal zu Füßen legen zu können, war der geheime, stille Wunsch meines ganzen Lebens, seiner Dauer und seiner Intensivität nach. In *einer* Sache hab ich meinem tiefsten Innersten gefolgt: mich von Goethe scheu zurückzuhalten. Gott, wie recht war es! Wie keusch, wie unentweiht, wie durch ein ganzes unseliges Leben durch bewahrt, könnt ich ihm nun die Adoration in meinem Herzen zeigen. Durch alles, was ich je ausdrückte, geht sie hindurch; *jedes* aufgeschriebene Wort beinah enthält sie. Und auch er nur wird es mir anrechnen können, wie schwer es ist, solche liebende Bewunderung schweigend ein ganzes Leben in sich zu verhehlen. Wie beschämt schwieg ich vor zwei Jahren, als Bettina mir einmal als von dem Gegenstand ihrer größten Leidenschaft feurig und schön in dem von Herbstsonne glänzenden, stillen Monbijou von ihm sprach! Ich tat, als kennt ich ihn gar nicht. So ging's mir oft; ein andermal schwatz *ich* wieder ... Jetzt muß es Marwitz aushalten. Alle unsere Gespräche fangen mit ihm an und hören mit ihm auf. Nun wieder sein „Leben"! Die „Propyläen" las mir Marwitz gestern vor. Und so geht es immerweg mit ihm. Urteile, da Du mich ganz kennst, wie sich meine Seele freut, daß er weiß, wie man ihn liebt. Und er weiß es *nicht*. Alles müßt er sehen, wissen, hören. Nenne mich nur, wenn Du willst. Er wird sich zwar doch unangenehm wundern, daß es eine so nichtsbedeutende Person ist, in Welt und Literatur.

Varn II, 206

1750. ERNESTINE VOSS AN CHARLOTTE SCHILLER

Heidelberg, 30. Dezember 1811

Zu kurz war unser Sehen für diesmal, aber wir freuen uns doch noch oft des schönen Tages, den Sie uns mit der lieben Schwester [Karoline von Wolzogen] schenkten ... Diesmal widerstand es unserem Gefühl, nach Weimar zu kommen, weil Goethe so kalt, so steif war. Voß hätte doch zu ihm gehen müssen, und wer sieht so was gerne mehr als einmal? Einmal ist fast schon zuviel, besonders wenn man sich keiner Veranlassung dazu bewußt ist. Wie solches Benehmen in einem fühlenden Herzen Platz einnehmen kann, verstehe ich nicht, und manchmal hat er doch, als wir Nachbarn waren, ein *Herz* selbst uns nicht verhehlt. Es wird mir jetzt weit schwerer als vor der Reise, das Bild des liebenswürdigen Goethe in meine Seele zurückzurufen.

SchFr III, 194

1812

1751. CHARLOTTE SCHILLER AN ERBPRINZESSIN KAROLINE

Weimar, 5. Januar 1812

Der Meister ... bearbeitet „Romeo und Julie" fürs Theater zu Ihrer Frau Mutter Geburtstag. Neulich hat er bei ihr gelesen; da war er so erstaunend lieb und artig. Bei Frau von Stein war er auch zum Geburtstag. Ich sagte ihm, wie mir seine Arbeit vorkäme, und hob einiges heraus; da kamen ihm die Tränen in die Augen. Er will uns nur nicht zu Hause sehen, glaube ich, denn er ist selten sonst so freundlich, mild und liebenswürdig gewesen. Le bon ménage führt er auf wie auf Thespis' Karren ... Er fährt mit der dicken Hälfte, und der Sohn fährt, auf dem Schlitten nämlich. Den Sohn habe ich sehr lieb; er lebt aber ganz still und ernsthaft. Übrigens wird mancher Menschen gar nicht mehr gedacht bei ihm, z. B. der Bettina. Bei Meyer war er neulich morgens auch und auch sehr freundlich. Ich denke mir, er hat sein Haus schließen wollen für die sogenannte gute Gesellschaft, denn Tänzer und Gaukler sieht er, wie in seinem Epigramm [„Hast du nicht gute Gesellschaft gesehn? ..."] steht. Die Sonntagsgesellschaft wurde auch voriges Jahr gar zu bunt und vielleicht zu prosaisch.

SchFr I, 615f.

1752. FRIEDRICH SCHLEGEL AN SULPIZ BOISSERÉE

Wien, 8. Januar 1812

Wenn ich nun über jeden Ihrer Briefe eine ganz ungemeine Freude ... empfinde, so dürfen Sie doch keineswegs glauben, daß dies bloß dem Geist und Witz zuzuschreiben ist, mit welchen Sie so erfreuliche Geschichten als des alten, heidnischen Götzen Bekehrung zur alten *billigen* Kunst oder Helminas [von Chezy] reichen Fischfang des abtrünnigen Primas'schen [Dalberg?] Herzens uns mitteilen ...

Ich lege Ihnen meinen Plan [zur Zeitschrift „Deutsches Museum"] gleich ausführlich vor. Ich habe in Rom gute Korrespondenten, u. a. den alten Maler Müller ... Hartmann in Dresden habe ich dringend eingeladen, der soll uns zum Salze dienen. Sie erinnern sich ja noch seines unvergleichlichen Spaßes mit Goethe. Gleichwohl habe ich auch diesen alten abgetakelten Herrgott der Vorschrift des Evangelii gemäß eingeladen.

Aber der Mittelpunkt und Kern des ganzen Kunstwesens müssen Ihre Beiträge sein ...

Bois 161f.

1753. RAHEL LEVIN AN VARNHAGEN VON ENSE

Berlin, 11. Januar 1812

Auch auf mich haben die biblischen Stellen [in „Dichtung und Wahrheit"] den größten Eindruck gemacht als die *reinste* Beauté. Wie erhaben, wie abgezogen: das reifste Beschauen und Begründen aller Geschichte, mit dem unbefangensten, kindlichsten Auffassen gepaart! *Wie* göttlich! Mein alter Spruch: widersprechende Eigenschaften, in Harmonie gebracht, machen den großen Mann. – Das Buch hat aber das größte Aufsehen gemacht und hat die größten Verehrer, wütendsten Anhänger. [Friedrich August] Wolf sagt, zweitausend Exemplare wären gleich weg gewesen.

Varn II, 219

1754. WIELAND AN BÖTTIGER

Weimar, 13. Januar 1812

Sagen Sie mir doch sub rosa: was für eine Wirkung haben ... Goethes „Wahlverwandtschaften" in Dresden, Wien, Leipzig und überhaupt im Publikum gemacht? Und was urteilen die Sani von „Aus meinem Leben. Wahrheit und Dichtung"?

Das erste Mal verkümmerte mir alles, was mir mißfiel, den Genuß dessen, was mir gefiel; doch hielt das eine dem andern ziemlich das Gleichgewicht. Das zweite Mal gab ich mir alle Mühe, mich selbst zu täuschen und mir *alles gefallen zu lassen.* Das dritte Mal legte ich die „Wahlverwandtschaften" in die eine Waagschale und mein Ideal eines guten Romans in die andere. Und siehe da: von dem ersten Augenblicke an, da die junge Heldin des Stücks erscheint, fing die Schale des Goethischen Romans an zu steigen und stieg, mit wenigen Abwechslungen, immer höher, bis sie endlich an den Waagebalken anstieß und dort wie an einem künstlichen Magnet hängenblieb.

Dafür habe ich hingegen den ersten Teil seiner sogenannten Biographie mit großem Vergnügen gelesen.

Bode II, 348

1755. KNEBEL AN SEINE SCHWESTER

Jena, 4. Februar 1812

Ich bin in gestriger Nacht von Weimar zurückgekommen ... Am Samstag wurde „Romeo und Julie" von Goethe aufgeführt, welches allgemeinen Beifall fand und in der Tat ihn auch verdiente.

KnHe 586

1756. CHARLOTTE SCHILLER AN ERBPRINZESSIN KAROLINE

Weimar, 5. Februar 1812

Vor vierzehn Tagen ungefähr lebte ich noch ganz fremd und entfremdet mit dem Meister und liebte ihn, wie man die Natur liebt, ohne zu begreifen, daß sie einen ansieht, wenn wir sie segnen. Unsre Freundin St[ein] geriet auf die Gedanken, alle Papiere, die Sie auch sehen möchten oder sahen, zu zeigen. Ich durchblickte dieses wunderbare menschliche Wesen und klagte über das Schicksal unsrer Freundin und

Christoph Martin Wieland

lebte recht in der Vergangenheit mit ihr, und es war, als schlösse sich mein Herz mit den leisesten Fäden an das ihre an, und ich gelobte ihr, sie nie zu verlassen, und meine Liebe solle ihr folgen bis ins Grab. Ich komme von dem Lesen in eine Gesellschaft zu Frau von R[hoden?], die ihn mit der dicken Hälfte bat, und er fing an, so von der Vergangenheit zu sprechen, erzählte plötzlich von Sachen, die ich eben gelesen, von denen er historisch in den Briefen sprach, weil er eine Reise beschrieb, von der Familie Ihrer Frau Großmutter zum Beispiel, daß es mich unaussprechlich wunderte. Ich hatte ihm die hübsche Art erzählt, wie Henriette [von Knebel] über sein „Leben" geschrieben. Ich gehe, um meinen Mantel umzunehmen; da kommt er, faßt mich bei der Hand, dankt noch einmal für die Mitteilung, sagt, daß es ihm wohl sei, mit jemanden zu sein, der seine Sprache verstehe wie ich, die ihn so lange kenne, daß wir uns nie fremd noch fern sein könnten. Und sagte noch: „Wissen Sie noch, wie lange wir schon voneinander wußten, wie Sie noch da über den Bergen waren, über Kochberg hinaus?" (In diesem Augenblick hätte er gewiß auch die alte treue Freundin erkannt.) Ich wurde so weich, daß die Tränen mir kamen, und fühlte auch, daß ich ihn nicht verlieren kann. Aber diese sonderbare Stimmung gerade da, wo ich so recht in ihm lebte, seine Verhältnisse zu Frau von St[ein] fühlte, das ist mir lieb und tröstlich, denn die Seelen kennen eine Sprache, die nie verstummt, wenn sie rein einst klang. Seit der Zeit sah ich ihn in dieser Woche öfter, auf der Redoute am Sonntag, und immer war er gleich freundlich und gemütlich. Ich bin aber auch treu, und wie den Tag nach unserer Zusammenkunft die Bettina wieder kam, die er gar nicht sehen will und wirklich ungerecht erscheint, so ließ ich es ihr nicht so merken, tröstete, gab Hoffnung und sagte, sie solle nur mild sein und reden, damit es sie nicht schmerze, wenn sie ihn einst ganz verlöre, und sie sich keine Vorwürfe zu machen brauche. Meyer sagte neulich recht klug und wahr, es könnte gleich wieder anders werden mit ihr, wenn sie sich an die Frau wendete; aber das dürfe man ihr und ihm nicht sagen, weil sie unzuverlässig wären. Bei solchen launenhaften Menschen ist das ganz wahr.

Wie interessant war der Meister ehemals, wie weich, wie hat er geliebt, und wie konnte sich das ändern! Es ist mir ein Rätsel, diese Natur. Wie hat die arme Charlotte leiden müssen! Ich habe das Schicksal dieser Menschen in diesen Tagen aufs neue gelebt und mit gelitten, und doch gäbe ich diese Ansicht nicht wieder zurück und will lieber Leiden tragen helfen als diese Blätter nicht kennen.

Nun zu „Romeo und Julie“ ... Es liegt die Übersetzung von Schlegel zum Grunde, aber manches ist so goethisch, daß man es bald fühlt; und wunderbar und groß geht der Geist Shakespeares über die Szene ... Das Ende ist, fühle ich, ganz vom Meister; denn wie die Entwickelung sich aufgelöst, wie die Toten alle ruhen, schließt der Pater das Gewölb und sagte: „So ruhe auf ewig der Haß wie die Liebe in Frieden in dieser Gruft!“ Er sagt's in schönen Worten, und die Loloa will nur den Sinn sagen ... Die Dekorationen sind vortrefflich und des Meisters würdig ...

Wie ich mich über die Urteile geärgert habe, wie in poetische Wut geraten, will ich Ihnen nicht sagen. Aber man verkennt ganz das Stück, den Wert der Bearbeitung, und alles will nun richten. Wenn ich diese Menschen achten könnte, so würde ich recht böse; so ist es nur ein vorübergehender Zorn.

Ihre Frau Mutter und die Hoheit haben es rein gefühlt; das weiß ich.

SchFr I, 618–621

1757. CHARLOTTE SCHILLER AN ERBPRINZESSIN KAROLINE

Weimar, 12. Februar 1812

Der Meister ist sehr erweckt und freut sich, daß Monsieur de S[aint]-A[ignan] so gebildet ist und sehr schöne Sachen über die französische Literatur sprechen soll ... Die schöne Marschallin [Lannes], die einst bei ihm logierte, hat ihm ein prächtig Tintenfaß von Bronze gesendet durch diese Gelegenheit.

SchFr I, 623

1758. WILHELM GRIMM AN SEINE TANTE ZIMMER

Kassel, 7. März 1812

Die Geschichte von Goethes Frau wußt ich wohl. Es ist eine gemeine Person, das sagt ich Ihnen schon damals, wie ich sie gesehen hatte. Die Frau von Arnim hat ihr eine Ehre angetan, wenn sie mit ihr gesprochen. Sie hat mir alles selber erzählt.

JbGoeGes III, 159f.

1759. AUGUST VON GOETHE AN FRIEDRICH SCHLOSSER

Weimar, etwa 10. März 1812

Sie wissen am besten, wie unser großväterliches Vermögen in Frankfurt durch mancherlei Zufälle beträchtlich geschmolzen war, als es mein Vater überkam. Diesen Rest, welcher durch Ihre gütige Vorsorge und Bemühung vor manchem Verluste bewahrt worden, wünschten wir jedoch uns näher zu bringen, wenn wir nicht durch die beträchtlichen Abzugsgelder davon zurückgeschreckt würden. Mein Vater kann sich nach seiner Denkweise mit Geschäften dieser Art weniger abgeben; doch halte ich es für meine Schuldigkeit, uns das wenige soviel als möglich zu erhalten. Da nun Seine Hoheit der Großherzog [Dalberg] von jeher viel Gnade und Wohlwollen gegen meinen Vater gehegt, so wäre es wohl am geratensten, sich an Seine Hoheit wegen eines Abzuggelderlasses selbst zu wenden ... Auch wünschten wir noch zu wissen, an wen wir uns wohl noch in Frankfurt zu wenden hätten, damit auch von daher wegen unserer Angelegenheit keine ungünstigen Berichte bei Seiner Hoheit einliefen, welches wohl jetzt um so weniger zu befürchten steht, da mein Vater in seiner Lebensbeschreibung seiner Vaterstadt ein bleibendes Denkmal gesetzt und also wohl auf ein Vergeltungsrecht hoffen dürfte.

Schlos 111

1760. WILHELM GRIMM AN ARNIM

Kassel, 11. März 1812

Übrigens erzählt man hier Anekdoten, daß Goethe werktätig seine Frau korrigiert habe. Hast Du in den „Miszellen" von Zschokke eine Parallele zwischen Goethe und Alfieri als Autobiographen gelesen? Goethe wird darin weit heruntergesetzt und ihm am Ende zu verstehen gegeben, er hätte besser getan, im schwachen Alter zu schweigen. Wenn Du den Alfieri rezensierst, so könntest Du wohl etwas über diese charakteristisch deutsche Schlechtigkeit sagen.

ArnG 182f.

1761. CHARLOTTE VON STEIN AN IHREN SOHN FRIEDRICH

Weimar, Mitte März 1812

Bei allen den großen Begebenheiten der Erde schmerzte mich diese so sehr kleine [der Tod eines Kanarienvogels] doch recht sehr. Goethe war aber so artig, mir heimlich den leeren Vogelbauer holen zu lassen, und setzte einen andern kleinen Dalai-Lama hinein, so daß ich, wie getäuscht, ganz das zahme Vögelchen wiederhatte.

Stein II, 363

1762. PAULINE GOTTER AN SCHELLING

Gotha, 19. März 1812

Nein, ich weiß gewiß, lieber Schelling, er ehrt und liebt Sie von ganzem Herzen, und wenn dem nicht so wäre, verdiente der alte Herr nicht *einen* freundlichen Blick mehr. Daß er Ihnen nicht geantwortet, ist wohl nur zufällig; vielleicht bedurften Ihre Briefe geradezu keiner Antwort, und er erspart sich gern jeden Federzug. Schreiben Sie ihm nur immer wieder! Wer wollte mit seinen Freunden so genau rechten? Wundern tut mich auch nicht, wenn er den Herrn Kapellmeister [Weber] etwas kalt empfangen. Ich kenne schon seine entschiedene Antipathie gegen alle Musici. Am auffallendsten bemerkt sich das, wenn er Reichardt gegenübersteht. Zelter ist der einzige, den er persönlich liebt und schätzt. Ich habe auch diesen Winter keine Zeile mit dem alten Herrn gewechselt; nur durch Fremde und Bekannte haben wir uns von Zeit zu Zeit begrüßen lassen; aber es ist mir nicht bange, seine Gesinnungen unverändert zu finden – er hat zwar ein wankelmütiges Herz, aber doch nur auf gewisse Weise. Wie es diesen Sommer mit ihm werden wird, weiß ich noch gar nicht; sein Famulus [Riemer] wird Ostern bei der weimarischen Schule angestellt, und lange kann G[oethe] doch nicht in fremden Landen ohne diesen existieren. Es klingt freilich wunderlich, den alten Herrn für so unmündig zu erklären.

Schell II, 297

1763. CHARLOTTE SCHILLER AN ERBPRINZESSIN KAROLINE

Weimar, 29. März 1812

Der Meister ... hat jetzt den Herrn R[iemer] verloren, der an Sch[ulzes] Stelle gekommen; er [Riemer] war neulich bei mir. Ich betrübe mich, daß der Meister nun kein kluges Wort sprechen wird; denn der Sohn ist gut und brav fürs Leben, aber zu real und hat keinen Sinn für Wissenschaft. Ich sagte es R., daß er dem Meister fehlen würde; er sprach mit Anhänglichkeit von ihm. Doch von dem August sagte er, daß er dem Vater nichts sein könne in der Poesie, weil er gar zu klug für das ökonomische Leben sei und dabei immer auf den Nutzen sehe. Er lebt so still, August, daß man ihm wenig begegnet, und ist sehr ernsthaft. Außer daß er Madame Wolff und Frau von Spiegel auf dem Schlitten zusammen gefahren hat, weiß ich keine Näherung an die Welt von ihm. Es gibt seltsame Kombinationen, und in dieser Gesellschaft hätte ich sie nicht gesucht. Ich glaube, der Sohn will für die lustige Natur der Mutter ein Gleichgewicht geben und ist doppelt ernsthaft dafür. Bei dieser bleibt es beim alten.

SchFr I, 627

1764. KNEBEL AN SEINE SCHWESTER

Jena, 9. April 1812

Gestern erhalt ich einen Brief von Goethe, daß der Herzog, vermutlich auf sein Vorstellen, denn ich habe nicht daran gedacht, meinem Karl ein Stipendium akkordiert hätte, das ihm doch in drei Jahren gegen 400 Taler einbringt. Der Herzog soll es auf eine sehr freundliche, bereitwillige Weise getan haben, und mein Karl war tief davon gerührt und fühlte in dem Augenblick, welche Verbindlichkeit er dem Herzog habe. Nun, sagte er, wolle er zu keiner Landsmannschaft gehen; denn er wolle sagen, er dependiere mit seinen Eltern vom Herzog, und der Herzog seh es nicht gerne. So erwerben sich die Großen Liebe und Gehorsam.

KnHe 601

1765. JACOBS AN FRIEDRICH HEINRICH JACOBI

Gotha, 25. April 1812

Über Goethens „Leben" sind, denk ich, unsre Meinungen ziemlich dieselben. Es gibt Leute hier, die es unendlich herabsetzen, weil sie ich weiß nicht welche Erwartung davon gehegt haben. Es ist wohl etwas zu breit geschrieben, auch manches über Gebühr ausgesponnen, wie es jedem leicht begegnet, wenn er seine Kindergärtchen mustert. Manche Horsd'oeuvre hätte man ihm gern ganz erlassen. Aber im ganzen habe ich das Buch doch mit Vergnügen gelesen. Es ist mir ein historischer Kommentar zu seinen Werken, die sich schon aus diesem ersten Bande besser erklären, und gleichsam ein Portefeuille von Studien und Skizzen eines geliebten Meisters, dessen vollendetern Bildungen man doch gern bis zu ihren ersten Elementen nachspüren mag. Aber auch ohne diese Beziehung ist vieles vortrefflich in dem Buch, wie überhaupt die Darstellung der ehrenfesten Reichsbürgerlichkeit, die nun bald so verschwinden wird wie das Gepräg auf einem Dreifrankenstück; die Schilderung des ganzen Lebens von Frankfurt und vor allen der herrliche Abschnitt von der Kaiserwahl und

Krönung, wo die anziehende Liebschaft des Dichters sich durch die großen prunkvollen Szenen mit einer ganz eignen Anmut und Lieblichkeit durchschleicht. Doch hierin vereinigen sich wohl die Urteile aller Leser, vielleicht nur das meines gnädigsten Herrn und Herzogs [von Sachsen-Gotha] ausgenommen, der das ganze Buch unendlich platt, eigenliebisch und unsittlich findet; ja, schlecht geschrieben sogar, *wie man vor zwanzig Jahren geschrieben habe* ...

JacN II, 83

1766. DE STAËL AN CAMILLE JORDAN

Genf, 26. April 1812

Möchtest Du mir nicht das Buch von Goethe [„Dichtung und Wahrheit"?] zurückschicken? Jemand hier hat Lust, es zu übersetzen. Ich finde es auch nicht besser als Du, aber in Deutschland hat es *großen Erfolg,* und der Erfolg macht die Leute immer begierig, die Ursache kennenzulernen.

Bode II, 358

1767. CHARLOTTE VON STEIN AN IHREN SOHN FRIEDRICH

Weimar, 1. Mai 1812

Goethe kann das Abschiednehmen nicht leiden; er ging ohne Abschied neulich von mir. Nun reist er heute von Jena aus, wo er einige Tage war, nach Karlsbad ab, in der kalten Witterung! Er eilte so entsetzlich geschwind zu meiner Tür hinaus, daß mir es wunderbar vorkam; ich glaube, ich sehe ihn nicht wieder.

Fritz von Stein II, 193

1768. CHARLOTTE SCHILLER AN ERBPRINZESSIN KAROLINE

Weimar, 16. Mai 1812

Ich will einmal meine beste Stimmung benutzen, um Ihnen über die Briefe zu sprechen, mein geliebter Engel. Sie haben mir einen großen Aufschluß gegeben, und sie sind sehr merkwürdig. Die Stelle aus Popens Brief der Heloisa fällt einem ein:

„And wished an angel when I loved a man.“ Bei ihm ist das Menschliche recht sichtbar, und eben weil die Gefühle *zu menschlich* waren, so haben sie enden können. Es ist eine große Naturgewalt, der er selbst nicht zu entgehen vermag, die sein Wesen treibt und trieb. Das fühlt man. Ein uns für diese Erde entflohener Geist [Schiller] war auch menschlich; aber *so* lieben hätte er nie können. Er hätte immer sich durch die Tiefe seines Gemüts an das Gute festgehalten. „Die Leidenschaft flieht, die Liebe muß bleiben“, sagt er so schön in der „Glocke“, und eigentlich bloß aus Leidenschaft konnte er nicht lieben. Dies trennt die Charaktere beider Freunde und unterscheidet sie so schön.

SchFr I, 630f.

1769. SIBBERN AN SOPHIE OERSTED

Weimar, 16. Mai 1812

Frau Geheimrat von Goethe sah ich schon in Jena. Meine Erwartung war gespannt, denn einer hatte immer schlechter als der andere von ihr geredet. Endlich sah ich sie mit eigenen Augen. Es ist und bleibt mir ein Rätsel, wie Goethe eine solche Frau hat nehmen können ... Ich habe ihr selbstverständlich sowohl in Jena als auch hier meine Aufwartung gemacht, und sie ist, das muß ich gestehen, weder schön noch gebildet. In Jena sah ich sie einen ganzen Abend hindurch tanzen, bis 1 Uhr, und sie tanzte beinahe jeden Tanz. Es ist eine Sitte der Studenten, ihr den Hof zu machen, selbstverständlich um sie zum besten zu haben, teils auch aus Pikanterie. Sie wetteifern, mit ihr zu tanzen.

Bode II, 360. Aus dem Dänischen

1770. VARNHAGEN VON ENSE AN RAHEL LEVIN

Prag, 22. Mai 1812

Goethe soll nach Wien berufen werden, um die Leitung der dortigen Bühnen zu übernehmen. Man sagt, er wünsche es und sei sehr eifrig dazu, allein ungeachtet der Vorliebe der Kaiserin würde er gegen die Dummheit des geistscheuen Publikums und den schon im voraus laut gewordenen Haß vieler Schauspieler nicht aufkommen. Man tadelt ihn ungemein wegen eines äußerst demütig abgefaßten Briefes an Metternich, dem er für seine Ernennung zum Mitgliede der Wiener Akademie dankte. Man findet es kriechend. Die Leute bedenken nicht, daß niemand weniger die hergebrachten Formen verletzt als Goethe ...

Varn II, 286

1771. FRIEDRICH LEOPOLD GRAF ZU STOLBERG AN SEINEN BRUDER CHRISTIAN

Karlsbad, 12. Juni 1812

Nachmittags kam Goethe zu uns. Da ich ihn in 28 Jahren nicht gesehen hatte, fand ich ihn sehr verändert. Er, der so schlank und blaß war, ist dick und rot, sieht sehr gesund aus. Er war sehr freundschaftlich, zeigte Rührung und Freude, und auch mich überströmte die Erinnerung der lang verflossenen Zeit.

Stolb 208

1772. WILHELM VON HUMBOLDT AN SEINE FRAU

Karlsbad, 15. Juni 1812

Ich schreibe Dir in Goethes Stube ..., weil ich immer mit ihm zusammen bin, ohne jedoch bei ihm zu wohnen ... Stirbt sie [Fürstin von Schwarzburg-Rudolstadt], so ist schlechterdings in dem ganzen weiten Deutschland nur noch Goethe übrig und die Wolzogen, die uns hier Gegenstände der Sehnsucht und hoher Umgangsfreude sein können.

Auch in Goethen spürt man das Alter sehr. Nicht im Geistigen. Er ist noch ebenso munter, so rüstig, so leicht beweglich zu Scherz und Schimpf, in welch letzterem er sich gegen die neuen Sekten, besonders die christ-katholische, mit großem Wohlbehagen ergeht. Allein man sieht, daß er oft an seinen Körper erinnert wird. Mitten in Gesprächen, auch die ihn interessieren, unterbricht er sich, geht hinaus, ist sichtbar angegriffen.

Gestern machte ich einen langen Spaziergang mit ihm, aber er mußte sich alle paar tausend Schritt setzen und ausruhen...

Etwas Trauriges ist seine Art, sich nach und nach einzuspinnen. Er will nicht nach Wien, nicht einmal nach Prag; von Italien hat er auf ewig Abschied genommen. Also Weimar und Jena und Karlsbad! Immer und alljährlich!...

Ich habe mit Goethe sehr viel interessante Gespräche gehabt, vorzüglich über Shakespeare, über den er ganz neue und sehr interessante Ideen hat; auch über Calderón, von dem er noch mehr hält, dann über tausend andere Gegenstände.

Hu IV, 4ff.

1773. NIEBUHR AN DOROTHEA HENSLER

Berlin, 16. Juni 1812

Wir lesen jetzt ... den „Wilhelm Meister“ ..., dem ich niemals habe Geschmack abgewinnen können ... Es will aber auch jetzt nicht besser gehen. Etwas vollkommner Geschriebenes und Ausgearbeitetes hat unsere Sprache wohl nicht – Klopstocks „Gelehrtenrepublik“ ausgenommen ... –, an Anschaulichkeit und Kolorit ist nichts in unserer Literatur damit zu vergleichen: Es ist darin eine Fülle von feinen Bemerkungen und herrlichen Stellen, die Verwickelungen sind äußerst fein, und alles ist bewundernswürdig gleich gehalten. Das alles weiß ich jetzt mehr als früher zu schätzen. Aber die Unnatürlichkeit des Plans, der Zwang der Beziehungen dessen, was in einzelnen Gruppen meisterhaft entworfen und ausgeführt ist, auf eine gesamte Verwickelung und geheimnisvolle Leitung, die Unmöglichkeit darin und die durchgehende Herzlosigkeit, wobei man sich noch am liebsten an die ganz sinnlichen Personen hält, weil sie doch etwas dem Gefühl Verwandtes äußern, die Nichtswürdigkeit oder Geringfügigkeit der Helden, an deren Porträtschilderungen man sich doch oft ergötzt – das alles macht mir das Buch noch immer widerlich, und ich ärgere mich an der Menagerie von zahmem Vieh.

Geht es Dir nicht auch so, daß nichts leicht einen schmerzlicheren Eindruck macht, als wenn ein großer Geist sich seine Flügel bindet und eine Virtuosität in etwas weit Geringerem sucht, indem er dem Höheren entsagt? Goethe ist der Dichter der Leidenschaft und der Erhabenheit der gesamten menschlichen Natur, und so erscheint er in den Gedichten seiner Jugend. Man kann es wohl für sehr wahrscheinlich halten, daß er damals fähig gewesen wäre, sich der ganzen Sphäre zu bemeistern, an deren äußerste Grenzen ihn ein unwillkürlicher Flug aus seinem Innersten oft hinanhob. Er versäumte es, sich diese Einheit zu erwerben, welche vielleicht kein einziger Geist so beherrscht hatte, wie er es gekonnt hätte, und das Fragmentarische und Wilde seiner Jugendarbeiten mißfiel ihm selbst in reiferen Jahren. Er strebte nach einer Einheit und Vollendung, vorzüglich nachdem er auf seiner Reise in Italien die Kunst erforscht hatte. Seine ersten Versuche in dieser Manier, was er um 1786–90 schrieb, ist ganz seiner unwürdig. Es war eine ganz unpoetische mühselige Realität. Er mußte aber auch hierin zum Virtuosen werden, und um es zu werden, beschränkte er seinen Geist. Das macht mich sehr wehmütig. Studiert man seine Schriften von dieser Epoche an, so findet man darin fast durchgehends eine Vernüchterung, die ihm ganz unnatürlich ist. Allmählich scheint, besonders in seinem Innern, das ihm eigentümliche Gefühl wieder zu erwachen, wenigstens in der Erinnerung; aber die vergangenen Jahre sind verloren, und durch sie auch die, welche er noch hat. Ich hoffe aber, daß für ihn selbst die Durcherinnerung seines Lebens wieder verjüngend sein soll.

Nieb 275ff.

1774. WILHELM VON HUMBOLDT AN SEINE FRAU

Rudolstadt, 17. Juni 1812

Bei Weimar fällt mir Riemer ein. Weißt Du, daß der auch bei Goethe nach neun Jahren seine alten Verrücktheiten bekommen und deshalb das Haus verlassen hat? Goethe wollte nicht recht mit der Sprache heraus, ob es Liebe oder Haß gewesen sei, sagt aber, daß nichts mehr mit ihm anzufangen gewesen sei und er selbst darüber wohl ein halbes Jahr fast ganz verloren hat. Goethe hat so gut als gar nichts Dichterisches in den letzten zwei Jahren gemacht, wie er selbst sagt. Er ist aber fast fertig mit einem neuen Teil seines „Lebens", aus dem er mir auch einiges vorgelesen hat. ... Es ist Goethen sehr schade, so ungeheuer allein zu sein. Denn soviel Menschen er auch vorübergehend sieht, ist er mit keinem vertraut und hat mir versichert, daß, wenn er Meyer und mich ausnähme, im ganzen weiten Deutschland niemand sei, mit dem er eigentlich frei reden möge und könne. Er versauert wohl vielleicht nicht so, aber er verknöchert und verhärtet wirklich und wird auch entsetzlich intolerant und im Gespräch manieriert. Er hatte, wie Du weißt, immer gewisse Lieblingsausdrücke, die halbsagend waren und ihm eigentlich als Aushilfe galten, wenn er zu träge war, seine Ideen recht bestimmt auszudrücken. Aber noch nie habe ich den Gebrauch davon so häufig als diesmal bemerkt. Er begleitet sie auch jetzt mehr mit Mienen und muß einem, der nicht daran gewöhnt ist, sehr wunderbar vorkommen ...

Aber in Karlsbad ist nun der sogenannte Sprudel, an dem man ein bis zwei Stunden lang trinkt, auf einem Brettergerüst, das ungefähr 50 Menschen faßt. Dahinter ist eine schmale hölzerne Brücke, dann enge, fast nie von der Sonne beschienene Straßen, die Allee ist ziemlich weit. Auf diesen Brettern befindet sich nun Goethe alle Morgen mit der Elisa [von der Recke], Tiedge, Gessler, die er alle nicht leiden kann, zusammen. Er nennt diesen Teil des Karlsbader Lebens selbst eine verruchte Existenz. Zu den Annehmlichkeiten Weimars, die er mir auch einmal hergezählt hat, rechnet er auch „das Frauchen". Das ist eins der schreck-

lichsten Dinge in der Ehe, daß Mann und Frau ... sich durch Gewohnheit und die Befriedigung kleiner physischer Bedürfnisse so herabstimmen, daß sie das Mittelmäßige und sogar das Gemeine gut und selbst unentbehrlich finden.
Hu IV, 8ff.

1775. CHARLOTTE VON STEIN AN CHARLOTTE SCHILLER

Weimar, 19. Juni 1812

Die Goethen ist auch nach Karlsbad, den 14. Juni, abgereist. Goethe sitzt in völliger Arbeit auf dem Parnaß, den zwei Kaiserinnen [von Österreich und von Frankreich], die nach Karlsbad kommen, entgegenzusingen.
SchFr II, 356

1776. KARL BERTUCH AN BÖTTIGER

Weimar, 6. Juli 1812

Was den Großkophta betrifft, so ist er jetzt, seitdem er seine Christel zur Exzellenz gemacht hat, für das gesellige Verhältnis in Weimar gleich Null, und Sie als Fremder werden ihn nirgends treffen. Daß Sie ihn in seinem Hause nicht aufsuchen werden, versteht sich von selbst.
GoeJb X, 155

1777. CHARLOTTE VON STEIN AN KNEBEL

Ilmenau, 15. Juli 1812

Von Goethe höre ich auch nichts, seitdem ich hier bin, sehe ihn aber immer im Traum krank und den Kanarienvogel, so er mir geschenkt, von einer Ratte gefressen.
BodeSt VIII, 14

1778. SIBBERN AN SOPHIE OERSTED

Jena, 16. Juli 1812

Er ist von einer majestätischen Schönheit, Blick, Haltung und Gang sind kraftvoll, wie ein Mann in den besten Jahren, und doch ist sein Gesicht durch die 63 Jahre geprägt. Er besitzt eine Figur und ein Benehmen wie ein Fürst, oder eher möchte ich sagen, wie ein Minister, wobei ich etwa an den alten Bernstorff denke ... Leben und wirken wird er gewiß, ohne jede Minderung, mindestens noch 20 Jahre. Er sieht aus, als könne er 80 Jahre alt werden, ohne jedoch ein Greis zu werden. Freuen Sie sich, daß er noch so viele Jahre mit Ihnen zusammen leben kann und Ihnen jedes Jahr neue Gaben bringt ... Er stand dort groß und kräftig, in einem blauen Überzieher, den er auch am Tage zuvor angehabt hatte. – Als ich von ihm ging, war es gleichsam still in meiner Seele ...

Gespr II, 730f.

1779. CHARLOTTE SCHILLER AN ERBPRINZESSIN KAROLINE

Weimar, 19. Juli 1812

Über die [Karlsbader] Gedichte unseres Meisters werden Sie auch manches hören. Meinen Gefühlen nach sind sie recht schön und für diesen Zweck würdig und edel. Ich begreife nicht, wo er soviel finden kann, ohne das *Zuviel* nicht gefunden zu haben. Die Stanzen sind sehr schön und das historisch Darstellende daran. Kurz, ich, selbst Frau von Stein war nicht unzufrieden.

Über unsern Meister gehen so verschiedene Ansichten und Diskurse herum, merke ich an der Welt, und ich fühle, wir werden zu Schutz und Trutz wieder erneuern müssen, was wir uns gelobten. Selbst die, die ihn sonst liebten, sind lau. Noch an dem Freund [Wilhelm von Humboldt], den ich gestern sah, merke ich's wieder. Will man aber nur ewig sehen, wie der Meister sein sollte, und nicht, wie er ist? Es gibt wenig Menschen, ich möchte sagen niemand, über den so alles urteilen will. Und alles will seinen Charakter und

nicht den Genius schätzen, als wenn das doch getrennt sein könnte. Ein Mensch, der das Edle ausspricht, ist es auch. Wo fände er sonst den Geist in sich? Am Ende werden wir ihn noch ganz allein rein lieben, und das wollen wir auch.
SchFr I, 636f.

1780. ARNIM AN BRENTANO

Teplitz, etwa 26. Juli 1812

Goethe heißt jetzt im „Moniteur" der Sänger des Kontinentalsystems, wegen der Karlsbader Verse, und seine Frau die Frau Abstinentalrätin.
ArnB 303

1781. REICHARDT AN LUDWIG TIECK

Giebichenstein, 27. Juli 1812

Auch hat mir K[arl von Raumer] ein paar inhaltreiche Briefe mitgeteilt, die Du ihm ... über Goethe geschrieben und in denen mein eigen Urteil rein ausgesprochen ist. Ja, ich möchte noch hinzu behaupten, daß G[oethe] weit mehr ein geborner Denker, Beobachter und Redner als Dichter ist. Als dramatischer Dichter fehlt ihm gewiß das, was eben auf der Bühne allein den sicheren Effekt gewährt. Er ist auch da immer mehr Menschenkenner und Redner als Schöpfer und Dichter, am wenigsten Schauspieler.
Tieck III, 115

1782. CHARLOTTE SCHILLER AN KNEBEL

Weimar, Ende Juli 1812

Von Goethe habe ich einen Brief gelesen an Frau von Stein. Den 26. Juni war er recht krank. Mit [Friedrich zu] Stolberg, schreibt mir meine Mutter, wäre er sehr freundlich gewesen. Auch die Gräfin Fritsch schreibt, daß Stolberg geweint habe beim Abschied von ihm. Ich habe immer gern, wenn die alten Freunde sich wiedererkennen.
SchKn 83

1783. HOCH AN DIE K. UND K. POLIZEI- UND ZENSUR-HOFSTELLE IN WIEN

Teplitz, 5. August 1812

Untertänigste Meldung. Ihre Majestät erfreuen sich wieder eines bessern Wohlseins als die vorhergehenden Tage und vergnügen sich itzt täglich durch länger dauernde Spazierfahrten, woran der Herzog von Weimar jederzeit teilnimmt. Dieser ist von der Gnade Ihrer Majestät, womit ihn Allerhöchstdieselbe auszeichnet, so lebhaft durchdrungen, daß er mehrmals erklärt hat, er würde mit Vergnügen für diese göttliche Frau sein Leben wagen. Erst vorgestern wurde er von Ihrer Majestät wieder auf das angenehmste überrascht, indem Allerhöchstdieselbe in dem Gartenhäuschen zunächst an der Wohnung des Herzogs, wo er gewöhnlich zu frühstücken pflegt, insgeheim ein Dejeuner arrangieren ließen. Goethe empfing den Herzog mit einem kleinen Gedichte zu seinem an diesem Tage eingefallenen Namensfeste und führte ihn so wie unversehens zu dem Gartenhäuschen, wo sich die Türe öffnete und Ihre Majestät die Kaiserin, die Prinzessin Maria Anna [von Sachsen] und deren Hofstaat den Herzog mit Ihren Glückwünschen empfingen.

Der Herzog war bis zu Tränen gerührt.

Chronik XXVI, 36

1784. ERBPRINZESSIN KAROLINE AN CHARLOTTE SCHILLER

Doberan, 15. August 1812

Durch den Erbprinzen habe ich vom Meister auch einen sehr freundlichen Brief erhalten und ein paar hübsche Zeichnungen seiner Hand. Aus einem Brief von Rantzau aus Teplitz habe ich ersehen, daß der Meister dort Komödie spielt, und das in einem von der Kaiserin verfertigten Stück [„Die Wette“]. Ich bitte Sie: ist das wahr? Und ist's wahr, um alles in der Welt das Stück her, wenigstens genaue Nachricht davon!

SchFr I, 637

1785. KNEBEL
AN CHARLOTTE SCHILLER

Jena, 18. August 1812

Der Herzog ist sehr wohl und freundlich von Teplitz wieder zurückgekommen und hat ein leichteres Leben mitgebracht. Die österreichische Kaiserin scheint guten Einfluß auf ihn und unsern abwesenden Freund gehabt zu haben und scheint überhaupt eine Dame zu sein, deren Umgang erheitert und erweckt. Sie hat sich viel von Goethe vorlesen lassen und aus diesen Vorlesungen lebendige Nahrung gesogen.

SchFr III, 335

1786. CHARLOTTE SCHILLER
AN ERBPRINZESSIN KAROLINE

Weimar, 30. August 1812

... es ist wohl wahr, und nach der Aussage der Frau Geheimerätin, die es meiner Schwester [Karoline von Wolzogen] anvertraut hat, hat ein Gespräch die Veranlassung [zur „Wette"] gegeben über die Materie, welches der beiden Geschlechter das Recht hätte, zuerst die Liebe zu gestehen. Man ist soweit gekommen, es auszumalen, und der Meister hat eine Geschichte darüber erzählt. Die Kaiserin hat gemeint, man könnte sie dramatisch behandeln, und hat sich eine ganze Nacht hingesetzt und das Stück verfertigt, worin der Meister die Rolle eines alten Onkels machen sollte. Er hatte schon eine große Allongen-Perücke bestellt, als er krank wurde und es unterblieb. Soweit geht meine Kunde. Erfahre ich mehr und anders, so sollen Sie es wissen, meine hochverehrte Herrin. Nach des Meisters eigenem Bericht werde ich den besseren machen. Er hat an seine Frau geschrieben, wenn er alles sagen wollte, was ihm Schmeichelhaftes und Erfreuliches geschehen wäre, so würde man es für Anmaßung halten können, und es wäre beinahe unglaublich. Es freut mich, daß er Ehre erfährt, und ich möchte ihm auch gern alle Kronen aufs Haupt setzen: die Dichter-, Bürger- und Heldenkrone. Auch mir und der Frau hat er sehr

freundlich und gut geschrieben. Sobald ich sein [Karlsbader] Gedicht an die Kaiserin erhalten kann, sende ich es.
SchFr I, 637 f.

1787. DOROTHEA SCHLEGEL AN VARNHAGEN VON ENSE

Wien, 2. September 1812

Lieber Freund, man muß nicht allein gute Verse machen, man muß vor allen Dingen *Gesinnungen* haben. Sind die Verse aber so schlecht wie die Gesinnungen und eins wie das andre, was kann man denn anders, als um den Verlornen trauern? Und höchst unpolitisch sind diese [Karlsbader] Gedichte obendrein, denn wenn die Anekdoten der Dame der Kanzone, die Sie mir erzählten, wahr sind, so wird sie gar übel erbaut sein von dieser Apotheose der Fremden. Ist er durch keine Marter zu diesen Stanzen gezwungen worden, so will ich Gott bitten, daß sie ihm verziehen werden.
SchlVeit II, 98 f.

1788. ERBPRINZESSIN KAROLINE AN CHARLOTTE SCHILLER

Ludwigslust, 15. September 1812

Das Stück [„Die Wette"] soll gar nicht spielbar gewesen sein und der Meister sich krank gestellt haben. Ich habe noch auf dem Herzen, Ihnen zu sagen, daß ich nicht ganz so mit seinem Gedichte auf die *eine* Dame [die Kaiserin von Frankreich] zufrieden bin, als Sie es mir scheinen. Mir deucht, daß er vieles bequemer hätte ungesagt können sein lassen, ob es gleich sehr schön und vortrefflich gesagt ist. Die Östreicher sollen gar nicht damit zufrieden sein.
SchFr I, 641

1789. CHARLOTTE VON STEIN AN KNEBEL

Weimar, 19. September 1812

Heute hat Saint-Aignan die Nachricht erhalten, daß die Franzosen den 5. in Moskau eingerückt sind. Die arme Großfürstin! ...

Ich sah heute Goethen nur einige Minuten, denn immer verfehlte ich ihn, wenn er mich besuchen wollte. Er schien mir vergnügt und über die Begebenheiten erhaben. Denn so etwas ist immer ein schönes Thema sowohl für Philosophen als für Poeten, welches nun leider keins von beiden die arme Großfürstin ist!

BodeSt VIII, 15

1790. BUCHOLTZ IN SEINEM TAGEBUCH

Weimar, 23. und 27. September 1812

[23. September:] Bei seinem ersten Eintreten frappierte mich sein Gesicht nicht; bald erkannte ich vieles von seiner Bildung, wie sie mir aus Abbildungen bekannt war. Herrliches Auge, doch blickte er meistens weg. Etwas eingefallene Züge. Sein Gesicht schien ein anderes zu sein bei freundlicher Spannung, ein anderes in der nachlässigen Lage. Er sprach leise, scheinbar fast nur obenhin, war aber sonst sehr gütig.

[27. September:] Er gefiel mir das zweite Mal noch besser als das erste Mal. Wahrlich ein herrliches Gesicht, das auch jetzt fast gar nicht eine gewisse heitere Ruhe und freundliche Spannung verlor. Er sprach über Theater und Literatur ...

Bei Tisch war außer ihm seine Frau, sein erwachsner Sohn, eine gewisse Demoiselle Ulrich, die sehr interessant aussah, und sein Sekretär [Riemer]. Das Gespräch betraf meist gleichgültige oder doch nur ganz obenhin berührte Punkte ...

In allem, was er tat und sprach, war eine hohe Ruhe, eine anständige Feierlichkeit; er schien alles nur leicht zu berühren, sprach galant, artig mit Demoiselle Ulrich, halb scherzend und mit Würde zugleich mit seiner Frau (es mag ein eigentümliches Verhältnis sein; er nannte sie *Du,* sie ihn *Sie:* „Erlauben Sie, daß wir uns jetzt entfernen"), gab seinem Sohn scherzend ein kleines Monitorium, da er eins der besseren neuern Bücher nicht gelesen hatte (ich dachte an mich), war sehr gütig, gastwirtlich gegen mich.

JbGoeGes V, 208–213

1791. MARIA LUDOVICA
KAISERIN VON ÖSTERREICH
AN KARL AUGUST

2. Oktober 1812

Ich wüßte gar gern, ob Goethe mit seinem zweiten Aufenthalt in Karlsbad zufrieden gewesen ist. Sagen Sie ihm, daß ich seine Werke mit neuem Vergnügen wieder lese, daß sie aber doch viel verlieren, wenn der Verfasser sie nicht selbst vorliest und deklamiert.

Bode II, 376

1792. CHARLOTTE SCHILLER
AN ERBPRINZESSIN KAROLINE

Weimar, 5. Oktober 1812

Gestern habe ich mich mit August lange unterhalten über die neuen Produkte der Welt, und wir kamen überein, daß wir beide eigentlich nicht leicht mehr etwas loben können von der neuen Welt; wir können es nur angenehm, gefällig finden. Denn er wie ich haben in Schiller und seinem Vater einen Maßstab, dem wenige nur nahe kommen. Es freute mich, daß er es fühlte.

SchFr I, 642f.

1793. HELENE VON KÜGELGEN AN FRIEDERIKE UND WILHELM VOLKMANN

Dresden, nach dem 12. Oktober 1812

Ich muß Euch noch einiges von der Frau von Arnim erzählen, die mir als das originellste Wesen erschienen ist... Als sie vor einem Jahr den heftigen Streit mit der Goethe hatte, der soviel Aufsehen machte, hat sie in ganz Weimar erzählt: es wäre eine Blutwurst toll geworden und hätte sie gebissen. Und wirklich soll die Goethe keinem Ding so ähnlich sehen als einer Blutwurst.

Die Arnim kommt mir vor wie ein recht pikantes Ragout, wo man auch Knoblauch und Asa foetida hineingetan hat...

Aus Braunschweig ist jetzt jemand da, der ... ein recht gebildeter und vielunterrichteter Mann scheint ... Wir sprachen von Werner, der sich nun öffentlich in den Straßen Roms geißelt; wir sprachen vom jungen Arthur Schopenhauer, der tags zuvor gelehrt beweisen wollte, es gäbe keinen Gott ... So kam es zu Bekenntnissen, die ich nie gefordert haben würde, und er meinte, alle diese, wenn sie es wirklich mit sich gut und ernstlich meinen, kommen wieder zurück von ihren Irrungen. – Goethe hat jetzt in einer Zeit von zwei Monaten zweimal kommuniziert – was man doch erlebt! Der sucht und sucht auch wohl noch und weiß noch nicht, wo es finden.

Küg 152

1794. CHARLOTTE VON STEIN AN IHREN SOHN FRIEDRICH

Weimar, Ende Oktober 1812

Hast Du Goethes „Leben" gelesen? Der zweite Teil ist auch heraus. Mich interessiert er sehr; schreib mir doch, wie Dir's vorkommt.

Er ist manchmal sehr artig gegen mich, aber erstaunt ungleich. Aus seinem „Leben" sehe ich, daß er von Jugend auf so war, seinen Freunden wehe tat.

Stein II, 373

1795. BÖTTIGER AN ROCHLITZ

Dresden, 1. November 1812

Natürlich liest auch hier jeder mit Heißhunger den zweiten Teil von Goethe über sich. Man findet ihn gehaltreicher, voll treffender Urteile über Kunst und Kunstmenschen, eine köstliche, sich jedem Gegenstand wie ein Zaubermantel anschmiegende Sprache, voll kristallheller Klarheit und hinreißender Darstellung. Aber man wünscht doch noch dies und jenes weg. Besonders sind einige Stellen über den Katholizismus anstößig, die gewiß sehr gemißbraucht werden.

GoeJb XVIII, 153

1796. CARL MARIA VON WEBER AN LICHTENSTEIN

Weimar, 1. November 1812

Goethe habe ich einmal recht angenehm genossen. Heute ist er nach Jena gereist, um den dritten Teil seiner Biographie zu schreiben; hier kömmt er nicht dazu. Es ist eine sonderbare Sache mit der näheren Vertraulichkeit eines großen Geistes. Man sollte diese Heroen nur immer aus der Ferne anstaunen.

Web 24f.

1797. NIEBUHR AN PERTHES

Berlin, 3. November 1812

Verdrießlich ist mir auch, was dem Mißbrauch Wasser auf die Mühle gibt und in Goethens Munde nicht Ernst sein kann: eine Rechtfertigung der katholischen Sakramente. Ich weiß wohl, was sich dafür sagen läßt, aber *das* hat Goethe offenbar nie gedacht, und seine Darstellung [„Dichtung und Wahrheit“, 7. Buch] muß auf beiden Seiten ärgern. Unbeschreiblich merkwürdig ist die sichtbar ganz zuverlässige Darstellung seiner Entwicklung, so ohne allen Einfluß der alten Literatur, so ganz aber in der Art der Alten, durch die unmittelbarste, reichste Benutzung der Gegenwart und Wirklichkeit und das rastlos immer stark mit Stoff genährte Feuer in seinem Busen.

Nieb 339

1798. KARL AUGUST AN GRÄFIN JOSEPHINE O'DONELL

Weimar, 4. November 1812

[Franz.:] Goethe ist augenblicklich in Jena. Der zweite Band seiner Quasi-Lebensgeschichte ist erschienen; er enthält sehr interessante Dinge, höchst bemerkenswerte Beobachtungen, feine Belehrungen über die Anatomie der Seele; aber manchmal ist er breit und allzu ausgesponnen, um gerade aufs Ziel loszuführen. Es sind zu viel große Worte darin, die ich gar nicht liebe, und sehr viele höchst langweilige Einzelheiten. [Deutsch:] Indessen ist dieser zweite Teil ein sehr merkwürdiges Werk und mir zehnmal lieber wie der erste, den ich ihn gerne geschenkt hätte. [Franz.:] Die Gesundheit des Verfassers ist sehr gut. Ich bin überzeugt, daß er Ihnen selbst sein Buch schicken wird ...

ArchivLit. XV, 41. Z. T. aus dem Französischen

1799. ROCHLITZ AN BÖTTIGER

Leipzig, 12. November 1812

Was Sie über Goethes „Leben" II sagen, stimmt fast gänzlich mit meinem Urteil zusammen, auch in Ansehung jener Stelle über den Katholizismus. Sie ist meiner Einsicht nach nicht einmal durchgehends wahr, und daß sie eben jetzt, eben von diesem Manne, eben so dreist und überraschend ausgesprochen worden, muß von vielen, und auf Schwache, von sehr üblen Folgen sein. G[oethe]n war, wie ich gewiß weiß, schon vor dem Druck manche Vorstellung über diese Stelle gemacht worden; er hat sie alle zurückgewiesen, weil, wer einmal mit einem solchen Buche auftrete, auch *alle* seine

Ansichten und Überzeugungen ohne Rücksichten auf irgend etwas, außer die Sache selbst, heraussagen müsse; jenes sei aber wirklich seine Überzeugung.

GoeJb I, 336

1800. CHARLOTTE VON STEIN AN KNEBEL

Weimar, 14. November 1812

Ich freue mich, Sie jetzt in Goethes Nähe zu wissen, für Sie und ihn, und möchte wohl manchmal Zuhörerin Ihrer Gespräche sein.

Goethes zweiter Teil hat, wie der Herzog gestern abend erzählte, in Leipzig große, angenehme Sensation gemacht, und wenn sich dort die Menschen begegnen und zeither nur Politik sprachen, so wird dieser gar nicht erwähnt, sondern nur von Goethes „Dichtung und Wahrheit" gesprochen. An die liebe Frau und Sohn meine freundlichsten Grüße und so auch an Goethen; er hätte keinen Urlaub, länger wegzubleiben, denn die vierzehn Tage seien um!

BodeSt VIII, 18

1801. CHARLOTTE SCHILLER AN ERBPRINZESSIN KAROLINE

Weimar, 19. November 1812

Ich hoffe, Sie haben nun das „Leben" des Meisters. Der zweite Teil haucht mich ordentlich südlich an, und ich bin zu Hause in Straßburg, sehe den Münster ... Ich will auch den „Landpriester von Wakefield" [von Goldsmith] wieder lesen ... Was er über Herder sagt, ist so schön. Die Schilderung seiner Schwester ist auch vortrefflich.

Ich habe aufs neue Schutz und Trutz in mir erneuert und reiche meine Rechte nach der Ostsee hin zu der Ihrigen. Im ersten Teil habe ich die theologischen Ansichten so gern (ich las sie erst gestern wieder), die Geschichten der Patriarchen, wie er sagt, wie sie mit Glauben ausgezogen und als Kinder Gottes gehandelt haben.

SchFr I, 645 f.

1802. KNEBEL AN CHARLOTTE SCHILLER

Jena, 24. November 1812

Unserm wahren Freund Goethe bin ich und sind die Meinigen am meisten wegen unserer Rettung schuld, und ich bitte auch Sie, ihm bei Gelegenheit unsre Dankbarkeit zu bezeugen.

SchFr III, 337

1803. KNEBEL AN SEINE SCHWESTER

Jena, 26. und 27. November 1812

Doch zu meinen Geschichten zu kommen, die sich in diesen letzten Tagen zugetragen haben, so muß ich Dir noch voraus melden, daß Goethe wieder ein drei Wochen bei uns zugebracht hat, in denen er menschlicher, mitteilender und mir teurer war als je ...

Goethe hat sie gesehen und hat große Freude darüber gehabt. Auch nahm er ihn nun alle Morgen zu sich, diktierte ihm Briefe und dergleichen, um ihn fertiger im Schreiben zu machen. Dieses Zutrauen erweckte den jungen Menschen. Er wollte ihn auch in seinem Gefängnis besuchen. Überhaupt kann ich nicht sagen, welche Liebe und welche zarte Sorgfalt Goethe bei dieser Gelegenheit und während seines ganzen Hierseins ... für mich und die Meinigen bezeugt hat. Er hat auch vorzüglich meinen jähen Eifer zurückzuhalten gesucht, wofür ich ihm danken muß; denn mit dem elenden Volk ist doch weiter nichts anzufangen, und man besudelt sich nur mit ihnen ...

27. November. Noch muß ich Dir sagen, daß ich auf Goethes Antrieb mein Leben zu schreiben angefangen habe.

KnHe 633, 636f.

1804. HELENE VON KÜGELGEN AN FRIEDERIKE UND WILHELM VOLKMANN

Dresden, November 1812

Klopstock, Herder, Jung gingen auf gerader Straße dem Ziele nach. Schillers Weg scheint mir stark geschweift. Und Goethens ein vollkommenes Zickzack. Unbegreiflich ist meinem Gemüt das Haschen nach allem. Ein solcher Mensch erscheint mir wie ein Polyp, der seine Arme unaufhörlich nach Raub ausstreckt und mit gleicher Begierde alles und jedes an sich reißt.

Küg 153

1805. CHARLOTTE SCHILLER AN KNEBEL

Weimar, Anfang Dezember 1812

Goethe hält sich noch zu Hause; Meyer sagt mir aber, er sei nicht krank, doch angegriffen, daher lebhaft im Gespräch und reizbar. Er war doch kränker in Jena, als er es uns hier wollte wissen lassen. Ich sage es aber nicht weiter; denn er will es, scheint es, geheimhalten.

SchKn 86

1806. CHARLOTTE SCHILLER AN ERBPRINZESSIN KAROLINE

Weimar, 5. Dezember 1812

Knebel schrieb auch neulich, daß er [Goethe] in Jena gewesen und in einer milderen und mitteilenderen Stimmung als je, selbst für Knebel bei einigen Gelegenheiten äußerst wohltätig. Die Herzensgüte und Billigkeit, die man in seinem „Leben" bei ihm findet, habe ich ihm immer zugetraut, wenn er zuweilen den Menschen nicht so erschien. Was er sagt, daß man die Menschen gewöhnlich alle für gesund hielte, und was er davon ableitet, ist so wahr, wie überhaupt ein unermeßlicher Reichtum von treffenden und aus der Wahrheit ergriffenen Bemerkungen in diesem Buche enthalten sind.

SchFr I, 646

Friedrich Leopold Graf zu Stolberg

1807. FRIEDRICH LEOPOLD GRAF ZU STOLBERG AN PERTHES

1812?

Senden Sie mir doch den zweiten Teil von Goethes „Leben"! Den ersten habe ich mit dem größten Interesse in Karlsbad, wo ich ihn selbst fast täglich sah, gelesen. Er war gegen mich in hohem Grade freundschaftlich. Vom Vorigen war, wie Sie denken können, nicht die Rede, so wie es auch mich nicht störte, daß ich gerade dort die „Xenien" wieder las. Bei mir oder bei meiner Frau entfiel ihm nie ein irreligiöses Wort; vielmehr gab er manche Äußerungen, die man ihm nicht zutrauen sollte. Unter anderm sprach er ganz vortrefflich über Jacobis letzte Schrift [„Von den göttlichen Dingen und ihrer Offenbarung"]. Er sah überaus wohl und kräftig aus, litt aber einige Tage an fürchterlichen Krämpfen im Unterleibe, von denen man besorgt, daß sie ihn auf einmal überfallen und töten können.

GoeJb XVIII, 119

1813

1808. VOSS DER JÜNGERE AN ABEKEN

Heidelberg, 4. Januar 1813

Goethes „Leben", den zweiten Teil, habe ich bis zur Hälfte gelesen, und mit großem Vergnügen – bis auf die Sakramente, in deren allegorischer Darstellung er offenbar dem Zeitgeiste huldigt. Lieber Gott, wie ganz anders habe ich darüber Goethe *reden* gehört!

VoßG 120

1809. DOROTHEA SCHLEGEL AN AUGUST WILHELM SCHLEGEL

Wien, 12. Januar 1813

Ferner haben wir Goethes zweiten Teil seiner „Dichtung und Wahrheit". Es ist in diesem zweiten Teil mehr Reichtum als im ersten; es will einem aber doch nicht klar daraus werden, woher denn nun der ausgezeichnete Mann, der Dichter seines Volks daraus hat entstehen können. Am Ende glaube ich doch, daß er diese ganze Form bloß braucht, um manches zu sagen, was ihm zu sagen bequem ist: das Beste aber verschweigt er dennoch. Aus diesen meist läppischen Geschichtchen kann ich mir seine Entstehung nicht zusammensetzen.

SchlVeit II, 140f.

1810. FRIEDRICH SCHLEGEL AN SULPIZ BOISSERÉE

Wien, 16. Januar 1813

Daß der alte Götze Ihrer so lobpreisend in dem zweiten Teile [von „Dichtung und Wahrheit"] gedacht, freut mich sehr, der guten Wirkung wegen, die es für die Beförderung Ihres Unternehmens haben wird. Hätte er nur nicht in der Beschreibung des Münsters sich selbst ein so vollständiges testimonium paupertatis ausgestellt von seiner fortwährenden Unfähigkeit, die gotische Baukunst zu verstehen und zu empfinden. Daß er mich auch bei *dieser* Gelegenheit nicht genannt hat, darf mich nicht weiter wundern, da ich es schon von den Deutschen gewohnt bin, daß sie mir übel begegnen. Weil er aber so gar breit um sich her greift, so werde ich ihn dagegen wohl einmal bei nächster Gelegenheit, wo von Kunst die Rede sein wird, nennen; etwas humoristisch, versteht sich, und indem ich ihn wie jener Soldat beim Shakespeare das geschmähte Lauch essen nötige. – Der alte Kerl fängt an, mir in der Tat recht sehr zuwider zu werden, je mehr seine innere Schlechtigkeit ans Licht kommt.

SchlBoi 173f.

1811. ROCHLITZ AN BÖTTIGER

Leipzig, 25. Januar 1813

Daß Goethe die sieben Sakramente, wie Sie sagen, so phantastisch gepriesen, wird freilich schwerlich jemand rühmen können, und diese Sache, so einzeln an sich betrachtet, wüßte ich's zwar zu erklären, aber nicht zu entschuldigen, viel weniger zu rechtfertigen. Aber lassen Sie uns einmal diese wunderliche Einzelheit abrechnen, lassen Sie uns dann vergessen, daß wir Protestanten, ich meine: Partei, sind und uns nur unseres Christentums sowie der jetzigen Lage des Christentums in den meisten gebildeten Staaten, ja vornehmlich in Deutschland, erinnern und nun ganz bestimmt, fest und hell uns vorhalten, was jene ganze Depression Allgemeines enthält oder wenigstens verrät, sucht, will! Wie dann?

GoeJb XVIII, 153

1812. CHARLOTTE SCHILLER AN ERBPRINZESSIN KAROLINE

Weimar, 26. Januar 1813

Für den Meister zittre ich eigentlich und möchte es nicht erleben. Und doch ist es wahrscheinlich. Meyer sagt, er sei wohl und es gehe ihm gut.

SchFr I, 653

1813. LUISE SEIDLER AN PAULINE VON SCHELLING

Jena, 26. Januar 1813

Der einzige Trost, unser verehrter Meister und Freund, ist jetzt immer so kränklich, so niedergeschlagen von den allgemeinen Weltbegebenheiten, daß mein letzter Aufenthalt bei ihm, zu Ifflands Gegenwart, mir ebensooft Sorge und Betrübnis als Freude machte ...

Der zweite schöne Mittag – Du weißt, die andern Tageszeiten ist er wenig zu sehen und noch weniger genießbar – war der, wo Iffland da aß, in der besten Laune, tausenderlei Anmutiges und Komisches aus seinem Leben erzählend und der verehrte hohe Wirt dies alles auf das freundlichste und liebenswürdigste erwidernd.

Gespr II, 758f.

1814. CHARLOTTE VON STEIN AN IHREN SOHN FRIEDRICH

Weimar, 29. Januar 1813

Goethe ist auch immer krank. Seit Wielands Tod war er einmal bei mir.

Stein II, 377

1815. CHARLOTTE SCHILLER
AN ERBPRINZESSIN KAROLINE

Weimar, 11. Februar 1813

Der Meister ist nicht krank; doch flieht er die große Welt und hält sich zu Hause, ist unsichtbar bei den Festen, weil er ohne Stiefel nicht gehen darf ... Der Sohn, der gar klug ist und artig, sagte mir neulich, daß, da er nun 63 Jahr alt sei – das will mir gar nicht glaublich scheinen –, so müßte er sich schonen, und in Gesellschaft verdürbe er sich so leicht, weil er sich vergäße. Das ist nun wohl gut für ihn, aber nicht für uns!

SchFr I, 655f.

1816. KARL VON STEIN
AN SEINEN BRUDER FRIEDRICH

Kochberg, 20. Februar 1813

Ich bin zu der Herzogin, des Erbprinzen und der Erbprinzeß Geburtstägen in Weimar gewesen ... Goethe hat zu die Geburtstäge allerhand Klingklang [„Idylle"] gemacht. Die Tableaux oder Bilderszenen mit Gesang waren aber hübsch ... Meine Frau hat als Oenone den Goethe berückt, daß er ihr um den Hals gefallen ist. Die Musen haben es hinter dem Vorhang entdeckt und sie beneidet.

Fritz von Stein II, 199f., und Gespr. II, 780

1817. CHARLOTTE SCHILLER
AN ERBPRINZESSIN KAROLINE

Weimar, 25. Februar 1813

Es durften nur Frauen von Maçons, noch dazu nur von hiesigen, dabeisein. Ich als die beste Freundin Wielands, die ihn in den letzten Jahren am meisten sah ..., hätte wohl tiefer gefühlt, was da vorging, als manche Dame, die entweder nur da war, um dazusein oder nur in leeren Akklamationen auszubrechen. Selbst die Frauen der Toten haben es vielleicht als ein Opfer angesehen, dasein zu müssen. Dies waren meine Gedanken, und hätte ich der dicken Hälfte für eine Schale Punsch für diesen Abend ihr Recht abkaufen können ..., so glaube ich, wären wir beide an unserm Platz gewesen.

SchFr I, 656f.

1818. LUISE SEIDLER AN PAULINE VON SCHELLING

Jena, 4. März 1813

Von Goethe kann ich Dir bessere Nachrichten geben. Ich fand ihn kürzlich in Weimar wieder ganz den alten, lebenskräftig, voll Feuer und des besten Humors. Ein Gespräch über Fouqués Werke, wo er einmal recht aus sich herausging..., wünschte ich Dir hier so lebendig herzaubern zu können...

Gespr II, 780

1819. CHARLOTTE SCHILLER AN KNEBEL

Weimar, 17. März 1813

Von Goethe sehe ich leider einmal gar nichts! Sein eignes reiches Wesen würde mir jetzt recht wohl machen; nur eine recht eminente Geisteserscheinung kann die kleinen Stürme alle beschwören. Wenn man nur zu ihm könnte, wie man wünschte!

SchKn 115f.

1820. KNEBEL AN CHARLOTTE SCHILLER

Jena, 19. März 1813

Ich glaube wohl, daß Ihnen, geliebte Freundin, die Anrede eines Mannes, wie Goethe ist, zuweilen sehr wohltätig wäre. Da er sich aber ungerne mündlich und so völlig und schön in Schriften mitteilt, so müssen wir ihn schon da suchen, wo er zu finden ist.

SchFr III, 340

1821. CHARLOTTE VON STEIN AN KNEBEL

Weimar, 24. März 1813

Goethens Rede auf seinen [Wielands] Tod [„Zu brüderlichem Andenken Wielands"], die ich gestern zu lesen bekam, ist ein Kunstwerk, Kunststück und Meisterstück. Sie hat mir außerordentlich gefallen.

BodeSt VIII, 21

1822. CHARLOTTE SCHILLER AN ERBPRINZESSIN KAROLINE

Weimar, 10. April 1813

Die Rede [auf Wielands Tod] vom Meister ist meisterhaft: so klar, schön, billig, verständig und mit soviel Geist.

Denken Sie, daß ich neulich in dem Tannengang an seinem Garten ganz einsam ging; da begegnete ich ihm; er war so freundlich, lieb und gut. Wir sprachen über seine Rede, die ich eben gelesen hatte, und er nahm mich mit in sein Haus, welches eben ganz ausgereinigt war. Ich sah den prächtigen Jupiterskopf, den er jetzt besitzt ...

SchFr I, 659

1823. GRIES AN CHARLOTTE SCHILLER

Jena, 18. April 1813

Wie anders würde die Vorstellung der „Zenobia" ausgefallen sein, wenn Schiller sich ihrer angenommen hätte! Jetzt muß ich mich freuen, daß es nur so leidlich gegangen ist ...

SchFr III, 167

1824. CHARLOTTE VON STEIN AN IHREN SOHN FRIEDRICH

Weimar, 18. April 1813

Er konnte die hier so abwechselnde bald Lüge bald Wahrheit, ob Russen oder Franzosen uns zernichten würden, nicht ertragen, war tiefsinnig darüber geworden, ist auch lange Zeit nicht mehr zu mir gekommen, und kam gestern seine Frau, mir ein Lebewohl von ihm zu sagen, und er würde mir von Teplitz aus schreiben.

Stein II, 382

1825. KNEBEL AN SEINE SCHWESTER

Jena, 22. April 1813

Er hatte sich vorgenommen, es diesen Sommer, wo möglich, in Weimar auszuhalten und dabei sich ganz auf seine Arbeiten, vorzüglich auf seine Lebensgeschichte, einzuschränken. Als ich letzthin in Weimar war, sah ich ihm wohl an seinem tiefen und schweigenden Ernst an, daß er etwas in sich gedrückt sei. Auf inständiges Zureden seiner Frau hat er sich endlich schleunig entschlossen abzureisen, und das Glück hat ihm dadurch gewollt, daß er die Szenen, die sich gleich tags darauf in Weimar durch Besetzung der Franzosen und Vertreibung der preußischen Piketts zugetragen, nicht daselbst miterlebte.

KnHe 650

1826. HELENE VON KÜGELGEN IN IHREM TAGEBUCH

Dresden, 25. April 1813

Des Kaisers [von Rußland] und Königs [von Preußen] Einzug brachte schon von früh an Menschen zu uns, die sich unsrer Fenster bedienen wollten. Der erste von diesen war Goethe. Er fand mich mit den Kindern noch allein und war sehr liebenswürdig, das heißt, wir genierten einander nicht.

Ich trug ihm den Sessel vor das Mittelfenster hin. Ich war zu bewegt, um sprechen zu können.

Nun aber füllte sich das Zimmer, und so ging es fort bis 2 Uhr. Ich war sehr müde; dabei die beständige Janitscharenmusik gerade unter den Fenstern. Als sie nun endlich kamen und alle Glocken läuteten, als sie zu Pferde in der Allee hielten, gerade unter unseren Fenstern, und nun die vielen tausend Stimmen wie in einem lang gehaltenen Schrei sie begrüßten – und als die unzähligen Geschwader vorbeizogen und die Musik, das Geschrei, die wehenden vaterländischen Fahnen, die mich mehr als alles andere rühren: da war ich wirklich ermattet. Und nun mußten wir zu Mittag essen ... Goethe ging gleich nach Tisch von uns, um zu schlafen, und ich hing wie eine überreife Kornähre vornüber und ließ mich vollends zerarbeiten bis um 4 Uhr, da Goethe erwachte und zum Kaffee kam.

Küg 167

1827. BÖTTIGER AN ROCHLITZ

Dresden, 12. Mai 1813

Ich habe W[ieland] als Menschen nicht lange und genau genug gekannt, um urteilen zu können, ob Goethe ihm in dieser Hinsicht ganz und überall sein Recht angetan. Aber W[ieland] den Dichter glaube ich mir nicht fremd, und da muß ich denn gestehen, daß er ... in einer Weise aufgefaßt und mit einer Konsequenz, Klarheit und Anschaulichkeit dargestellt ist, wie das wohl kein andrer vermocht hätte, im ganzen nämlich! Gegen einzelnes lassen sich vielleicht nicht grundlose Einwendungen machen ... Die Rede aber, als Kunstwerk, als Charakterbild an sich betrachtet, muß ich sie als das Schönste rechnen, was Goethe in späterer Zeit geliefert hat, unter das Schönste, was Deutschland in dieser Gattung besitzt.

GoeJb XVIII, 153f.

1828. THEODOR KÖRNER AN FRIEDRICH SCHLEGEL

Teplitz, 28. Mai 1813

Goethe sehe ich oft, aber über das, was mich jetzt am meisten interessiert, läßt sich mit ihm nicht sprechen. Er ist zu kalt für den Zweck, um zu hoffen. Jede Entbehrung und Unruhe ist ihm daher ein zu kostbares Opfer. Um seine und vieler anderer Leute höhere Weisheit beneide ich niemanden.

Kör 315f.

1829. CHARLOTTE SCHILLER AN KNEBEL

Weimar, 14. Juni 1813

Ich habe jetzt den „Reineke Fuchs" wieder vorgenommen, und die klare Ansicht hat mich recht erfreut und ergötzt von neuem. Ich sehe auch immer Goethe im Geist dabei und gedenke der Zeit, wo er uns daraus gelesen. Die Beichte Reinekes liest er einzig vor.

SchKn 134

1830. WILHELM VON HUMBOLDT AN SEINE FRAU

Prag, 31. Juli 1813

Goethe ist, wie mir die Recke ... sagt, sehr verdrießlich in Teplitz. Ich kann mir seinen Zustand denken. Er hat eigentlich kein Gleichgewicht in sich, er ist schwach in der Wirklichkeit, und dann gilt das Idealische nur im Moment der Begeisterung und durchdringt nicht jeden Moment des bloßen einfachen Lebens. Da er sich nicht anschließt, können es auch andere nicht, und so nötigt ihn gerade die Unfähigkeit, recht allein zu stehen, allein zu bleiben.

Hu IV, 84f.

1831. RIEMER AN FROMMANN

Weimar, 14. August 1813

Ich muß mich jetzt an das Goethische [Manuskript zum 11. und 12. Buch von „Dichtung und Wahrheit"] halten, das mir, bei seiner Entfernung und da ich das Risiko tragen muß, wirklich einige Not macht. Denn es enthält gewaltige Nachlässigkeiten im Stil, teils wohl durch die Ähnlichkeit, ja Gleichheit der Zustände veranlaßt, öfter aber auch durch Mangel an Aufmerksamkeit des Diktators oder Schreibers ...

... ich sehne mich nur nach G[oethes] Rückkehr; denn er mag sein, wie er will, nach so langer Abwesenheit hat man sich immer viel zu sagen.

Rie 209f.

1832. DOROTHEA SCHLEGEL AN SULPIZ BOISSERÉE

Wien, 24. August 1813

Goethe ist in Teplitz gewesen; ich weiß nicht, ob er noch dort ist. Der flüchtet vor dem äußern Feinde und gibt seine ganze Seele ungehindert dem innern Feinde preis. Es gibt nicht viele Bücher, die meiner innern Natur so zuwider sind als seine letztern, namentlich die „Wahlverwandtschaften" und vollends sein sogenanntes „Leben". Was er über die Sakramente und was er über Ihr Werk darin kundtut, ist doch so bei den Haaren herbeigezogen und so deutlich nur eine Bescheinigung seines Eigentumsrechtes. Wie es dann aber zu gehen pflegt, es beweist gerade im Gegenteil, daß diese Gegenstände ihm allezeit fremd geblieben, seiner Seele nie einheimisch gewesen sind.

SchlVeit II, 195f.

1833. CHARLOTTE VON STEIN AN CHARLOTTE SCHILLER

Kochberg, 11. September 1813

Dem Meister habe ich den Tag vor meiner Abreise eine Ananas zu seinen Füßen geschoben, die ich ihm zum Geburtstag bestimmt hatte, ganz still bei Mondenschein, als er (où peut-on être mieux, wie man sagen könnte, qu'au sein de sa famille) saß und sich von Mlle. Engels auf der Gitarre vorspielen ließ. Ich war mit meinen Fräulein hinten zum Garten hineingegangen; hoffentlich hat er sie gefunden.

SchFr II, 357

1834. RIEMER AN FROMMANN

Weimar, 10. Oktober 1813

Gott! wenn nur für diesen Winter einige Ruhe zu hoffen wäre! und nicht etwa noch Schlimmeres uns bevorstände! –

Um mich auf andre Weise zu beruhigen und eine wissenschaftliche Unterhaltung mit G[oethe] zu haben, bin ich in ihn gedrungen, mir etwas von seinen physiologischen Abhandlungen mitzuteilen, und er hat sich bewogen gefunden, diese Papiere vorzunehmen, und wir lesen sie zusammen. So dürfte die „Metamorphose der Pflanzen" in einer neuen und reichern Umgebung auftreten, wenn sie auch der ausgearbeiteteste Teil wäre. Aber die Einleitung ist ganz, wie sie daliegt, brauchbar; das übrige mehr schematisch, aber doch sehr interessant.

Rie 211

1835. WILHELM VON HUMBOLDT AN SEINE FRAU

Weimar, 26. Oktober 1813

Ich wohne hier wieder nach alter Art bei Goethe ... Der Geheimrat trägt den Annen-Orden; die Legion ist beiseite gelegt, wie es scheint. Allein die Befreiung Deutschlands hat noch bei ihm keine tiefe Wurzel geschlagen. Er glaubt zwar ernstlich daran, aber stellt mit vielen Umschweifen, unbestimmten Phrasen und Gebärden vor, daß er sich an den vorigen Zustand einmal gewöhnt habe, daß alles da schon in Ordnung und Gleis gewesen sei und der neue nun hart falle. Die Verheerungen der Kosaken, die wirklich arg sind, nehmen ihm alle Freude an dem Spaß. Er meint, das Heilmittel sei übler als die Krankheit; man werde der Knechtschaft los werden, aber zum Untergehn. Ich habe mich wenig darauf eingelassen, diese Dinge zu bestreiten; es kam mir mehr darauf an, es zu kennen und aus ihm zu hören. Übrigens sieht er's sehr locker und lose an. Die Weltgeschichte, meint er, habe auch diesen Spaß haben müssen ... Sonst aber ist Goethe eine wunderschöne Natur, mit der ich immer unendlich gern bin.

Hu IV, 155

1836. WILHELM VON HUMBOLDT AN SEINE FRAU

Dornheim bei Arnstadt, 27. Oktober 1813

Von Goethe könnte ich Dir noch lange erzählen. Er hat den Feldzeugmeister Colloredo zur Einquartierung gehabt, der auf Goethes Kosten alle Tage 24 Personen zu Tisch gehabt hat. Die Geheimrätin versicherte, das koste 2- bis 300 Taler, und der Koch hätte ihr noch gesagt, daß sie sehr geizig wäre. Wie Colloredo gekommen ist, hat Goethe noch die Legion getragen, und Colloredo hat ihm gleich gesagt: „Pfui Teufel, wie kann man so etwas tragen!" Heute früh hat er mich ernsthaft konsultiert, was er tragen solle; man könne doch einen Orden, durch den einen ein Kaiser ausgezeichnet hat, nicht ablegen, weil er eine Schlacht verloren habe. Ich dachte bei mir, daß es freilich schlimm ist, wenn man für das Ablegen der Legion keine besseren Gründe hat, und wollte ihm eben einen guten Rat geben, als er mich bat, zu machen, daß er einen österreichischen Orden bekäme. Es ist närrisch, daß wir immer dazu bestimmt sind, daß die Leute uns in das Vertrauen ihrer kleinen Schwachheiten setzen. Die Goetheschen tun mir um so mehr leid, als er äußerst gut und freundschaftlich mit mir ist.

Hu IV, 156

Weimar, 29. Oktober 1813

Gestern wurden wir bei Hofe zu Mittag geladen. Ich besuchte den Hofmarschall, und endlich ... bekam ich ein Quartier im Hause des berühmten Goethe. Er empfing mich und meinen Freund [Rumbold] mit der größten Höflichkeit und gab uns eine sehr behagliche Wohnung ...

Nach dem Theater eilte ich zurück, um zu sehen, was Rumbold und Pat für ein Souper getan hätten, zu dem ich Herrn von Goethe, den Kanzler [von Hardenberg], den Prinzen Hohenzollern und Grafen Bombelles eingeladen hatte. Wenn man die Umstände bedenkt, so war das Mahl der Gäste nicht unwürdig; wenigstens schienen sie so zu denken. Wir hatten viel lebhaftes Gespräch; die Anwesenheit des Herrn von Goethe machte, daß wir uns alle anstrengten. Und wenn ich mich auch nicht erinnere, daß jemand von *uns* Erhebliches an Witz oder Weisheit vorgebracht hätte, so taten wir doch unser Bestes und bemühten uns zu zeigen, daß wir verständnisvolle Zuhörer der Weisheit des großen deutschen Genies seien.

Der Zauber seiner Unterhaltung wird nach meiner bescheidenen Ansicht etwas durch ein pedantisches Wesen gestört, das offenbar von der Anbetung herkommt, an die er von seinen zahlreichen Verehrern gewöhnt ist. Die Leute hier scheinen gleichsam an seinen Lippen zu hangen; sie horchen auf seine Worte wie auf Orakel. Deshalb ist es nicht verwunderlich, daß diese Worte in einem minder leichten Flusse sich ergießen, als wenn er so frei reden könnte wie andere, von denen man nicht allemal, wenn sie den Mund auftun, eine ungewöhnliche Schönheit der Rede oder Weisheitslehren oder dichterische Phantasien erwartet.

Mir für mein Teil gefällt Goethe wegen seiner guten Laune und angenehmen Manieren. Ein kleinerer Geist, eine minder geniale Natur wäre gewiß unausstehlich geworden bei so beständiger Fütterung mit Schmeichelei, wie sie ihm zuteil wird. Es ist aller Ehren wert, daß er so wenig verdorben wurde.

Gespr II, 845f. Aus dem Englischen

Prag, 4. November 1813

Sie [Karoline von Wolzogen] hat mich mit einem großen Glücke überrascht. Sie sagte mir mit einem Male: „Ich habe Briefe von Ihnen gelesen, die sehr schön sind!“ Ich dachte, an Frau von Humboldt; sie setzte hinzu: „Über Goethe. Es hat ihn unendlich gefreut. Es ist ihm so nötig, er wird so häufig mißverstanden, so vielfältig nicht gut berührt“, so ungefähr sprach sie, „es hat ihm außerordentlich wohlgetan.“ Ich sagte ihr, daß ich ihn *vergöttre* ..., diesen *König* der Deutschen, der blinden, unglücklichen, die ein Jahrhundert nach seinem Tod erwachen werden. Ich vergöttre diesen begabten Weisen, agitierten, echten Herzensmenschen! Daß er mir im ganzen Leben beigestanden! Sie sagte mir, man hätte ihr vertraut – das kann in Weimar nur Goethe sein –, die Briefe seien von mir; sie wolle es auch verschweigen. Ich sagte, es sei nicht nötig, denn da Goethe es wisse, könne es die ganze Welt wissen. Denk Dir also mein innres stilles Glück, daß ich meinen Herrn, meinen größten Liebling gefreut habe! Ach, und das ist es nicht, bei Gott nicht, denn wüßt ich *einen,* der ihn mehr liebt, verehrt, bewundert, anbetet ..., so wollt ich ewig, ewig ignoriert bleiben und ihm den zuschieben. O gäbe es eine Fürstin, die so für seine Verehrung geboren wäre, fast wollt ich ihr mein Herz und meine Einsicht geben, leihen gewiß oft! ...

Denk Dir nur, jetzt in Weimar fuhr ihn ein österreichischer General Colloredo, der bei ihm wohnen sollte und dem er entgegenging, an, weil er den Orden der Ehrenlegion auf demselben Schilde im Knopfloch hatte, wo der russische war. Goethen *der*gleichen! Der rohe Krieg! und seine Gesellen! Frau von Wolzogen sagt, es würde ihn *unendlich* kränken, und wie sie ihn kenne, werde es ihm Weimar verbittern und er es verlassen. August, welch ein Schmerz in seinem Alter, bei seiner Zartheit! Wie er sich alles denkt und alles in seiner Seele zu stehen hat, mischt ein wütender Krieger sich ein! Ach, nähm er's als einen Stoß, einen Schlag, im Gedränge auf ihn gefallen! Und Deutschlands Pöbel, wie wird er sich freuen! Hier sind vornehme Leute *für* Goethe.

Graf Christel Clam[-Gallas] an der Spitze. Der sagt, er würde es kriechend gefunden haben, wenn Goethe in dem Augenblicke den Orden abgelegt hätte. Es nennten sich Fürsten und Staatsmänner als Mitglieder dieses Ordens ...

Gentz, der zu Frau von Wolzogen kam, als ich eine Weile dort war, drückte sich nicht schön über Goethe aus. So kalt wie eine Klinke. Ich klinke ihn aber auf: die Zeit kommt, oder ich sterbe früher!

Varn III, 189ff.

1839. WILHELM VON HUMBOLDT AN SEINE FRAU

Frankfurt, 9. November 1813

Ich muß aber die Sache mit dem Orden [für Goethe] besser betreiben, als ich tat ...

Noch eine Sache vergaß ich Dir zu sagen. Die äußeren Dinge wirken jetzt so auf ihn, daß er mir, nicht zwar, wenn wir allein waren, aber mit der Frau bei Tisch, selten die Exzellenz geschenkt hat.

Hu IV, 167

1840. VARNHAGEN VON ENSE AN RAHEL LEVIN

Boizenburg, 3. Dezember 1813

Der General Colloredo ist derselbe, mit dem ich in Prag im Roten Hause den Streit hatte und den ich herausforderte; von ihm ist man wütende Härte gewohnt. Aber doch war das Kreuz der Ehrenlegion wohl nicht an seinem Platze, wie sehr ich auch (und selbst mein General) die Rechtfertigung, die Graf Clam wirklich edel dafür ausgefunden hat, anerkenne. Goethe wahrlich hat diesen Krieg mitbereitet wie keiner. Ohne ihn und den tiefdringenden Einfluß seines Geistes und Regens wäre ein großer Teil unserer Jugend nicht *so* für die Waffen entflammt, stünde unser Sinn und Willen nicht so erhöht für Besseres. Aber er, die Wurzel, verleugnet doch auch nicht billig das ihm freilich ungleichartige Erzeugnis seiner grünen Blätter, und daß er mit unserer Geschichte zu hadern scheint, muß in der Tat jeden von uns betrüben. Ich habe ihn übrigens neulich mit Perthes wacker verteidigt gegen den General Tettenborn ...

Varn III, 222

1841. LUISE SEIDLER AN PAULINE VON SCHELLING

Jena, 12. Dezember 1813

Von Goethe kann ich Dir wenig Erfreuliches mitteilen. Diese unruhigen Zeiten haben seine Behaglichkeit gestört, und das empfindet er übel und soll es auch wiederum empfinden lassen. Ich war neulich auch mittags bei ihm und empfand es doch auch etwas, ob er gleich die Güte selbst war ..., denn er war weniger lebhaft als sonst. Auch meinte er, man müsse sich auf alle Art zerstreuen, und er arrangiere jetzt seine Kupferstiche nach den Schulen; das sei Opium für die jetzige Zeit. Nimm dies, wie Du willst: mir war es leid, daß er für die jetzige Zeit, die freilich lastenvoll, aber doch überall groß und herrlich ist, Opium will.

Auch meinte er, es sei unrecht von den Studierenden und Professors, mit in den Kampf ziehen zu wollen, da jetzt schon so viel geschehe, dadurch Wissenschaften gestört etc. etc. würden. Übrigens ließ er sich nicht weiter über die Sachen aus, aber daß er nicht dafür enthusiasmiert ist, beweist er doch auch, indem er seinem Sohn verweigert, sich unter die Freiwilligen zu stellen, der es wünscht und in kein gutes Licht durch sein Bleiben gesetzt wird.

Gespr II, 850

1842. KIESER AN LUISE SEIDLER

Weimar, 12. Dezember 1813

Um 6 Uhr ging ich zu Goethe. Ich fand ihn allein, wunderbar aufgeregt, glühend, ganz wie im Kügelgenschen Bilde. Ich war zwei Stunden bei ihm, und ich habe ihn zum ersten Male nicht ganz verstanden. Mit dem engsten konfidentiellen

Zutrauen teilte er mir *große Plane* mit und forderte mich zur Mitwirkung auf. Ich glaubte, es sei die Zeit nach Tische; aber es gab kein Tröpfchen, und dennoch wurde er immer lebendiger. Ich war zu müde, um mich in dieselbe Stimmung zu versetzen; so habe ich mich endlich ordentlich losgerissen. Ich fürchtete mich beinahe vor ihm; er erschien mir, wie ich mir als Kind die goldenen Drachen der chinesischen Kaiser dachte, die nur die Majestät tragen können. Ich sah ihn nie so furchtbar heftig, gewaltig, grollend; sein Auge glühte, oft mangelten die Worte, und dann schwoll sein Gesicht, und die Augen glühten, und die ganze Gestikulation mußte dann das fehlende Wort ersetzen. Ich habe seine Worte und Plane, aber ihn selbst nicht verstanden. Ich muß morgen nach dem Theater wieder zu ihm, um ihn zu ergründen. Er sprach über sein Leben, seine Taten, seinen Wert mit einer Offenheit und Bestimmtheit, die ich nicht begriff.

Sei 125f.

1843. KIESER AN LUISE SEIDLER

Weimar, 13. Dezember 1813

Es fällt mir ... ein, daß es sonderbar ist, warum man so leicht, was Goethe sagt, ausführt und beweist, – wieder vergißt. So riet er mir in Beziehung auf unser Gespräch, ja am Sonnabend die „Räuber“ von Schiller zu sehen; aber ich habe das Motiv rein vergessen. Ich glaube, es liegt doch hauptsächlich darin, daß man sich durch die Art seiner Darstellung überreden läßt, mit ihm ganz gleichdenkend zu sein, da man doch in den Grundansichten in manchen Stücken abweicht. Oder liegt's darin, daß man im Gespräch mit ihm nie Ruhe genug hat, um das sich im Gespräch Entwickelnde sich einzuprägen, da der Strom der Entwickelung unaufhaltbar forteilt und das Frühere vom Nachfolgenden verschlungen wird?

Sei 127f.

1844. CHARLOTTE SCHILLER AN KNEBEL

Weimar, 22. Dezember 1813

Vorige Woche hat Goethe uns einen schönen Abend gemacht. Er hat bei der Herzogin uns einen Abschnitt aus seinem neuen Teil der „Dichtung und Wahrheit" gelesen, was er über Klinger, Lavater und Basedow sagt. Er hat mit soviel Geist Lavater gezeichnet und mit soviel Wahrheit, daß man ihn sieht, und mit soviel Milde die verschiednen Ansichten ausgesprochen, daß es eine Meisterhand nur so kann.

SchKn 162f.

1845. ROCHLITZ AN BÖTTIGER

Leipzig, 30. Dezember 1813

Unter diesen muß ich vor allen Goethe rühmen. Ich wüßte nichts zu ersinnen, was echte Humanität, Fürsorge, Zutraulichkeit und Freundschaft für Menschen, wie *wir* eben sind, tun könnten, das er nicht vom ersten bis zum letzten Tage, vornehmlich für mich selbst, getan hätte. Damit Sie nicht glauben, ich sehe durch das schmückende Glas der Vorliebe, will ich Ihnen nur einiges anführen, was sich mit wenigem anzeigen läßt. Die meisten Vorstellungen der Bühne waren bloß nach unsern Wünschen angeordnet; Goethe überließ uns für immer seine Loge, in welcher er nur uns besuchte, wie er uns seinen Wagen und andere Bequemlichkeiten überließ. Ich wünschte gleich beim ersten Morgenbesuch seine Kunstsachen, vornehmlich seine Zeichnungen, nach und nach kennenzulernen. Er sann sich, damit dies auf die ungezwungenste und erfreulichste Weise geschehen möchte, folgendes aus, was er gleich den ersten Nachmittag, wo er zu uns kam, mir vorschlug. „Ich lasse für Sie", sagte er, „jeden Tag ein Stübchen heizen und sorge am Morgen dafür, daß Sie immer wenigstens für einige Stunden Beschäftigung bereit finden. Kommen Sie dann oder kommen Sie nicht! Kommen Sie, so wird mein Bedienter [Dienemann ?] mir's sagen; kann ich, so teile ich Ihre Beschäftigung; kann ich nicht, so mögen Sie mich entschuldigen." Und so geschah es auch pünktlich; er kam aber allezeit, und ich blieb nur, wegen anderer Beschäftigung, drei Tage aus. Da kramten und besichtigten und untersuchten wir denn gemeinschaftlich, teilten uns unsere Ansichten einander mit, stritten wohl auch, und hübsch ernstlich. Kurz, es waren köstliche Stunden; denn was weiß der Mann nicht alles, und wie lehrreich oder anziehend wird nicht selbst das Bekanntere durch sein Zusammenfassen des Einzelnen und Beziehen desselben auf das Allgemeine – besonders auch in Absicht auf Geschichte und Kunsttechnik!

GoeJb I, 337 f.

1814

1846. WILHELM VON HUMBOLDT AN SEINE FRAU

Freiburg i. Br., 1. Januar 1814

Endlich hat sich doch also auch ein Schiller in Bewegung gesetzt! Goethen kann ich mir vorstellen. Er gehört durchaus zu den gleichgültigen Naturen für alles Politische und Deutsche. Egoismus, Kleinmütigkeit und zum großen Teil ganz gerechte Menschenverachtung, die man aber nur nicht so anwenden muß, tragen zusammengenommen dazu bei. Die Frau hält ihn ihrerseits auch in den erbärmlichsten Ansichten in dieser Rücksicht gefangen. Dabei hat er wirklich von Napoleon eine große Idee wenigstens gehabt und hat sie eigentlich noch. Denn auch die jetzige Epoche sieht er doch als eine Krise an, die ihn habe auch treffen sollen, um ihn daran zu versuchen. Wie der Sohn denken mag, wünschte ich ordentlich zu wissen. Ich konnte ihm indes auch keinen Enthusiasmus abmerken.

Hu IV, 207

1847. CHARLOTTE SCHILLER AN ERBPRINZESSIN KAROLINE

Weimar, 2. Januar 1814

Der Meister ist teilnehmend und freundlich, doch nicht ohne Sorgen!

Der dritte Teil [von „Dichtung und Wahrheit"] ist nur in Aushängebogen erst sichtbar. Er hat mir zwei Bücher davon mitgeteilt, die wunderbar schön, lebendig und anziehend sind. Man wird ordentlich mit jung und aufgelebt.

SchFr I, 670f.

Leipzig, 9. Januar 1814

Jetzt nach Weimar: denn da erquickte man mich auch, unmittelbar, tätig. Niemand aber tat das mehr, oder vielmehr: niemand tat das so echt, human, ganz würdig vertraulich und *meiner* Weise sich bequemend als der Mann, den Tausende dazu gar nicht fähig glauben, weil Tausende über ihn urteilen, ohne ihn nahe zu kennen. Goethen mein ich ...

Ich hatte Goethen einige Tage vor meiner Reise geschrieben – nichts als: ich komme mit Frau und Kindern; ich will mich erholen; lassen Sie mich was Gutes vom Theater und, kann es sein, etwas von Ihren Kunstsachen sehen, womit ich jenen Zweck am schönsten zu erreichen denke ... Als ich den ersten Morgen zu ihm kam, arrangierte er mit ebensoviel Feinheit und Vertrauen als selbst mit Sorge gegen Frau und Kinder unsre Zeit im ganzen für unsern Aufenthalt. Die Residenzer ... gleich zu stimmen, gab er uns den zweiten Tag ein schönes und leckeres Mahl, dem aber niemand beiwohnen sollte, als die wir wünschten, und deren waren wenige. Dann ward das Theater geordnet. Ich wünschte freilich den „Tasso“ oder die „Iphigenia“, aber die vielen Russen in W[eimar] und auch die meisten der Preußen, die vom Erfurter Belagerungskorps zum Schauspiel herüberkommen, haben dazu nicht Ruhe, nicht Bildung, nicht Geschmack. Auch sind jene Werke jetzt wirklich nicht an der Zeit ... So wurde denn, außer manchem schönen Musikalischen, vornehmlich „Götz von Berlichingen“, in zwei Abende verteilt, aufgetischt, und so, daß ich nie vollendetere theatralische Darstellungen gesehen habe. (Goethe selbst ließ die Hauptpersonen erst kommen, wohnte den Proben lenkend und anfeuernd bei pp.)

GoeRo 453 f.

1849. VARNHAGEN VON ENSE AN RAHEL LEVIN

Hadersleben, 11. Januar 1814

In Schleswig besuchte ich in Auftrag des Generals [Tettenborn] eine andere Schriftstellerin, Charlotte von Ahlefeld, geb. Seebach, die in Weimar durch die Herzogin gewissermaßen erzogen worden ist, Goethe, Schiller, Herder genau gekannt hat, eine Freundin der Frau von Wolzogen, eine Hauptverehrerin von Goethe ... Die gute Frau sprach mit Innigkeit von Goethe, über den ich ihr einige Worte aus Deinem Briefe nebst der Geschichte mit Colloredo vorlas. Sie sagte unter anderen, niemand habe in den trübseligsten Augenblicken sie so übermächtig beruhigt und durch oft wenig gesprochene Worte getröstet wie Goethe, den sie hoch über Schiller stellte, ohne literarische Anmaßung, bloß menschlich. Jawohl, geliebte Rahel, es lebe Goethe, bei jeder Gelegenheit! Mir gefällt an Niebuhr, daß er in seiner Zeitung [„Preußischer Korrespondent"] öfters aus ihm spricht, bald genannt, bald nicht.

Varn III, 280f.

1850. CHARLOTTE VON STEIN AN KNEBEL

Weimar, 12. Januar 1814

Goethe hat neulich einmal bei der Herzogin seine kleinen Gedichte vorgelesen, aber die jetzige Zeit ist so unpoetisch ... – Gesang will Freude haben.

BodeSt VIII, 287

1851. CHARLOTTE SCHILLER AN ERBPRINZESSIN KAROLINE

Weimar, 13. Januar 1814

Unsre Stadt ist plötzlich ein Lager geworden. Freiwillige zu Pferd und zu Fuß üben sich, und alles will sich rüsten ...

Der Meister ist tätig und ziemlich wohl. So recht geistig aufgelegt scheint er nicht. Mit dem Magnetismus gibt er sich auch ab und hat etwas darüber geschrieben; er wird es einmal bei Ihrer Frau Mutter lesen. Wenn er mit seinem hellen Geistesblick diese merkwürdige Erscheinung wie die Farbenlehre beleuchtet, so freue ich mich.

SchFr I, 671 ff.

1852. RIEMER AN FROMMANN

Weimar, 10. Februar 1814

Ihre Besorgnisse wegen G[oethe] beantworte ich nächstens: sie sind nichts, und er remuneriert mich gut, das mir denn in diesem teuern Jahre sehr zustatten kommt. Es sind wohl andre Dinge, die einem das Leben sauer machen und den Mut benehmen.

Rie 215

1853. CHARLOTTE VON STEIN AN KNEBEL

Weimar, 12. Februar 1814

Manchmal sehne ich mich nach einem behaglichen Freund ... Goethe ist selten zu sehen, und ist immer etwas um ihn, entweder eine Wolke, ein Nebel oder ein Glanz, wo man nicht in seine Atmosphäre kann.

BodeSt VIII, 287

1854. WILHELM GRIMM AN ARNIM

Kassel, 13. Februar 1814

Vor einigen Tagen ist die zweite Abteilung der sächsischen Armee durchgekommen ... Ein Jenaer Student, der zu den Freiwilligen gehörte, erzählte, Goethe sei ganz still und ziehe sich zurück; vielleicht weil er neulich einen unangenehmen Auftritt gehabt. Als er nämlich noch mit dem französischen Orden an den Hof gekommen, habe ihn ein östreichischer Colloredo, der da gewesen, deshalb hart angefahren, ob er nicht wisse, daß jetzt keine Zeit dafür sei. Wer weiß übrigens, ob es wahr ist? Es war einer von denen, die ihm nicht geneigt sind.

ArnG 298

1855. RIEMER AN FROMMANN

Weimar, 5. März 1814

G[oethe] ist im ganzen sehr wohl und heiter. Er wird den Sommer zu Hause bleiben, da ihn seine gesammelten und jetzt in der Ordnung befindlichen Kunstsachen sehr unterhalten und beschäftigen.

Rie 217

1856. RIEMER AN FROMMANN

Weimar, vor dem 12. März 1814

G[oethe]s tanzlustige Damen [Christiane Goethe und Karoline Ulrich] werden heute nach Jena gekommen sein, denn sie ziehen wie die Geier und Raben immer der Armee nach. Das ist ein wahres Schlaraffenleben, was diese führen! Vielleicht die einzigen in Deutschland, denen es wohl ist.

Rie 217

1857. CHARLOTTE SCHILLER AN ERBPRINZESSIN KAROLINE

Weimar, 15. März 1814

Wenn ich nur wüßte, was ihm eigentlich abgeht! Über seinen Sohn habe ich manche Kämpfe. Ich finde es natürlich, daß der Vater in seinem Alter alles tut, um ihn nicht Militär werden zu lassen; es ist doch eigentlich die einzige Freude, die er von seinem häuslich ehelichen Leben hat. Und dann hat auch der Sohn nicht den eigenen Trieb. Da es den Vater glücklich macht und den Sohn nicht unglücklich, so gönne ich es ihnen. Und doch gibt es hier und da Menschen, die die Achseln zucken darüber. Karl hätte ich um keinen Preis, auch wenn ich darüber gestorben wäre, abgehalten, denn seine ganze Existenz, sein ganzes Wesen wäre zerknickt gewesen; er hätte melancholisch werden können. Aber da August selbst nicht den Trieb hatte, so bin ich des Vaters wegen froh, daß seine Neigungen mit dem Glück des Vater übereinstimmen.

SchFr I, 678

1858. CHARLOTTE SCHILLER AN ERBPRINZESSIN KAROLINE

Weimar, 24. März 1814

Es ist mir recht erfreulich, daß der Meister öfter allein unsre geliebte Freundin [Maria Pawlowna] besucht, denn da lernen sie sich am besten kennen. Doch sagt ihr eigentlich W[ieland]s Geist mehr zu. Ich kann mir es erklären, denn den Meister ganz zu verstehen, wie er ist, dazu gehört eine Poesie des Gefühls, die bei dem größten Verstand nicht so ausgearbeitet ist. Er will auch oft erraten sein und spricht sich nicht klar selbst aus. Man muß mehr mit der Liebe als mit dem Verstand dieser Natur entgegenkommen.

SchFr I, 679

1859. RIEMER AN FROMMANN

Weimar, vor dem 6. April 1814

Ich lebe für mich und vor mich, und außer G[oethe] besuche ich niemand; jenen dafür auch desto öftrer. Er schreibt (unter uns!) am vierten Bande, d. h. Italien ...

Wir sind sehr mit Einquartierung geplagt. Preußen, Russen, Sachsen folgt sich einander und räumt einander den Platz.

Rie 218

1860. CHARLOTTE VON STEIN AN IHREN SOHN FRIEDRICH

Weimar, 24. April 1814

Vor einigen Tagen habe ich Buschmänner, zwei Männer, zwei Frauen und ein Kind, hier gesehen. Die Männer fraßen lebendige Hühner; mit der abgezogenen Haut schmierten sie Arme und Beine ... Goethe wollte sie nicht sehen und litt auch nicht, daß jemand von seiner Familie oder seinen Umgebungen sie sah ...

Goethe, wie man sagt, hat seinen Sohn nicht wollen mit den Freiwilligen gehen lassen, und ist er der einzige junge Mensch von Stand, der hier zu Haus geblieben. Sein Vater scheint gar unsern jetzigen Enthusiasmus nicht zu teilen; man darf nichts von politischen Sachen bei ihm reden. Und doch ist gewiß seit Jahrhunderten nichts Interessanteres vorgekommen! Er liest auch keine Zeitungen. Wohl sind sie nicht allemal wahr, aber doch nicht so lügenhaft, wie sie auf Befehl Napoleons geschrieben wurden. Wir hören hier die Neuigkeiten von den durchgehenden Kurieren ziemlich bald...

Stein II, 412

1861. CHARLOTTE VON STEIN AN KNEBEL

Weimar, 7. Mai 1814

Goethen seh ich gar nicht. Er mag mit unsereins im Grunde nichts zu tun haben und ist gar nicht so mitteilend wie Sie...

BodeSt VIII, 290

1862. ERBPRINZESSIN KAROLINE AN CHARLOTTE SCHILLER

Ludwigslust, 11. Mai 1814

Ich hatte fest darauf gerechnet, den Meister in Teplitz zu treffen, und mit Schrecken habe ich durch meinen Bruder vernommen, daß er nach Berke [Berka] will. Ich bitte Sie, liebste Schlüsseldame, ihm meinen Fußfall zu tun und zu bewirken, daß er nicht dem Neuen nachhänge, sondern dem Alten treu bleibe, was ihm zuträglich sein wird.

SchFr I, 687

1863. CHARLOTTE VON STEIN AN KNEBEL

Weimar, 1. Juni 1814

August Goethe ist in eine unangenehme Lage mit den Freiwilligen gekommen; das tut mir leid für ihn. Sein Vater erfährt's wohl nicht, hoffe ich. Letzterer hat die Sache zu philosophisch angesehen.

BodeSt VIII, 290

1864. KNEBEL AN CHARLOTTE SCHILLER

Jena, 3. Juni 1814

Die Affäre mit dem jungen Goethe ist mir sowohl seinetwegen als auch vorzüglich um des Vaters willen verdrießlich, so wie Ihnen. Ich glaube, daß dabei etwas Unvorsichtigkeit von Seite des jungen Menschen sowie des wohlmeinenden Erbprinzen stattgefunden hat; auf der andern Seite ist aber auch Neid und Jalousie, davon man einen Teil von dem Vater auf den Sohn überträgt.

Mag doch die gute Frau von Staël noch soviel schreiben, unter den Deutschen waltet immer ein kleinlicher Geist, der echte Verdienste nicht mit liberalem Auge anzusehen und zu schätzen weiß. Was schadet es denn, wenn man dem Sohn um des Vaters willen mehr Ehre als andern antut? Nur für Geburt, Rang und Titel hat dieses Volk unbedingten Respekt.

SchFr III, 354

1865. ARNIM AN WILHELM GRIMM

Wiepersdorf, 14. Juni 1814

Den „Meister“ hab ich wie ein ganz fremdes Buch wiedergelesen, so lange hatte ich ihn nicht in Händen. Die ungemeine Tiefe von Weisheit, die darin an eine nicht immer glücklich gewendete Geschichte angereiht ist, hat mich ins höchste Erstaunen gesetzt. Es ist mir vieles so herrlich hervorgetreten, was ich sonst nicht beachtete.

ArnG 305

1866. WILHELM GRIMM AN ARNIM

Kassel, 21. Juni 1814

Den dritten Band von Goethes „Leben“ habe ich eben gelesen, und ist das einzige Buch, das ich gekauft habe. Es ist schon viel mehr literarisch als die vorigen; er sagt auch selbst deshalb, daß es ihm jetzt erst leicht ums Herz werde. Goethe hat geschrieben, daß diese Zeit ihm wie ein Wunder gekommen sei, das man nicht begreifen könnte und vor dem man staunend stehe. Seine Natur aber sei, beim brennenden Haus gleich nachzusinnen, wie das neue aufzubauen sei. Raumer hat es, glaube ich, in einem Brief an [Johann Friedrich] Schlosser gesehen. Goethe wird von vielen jetzt sehr hart beurteilt. Kennst Du den russischen Oberst Böttger aus Braunschweig, einen Freund von [Johann Albrecht] Eichhorn? Der wußte allerlei Dinge von ihm, wogegen ich ihn verteidigte.

ArnG 309f.

1867. RAHEL LEVIN AN SARA VON GROTTHUSS

Prag, 24. Juni 1814

Vorgestern eröffnete mir der ständische Schauspieldirektor Liebich ... folgendes: Er würde Goethen schreiben und ihn bitten und ihm vortragen, daß er für gesamte deutsche Bühnen ein Stück [„Des Epimenides Erwachen“] schriebe, welches den 18. Oktober auf allen unsern Bühnen zugleich aufgeführt würde, und so alle Jahre den 18. und im *ganzen Jahr* sonst keinen Tag. Mir schauderten gleich die Backen, und Tränen standen mir in den Augen. Aber *wie* sagte dies der Mann, mit welcher Einfachheit, Ehrlichkeit, Anspruchslosigkeit, und wie durchdrungen, und was fügte er hinzu! „Ich will keinen Ruhm davon“, sagte er; „aber *wem* kann man's zumuten als Goethen!“ ... *Liebe* Grotta, rede ihm *zu*, daß er's tue, daß er's *nicht* abschlage! Wenn es ihm auch Mühe macht und einen Entschluß kostet. Es ist das erste Mal in meinem Leben, daß ich denke: Goethe soll, mag eine Mühe haben! Denke Dir, geliebte Freundin, wenn ganz Deutschland denkt: Jetzt hört ganz Deutschland dieses Stück, schaudert, bebt, horcht und klatscht und jubelt und weint mit uns! Ich falle auf die Erde und weine! ... Vertrete Liebich bei ihm. Er war sehr kleinmütig, aber wie zu einer Pflicht fest entschlossen, ihn anzugehen; schon gefaßt in Traurigkeit, wie man es ist, auf eine abschlägige Antwort. Gedrückt sagte er: „Ich habe dann das Meinige getan. Keinen Würdigern weiß ich nicht! Einem *andern* kann man *dies* doch nicht anfordern!" Ich ermunterte ihn. „Ich habe eine Freundin", sagte ich, „der ist Goethe sehr hold und zugetan, und der vertraut er; der werde ich die Sache vortragen; die soll sie unterstützen und ihn *bitten.*" Nun, glückselige Grotta, von der man dies sagen kann, tu es auch! ... Wie wird's ihm die Kaiserin, seine Freundin, danken! Ganz Deutschland beglückt er; es flammt von neuem auf!

RahelA II, 225–228

1868. BESSER AN PERTHES

London, Juni oder Juli 1814

Goethe und Herder verstehen sie [die Engländer] nicht, Klopstock mißverstehen sie völlig ... Ich will gar nicht von den Männern der City reden ..., ich will auch nicht von meinen Methodisten-Freunden reden, für die Goethe ein wicked fellow ist; aber der insularische Charakter des Volkes bleibt auch geistig abgeschlossen für sich, kann nicht aus sich heraus und kann nichts Fremdes aufnehmen. Männer wie Robinson werden stets eine sehr seltene Erscheinung in England bleiben.

Per II, 15f.

1869. CHARLOTTE SCHILLER AN ERBPRINZESSIN KAROLINE

Weimar, 2. Juli 1814

Gestern waren wir beim Meister, der hier ist. Zelter ist bei ihm; wir wollten eigentlich etwas aus seiner Komposition der Chöre vernehmen, aus dem Stück für Berlin [„Des Epimenides Erwachen"], die er komponiert, aber wir hörten nichts!

Ich finde doch, es ist noch etwas nicht wie sonst in des Meisters Zügen und Stimme, und eine Art Abspannung, und so, wie wenn er sich in dem Element der Welt nicht heimisch fände. So sprach er in lauter Sätzen, die einen Widerspruch auch in sich hatten, daß man alles deuten konnte, wie man es wollte. Ich werde immer mehr an den Sachen Anteil zu nehmen getrieben, und für das Große der Menschheit bin ich noch angeregt. Aber der Meister, fühlt man mit einer Art Schmerz, denkt von der Welt: „Ich hab mein Sach auf nichts gestellt!“ Wenn man in der Welt den Glauben ans Gute und Große verliert, so ist es auch für uns nicht da.

SchFr I, 690f.

1870. CHARLOTTE SCHILLER AN ERBPRINZESSIN KAROLINE

Weimar, 18. Juli 1814

Indem wir hier unsre Stadt schmücken wollen, um Ihrem Herrn Vater unsre Freude zu zeigen über seine Rückkehr, geht der Meister durch die Straßen, mißt und rechnet wie die Fische in Wielands „Wintermärchen“, die ich so gerne habe, und statt daß jene Fische von einer schönen Fee oder Mohren in die brennende Glut geworfen werden, so versengt die Sonne und die Hand der Zeit die Kränze und Blumen! Der längst erwartete Herrscher zögert immer zu kommen ... Währenddem hat doch ein andrer Teil der Stadt dem geliebten Kaiser Alexander Kränze winden können.

SchFr I, 691

1871. CHARLOTTE VON STEIN AN KNEBEL

Weimar, 23. Juli 1814

Was sagen Sie dazu, daß alle Fürsten heimgekehrt und unser Herzog noch nicht da ist? Dem Goethe seine Dekorations sind nun alle verwelkt! Er geht nun auch fort, morgen oder übermorgen, nach Wiesbaden.

BodeSt VIII, 291

1872. JACOBS AN FRIEDRICH HEINRICH JACOBI

Gotha, 24. Juli 1814

Jetzt tut es mir leid, mich Goethen nie genähert zu haben; aber es ist zu spät, und auch nach aller der Liebe, die *Sie* mir erwiesen haben, kann ich die Scheu vor den Heroen unsrer Literatur nicht besiegen. Lieber ist er mir jetzt um vieles geworden, und ich habe beim Lesen dieses ganzen dritten Bandes [„Dichtung und Wahrheit. Dritter Teil"] ein Gefühl gehabt, wie wenn man an einem stillen, heitern und weichen Abend an dem Ufer eines Flusses liegt, der tief und ruhig zwischen reichen Ufern gleitet und in seiner Tiefe den verklärten Himmel und die ganze Herrlichkeit [der] schönen Natur glänzender, heitrer und anmutiger als die Wirklichkeit zeigt. Es ist eine Milde und Heiterkeit in dem Buche, die einen, wenn man es zugemacht hat, bis zu Tränen rühren kann.

JacN II, 123

1873. CHARLOTTE GRÄFIN VON SCHIMMELMANN AN CHARLOTTE SCHILLER

Seelust bei Kopenhagen, 17. August 1814

Eben las ich der Frau von Staël ihr Werk [„De l'Allemagne"]. Es ist ihr nicht gegeben, Deutschland so zu kennen, wie sie es glaubt. Ihr Verstand ist groß; ihre Gedanken sind treffend; ihre Gefühle sind, ich will es hoffen, tief und wahr; doch bleibt sie eine Französin, und ihre Bilder scheinen mir en transparent; le fond y manque ... Nichts ist kontrastierender als Goethes „Leben" (der dritte Teil erschien uns zugleich mit der Staël). Goethe ist und bleibt ein Zauberer. Seine Macht ist die der Natur, und doch ist die Kunst nicht versäumt. Wie läßt er diese schönen Sterne an Deutschlands Horizont aufgehen und untergehen, sein eigenes hohes Wesen in der Mitte ... Seine Milde hat mich oft gerührt; seine Urteile niemals strenge, doch wahr und gerecht. Wären alle Geister so gestimmt gewesen vor Jahren, so hätten wir nicht so oft Ärger gehabt da, wo wir Wahrheit zu finden hofften. Doch dieses Beispiel von Goethe muß wirken.

SchFr II, 438

1874. CHARLOTTE VON STEIN AN KNEBEL

Weimar, 14. September 1814

Goethe wird dort [in Frankfurt] erwartet; die dortigen Damen hatten ein schönes Fest für ihn bereitet, aber ein guter Freund vom Goethe [Gerning?] hat ihnen den Spaß verdorben und versichert, er könne so was nicht leiden. Ich möchte das Gegenteil glauben.

BodeSt VIII, 295

1875. ROSETTE STÄDEL IN IHREM TAGEBUCH

Frankfurt, 18. September 1814

Tag mit Goethe auf der Gerbermühle. Welch ein Tag, und welche Gefühle bewegen mich! Erst den Mann gesehen, den ich mir als einen schroffen, unzugänglichen Tyrannen gedacht, und in ihm ein liebenswürdiges, jedem Eindruck offenes Gemüt gefunden, einen Mann, den man kindlich lieben muß, dem man sich ganz vertrauen möchte. Er ist gewiß eine einzige Natur. Diese Empfänglichkeit, diese Fühligkeit und zugleich diese würdige Ruhe. Die ganze Natur, jeder Grashalm, jede Farbe, Ton, Wort und Blick redet zu ihm und gestaltet sich zum Gefühl und Bild in seiner Seele. Und so lebendig vermag er es wiederzugeben. Darum wohl muß jede Zeile seiner Schriften so in die Seele reden, so wundervoll reich sein, weil sie aus einem so wundervoll reichen Gemüte kommt.

Und wie wenig imponiert seine Nähe, wie wohltätig freundlich kann man neben ihm stehen! Er ist ein glücklich von der Natur mit Gaben überschüttetes Wesen, das sie schön von sich strahlt und nicht stolz darauf ist, das Gefäß für solchen Inhalt zu sein. So gab er sich heute, so will ich mir ihn denken, mögen andere sagen, was sie wollen.

Will 288

1876. SULPIZ BOISSERÉE AN SEINEN BRUDER MELCHIOR

Frankfurt, 19. September 1814

Goethe ist recht von Herzen freundlich, liebevoll und vertraulich gegen mich, so daß ich mich nicht genug darob zu freuen weiß. Er verlangt selbst, daß [Johann Friedrich] Schlosser auch bei uns wohnen möchte; dieser macht bei ihm den Kammerherrn. Wenn es aber nicht geht, so hat es auch nichts zu sagen; ich kann bei dem Alten schon etwas auf mich nehmen. Von besonderm Bedürfnis hat der edle Freund nur ein gutes Glas Bordeauxwein.

Boi 200

1877. KAROLINE VON HUMBOLDT AN IHREN MANN

Heidelberg, 27. September 1814

Hier fand ich Goethe bei den Gebrüdern Boisserées und wurde aufs herzlichste, zärtlichste möchte ich sagen, von ihm empfangen ... [Goethe] kam noch am Abend, 9 Uhr gestern, zu mir; so verlebte ich beinah den ganzen Nachmittag mit ihm und gehe jetzt zu Boisserées, wo ich mit ihm die Bilder sehen werde. Er geht mit der Idee um, vielleicht weiter in die Schweiz, vielleicht nach Italien zu gehn und dann nach Paris, wo er sagt, daß seine größte Bestimmung dazu sei, daß wir dann da sein würden. Er will, sagt er, im Vollgenuß aller Kunstwerke bleiben. Wenn man alt werde, müsse man nach außen suchen. Er sieht sehr wohl aus; ich finde ihn in den zehn Jahren, wo ich ihn nicht sah, kaum gealtert.

Hu IV, 389

1878. SULPIZ BOISSERÉE AN SEINEN BRUDER MELCHIOR

Darmstadt, 11. Oktober 1814

Der Abschied von dem alten Freund tat mir recht leid, besonders als er wegfuhr und ich allein blieb und niemand hatte als meine Gedanken, mit denen ich mich unterhalten konnte über das, was er uns gewesen und was wir in diesen schönen Tagen an ihm gehabt. Er bat wiederholt, ihm ja bald zu schreiben und den Katalog unserer Sammlung (bloß zur Leitung seines Gedächtnisses) zu schicken und überhaupt zu sorgen, daß zwischen uns alles recht im Leben erhalten würde. Er wiederholte mehrmal und bei jedem Anlaß, daß er nächsten Frühling wiederkommen wolle, und meine Drohung, wenn er zu lang ausbliebe, würde ich ihn abholen, freute ihn.

Boi 204

1879. CHARLOTTE SCHILLER AN ERBPRINZESSIN KAROLINE

Rudolstadt, 15. Oktober 1814

Unser Meister ist in Heidelberg gewesen, in Frankfurt. Dort hat man ihm zu Ehren ein Stück von ihm gegeben, und seine Loge war mit Lorbeerkränzen geschmückt. Er ist geehrt und gefeiert worden; das freut mich. Ich möchte mir vorkommen wie Eleonore im „Tasso", und wenn ihn die Menge jubelnd begrüßt, möchte ich ihm meinen Segen im stillen wirksam geben können. Er ist mir recht neu und lebendig nahegekommen, da ich jetzt wieder seinen dritten Teil [von „Dichtung und Wahrheit"] las. Es ist ein Zauber, ein Reichtum, ein Geist darin, der einem immer frischer entgegentritt, je mehr man damit bekannt wird.

SchFr I, 701 f.

1880. SULPIZ BOISSERÉE AN AMALIE VON HELVIG

Darmstadt, 23. Oktober 1814

Seitdem nun selbst der alte Heidenkönig dem deutschen Christkind hat huldigen müssen, sind wir gar voll des süßen Übermuts. Daß dieser Berg aber zum Tal gekommen ist, haben wir mit den schönen Zeichnungen von Ihnen und Ihrer Schwester Luise zu danken; er war davon noch ganz entzückt. Nur mit Strafreden müssen Sie ihn hart angegangen haben, denn darob vernahmen wir öfters fernes Donnern und lagerten sich, mit der Frau von Staël zu reden, häufig Gewölke an seinem Fuß, während das Haupt, unerschütterlich ruhig und heiter, immer Beifall zollte den erfreulichen Dingen, die er von Ihnen gesehen.

Was jedoch die Bilder selber für einen Eindruck auf unsern Freund gemacht haben, ist unsagbar, und was er darüber geäußert, wäre heute zu weitläufig. Einstweilen mögen Sie nur wissen, daß er den Meister Eyck jetzt immer im Munde führt und Hemmelink und Meister Schoreel hochleben läßt ...

Boi 204f.

1881. SULPIZ BOISSERÉE AN SCHMITZ

Darmstadt, 24. Oktober 1814

Nun laß mich Dir von Goethe erzählen. Daß er volle vierzehn Tage bei uns gewohnt hat, wirst Du wissen. Daß wir aber durch diesen längern Umgang, der in jeder Hinsicht sehr lehrreich und erfreulich für uns war, sein ganzes Vertrauen erworben und ein sehr enges Verhältnis mit ihm geknüpft haben, weißt Du noch nicht. Es ist die Rede davon, über unsere Sammlung, über unser Bemühen um das altdeutsche Bauwesen und über die Art und Weise, wie wir dazu gekommen, eine eigene kleine Schrift [„Kunst und Altertum am Rhein und Main"?] zu schreiben ...

Um recht zu begreifen, welchen gewaltigen Eindruck unsere Bilder auf den alten, rüstigen Freund gemacht haben, mußt Du wissen, daß er nie einen Johann von Eyck und überhaupt außer Cranach und wenige Dürer keine altdeutschen Bilder gesehen hatte ... Jeden Tag – nur einige, wo wir uns mit dem Bauwesen beschäftigten, ausgenommen – war er morgens um acht Uhr im Bildersaal und wich nicht von der Stelle, bis zur Mittagszeit, da wurde dann alles besprochen und mußten wir ihm alles Geschichtliche und unsere Ansichten und Bemerkungen sagen, wogegen wir die seinigen hörten. Er war mit unsrer ruhigen, philosophisch-kritischen Betrachtung der Kunstgeschichte sehr zufrieden, und ich kann sagen, daß ich über den Gang der Kunstgeschichte recht viel von ihm gelernt habe. So wie wir jetzt miteinander stehen, denke ich noch manches von dem alten Meister zu lernen, besonders im Schreiben.

Boi 206f.

1882. CHRISTIAN SCHLOSSER AN DIE BRÜDER BOISSERÉE

Frankfurt, 28. Oktober 1814

Es ist Goethes ernstester Vorsatz, nächsten Frühling wieder bei uns zu sein und diesen Winter viel mit Betrachtungen zuzubringen, die in die große Welt leiten, welche in Euern Zimmern sichtlich vorhanden ist ...

Von Goethe habe ich den Auftrag, Euch alle bestens und dankbarlichst zu grüßen ... Wie sich in ihm die betrachtete Welt immer mehr rundete und Gestalt gewann, war merkwürdig zu sehen. Ich habe ihn sehr gebeten, wenn er auf der einen Seite sich durchaus auf das einzelne Eurer Sammlung und dessen, was ihr nahe liegt, beschließt, auf der andern kein Element der Betrachtung auszuscheiden und möglichst das ganze Vorhandene zu umfassen. Es kann dieses von einer welthistorischen Wirkung werden, die, wie Eure Sammlung und ihre Folgen, von keinem vorzuberechnen ist.

Bois 231

1883. RÜCKERT AN VOSS DEN JÜNGEREN

Ebern, 28. Oktober 1814

Goethe war ja in Heidelberg. Sie werden vermutlich den verheißenen Jubelbrief an Truchseß geschickt haben, und ich hoffe, bei Gelegenheit auch etwas davon zu bekommen. Wie hat es mich gefreut, daß der alte Prometheus noch zuletzt eine Art von öffentlicher Huldigung in deutschen Landen einnimmt, und doch ist sie so kahl! Ich habe neulich in Koburg von einem von Darmstadt kommenden Major im Ton leichtfertiger Persiflage erzählen [hören], daß man daselbst ihm zu Ehren Kotzebues „Stricknadel" gegeben habe, und eine anwesende ästhetische Professorswitwe erläuterte den Zusammenhang zwischen Goethe und der „Stricknadel" dadurch, daß sie wissen wollte, Kotzebue und Goethe haben einmal eine Art von Wette angestellt, ob man nicht über einen ganz gemeinen, geringfügigen Gegenstand ein gutes Theaterstückchen machen könne. Daraus sei die „Stricknadel" geworden. Was nun an der Wette ist, weiß ich nicht, ebensowenig, ob die „Stricknadel" ein gutes Stück ist, aber noch weniger, wenn das alles ist, wie das gleichwohl eine „Huldigung" für Goethe abgeben soll.

Haben Sie den weimarschen „Willkommen" gelesen? Die Sammlung der Gedichte zum Empfang des rückkehrenden Herzogs: eine Zusammenstellung, einzig in ihrer Art, ob ich gleich das einzelne fast durchweg für ungenießbar gefunden habe. Ich erhielt das Büchlein von einem Nachbar, dem Herrn von Rotenhan, und verhieß ihm, herauszufinden, was etwa daran von Goethe sei. Ich fand, daß eben alles von Goethe sei, aber nicht unmittelbar von ihm, sondern wer weiß von wie vielen ihm nachtretenden vornehmen Poeten und Poetinnen von Weimar. Solch ein großes Genie verödet wie ein großer Baum eine ganze Strecke um sich her, daß darauf nichts Selbständiges aufkommen kann. In fünfzig Jahren wird noch Weimar nichts andres hervorbringen als lauter kleine Goethes. Wer eine Freude daran hat! Ich habe sie nicht.

Bode III, 484 f.

1884. VOSS DER JÜNGERE AN TRUCHSESS

Heidelberg, 30. Oktober 1814

Du foderst einen Jubelbrief über Goethe; aber den kann ich nun nicht mehr schreiben, da die Jubelperiode vorüber ist und der Jubelsenior fern. Das hätte unter seinen Augen geschehen müssen. Goethe ist vierzehn volle Tage bei uns gewesen und hat bei den Brüdern Boisserée, eigentlich wohl bei ihren Gemälden, gewohnt. Sein erster Besuch war bei meinen Eltern, und er kam so freundlich und zutraulich wie in den ersten Jenaer Zeiten. Am folgenden Tage gingen die Schmausereien an ... Auch wir Professoren, nebst einem Anhange von Beamten, Ärzten usw., gaben ihm einen gemeinschaftlichen Schmaus im Carlsberge. So hat ihn denn jeder nach Herzenslust sehn können, genossen haben ihn nur wenige; denn beim Essen und Trinken, besonders wo Gaffer herumstehn, ist Goethe ein Mann wie unsereins. Nur zweimal kam ich dazu, ein trauliches Wort mit ihm zu sprechen, und sah zu meiner Freude, daß er mir und meinem Treiben noch hold ist ... Wir sprachen viel über Calderón. Auch er ist entzückt von Gries' Übersetzung ...

Daß die Heidelberger über Goethe entzückt sind, versteht sich. Alt und jung preiset seine Leutseligkeit, und jeder verwahrt sorgfältig die ihm zugeworfenen Geistesbrocken, wenn sie auch noch so mager sind. Sogar mein Kollege M[ose]r, der aus einem deutschen Barbier ein lateinischer Professor der Medizin geworden, ist seines Gespräches gewürdigt. „Wir haben über den ‚Faust' gesprochen", sagte er mir. „Und ich mit ihm über die Feldmäuse", antwortete ich ganz ernsthaft. Ein anderer [Martin], ein Mann von Geschmack und ästhetischer Bildung, fing an, über den Barbarismus zu radotieren, womit die Handschuchsheimer den schönen Heiligenberg niedergeholzt hätten. „Beruhigen Sie sich", sagte Goethe, „in einigen Jahren ist er wieder grün, und dann hat Ihr Ärger volle zweiundzwanzig Jahre Ruhe, denn so lange muß er nach forstlichen Regeln schon grün bleiben." Der Philister kuckte Goethen an und schien an seinem Geschmacke ganz irre zu werden. – Daß Goethe sich mit manchen zu seiner Gemütsergötzung unterhalten hat, ahndet mancher nicht. Andere dienten dazu, seinen Schatz von Menschenkenntnis zu erweitern oder seine Phantasie mit irgendeiner Personnage für ein zukünftiges Fastnachtsspiel zu bereichern.

Vo II/2, 60ff.

1885. CREUZER AN GÖRRES

Heidelberg, 30. Oktober 1814

Hier war noch alles voll von Goethe, welcher vierzehn Tage hier gewesen war. Den Minister hat er ganz dahintengelassen, zutraulich und freundlich gegen jedermann. Die Steifledernheit des alten Voß hat ihm harte Reden ausgepreßt.

Jetzt ist er nun dahinter her, über die Bilder der Boisserée zu schreiben. Dann will er Pfingsten wiederkommen und das Geschriebene nochmals mit den Bildern vergleichen.

Gö 432

1886. CHARLOTTE SCHILLER AN ERBPRINZESSIN KAROLINE

Weimar, 5. November 1814

Unser Meister ist auch gesund zurückgekehrt und ist in seiner Vaterstadt geehrt und gepriesen worden. Er hat Besuche gegeben bei mir und sieht recht hell aus. Auch hat er vorigen Dienstag bei Ihrer Frau Mutter uns aus seinem Reisejournal gelesen, wo er in seiner Schilderung der Rhein- und Maingegenden recht meine Sehnsucht erweckt hat. Ich möchte wohl, er öffnete sein Herz der Gesellschaft und man sähe ihn öfter.

SchFr I, 703

1887. HASENCLEVER AN NICOLOVIUS

Ehringhausen, 11. November 1814

Daß ich Goethe noch in Frankfurt getroffen, war mir sehr viel wert. Er reiste zwar in den ersten Tagen nach meiner Ankunft ab, doch war ich viel mit ihm und mehr, als ich es eigentlich erwarten durfte. Ich erinnere mich weniger Menschen, die diesen rein menschlichen Eindruck auf mich machten. Er ist ein stattlicher Mann von beinahe sechsundsechzig Jahren, dabei im Umgange so überaus freundlich und milde, und liebreich und schonend im Urteil. Doch Du, mein Bester, weißt dies ja alles besser, als ich es Dir sagen kann, und ich kann nur noch hinzufügen, daß es ein überaus wohltuendes Gefühl ist, wenn man sich mit dergleichen großen Geistern in gewissen Berührungspunkten menschlich verwandt und zu ihnen hingezogen fühlt.

Has 26

1888. GROOTE AN SULPIZ BOISSERÉE

Köln, 19. November 1814

Schenkendorf hat mir recht mit Feuer und Liebe die Bekehrung Goethes vor Euern Bildern geschildert, und die kann ich mir denken, so als wäre ich dabeigewesen. Welch ein Wunder! welch eine Erscheinung! Ist es nicht, als ob zu den drei Heidenkönigen an die Krippe des Heilands noch ein vierter hinträte und auch sein Geschenk hinbrächte und vor dem neugeborenen Kinde (in dem laufenden Jahre ward es doch wahrhaft neugeboren!) auch niederkniete und opferte und glaubte und das Evangelium dann unter seine Brüder fern und immer ferner verpflanzte? „Was wir gebaut in unserer Kraft, können wir, wenn wir Besseres fühlen, auch in eigener Kraft wieder zerstören." Und so sollen also die „Propyläen" sinken und mit ihnen die Götterbilder in den „Elegien"! Und wer weiß, ob statt der Iphigenie nicht noch eine große, herrliche, christliche Heldin Goethen den Kranz der Unsterblichkeit aufsetzen soll! Wie mir über Schenkendorfs herzdurchdringender Erzählung ward, das schildere ich nicht. Aber ich konnte mir es recht denken, wie im Himmel über *eine* Bekehrung mehr Freude sein mag als über neunundneunzig Gerechte, die der Buße nicht mehr bedürfen.

Bois 239f.

1889. KARL VON DALBERG AN KAROLINE VON WOLZOGEN

Mörsburg, 24. November 1814

Unser genialischer, herrlicher Goethe und der biedere Senator Steitz sind bis jetzt die einzigen Frankfurter, deren Anteil an meinem Schicksal mir bekannt geworden ist.

Indes, solange ich lebe, wird es mich freuen, daß ich durch Demolierung der Frankfurter Festungswerke der guten Stadt die Belagerung erspart habe. Nach der Leipziger Schlacht wäre sie unvermeidlich geworden, war Frankfurt noch fester, geschlossener Ort. Danken Sie dem vortrefflichen Manne für sein Andenken!

Wolz I, 82

1890. CHARLOTTE SCHILLER AN ERBPRINZESSIN KAROLINE

Weimar, 3. Dezember 1814

Wir sehen jetzt den Meister öfter in dem Zimmer der Frau Mutter, wo er über seine italienische Reise erzählt, Details ausmalt, und es ist unaussprechlich, wie sein Verstand immer klar und weit umfassend um sich blickt in allen Perioden des Lebens. Er hat auf Dinge geachtet im Laufe seines Lebens, die wir gar nicht wähnen konnten. Während man ihn als eine leidenschaftlich bewegte Natur nur in seiner Phantasie lebend sich denken konnte, beachtete er das Große und Kleine mit Scharfsinn. Er hat Bemerkungen über die Nationaleigenschaften der Italiener, Züge beobachtet, die nur ein Mensch auffinden kann, der in der Welt weiter nichts vernähme ...

Der Meister las uns neulich auch ein Bruchstück aus der Kunstgeschichte Meyers, wie durch die Entstehung der christlichen Kirchen die Kunstwerke der Griechen zerstreut und zerstört wurden ...

SchFr I, 704f.

1891. CHARLOTTE VON STEIN AN KNEBEL

Weimar, 14. Dezember 1814

Goethe ist uns hier davongegangen; ich glaube, er will gar bei Ihnen bleiben! Grüßen Sie ihn recht schön von mir! Möge er Sie erheitern! Die hiesigen politischen Unterhandlungen – ich wollte sagen: Unterredungen – erfreuen nicht.

BodeSt VIII, 296f.

1815

1892. KNEBEL AN KAROLINE VON BOSE

Jena, 12. Januar 1815

Goethe brachte letzthin vierzehn Tage bei uns zu und war überaus wohl und mitteilend. Er las mir seinen „Epimenides“ vor, eine Oper, die er auf die Rückkunft des Königs nach Berlin gemacht hat. Sie ist vortrefflich, sowohl in der Idee als Ausführung, voll Kraft und ihm eignem Geist. Überhaupt scheint er sich diesen Sommer gleichsam verjüngt zu haben. Er hat eine ungeheure Anzahl kleiner Gedichte gemacht, zum Teil im orientalischen Geschmack [„West-östlicher Divan“], in den er sich ganz hineinstudiert. Dabei hat er noch seine Reisegeschichte geschrieben und wird seine „Italienische Reise“ auf Ostern herausgeben.

Kn III, 23

1893. RIEMER AN FROMMANN

Weimar, vor dem 14. Januar 1815

Der Schlag oder eine Art von Schlag im Wagen hat seine Richtigkeit, wiewohl die Dame [Christiane Goethe] das selbst nicht weiß. Unterdes ist alles wieder gut, und es sind schon Supplikationen angestellt worden oder vielmehr herumgeschickt, Visitenkarten mit der Inschrift: „Für genommenen Anteil *höchlich* dankbar.“ Das Gegenteil wäre für *ihn* vielleicht gut gewesen, für uns andre gewiß.

Rie 226

1894. CHARLOTTE SCHILLER AN KNEBEL

Weimar, 8. Februar 1815

Der arme Geheime Rat Goethe hat jetzt viel Not. In der Nacht von Sonnabend, den 4., auf den Sonntag war die Frau einige Stunden (fast) tot, und Huschke hat dem Sohn in Vertrauen eröffnet, sie könnte nicht leben. Doch hat es sich gebessert. Aber der Anfall von Krampf kann immer bei jeden Veranlassungen wiederkommen.

Ich fürchte für ihn. Er kann das widerliche Leiden des Lebens nicht ertragen, ohne angegriffen zu werden, und viel Kräfte hat er nicht mehr. Ein guter Schutzgeist walte über unsern Freund!

SchKn 177

1895. RIEMER AN FROMMANN

Weimar, vor dem 19. Februar 1815

Voigt und G[oethe] geben nun freilich nicht viel Trost; letztrer sogar rät mir, an allen Strängen zu ziehen und zu *sehen, wo* und *wie* ich etwas erhalte. Das macht mir nun eben keine Freude, und ich bin beinahe entschlossen, ohne weiteres mich auf Rostock einzulassen ... Von dem Lumpengelde kann ich hier nicht leben; Schulden habe ich über die Gebühr ... Dazu noch eine so herzlose Antwort von G[oethe], der mich gleichwohl hier behalten will und mir das Rostock ausreden möchte!

Rie 228

1896. CHARLOTTE SCHILLER AN KNEBEL

Weimar, 22. Februar 1815

Wenn der Nimbus, der Weimar stets als so gebildet umgibt, verschwindet, wenn wir uns der übrigen Welt gleichstellen, so denken Kotzebues Gelichter gar am Ende, daß wir ihnen anheimgefallen sind, und behandeln uns wie ein erobertes Land ... Goethe hat sich darüber ereifert, und mit Recht ...

Gestern habe ich einen großen Genuß gehabt. Wir waren

bei der Herzogin mit Goethe, Frau von Schardt, meine Schwester und ich. Frau von Stein darf leider nicht ausgehen. Frau von Wedel schenkt immer Tee ein. Also ist die Gesellschaft ganz klein, aber recht gemütlich. Goethes Umgang mit dem Orient ist uns recht erfreulich; denn er lehrt uns diese wunderliche Welt kennen ... jetzt las er uns aus dem Gedicht des Ferdusi ... Sein Geist, der klar und reich die Verhältnisse durchblickt, weiß auch aus dieser Masse von Welt und von fremdartiger Phantasie zu sondern und Licht zu schaffen und es in ein Ganzes vors Auge zu bringen ... Wir sollen auch aus dem Koran etwas hören. Die Herzogin freut sich dieser Lektüre sehr, und wir alle nicht weniger.

SchKn 180ff.

1897. CHARLOTTE SCHILLER AN COTTA

Weimar, 3. März 1815

Während die großen Interessen der Welt beseitigt werden, haben wir im kleinen literarischen Kreis manche Fehden, und manches Halbgenie, das es auch nur zu sein wähnt, will sich emporschwingen. Ich möchte Ihnen alles erzählen können, aber nur vorderhand bitte ich Sie, nichts aufzunehmen, was man Ihnen zusendet, was nicht von Goethe kommt. Es sind hier allerlei Sünden gegen den guten Geschmack begangen worden, die man nicht aufkommen lassen muß, die Goethe auch sehr empört haben. Auch seinetwegen bitte ich Sie darum, ob er es gleich nicht weiß und dies ganz unter uns bleibt.

SchiCo 565

1898. CHARLOTTE VON STEIN AN KNEBEL

Weimar, 22. März 1815

Gestern sah ich einen Augenblick Geheimen Rat Goethe, als ich vor seinem Garten vorbeiging, und fand ihn recht mager, aber ganz geduldig in seinem Leiden. Es war das erste Mal, da ich ihn in diesem Jahr wiedersah.

BodeSt VIII, 297

1899. JOHANNA SCHOPENHAUER AN KEIL

Weimar, 15. April 1815

Goethe ist fast den ganzen Winter recht ordentlich krank gewesen. Mancher häusliche Verdruß, Schreck über die fürchterlichen Zufälle seiner Frau, die nun am Ende sich doch wieder erholt trotz aller gemachter Anstalten, selig abzufahren, hatten den doch ziemlich alten Herrn angegriffen. Dazu kam ein Flußfieber und Katarrh, der ihn Tag und Nacht mit Husten plagte. Diese brachten ihn sehr herunter. Jetzt erholt er sich wieder, aber kein menschliches Auge darf seit drei Monaten in das Heiligtum blicken, in welchem er hauset, außer seine Hausgenossen und die beiden Auserwählten, Riemer und Meyer.

Schop I, 228f.

1900. CHARLOTTE SCHILLER AN KNEBEL

Weimar, 15. April 1815

Über Goethes „Epimenides" habe ich eine wahre Freude gehabt. Wie schön gedacht, wie schön gefühlt und ausgesprochen! Es sind wunderschöne, wundergroße Gedanken darin, und das innere heilige Gefühl ist so schön gefaßt. Kurz, es ist mir sehr erfreulich.

SchKn 191

1901. ERBPRINZESSIN KAROLINE AN CHARLOTTE SCHILLER

Ludwigslust, 20. April 1815

Daß der Meister krank war, habe ich recht bedauert. Gucken Sie ja in seinen Garten, und in einem vertraulichen Stündchen sagen Sie ihm auch von mir, daß ich ihn *recht lieb* hätte. Sagen Sie das nur so crûment; ich scheue mich nicht davor.

SchFr I, 710

1902. CHARLOTTE VON STEIN AN KNEBEL

Weimar, 26. April 1815

„Epimenides" hat mir sehr gefallen, und hat mir ihn Herr von Metting, der sehr hübsch vorliest, vorgelesen. Bis jetzt ist er hier nicht zu haben ... Ich hatte es von Geheimen Rat Voigt geborgt, dem Goethe es geschenkt hatte.

BodeSt VIII, 298

1903. THERESE HUBER AN IHRE TOCHTER THERESE FORSTER

nach dem 12. Mai 1815

Lies im „Morgenblatt" aus diesem Monat, was Goethe über Shakespeare sagt [„Shakespeare und kein Ende"]. Das ist wie Sonnenschein. Da darf er wieder drei solche „Epimenides"-Monstrümmel komponieren (die schöne Partien haben)!

GoeJb XXIV, 94

1904. RAHEL VARNHAGEN VON ENSE AN IHREN MANN

Baden bei Wien, 19. Juli 1815

Goethe hat den Leopoldsorden bekommen. Wie freut das meine Seele! Daß Weisheit, innere große Gaben gekrönt werden, Meistergelingen der *Natur*; daß man Wirken in unserem Vaterlande erkennt und nicht auf eine Tat wartet. Er dankt ihn wohl der Kaiserin, seiner Helden-Este Enkel. Heil ihnen noch *jetzt*, den geistreichen, edlen Fürsten! Sie und Goethe machen es *wahr*, was er im „Tasso" sagt von der Schwelle, die ein Edler betritt! So schließt sich Gutes an Gutes, und so mag es zur höchsten Glorie in Ewigkeit gedeihen!! und ein jeder Lebendige, wie jetzt Goethe, schon bei seinem Leben den Lohn *genießen*! Wird ihm *Preußen* keinen Orden geben? In *solchen* Dingen möge sich Österreich und Preußen beneiden.

Varn IV, 216

1905. FOCHEM AN GROOTE

Köln, 27. Juli 1815

Herr von Stein und Goethe sind vierundzwanzig Stunden länger geblieben und haben auch mir, begleitet von Wallraf und Maler Fuchs, einen anderthalbstündigen Besuch geschenkt. Goethe räsonierte beständig und predigte dem Minister vor ...

Ich meinerseits ließ es auch nicht an Komplimenten fehlen. Ich äußerte sehr lebhaft, es sei mein Stolz und mein Glück, zwei Männer zu besitzen, von denen ich mit einem der berühmtesten Klassiker sagen dürfte: Unus sufficit orbi – ein Kompliment, welches Goethe fast außer sich brachte. Dieser letzte ist zwar ein schon alter, aber gesetzter, fester, sinniger, sublimer Mann ... Nur ein Teil verarge ich ihnen; sie waren so unhöflich, mit ihren beschmutzten Stiefeln auf meine seidenen Stühle zu steigen, um die Bilder, besonders die „Gefangennehmung", in der Nähe zu betrachten.

Foch 103f.

1906. SULPIZ BOISSERÉE IN SEINEM TAGEBUCH

Wiesbaden, 3. August 1815

Spaziergang ... mit Goethe vor dem Kursaal, Essen im Kursaal. Nach Tisch spazieren am Teich ...

Die *Gesellschaft* kömmt wieder zur Sprache und daß ich ganz besonders seit vorigem Jahr meine Gedanken darauf gerichtet und ihn in meinem Sinn zum Präsidenten gemacht. – Gneisenau [meinte früher], warum ich mich immer zurückgehalten. – Aus Mangel an Autorität und des wahren Augenblicks. Jetzt ist er da; die Sache macht sich ganz von selbst ...

Boi 394

1907. BUCHOLTZ AN SEINE SCHWESTER

Frankfurt, 10. August 1815

Ich sah in Wiesbaden Goethe. Er war recht gütig und freundlich und hatte, wie auch das vorige Jahr, schon nichts mehr von diesem Weggewendeten, Scheuen, Fremden, das das erste Mal, als ich ihn sah, in seinem schönen Gesichte anfangs oder abwechselnd spielte ... Er und Baron Hügel sehen sich oft und haben sich gern ... Goethe hat sich sehr über die unveranlaßte Auszeichnung des Geistes gefreuet, deren Zeichen ihm Hügel eingehändigt hat.

JbGoeGes V, 219f.

1908. BRENTANO AN ARNIM

Berlin, 15. August 1815

Hier wird auf allen Judentees erzählt, Goethe sei mit dem Plan des Doms in Köln, um ihn bauen zu lassen. Eichhorn hat Goethe und Stein in dem Dom getroffen.

Brent II, 134

1909. EICHHORN AN SEINE FRAU

Paris, 15. August 1815

In Köln war ich ... mit Stein und Goethe zusammen im Dom. Arndt hatte uns auch begleitet. Es war mir höchst interessant, Goethe kennenzulernen. Wohl kann ich sagen, daß ich nicht leicht ein ausgezeichneteres Gesicht gesehen habe. Unter Tausenden würde er schon durch sein Äußeres hervortreten. Als einen Dichter kündiget ihn dieses zwar nicht an; diese Nase, diese ausgeprägten, scharfen Züge, das tiefe und weite Schauen seines Auges sage aber jedem, daß in dem Manne ein Geist wohnt, der die Welt aufgenommen und durchdrungen hat und über ihr steht. Sein Gespräch war nicht lebhaft, vermutlich weil die unerschöpfliche Redseligkeit unseres Führers, des Kanonikus Wallraf, über jeden Stein, was er bedeutet, ist und nicht ist, ihn zu einer unwillkürlichen Passivität des Hörens zwang. Ein alter Geistlicher, der eben vom Dienste in der Kirche nach Hause gehen wollte und uns im Vorbeigehen vor dem schönen Bilde einer Anbetung der Maria stehen sah, trat an Stein und Goethe heran und sprach: „Wir Kölner können uns glücklich schätzen, die beiden ersten deutschen Männer, den größten Dichter und den größten Staatsmann, in unsern Ringmauern zu sehen.“ Gegen den Angriff eines so herzhaften Kompliments war es schwer, etwas zu erwidern. Mit einer tiefen Beugung wendeten sich schnell beide Männer seitswärts, und als ein Deus ex machina hatte Arndt Zeit, dem Manne, den er oberflächlich kannte, zuzuflüstern, er möge ja in dem angefangenen Tone nicht weiter fortfahren und sich unter dem Haufen der stummen Anbeter verlieren, weil er sonst die Größe der beiden Männer durch Grobheiten erfahren könne.

Den Abend bracht ich mit Arndt bei Stein zu. Goethe hatte sich in sein Zimmer nebenbei zurückgezogen und schrieb, wie er nach Steins Versicherung jeden Abend ihrer gemeinschaftlichen Reise getan, vermutlich sammelnd zu einer Fortsetzung „Aus meinem Leben“. Denn schon Stein mag der Phantasie des Dichters als eine Figur erschienen sein, welche er durch schnelle Aufzeichnung festzuhalten habe. Stein war seinerseits bezaubert über Goethe. Ganz naiv äußerte er, was in seinem Munde viel sagen will: „Goethe ist doch wahrhaftig ein gescheuter Kerl.“

Gespr II, 1018f.

1910. HELENE JACOBI AN JOHANNA SCHLOSSER

München, 19. August 1815

Am begierigsten sind wir, in Deinem nächsten Briefe zu hören, ob Goethe, der sich in Köln aufhielt, alles zu besehen und sich mit alten Steinen und Gemäuer abzugeben, nicht auch einige Schritte weiter tat, in Düsseldorf die alte Freundin aufzusuchen, und wie es Dir mit ihm gegangen ist. Lotte [Jacobi] will kaum es für möglich halten, daß er so nahe an Dir hätte vorbeigehen können, zumal da jetzt jeder und neuerdings die Fritz Schlosserschen seine große *Menschenfreundlichkeit* und *Hingebung* nicht genug zu rühmen wissen. Fritz [Friedrich Heinrich Jacobi] und ich sind aber noch nicht mit uns eins, was wir davon zu halten haben. Die Tugenden dieses Menschen werden wohl immer nur Modifikation bleiben, da der einzige Grund und Boden wahrer Tugenden, ein reines höheres Gefühl, ihnen zu frühe entzogen wurde und, zerzettelt, als einzelne Ingredienzien, zum Relief seiner Geistes- und Phantasieprodukte dienen mußte. Man sieht in der jetzigen Beschreibung und *Nachbetrachtung* seines früheren Lebens, wie klug er die Benutzung davon zu handhaben weiß, indem er bald, nach dem Geiste der Zeit, Frömmigkeit als Grundlage in sich hier und da hervortreten läßt und dann wieder andere wirkliche Gefühle der Leidenschaft, die nicht minder schön in einem jugendlichen Herzen sind, abzuleugnen und als Poesie zu verkleiden sucht. Die einzige Stelle in allen drei Teilen, die echt aus dem *Gemüt* zu kommen scheint und darum auch alle, die sie lesen, im eigenen Gemüt wieder anspricht, ist die über seine erste Bekanntschaft mit Fritz. Übrigens bleibt man immer ruhig neben dem Schreiber stehen, lobt und bewundert ihn, wenn er als Beobachter oder Maler sich zeigt, sieht aber den *Lebenden* nur im *Bilde* und wird nie durch diesen fortgerissen, nur diese oder jene Epoche mit ihm *fortzuleben.* Dieses ist mir bei jedem Teil aufs neue sehr auffallend und zeigt, wie Dichtung und Wahrheit, so im Gleichgewicht gehalten, von keiner Seite überziehen können.

JacN II, 169f.

1911. RAHEL VARNHAGEN VON ENSE AN IHREN MANN

Frankfurt, 19. August 1815

Vielleicht lerne ich ihn natürlich kennen, bei Schlossers, zu denen zu gehen mir die Pilat und Schlegels sehr zuredeten. Deren Freund ist er. *Wie* es kommt, ist es mir recht. Da ich ein Leben lang verschmachten mußte und doch allen Trost und so viele Seligkeit und so vieles von ihm hatte. Fast sehe ich ein, daß es so besser war. Vorgestern ist unsere gewesene Prinzeß Louis mit ihrem englischen Gemahl [Herzog von Cumberland] und unserer Frau von Berg aus Berlin von hier nach Mainz und den Rhein entlang nach Brüssel gereist, um von dort nach England hinüber zu gehen. Die wollten auch Goethe sehen, und Otterstedt war der Gesandte. Goethe wollte *schwer,* und die Damen mit dem Prinzen fuhren zu ihm auf ein Landhaus, wo er wohnt. Goethe hat recht, und ich wollte, er sähe uns *nicht:* Ich ängstige mich vor solcher Parade, wo der König und die Vorgestellten nicht wissen, was sie sagen sollen.

Varn IV, 262

1912. RAHEL VARNHAGEN VON ENSE AN IHREN MANN

Frankfurt, 20. August 1815

Nein, August, welches Glück! ... Wir fahren zu einem herrlichen Tore hinaus, an einem herrlichen Kai am Main vorbei, an kultivierten Gärten in der wohlhabenden Gegend, durch Weingefilde, im köstlichsten, *gesündesten* Wetter, wie es in *zwanzig* Jahren nicht war, nach einem Forsthause, wo man Kaffee nimmt. Dort gehen wir im Walde spazieren; wir treten endlich *aus* dem Wald, sehen eine weite, schöne Wiese, am Ende ein hellbeschienen Dorf. Der Herr [Ellisen] fragt, ob wir das sehen wollen. Ich sage, die Sonne sei zu stark, lieber später. Er sagt: „Es ist Niederrad, das Dorf, wovon Goethe soviel schreibt [in „Dichtung und Wahrheit“], wo er immer mit seinen jungen Freunden hinging.“ – „Dann wollen wir durch die Sonne!“ sag ich, und Schauder grieselt mir über die Backen. Getrost, fröhlich, ja zerstreut im Gespräch gehen wir hin. Es hat Straßen wie die österreichischen Dörfer; ich tadle das. Wenig Menschen gehen hin und wider. *Ein* niedriger halber Wagen mit einem Bedienten fährt den langsamsten Schritt. Ein Herr fährt vom Bock, drei Damen in Trauer sitzen drin; ich seh in den Wagen und sehe Goethen. Der Schreck, die Freude machen mich zum Wilden; ich schrei mit der größten

Kraft und Eile: „*Da ist* Goethe!“ Goethe lacht; die Damen lachen; ich aber packe die Vallentin, und wir rennen dem Wagen voraus und kehren um und sehen ihn noch *einmal.* Er lächelte sehr wohlgefällig, beschaute uns sehr und hielt sich Kräuter vor der Nase, mit denen er das Gesicht fächelte, das Lächeln und das Wohlwollen uns, aber besonders seiner Gesellschaft, die eigentlich kickerte, zu verbergen. Der Wagen hält in seiner Langsamkeit endlich ganz, der Herr vom Bock wendet sich und sagt: „Das ist der ‚Schwan‘.“ Nämlich *das* Wirtshaus, von welchem Goethe schreibt, dort immer eingekehrt zu sein. Also auch Goethe ging heute in seine Jugend wallfahrten, und ich, Deine Rahel, trifft ihn, macht ihm eine Art Szene, greift ein in sein Leben! *Dies* ist mir ja lieber als alles Vorstellen, alles Kennenlernen. Als ich ihn das zweite Mal sehen wollte, sah ich ihn *nicht:* ich war so rot wie Scharlach und auch blaß; ich hatte den Mut nicht. Und als er vorbei war, am Ende der Straße durch ein Fabrikgebäude und eine Pappelallee entlang aus dem Dorfe fuhr, zitterten mir Knie und Glieder mehr als eine halbe Stunde.

Varn IV, 265f.

1913. SULPIZ BOISSERÉE IN SEINEM TAGEBUCH

Frankfurt, 28. August 1815

Willemer eröffnet den Tisch mit einer passenden Anrede, Anspielung auf Freimaurersitte, und bringt des Alten Gesundheit aus mit Wein von seinem Geburtsjahr 1749, mit 1748er Rheinwein. Durchgehend muntere Stimmung in der Gesellschaft. Dann kam ein Brief vom Konsistorium an Willemer mit Erlaubnisschein, den an diesem Tag geborenen unehelichen Sohn Wolfgang im Haus zu taufen. Zweiter Brief kam in Knittelversen von einem Meistersänger Christian; kurze Wiederholung von Goethes Biographie, soweit sie jetzt gedruckt ist, alle Verse endigen mit den Eigennamen der Goethischen Liebschaften. Rise merkt es gleich; beides von Ehrmann.

Morgens hatte Frau Hohlweg in einem Boot Musik machen lassen, Harmonien; es war so eingerichtet, daß sie anfingen, als G[oethe] aus dem Bett aufstand. „Ei, ei!" sagte er etwas ängstlich und bedenklich, „da kommen ja gar Musikanten!" Doch fand er sich bald zurecht, weil die Musik sehr gut war. Dann gab's ein Mißverständnis mit einem Dukaten, den der Alte durch Karl [Stadelmann] an die Musikanten schickte; sie wollten und konnten natürlich nichts nehmen, war das Theaterorchester, fand sich beleidigt ...

Dann las er mir seine Denkschrift vor [„Kunst und Altertum am Rhein und Main"] von Köln. Es mutete mich an wie ein Kapitel aus seinem „Leben". Ich soll in diesen Tagen zu ihm heraus kommen, da wolle er mir alles noch einmal rascher in die Feder sagen; man sehe dann am besten, wo es noch fehle an Zusammenhang. Er will nicht, daß ich weggehe. Ich blieb den Abend draußen; er liest von seinen orientalischen Gedichten [„West-östlicher Divan"]. Heitere, freundliche Stimmung des kleinen Kreises.

Boi 409f.

1914. RAHEL VARNHAGEN VON ENSE AN IHREN MANN

Frankfurt, 30. August 1815

Es war den Sonntag natürlich die Rede von Goethe, und da erbot sich dann Otterstedt wieder, *er* wolle hin und ihn schaffen; welches ich verbat; er sollte ihn nur wissen lassen, wer es war, der ihm in Niederrad nachschrie. Frau von Schlosser [Sophie Schlosser] meinte, ich solle nur grade mit Otterstedts zum Kommerzienrat ... Willemer hinfahren und dort die Damen besuchen! Das fehlte mir! – Das alles mißfällt mir: Goethe muß ich anders, natürlich sehen, wie alles. Du weißt, im Leben hab ich noch keine Bekanntschaft gesucht als eine, der mehr an mir als mir an ihr liegen mußte. Man steht sonst zu dumm da. Was sollt ich Goethen sagen?

Varn IV, 297

1915. RAHEL VARNHAGEN VON ENSE AN IHREN MANN

Frankfurt, 5. September 1815

Schelte nicht! Ich weiß wie Du, daß Goethe viel an mir hätte: eine Sorte, die er noch nicht hatte. Und dreist ging' ich zu ihm, könnte ich es ihm in einem Gefäß reichen, auf einem Korbe darbringen, lebte er in einem Walde, wo er nicht gerne ist. Aber hier, in einer Familie [Willemer], wo er sich ausruht, hat, was er will, allein sein will! Wie soll ich kommen? Was soll ich sagen? Und besonders, da er nun die aufmerkende, langjährige Liebe von mir kennt. Nun geniere ich ihn ... Aber ein Wort schreiben will ich; fragen will ich ihn, ob er das Paket durch den Kaufmann Reichenbach erhalten hat ...

Varn IV, 311

1916. RAHEL VARNHAGEN VON ENSE AN IHREN MANN

Frankfurt, 8. September 1815

Guter teurer August. Goethe war diesen Morgen um ein Viertel auf 10 bei mir. Dies ist mein Adelsdiplom. Aber ich nahm mich auch so schlecht als einer, dem sein geehrter, über alles verehrter, tapfrer, weiser König den Ritterschlag vor der ganzen Welt gibt. Ich benahm mich sehr schlecht. Ich ließ Goethe beinah nicht sprechen! O wie weissagte meine Seele gestern, als ich Dir schrieb, ich hätte den größten Geschmack und müßte mich immer so geschmacklos, so ungraziös betragen, immer selbst so erscheinen! Und ich kann *wieder* nicht dafür; zwanzig Umstände, Ereignisse reichten sich die Hände, um mich dazu zu zwingen, mich durch Überwältigung hineinzustürzen. Höre nur! Als vorgestern und gestern keine Antwort von Goethe kam, beschäftigte es mich immer unter allem Leben heimlich, wie eine chronische Krankheit ..., und ich dachte, der Brief sei ihm nicht abgegeben, oder, *trotz der Unmöglichkeit!* er käme lieber einen Moment zu mir, als daß er mir auch nur eine

Zeile antwortete, oder er habe schwer einen Boten. Und so dacht ich mir denn sein Kommen oder Schicken, und dabei, daß es gewiß geschähe zur Unzeit und wenn ich's gar nicht dächte, wie immer. *Das* aber konnte ich mir *nicht* denken: ein Viertel auf 10 ist zu arg. Ich hatte gestern ein erhitztes, rotes Auge ... Als ich den Morgen erwachte, so war das Auge nicht mehr rot, aber beide taten mir weh, als wäre Staub darin; und um nicht zu lesen und sie zu ruhen, blieb ich im Bette ..., frühstücke im Bette, nehle sehr und stehe endlich um 9 auf. Grade im Zähneputzen, im roten Pulver, mit meinen Flanellen angetan, kommt mein Wirt und sagt Doren, ein Herr wolle mich sprechen. Ich denke, ein Bote von Goethe. (*Noch nie* kam der Wirt und nie in solcher Art Angst.) Ich lasse fragen, wer es ist, und schicke Dore hinunter. Diese bringt mir Goethens Karte, mit dem Bescheid, er wolle ein wenig warten. Ich lasse ihn eintreten und nur *so* lange warten, als man braucht, einen Überrock überzuknöpfen. Es war ein schwarzer Wattenrock, und so trete ich vor ihn, *mich* opfernd, um ihn nicht einen Moment warten zu lassen ... Im ganzen war er wie der vornehmste Fürst, aber wie ein äußerst guter Mann, voller Aisance, aber Persönlichkeiten ablehnend, *auch* vornehm. Auf *Dich* ziemlich gespitzt, und äußerst verbindlich. Er ging sehr bald. Ich konnte ihm nicht von der Pereira, nicht von der Grotthuss, von nichts sprechen! Nur ganz zu Anfang sagte ich ihm: „Ich war es, die Ihnen in Niederrad nachschrie; ich war mit Fremden dort, eben weil Sie davon gesprochen hatten; ich war zu überrascht." Er ließ dies ganz durch.

Es war mir recht. Ich fühle, daß ich mich im ganzen so betragen habe *wie damals* in Karlsbad. Mit der hastigen Tätigkeit: lange mein schönes stilles, bescheidenes Herz nicht gezeigt. Aber wenn man einen nur einen Moment, nach so lang*jähriger* Liebe und Leben und Beten und Weben und Beschäftigung, zu sehen bekommt, dann ist es so. Und mein Negligé, mein Gefühl von Ungrazie brachte mich ganz darnieder, und sein schnelles Weggehen. Aber nun besuche ich ihn. Otterstedts wollen es schon die ganze Zeit; ich aber wollte nicht. Im ganzen ist es rasend viel, daß er kam. Er sieht keinen Menschen ... Goethe hat mir für ewig den

Ritterschlag gegeben. Beim Himmel! Er *weiß* es, der Himmel! Kein Olympier könnte *mich* mehr ehren, mir von *meiner* Ehre mehr bringen.

Varn IV, 325ff.

1917. VOSS DER JÜNGERE AN FRIEDRICH KARL WOLFF

Heidelberg, 14. September 1815

Goethe, der uns vorigen Herbst besuchte, wird wieder erwartet. Keiner freut sich recht dazu. Ja, wenn man Goethe ohne die großen Schmäuse genießen könnte, die er erfordert! Hier genoß ich ihn nur in zwei Morgenstunden, wo ich ihn allein und im Schlafrock fand. Beim großen Schmause, den wir Professoren ihm im Wirtshause gaben, genoß ihn keiner; eine ausgestopfte Puppe mit seiner Larve hätte dieselben Dienste getan.

VoßG 113

1918. RIEMER AN FROMMANN

Weimar, 21. September 1815

Von Goethe ... weiß ich weiter nichts, als daß er sich wohl befindet, in Frankfurt ist und seine Tage in den Kunstsammlungen und Museen dortiger Liebhaber der Kunst und Wissenschaften zubringt. Was für literarische Ausbeute er mitbringen wird, ist nicht bekannt. Doch meine ich, daß er theatralische Vorsätze, die er schon sonst hegte, jetzt ins Werk richten dürfte, und sehr nötig wäre es: denn unser Theater ist jetzt sehr in der Agonie.

Rie 233

1919. RAHEL VARNHAGEN VON ENSE AN IHREN MANN

Frankfurt, 24. September 1815

Einen Göttergenuß hatte ich gestern abend und heute morgen in Goethens Buch [„Dichtung und Wahrheit"], wo er am Ende seines Aufenthalts in Straßburg die französische Literatur, Voltaire, Diderot, Deutschland, Frankreich, Hof und Welt mit Firmamentslichtern erhellt! Solcher Geist kommt auch vom Himmel, solche edle Seele; denn zu solcher Klarheit gehört diese Unparteilichkeit, zu dieser die edle, unschuldvolle *Seele.*

Varn V, 24

1920. HELENE JACOBI AN ERNESTINE VOSS

München, etwa Herbst 1815

Was Du mir von Goethe erzählst, sticht sehr gegen das ab, was die *Fritz Schlosserischen* von ihm behaupten: daß er so gar gut, liebend und hingebend geworden wäre, so *unaussprechlich liebenswürdig!* Ich bin froh, daß der Mensch nicht hier war. Ich kann das Wohl und Weh, das er wechselnd mir zu empfinden gibt, nicht ertragen, mag das Selbstbeleidigen einer so schönen, herrlichen Natur nicht mit ansehen. Um was hat er selbst sich nicht alles gebracht! Selbst die allgemeine Ehre, die er in Masse wie einen hellen Nimbus um sich gezogen fühlt, hat doch keinen einzigen Strahl, der bis in sein Herz glänzte und es wärmen könnte. Für mich ist er in aller seiner Höhe immer nur ein Bild des Jammers. Ganz neuerlich wollte man uns wieder versichern, er sei katholisch geworden. Diesmal konnten wir den Gang, wie das alte Gerücht aufs neue bei vielen Glauben gefunden, ganz natürlich nachweisen, da er nicht nur den Schlosserschen Proselyten und Proselytenmacher sich immer enger anschließt, sondern nun auch eine ganze Zeit her bei Willemer, der auch übergetreten ist, auf dessen Mühle bei Frankfurt sich aufhält, wo er ganz eingezogen lebt in strengster Arbeit an einem Buche, von dem niemand wissen soll, bis es gedruckt ist. Was kann man da nicht alles heraus- und hinzudenken!

JacN II, 171

1921. RAHEL VARNHAGEN VON ENSE AN IHREN MANN

Frankfurt, 11. Oktober 1815

Gestern ... hab ich so über Goethe geheult, geschrien, weil mir das Herz borst. Ich nahm ein Bändchen Lieder zu Hand, weil es mir an einem Buche gebrach, und las manches Lied mit großem, neuen Anteil, weil mir sein „Leben", welches ich eben gestern *hier* wieder ausstudiert hatte, ganz gegenwärtig war, und las, bis ich an das kam: „Mit einem gemalten Bande". Ich freute mich, weil er selbst schreibt, er habe das Band gemalt und der Tochter [Friederike Brion] in Sesenheim geschickt; ich kannte das Gedicht *sehr* gut; doch war mir nicht alles und nicht das Ende gegenwärtig. Und *so* endet's:

> Fühle, was dies Herz empfindet,
> Reiche frei mir deine Hand,
> Und das Band, das uns verbindet,
> Sei kein schwaches Rosenband!

Wie mit verstarrendem Eis auf dem Herzen blieb ich sitzen! Einen kalten Todesschreck in den Gliedern. Die Gedanken gehemmt. Und als sie wiederkamen, konnt ich ganz des Mädchens Herz empfinden. Es, er *mußte* sie vergiften. *Dem* hätte sie nicht glauben sollen? Die *Natur* war dazu eingerichtet. Und wie muß er gewesen sein, er, Goethe, hübsch, wie er war! Ich fühlte dieser Worte *ewiges* Umklammern um ihr Herz. Ich fühlte, daß die sich *lebendig nicht* wieder losreißen. Und wie des Mädchens Herz *selbst* klappte meins krampfhaft zu, wurde ganz klein in den Rippen. Dabei dacht ich an *solchen* Plan, an *solch* Opfer des Schicksals, und *laut* schrie ich, ich mußte; das Herz wäre mir sonst tot geblieben. Und zum erstenmal war Goethe feindlich für mich da. Solche Worte muß man *nicht* schreiben; *er* nicht! Er kannte ihre Süße, ihre Bedeutung, hatte selbst schon geblutet.

Varn V, 71

1922. JOHANN HEINRICH MEYER AN GOTTLIEB HUFELAND

Weimar, 29. Oktober 1815

Goethe ist vor etwa vierzehn Tagen vom Rheine zurückgekommen, so munter, froh und wohl, wie ich seit zehn und mehr Jahren ihn nicht gesehen. Er ist vielfach tätig, welches eben ein guter Beweis seines völligen Wohlbefindens ist. Eigentlich unter der Feder und zugleich unter der Presse hat er Betrachtungen auf seiner Reise an den Rhein [„Kunst und Altertum am Rhein und Main"]. Sie beziehen sich auf den Zustand der Künste, Wissenschaften, Sammlungen in den verschiedenen Städten, wo er gewesen, und werden wohl bald erscheinen. Sodann, wenn er mich beglücken will, lieset er manchmal, aber noch ganz im geheim, und ich glaube nicht, daß andre viel davon erfahren haben, Gedichte in der Manier des persischen Dichters Hafiz vor [„West-östlicher Divan"]. Es ist bereits eine sehr beträchtliche Sammlung, und dürfte ich in Sachen der Poesie urteilen, welches ich mir aber keineswegs anmaße, so würde ich sagen, es wären Stücke darunter von der vortrefflichsten Art.

Huf 36f.

1923. WILHELM GRIMM AN SEINEN BRUDER JAKOB

Kassel, 20. November 1815

Goethe habe ich weder den „Armen Heinrich" [von Hartmann von Aue] gegeben noch von den Märchen etwas Näheres gesagt. Da er sich wohl bewußt sein mag, wie leicht er an etwas teilnimmt, so hat er eine eigene, wunderliche Scheu, man kann sagen Ängstlichkeit, daß ihm ja nichts zu nahe rückt, und er weicht gewiß aus oder setzt sich eiskalt hin, wenn man von etwas mit Lebhaftigkeit und Eifer spricht, das er noch nicht kennt ... Ich habe ihm daher kein Wort von der altdeutschen Poesie gesagt, bis er in Heidelberg von selbst zu mir kam und mich fragte, mit welcher literarischen Arbeit wir uns jetzt beschäftigten; ich erzählte

Johann Heinrich Meyer

es ihm ganz einfach ... Der Louis [Ludwig Emil Grimm] hat es aus natürlichem Gefühl ebenso gemacht, und zu dem ist er auch gekommen, hat ihn über die Rheinreise gefragt und dergleichen, recht liebreich.

Grimm 468 f.

1924. CHARLOTTE VON STEIN AN KNEBEL

Weimar, 25. November 1815

Ich wußte gar nicht, daß Goethe bei Ihnen in Jena ist, denn ich höre und sehe nichts von ihm und dränge mich nicht gern auf, weil er seine Zeit braucht und er nicht Ihre Gutmütigkeit besitzt, sich unsereins mitzuteilen, und sagt durch seine Schriften: „Ihr habt Mosen und die Propheten, laßt sie dieselben hören!"

BodeSt VIII, 299 f.

1925. SULPIZ BOISSERÉE AN FRIEDRICH SCHLEGEL

Heidelberg, 2. Dezember 1815

Sie werden gehört haben, daß Goethe über deutsche Kunst und Altertum am Rhein schreibt, und sich freuen, daß dieser so lange ungläubige Freund nun so ernsthaft teilnimmt. Es ist recht gut, daß er bei seiner so allgemein bekannten Mäßigung sich nun auch für die Sache erklärt; denn gerade diejenigen, die etwas dafür tun können, hielten sie immer noch für eine Extravaganz.

Bois 295

1926. FRIEDRICH SCHLEGEL AN SULPIZ BOISSERÉE

Frankfurt, 31. Dezember 1815

Daß Goethe über Euere Bilder schreibt, ist auch schon wegen der Wirkung auf das Publikum sehr gut, und noch heilsamer kann es werden, wenn er bei dieser Gelegenheit (wie ich höre, daß er es im Sinn hat) den Preußen etwas den Sinn öffnet über den hohen Wert und altdeutschen Charakter der Rheinlande überhaupt. Und selbst für die bildende Kunst, wenngleich ich ihm verhältnismäßig für diese nicht sehr viel zutraue, wird sein Reden darüber nicht ohne Nutzen bleiben, weil er doch von alters her so anregender Art ist. Wenigstens werden seine Reden darüber in jedem Falle bedeutender ausfallen als die etwas röselichten Beschreibungen der schwedischen Dame [„Beschreibung altdeutscher Gemälde“ von Amalie von Helvig].

Bois 296

1816

1927. KNEBEL AN CHARLOTTE SCHILLER

Jena, 16. Februar 1816

Für Ihre gefällige und geistreiche Schilderung des „Epimenides" danke ich Ihnen. Sie sehen mit wohlgefälligen Augen und hören auch so. Andere waren nicht so zufrieden. Die Musik wollte ihnen nicht recht ans Herz gehen, und dann fanden sie, daß manches in der Allegorie zu fein und daher zu unbestimmt für den anschauenden Sinn sei ... Zuletzt aber die Mischung von moderner Tracht und Sitte mit der antiken tat ihnen gewaltig weh ... Ich glaube, wenn man den alten Hermann hätte auftreten lassen und das nordische Unzeug, hätten manche mehr Gefallen daran gehabt etc.

SchFr III, 364

1928. CHARLOTTE VON STEIN AN KNEBEL

Weimar, 21. Februar 1816

Gestern las uns Goethe bei der Herzogin persische Gedichte vor. Es war lange, daß ich nichts von ihm gesehen hatte. Ich wünschte ihm in seinem Wesen etwas von Ihrer Herzlichkeit: mit Ihnen ist so hübsch Gedanken und Gefühle auswechseln! Auf das Geringste, was man nicht ganz in seiner Vorstellung sagt, hat man einen Hieb weg. Ich frug ihn, ob diese Gedichte von einem oder verschiedenen orientalischen Dichtern wären. ... erwiderte er: „Liebes Kind, das wird mir niemand erforschen."

Als wenn ich ein Mädchen von zehn Jahren wäre!

Ich weiß gar nicht, wie man ohne Herzlichkeit eigentlich leben kann. Er braucht diesen Lebenspunkt gar nicht.

BodeSt IX, 293f.

1929. CHARLOTTE SCHILLER AN KNEBEL

Weimar, 25. Februar 1816

Am Dienstag hat uns Goethe bei der Großfürstin persische Gedichte vorgelesen, die persische Wendungen und Gegenstände haben, aber den Geist des einzigen Dichters wohl bezeichnen! Ich fühle wohl, wie es zuweilen der Phantasie wohltun kann, ganz fremdartige Motive wie Bilder aufzusuchen, um sich wieder zu beleben und Fremdartiges belebend zu erschaffen, wenn in der umgebenden Welt und ihren Bedingungen der Stoff nicht immer anspricht. Übrigens ist Goethe heiter und gesellig, und vorigen Donnerstag war er bei Geheimerat von Voigt den Abend von der besten Laune.

SchKn 255

1930. GRIES AN ABEKEN

Jena, 8. März 1816

Goethes „Epimenides" machte auf dem Theater eine langweilige Erscheinung. Ich habe nie ein Stück gesehen, das mit so großen Zurüstungen so wenig ausrichtete. Darüber ist nur *eine* Stimme. Aber freilich ist auch die Musik sehr mittelmäßig, und die Ballette, die Kavallerie, die in Berlin das Stück auf den Beinen hielten, fehlten natürlich in Weimar ganz. Es wird schwerlich wieder aufgeführt werden.

Bode II, 464

1931. RIEMER AN FROMMANN

Weimar, vor dem 1. April 1816

Man macht nämlich eine heimliche Kabale, uns das Logis am Park vorzuenthalten und Gott weiß wie und womit uns abzufinden. Ich höre nur in der Stadt, daß Steinert nicht heraus will; aber die Sache hängt anders zusammen, und es ist ein Stückchen, das G[oethe] und M[eye]r uns spielen möchten. Ich lasse mich aber auf nichts ein, und sie haben nicht das Herz, mir das Propos zu tun ...

Das wäre mir ein schöner Lohn für die viele Gefälligkeit und Bereitwilligkeit, die ich stets und so auch diesen Winter für G[oethe] gehabt, daß ich meine eigenen Sachen öfters hintangesetzt habe. Ich weiß nicht, der alte Herr gefällt mir nicht.

In wenig Tagen muß sich die Sache aufklären, und wenn man mir Sprünge macht, so komme ich zu Ihnen nach Jena.

Rie 237

1932. CHRISTIANE GOETHE IN IHREM KALENDER

Weimar, Anfang April 1816

2. April: Der Geheime Rat unpaß ...

3. April: Der Geheime Rat noch krank. Mittags mit August allein. Der Geheime Rat hat den ganzen Tag das Bett nicht verlassen.

5. April: Der Geheime Rat um vieles besser. Er stand zu unserer aller Freude gegen 9 Uhr auf und ließ sich ankleiden.

JbGoeGes III, 251

1933. CHARLOTTE VON STEIN AN KNEBEL

Weimar, 9. April 1816

Es scheint, daß es zeither uns allen Zeitgefährten so geht, auch Goethen. Doch hat er durch eine große Menge Blutigel, spanische Fliegen usw. erzwungen, bei der vorgestrigen Zeremonie als erster Geheimrat mit allen seinen Orden dicht neben dem Großherzog zu paradieren.

BodeSt IX, 298

1934. KARL VON STEIN AN SEINEN BRUDER FRIEDRICH

Kochberg, Mitte April 1816

Daß auch gescheite Leute in diese Misères einigen Wert legen können, wo sie keinen haben, bewiesen Goethe und Voigt, welche sich um den ersten Platz am Thron des Großherzogs von Weimar stritten. Voigt hat behauptet, er führe das Staatsruder; aber Goethe hat ihn weggerudert durch die Anciennetät, was übrigens, da mehrere auf diesen Throntreppen herumstanden und herumtrappelten, niemanden, der nicht den vorhergegangenen Disput wüßte, amüsiert oder aufmerksam gemacht haben würde. Voigt führt deswegen doch nach wie vor das Staatsruder, und Goethe flankiert auf dem Pegasus drum herum.

Fritz von Stein II, 218

1935. CHARLOTTE SCHILLER AN KNEBEL

Weimar, 24. April 1816

Goethe ist ziemlich wohl. Sein Sohn und Ernst [von Schiller] haben wieder Spuren eines Elefanten gefunden. Darüber ist große Freude, und Goethe, Meyer und Riemer sind auf die Stelle gewallfahrtet und haben Nachsuchungen angestellt und auch versteinerte Knochen gefunden.

SchKn 274f.

1936. CHARLOTTE SCHILLER AN KNEBEL

Weimar, 1. Juni 1816

Der Besuch in Jena bei Ihnen hat mir recht wohlgetan ... Ich hätte auch Goethe sehen mögen ..., denn sein eignes Wesen hier hat sich durch die Bedingungen des äußern Verhältnisses anders gestaltet. Es ist, als habe der Rang, der Anstand hier leichter Eingang in sein freies poetisches Gefühl als in Jena. Hätte ich ihn, selbst mit Schiller, immer nur hier gesehen, so würde er lange nicht so klar und hell vor mir stehen im Geist, als er's jetzt bleiben wird. Ich habe rechte Sorge um ihn; denn seine Frau ist zweimal in dieser Woche bedeutend krank gewesen, und man könnte Schlag befürchten. Vor vierzehn Tagen hatte sie auch so einen Krampfanfall, den mir der Sohn recht ängstlich beschrieb. Das physische Leiden kann seine freie, reiche Natur nicht ertragen, und deswegen wünschte ich ihn von solchen Anblicken fern.

SchKn 279ff.

1937. JOHANNA SCHOPENHAUER AN BÖTTIGER

Weimar, 1. Juni 1816

Hier ist alles in Erwartung des Prinzen Bernhard, der den Donnerstag mit seiner jungen Gemahlin eintreffen soll: ein Zug ihm entgegen, Theater, Illumination, Hof- und Stadtbälle werden vorbereitet. Unser Großkophta sitzt bei alledem wie ein Dachs in seinem Bau, und kein sterbliches Auge wird seines Anschauens gewürdigt. Riemer hat den Prolog gemacht, mit dem die Jagemann das junge Paar von der Bühne bewillkommnen wird ... Frau von Goethe ist krank; sie hat förmlich die fallende Sucht und wird auch sehen, nach Karlsbad zu gelangen. Wo ihr Gemahl sich hinwenden wird, darauf ruht noch heiliges Dunkel.

Schop I, 242

1938. VULPIUS AN KNEBEL

Weimar, 8. Juni 1816

Meiner Schwester irdisches Schicksal hat der Tod mit allgewaltiger Hand geendet und ihrer herrlichen Kraft und Gesundheit ein langwieriges Spiel abgewonnen. Sie starb vorgestern, den 6., Mittag um 12 Uhr, eben an ihrem Geburtstage, 52 Jahre alt. Wie es um uns aussieht, können Sie denken. Das Haus scheinet verwaist zu sein, und der Mann ist sehr betrübt. Was soll ich Ihnen von seinem Schmerze sagen? Ich denke, er wird auf einige Zeit nach Jena gehen ... Heute wird die Erblaßte begraben. Friede ihrer Seele!

BrKn II, 153

1939. CHARLOTTE SCHILLER AN KNEBEL

Weimar, 8. Juni 1816

Und das dunkle Haus unsers Freundes Goethe gab mir auch einen dunkeln Platz im Gemüt; denn ich dachte mir, dies Getöse könnte ihm schmerzlich sein. Er ist leidlich wieder und nur angegriffen, ließ er sagen. Die Frau dauert mich, denn sie hat unendlich gelitten. Die Großherzogin erzählte mir, daß sie alle Minuten einen Anfall in dem letzten Tage gehabt! Die Details weiß ich noch nicht. Wenn sein Körper nur Kraft behält, so wird er dies überstehen. Der Sohn ist nicht krank geworden, sondern nur matt war er. Das übrige soll auch im gleichen sein und seine Umgebungen besser.

SchKn 284

1940. RIEMER AN FROMMANN

Weimar, 9. Juni 1816

Der Tod gleicht alles aus, und so müssen wir mit Anteil und Bedauern gestehen, daß es ein hartes und schreckliches Ende war, welches die Frau genommen, ob man gleich voraussehen konnte, daß es über kurz oder lang so kommen müßte.

Das Detail weiß Goethe selber schwerlich so wie wir, und zu seinem Glücke bleibe es ihm ferner verhüllt. Bei seiner Art zu sein und zu leben wird er sie nur zu oft vermissen. Ob er gleich gefaßt erscheint und von allem andern spricht, so überfällt ihn doch mitten unter anderm der Schmerz, dessen Tränen er umsonst zurückzudrängen strebt. Die Einsamkeit wird immer größer werden, sobald der Sohn erst wieder seinen Geschäften und – Vergnügungen nachgeht. Denn außer Meyern und mir sieht er nur wenige und selten; und wir können gerade in den einsamsten Stunden am wenigsten um ihn sein. Auch wird die ökonomische Gesinnung des Sohns ziemlich alles von ihm entfernen, was ihn zerstreuen und aufheitern könnte. Ein Aufenthalt in Jena und dann eine Reise nach Teplitz wird also wohl das Beste und Wirksamste sein, um sein unschätzbares Leben uns länger zu fristen.

Rie 239

1941. VULPIUS AN NIKOLAUS MEYER

Weimar, 11. Juni 1816

Ihre Freundin, meine Schwester, ist nicht mehr. Der Tod hat ihrer kraftvollen Gesundheit in einem schrecklichen Kampfe von fünf Tagen das Leben abgekämpft. Sie starb am 6. (ihrem Geburtstage, in ihrer Geburtsstunde) Mittag 12 Uhr an Blutkrämpfen der schrecklichsten Art, für sie und uns. Sie können sich vorstellen, wie zerstört alles bei uns ist und umhergeht. Alle weinen, und ihr Mann ist fast untröstlich. Behüte Sie Gott für dergleichen harten Schicksalen und schenke Ihnen Friede und frohes Gedeihen sowie all den Ihrigen.

MeyerN 453

1942. GRIES AN GOTTLIEB HUFELAND

Jena, 21. Juni 1816

Daß Goethe vor kurzem seine Frau verloren, werden Sie schon gehört haben. Dieser unerwartete Todesfall hat, wie es scheint, einen tiefen Eindruck bei ihm hinterlassen. Nicht als ob er die Verblichene eben sehr geliebt hätte, aber sie war doch die Mutter seines Sohnes und sollte, nach dem natürlichen Lauf der Dinge, die Pflegerin seines Alters sein. Ich fürchte, wir werden den Unersetzlichen nicht lange mehr behalten. Er war, kurz vor dem Tode seiner Frau, einige Wochen lang in Jena. Ich fand ihn sehr gealtert, und obwohl er zwischendurch sehr heiter war, ließ sich doch aus manchen Äußerungen wahrnehmen, daß er selbst sich kein langes Leben mehr verspricht. Indessen fährt er immer fort, den Menschen Freude zu machen. Seine kürzlich erschienene Schrift „[Über] Kunst und Altertum in den Rhein- und Maingegenden" wird vielleicht, so trefflich in ihrer Art sie ist, kein ganz allgemeines Interesse erwecken; aber in der neuen Ausgabe seiner vermischten Gedichte stehen ganz herrliche Sachen, zumal von der heiteren Art, in welcher Goethe so einzig ist.

Huf 26f.

1943. JOHANNA SCHOPENHAUER AN ELISA VON DER RECKE

Weimar, 25. Juni 1816

Seit dem Tode seiner Frau habe ich ihn heute zum erstenmal gesehen, denn es ist seine Art, jeden Schmerz ganz in der Stille austoben zu lassen und sich seinen Freunden erst wieder in völliger Fassung zu zeigen. Ich fand ihn dennoch verändert; er scheint mir recht im innersten Gemüt niedergeschlagen ...

Der Tod der armen Goethe ist der furchtbarste, den ich je nennen hörte. Allein, unter den Händen fühlloser Krankenwärterinnen, ist sie, fast ohne Pflege, gestorben. Keine freundliche Hand hat ihr die Augen zugedrückt. Ihr eigner Sohn ist nicht zu bewegen gewesen, zu ihr zu gehn, und Goethe selbst wagte es nicht ... reden konnte sie nicht, sie hatte sich die Zunge durchgebissen ... Ihre Unmäßigkeit in allen Genüssen, zu einer sehr bösen Periode für unser Geschlecht, hatte ihr das fürchterlichste aller Übel, die fallende Sucht, zugezogen ... Auf allen Fall hat sie die kurze Freude furchtbar gebüßt, und es kränkt mich, daß niemand mit Mitleid ihres Todes gedenkt, daß alles das viele Gute, welches doch in ihr lag, vergessen ist und nur ihre Fehler erwähnt werden, selbst von denen, welchen sie wohltat und die ihr im Leben auf alle Weise schmeichelten.

Schop I, 246 f.

1944. WILHELM VON HUMBOLDT AN SEINE FRAU

Frankfurt, 25. Juni 1816

Hörst Du nichts von Goethe und ob er nach Karlsbad kommt? Der Großherzog von Weimar, der jetzt hier war und in Wiesbaden das Bad braucht, meinte, er sei noch nicht recht entschlossen gewesen. Du wirst wissen, daß er seine Frau verloren hat. Die ersten Tage war er, wie es aus seinem Briefe an [Johann Friedrich] Schlosser scheint, untröstlich; allein jetzt schreibt er schon wieder sehr heiter. Man könnte das erste und bei dieser Person vielleicht gleich gut das letzte begreifen, allein beides zusammen ist wunderbar, obgleich nicht ungewöhnlich.

Schlossers, die Goethes Lage genau kennen, meinen, daß er in seinen Finanzen doch nie ohne Sorge ist. Er hat an festen Einkünften unglaublich wenig und muß nur immer schreiben und drucken lassen. So mag sein letztes Buch [„Über Kunst und Altertum in den Rhein- und Maingegenden"] entstanden sein, das ungeheuer leer und seiner auf keine Weise würdig ist. Man hatte hier einen Plan, und Stein interessierte sich sehr dafür, ihm ein Gut am Rhein zu kaufen und zu schenken. Allein es ist natürlich, daß, da man so etwas doch nicht in eine Bettelei ausarten lassen will, nichts daraus wird.

Hu V, 273

1945. DOROTHEA SCHLEGEL AN IHRE SÖHNE JONAS UND PHILIPP VEIT

Frankfurt, 3. Juli 1816

Sonst habe ich nichts Neues gelesen als ein Bändchen von Goethe über die Kunst in den Rheingegenden [„Über Kunst und Altertum in den Rhein- und Maingegenden"]. Das ist nun endlich das Kunstadels-Diplom, was zu erlangen die Boisserées so lange um den alten Heiden herumgeschwänzelt haben! Und wie überflüssig! Wer die Sammlung sieht und nur nicht eines ganz verstockten Sinnes ist, der braucht ja weiß Gott keines solchen Stempels, um zu sehen, daß diese Sammlung *einzig* in ihrer Art ist. Schwerlich werden Boisserées sehr zufrieden sein mit diesem platten, affektierten Gewäsch; aber gewiß werden sie nicht unterlassen, die Miene anzunehmen, als wären es goldne Sprüche. Friedrich [Schlegel] sein Verdienst um die neue Würdigung unsrer ältesten Kunstdenkmale hat der alte kindische Mann dadurch zu schmälern gesucht, daß er ihn in diesem ganzen Werke gar nicht genannt, seiner weder bei dem Dom zu Köln noch bei der Boisseréeschen Sammlung und Sulpizens Arbeit, noch bei den kölnischen Kunstdenkmalen überhaupt nicht mit Namen gedacht hat, während er jede, auch die kleinste und unbedeutendste Schrift anderer über diesen Gegenstand, teils verunglimpfend, teils über den Wert schätzend, lang und breit genannt und beleuchtet hat. Hat er aber durch solches Ignorieren geglaubt, Friedrichs großes Verdienst ganz auszutilgen, so hat er geirrt. Eben dadurch, daß er ihn nicht genannt hat, wo er alle andern nennt, hat er ihn wirklich doch genannt, nämlich so, wie man ein Licht in der Zeichnung *aussparen* kann, indem man die Schatten zeichnet. Jeder muß ja hier gleich eine böse Absicht einsehen!

Eine Stelle ist darin über das Christentum als Gegenstand der Malerei. Diese ist nicht allein das klare, kecke Geständnis seiner antichristlichen Denkart, sondern durch Stil und Schreibart so über alle Maßen platt und bierbrudergemein, daß ich heftig im Lesen darüber erschrocken bin. Es war mir zumute, als sähe ich einen verehrten Mann vollbetrunken herumtaumeln, in Gefahr, sich im Kot zu wälzen.

Bei reiflicher Überlegung kommt es mir auch wahrscheinlich vor, daß diese Stelle gar nicht von Goethe selbst, sondern vielmehr von seinem Mephistopheles Meyer sein muß. So platt und durchaus gemein verteufelt kann doch wohl Goethe nicht sein! Diese Hypothese ist mir aber mehr eine Erklärung als eine Entschuldigung für diese Gemeinheit. Ein Autor muß für das einstehen, was in seinem Buche vorkömmt. Goethes größte Anbeter schweigen mäuschenstille; andre schimpfen laut; einige verlangen, man müsse diese Stelle ausscheiden und das übrige als geistreich würdigen. Das ist mir aber einmal nicht gegeben. Zum Teil kömmt mir das Ganze armutselig und geistesarm vor; zum Teil aber ist mir durch diese verruchte Entwürdigung der heiligen Geheimnisse, die auf einmal ganz unvermutet und plötzlich zum Vorschein kommt wie der Pferdefuß des in einen Menschen verkappten Teufels, auch das übrige, was es allenfalls Hübsches haben mag, in Asche und Graus verwandelt ... Das Ganze ist Lug und Trug!

SchlVeit II, 356ff.

1946. ELISA VON DER RECKE AN JOHANNA SCHOPENHAUER

Karlsbad, 3. Juli 1816

Mit schmerzhafter Rührung, liebe Teure, habe ich Ihre Darstellung der traurigen Verlassenheit der guten Goethe in ihrem schreckhaften Todeskampfe gelesen. Wahrlich! Diese gutmütige Frau hätte es wohl verdient, daß dankbare Herzen ihren letzten bittern Kampf erleichtert und die unter furchtbaren Krämpfen Sterbende nicht verlassen hätten. Im Leben tat sie vielen wohl! Und aus meiner Erfahrung weiß ich es, daß das Bewußtsein uns bei heftigen Krämpfen und todesähnlichen Erstarrungen bleibt ... Der furchtbare Tod der noch im Grabe verfolgten Goethe hat mich schmerzhaft erschüttert! – Sie haben recht, teure Frau! Die im Leben auf einer Seite so glückliche, im Sterben aber höchst unglückliche Goethe hatte doch viele guten Seiten! Warum richten die Menschen denn immer ihre Blicke auf die Fehler der andern, statt diese nur stille für sich als Warnungen zu betrachten, die uns vor Fehler schützen? – Wodurch die Verstorbene sich mir empfohlen hat, ist, daß ich sie nie von andern Böses sprechen hörte. Auch war ihre Unterhaltung, soweit ich sie kannte, immer so, daß ich mir es wohl erklären konnte, daß ihr anspruchsloser, heller, ganz natürlicher Verstand Interesse für unsern Goethe haben konnte, der mir seine Frau mit diesen Worten vorstellte: „Ich empfehle Ihnen meine Frau mit dem Zeugnisse, daß, seit sie ihren ersten Schritt in mein Haus tat, ich ihr nur Freuden zu danken habe.“ – Die Frau, welche von ihrem Gatten ein solches Zeugnis erhält, über deren Fehler werden alle diejenigen, welche den Gatten schätzen, einen Schleier zu werfen suchen. Wir, liebe Teure, wir wollen immer der guten Seiten der Verstorbenen gedenken und ihre Schwächen in Vergessenheit zu bringen uns bemühen!

Schop I, 249f.

1947. WILHELM GRIMM AN ARNIM

Kassel, 4. Juli 1816

Den Tod von Goethes Frau hatte ich in Kösen schon gehört. Riemer sagte mir und die Schoppenhauer auch, daß er schrecklich gewesen. Niemand hätte die Krämpfe mit ansehen können, und Mägde und Weiber haben nicht dableiben können, weil sie, wie das geschieht, auch davon ergriffen worden. Geweint hat er laut über sie, und das wäre auch unnatürlich gewesen, wenn er es nicht getan hätte. Er war noch nicht ausgegangen und hatte nur ein paar Freunde gesehen; indessen machte ich doch nachmittags einen Versuch, da ein Fremder ihm gerade angenehm in einer solchen Stimmung kommen kann und ich mich erst melden ließ. Er nahm mich an und war sehr freundlich und heiter. Er fragte mich nach Dir, Deiner Frau, Kindern, selbst dem Haus und der Gegend. Dann sprach er von mancherlei, woran man in der Zeit leicht denkt ... Ich habe ihn niemals so freundlich und wohlwollend gesehen. Er arbeitet, wie Riemer sagt, viel, und auch an dem vierten Bande seines „Lebens".

ArnG 349f.

1948. ARNIM AN WILHELM GRIMM

Wiepersdorf, 20. Juli 1816

So natürlich und doch so seltsam ist's, daß Goethe die Vulpius beweint, daß ich es nur aus seinem Vornamen Wolfgang ableiten kann, wie er zu ihr gelangt ist. Noch wunderbarer, daß er darüber zum eifrigen Protestanten geworden. Übrigens glaube ich, sein Religionswesen ist wohl mehr Untersuchung als Wesen. Er wird auf mancherlei Resultate kommen, die jedem wichtig; wer weiß, ob sie ihm selbst etwas helfen.

ArnG 351

1949. DOROTHEA SCHLEGEL AN SULPIZ BOISSERÉE

Frankfurt, 21. Juli 1816

Finden Sie die Art, wie Goethe unsern Friedrich in seinem neuen Werk [„Über Kunst und Altertum in den Rhein- und Maingegenden"] genannt hat, nicht äußerst sinnreich? Nämlich da, wo er ihn *nicht* genannt hat, so wie man oft in einer Zeichnung ein Licht nicht zeichnet, sondern ausspart. Das, was er über das allmächtige Dombild sagte, ist doch allerliebst – eine orientalische Maskerade! Darauf kann doch nur ein so geistvoller Kenner kommen! Seine Ansicht von der Geschichte unsrer Religion ist mir ungemein wert. Nämlich ich sehe wohl ein, daß Plato oder Pythagoras ganz anders von den Geheimnissen der alten Indier würden geredet haben, auch wenn sie nicht daran zu glauben für gut gefunden hätten. Indessen aber muß man gestehen, daß seine [Goethes] Art doch ein gewaltiges Licht und einen Aufschluß über seine ganze Ansicht von der Malerei der Deutschen gibt; jetzt wird einem alles klar und zusammenhängend. Von Ihrer Sammlung habe ich mir doch eigentlich mehr in dem trefflichen Buch zu finden erwartet; vielleicht kömmt es noch im zweiten Teil nach.

SchlVeit II, 367

1950. GRIES AN ABEKEN

Jena, 22. Juli 1816

... im Mai ... fürchtete ich wirklich sehr für ihn, zumal da Knebel mir sagte, daß er in vertraulichen Gesprächen einen gewaltigen Lebensüberdruß geäußert habe.

Vielleicht werden Sie in den Zeitungen gelesen haben, daß Goethe gesonnen sei, Weimar zu verlassen und den Überrest seines Lebens in Frankfurt zuzubringen. Wie diese Nachricht in die Zeitungen gekommen ist, begreife ich nicht; aber wahr ist es, daß er das Drückende seiner Lage in Weimar und am Hofe mehr als jemals empfindet und auch wohl gegen Knebel den Wunsch nach einer Veränderung geäußert hat ... Gewiß könnte eine solche Veränderung seiner doch immer unfreien Verhältnisse sehr zur Erheiterung seines Alters dienen, wenn er auch nicht eben Frankfurt zum Wohnort wählen würde. Aber er selbst sieht ein, daß daran eben jetzt gar nicht zu denken ist, da der Herzog ihm erst vor kurzem 2000 Taler Zulage und seinem Sohn ein Gehalt von 800 Talern gegeben hat.

JbGoeGes V, 240

1951. KAROLINE VON HUMBOLDT AN CHARLOTTE SCHILLER

Karlsbad, 23. Juli 1816

Der Tod von Goethens Frau, das endliche Aufhören ihrer Leiden hat mich beruhigt nach dem, was Du mir in Deinem Briefe sagst. Die Schopenhauer schreibt in die Welt allerlei Details herum, die es besser wäre mit Stillschweigen zu übergehen, sie mögen nun wahr sein oder nicht: Niemand sei bei ihr gewesen; Mann und Sohn hätten den Anblick ihrer epileptischen Zustände nicht ertragen können, und die Wartefrauen hätten sie ohne Beistand liegenlassen.

SchFr II, 211

1952. CHARLOTTE SCHILLER AN KNEBEL

Weimar, 28. August 1816

Heute an Goethes Geburtstag wollen wir ihm aus der Ferne unsre stillen Wünsche senden. Ich hoffe, die Sonne leuchtet ihm freundlich heut ... Er ist nicht so mitteilend wie Sie, lieber Freund, und wo man bei Ihnen das Wohlwollen gern ausspricht, weil man ein wiederkehrendes Gefühl empfängt, so mag man bei ihm nur still die Gefühle bewahren. Es ist nicht allen Gleiches von den Göttern verliehen ...

SchKn 297

1953. KNEBEL AN CHARLOTTE SCHILLER

Jena, 29. August 1816

Unsers Freundes Goethe Geburtstag haben wir gestern im Herzen gefeiert. Es scheint, er wird sich mit den Jahren nicht ganz von dem Lose aller außerordentlichen Menschen lossprechen können, welche die Nichtigkeit der Dinge immer schwerer fühlen. Sein fleißiges Naturstudium allein kann ihn in der Höhe halten, die ihm den Genuß des Lebens nicht verächtlich macht. Dazu scheint er auch eine unversiegliche Quelle in sich zu haben.

SchFr III, 367f.

1954. CHARLOTTE SCHILLER AN KNEBEL

Weimar, 25. September 1816

Gestern haben wir einen recht freundlichen Abend gehabt bei Goethe, der meine Schwester [Karoline von Wolzogen], Frau von Kalb und mich und meine zwei großen Kinder zu einem Tee eingeladen. Unser Meyer war natürlich auch dabei, und Frau von Stein sollte dabeisein; aber sie wird leider die Abende so müde und fürchtet das Blenden des Lichts; auch glaubt sie, schwer zu hören, das ist recht traurig. Goethe war heiter und mitteilend und zeigte uns Kupferstiche aus „Faust", die ein Maler Cornelius aus Rom gesendet ... Ich bin so mit „Faust" verwebt, daß ich alle Stellen erkenne und auch auf jede Lebenssituation andre passende Sprüche daraus anwende ... Ich glaube, so lebten die Griechen in der „Ilias", und so genießt man auch die Poesie, wenn sie sich ins Leben verflicht.

SchKn 301f.

1955. KLARA KESTNER AN IHREN BRUDER AUGUST

Weimar, 29. September 1816

Er [Ridel] fing denn auch bald an, von Goethe zu sprechen, dem er durch seinen Sohn, der sein Kollege ist, hatte sagen lassen, daß Mutter kommen würde. Er hatte ihm antworten lassen, daß er sich sehr dazu freue, welches Mutter ihm nicht so recht zugetraut hatte; doch der Onkel [Ridel] machte nach seiner liebenswürdigen Art uns ein viel angenehmeres Bild von ihm, als wir uns gemacht hatten, und versicherte, daß er ihn schon öfter gerührt gesehen hätte, und glaubte, daß er es bei diesem Wiedersehen auch sein würde. Nachdem wir nun drei Tage hier waren, also am Mittewochen, da Goethe durch den Onkel erfahren, daß Mutter hier sei, ließ er den Onkel par carte mit seiner sämtlichen Familie freundschaftlich zum Essen einladen. Mutter hätte ihn gern erst einmal allein gesehen; doch da dies für Goethe eine überaus große Artigkeit sein sollte, so wurde zugesagt. Nun kannst Du denken, wie mir Unbedeutenden es zumute war, vor diesem großen Mann erscheinen zu sollen, und in seinem eignen Hause, welches doch noch viel schlimmer war, als wenn er zu uns gekommen wäre. Doch was half es! Das Herzklopfen mußte überwunden werden. Mutter war auch nicht ganz à son aise und wollte erst mit dem Onkel vorausgehen und wir dann nachkommen; doch hieraus wurde nichts, indem der große Mann uns seine Equipage schickte, uns abzuholen. Wir fuhren also hin und wurden unten an der Treppe von dem Sohn empfangen. Im Vorsaal kam er selbst uns entgegen, doch treuer dem Bilde, was ich durch Dich von ihm hatte, als dem, was uns der gute Onkel gab. Denn Rührung kam nicht in sein Herz! Seine ersten Worte waren, als ob er Mutter noch gestern gesehen: „Es ist doch artig von Ihnen, daß Sie es mich nicht entgelten lassen, daß ich nicht zuerst zu Ihnen kam.“ (Er hat nämlich etwas Gicht im Arm.) Dann sagte er: „Sie sind eine recht reisende Frau“, und dergleichen gewöhnliche Dinge mehr. Mutter stellte mich ihm vor, worauf er mich einiges fragte, unsre Reise betreffend und ob ich noch nie in dieser Gegend gewesen sei, welches ich doch ganz unerschrocken beantwortete. Darauf gingen wir zu Tisch, wohin er Mutter führte und auch natürlich bei ihr saß; ihm gegenüber der Onkel und ich daneben, so daß ich ihm ganz nahe war und mir kein Wort und kein Blick von ihm entging. Leider aber waren alle Gespräche, die er führte, so gewöhnlich, so oberflächlich, daß es eine Anmaßung für mich sein würde, zu sagen, ich hörte ihn sprechen oder ich sprach ihn; denn aus seinem Innern oder auch nur aus seinem Geiste kam nichts von dem, was er sagte. Beständig höflich war sein Betragen gegen Mutter und gegen uns alle, wie das eines Kammerherrn. Der Onkel entschuldigte ihn, wie ich mich ziemlich freimütig über ihn äußerte, mit seiner Steifigkeit und selbst Blödigkeit. Erstere hat er nun physisch und freilich diesen Tag auch geistig im höchsten Grade; denn alle sagten, er sei so liebenswürdig gewesen, wie sie ihn beinahe nie gesehen. Nach Tisch fragte ich nach einer sehr schönen Zeichnung, die immer meine Augen auf sich zog; er ließ sie mir herunternehmen und erzählte mir sehr artig die Geschichte davon; sie war von einer Dame. Julien [von Egloffstein] dachte er mit großer Auszeichnung und besonders ihres Talents. Darauf ließ er eine Mappe holen und zeigte Mutter ihr und des seligen Vaters und Eurer fünf Ältesten Schattenrisse auf einem Blatt. Du siehst aus allem diesen, er wollte verbindlich sein. Doch alles hatte eine so wunderbare Teinture von höfischem Wesen, so gar nichts Herzliches, daß es doch mein Innerstes oft beleidigte. Seine Zimmer sind düster und unwöhnlich eingerichtet. Hier und da stehen Vasen, und die Wände sind mit Zeichnungen dekoriert, worunter jedoch meiner Ansicht nach außer der genannten nichts Ausgezeichnetes war. Der Sohn, welcher die Honneurs machte, scheint ein ziemlich unbedeutender Mensch zu sein. Er sieht seinem Vater in den Augen ähnlich, hat aber eine sehr flache Stirn; übrigens ist er eher hübsch als häßlich. Dieser war ausgezeichnet artig gegen Mutter, führte sie in den Garten, wohin wir folgten. Er ist nicht von Bedeutung; der Eingang aber ist sehr hübsch, indem er durch eine Art Laube, die schon an dem Hause anfängt, den Garten mit einem Gartenzimmer vereinigt, worin sehr viele Büsten der berühmtesten Schriftsteller unserer Zeit und die hiesige herzogliche Familie aufgestellt sind. Auch Goethens und seiner Frauen Büste steht darin, von der wir abscheuliche Dinge hören, mit denen ich mein Papier nicht beflecken werde. Gottlob, daß sie tot ist! Und doch, sollte man es glauben, ehrt er ihr Andenken mit Rührung. Nachdem wir nun alles gesehen, fuhren wir nach Haus. Er entschuldigte sich, daß er nicht ausgehen könne, indem er auch bei Hof abgesagt habe. Wir werden ihn nun wohl nicht öftrer sehen, welches mir leid tun sollte, da ich ihn gern einmal sähe, daß ich ihn mit seinen herrlichen Kindern reimen könnte, welches ich bisher noch nicht gekonnt. Zuweilen fiel mir bei Tisch eine schöne Stelle aus seinen Gedichten ein, ich sah ihn darauf an, konnte aber keine Ähnlichkeit finden ...

Ich sah die „Rosamunde" von Körner, ein schreckliches Trauerspiel, was mir zu traurig war. Doch natürlich interessierte mich das Theater sehr, da es doch ganz andre Schauspieler als bei uns sind. Und doch klagt man hier sehr, wie schlecht das Theater jetzt gegen sonst ist. Goethe bekümmert sich nicht viel mehr darum.

GoeJb XIV, 285ff.

1956. CHARLOTTE KESTNER AN IHREN SOHN AUGUST

Weimar, 4. Oktober 1816

Von dem Wiedersehen des großen Mannes habe ich Euch selbst noch wohl nichts gesagt; viel kann ich auch nicht darüber bemerken. Nur soviel: ich habe eine neue Bekanntschaft von einem alten Mann gemacht, welcher, wenn ich nicht wüßte, daß er Goethe wäre, und auch dennoch, hat er keinen angenehmen Eindruck auf mich gemacht. Du weißt, wie wenig ich mir von diesem Wiedersehen oder vielmehr dieser neuen Bekanntschaft versprach. War daher sehr unbefangen. Auch tat er nach seiner steifen Art alles mögliche, um verbindlich gegen mich zu sein. Er erinnerte sich Deiner und Theodors mit Interesse, ließ mir seinen Sohn eine Pflanze zeigen, die ihm Theodor geschickt hatte etc., und, was mich sehr freute, er sprach mit großem Interesse von [Johann] Stieglitz. So stehen die Sachen. Er ist nicht wohl und geht nicht aus. Also eine Frage, ob die *alten neuen Bekannten* ihre Bekanntschaft fortsetzen und sich in ihren alten Tagen auch gefallen.

Kest 118

1957. CHARLOTTE VON STEIN AN KNEBEL

Weimar, 9. Oktober 1816

Goethe ist auch leidend, am Arm. Gestern ging ich auf einen Augenblick in seinen Garten, um ihm von der Herzogin einen Auftrag auszurichten.

Kürzlich hat ihn auch die Lotte aus „Werthers Leiden" besucht, Madame Kestner aus Hannover. Sie war auch schon ein paarmal ... bei mir. Sie ist von angenehmer Unterhaltung, aber freilich würde sich kein Werther mehr um sie erschießen.

BodeSt IX, 306 f.

1958. KLARA KESTNER AN IHREN BRUDER AUGUST

Weimar, 14 Oktober 1816

Goethen sahen wir noch nicht wieder. Er leidet noch immer an der Gicht am rechten Arm. Vor acht Tagen schrieb er Mutter ein sehr freundschaftliches Billett, mit Bedauern angefüllt, durch sein Kranksein verhindert zu sein, sie öfter zu sehen. Er bot ihr zugleich seine Loge im Theater und seinen Wagen zum Abholen an. Dieses war durch den Kanzler Müller veranlaßt, der durch Mutter erfahren, daß es ihr so schwer werde, einen Platz im Theater zu finden, und es ihm erzählt hatte. Vielleicht sehen wir ihn heute in einer kleinen Gesellschaft bei Müllers, der ihn persönlich einladen wollte. Es würde mich natürlich sehr freuen, da ich ihn noch gar nicht kenne und so gern ein angenehmes Bild von ihm hätte. Bei Goethe aß außer uns niemand, welches recht freundlich ausgedacht von ihm war.

GoeJb XIV, 288

1959. KLARA KESTNER AN IHREN BRUDER AUGUST

Weimar, 25. Oktober 1816

Goethen sahen wir bei Müllers, wo er freilich etwas liebenswürdiger als zu Haus war, aber doch meinen Wünschen nicht entsprach. Doch bin ich jetzt mehr mit ihm zufrieden, da er wenigstens unter vier Augen gegen Mutter liebenswürdig ist. Sie geht auf sein Verlangen immer in seine Loge, wo er sehr freundlich sein soll. Ich gehe nicht hin, da ich fürchte, ihn zu genieren, indem vorn nur zwei Plätze sind. Auch bin ich längst zufrieden, wenn er nur gegen Mutter freundlich ist, da ich keine Ansprüche auf ihn machen kann und sein Wesen nicht verstehe.

GoeJb XIV, 288

1960. GEORGE TICKNOR IN SEINEM TAGEBUCH

Weimar, 25. Oktober 1816

Er ist etwas über Mittelgröße; breit, aber nicht plump; graues Haar; dunkle, rötliche Gesichtsfarbe; volle, reiche schwarze Augen, welche, obwohl vom Alter getrübt, doch noch sehr ausdrucksvoll sind. Sein ganzes Aussehen ist alt, und obwohl seine Züge ruhig und gefaßt sind, so tragen sie doch verschiedene Spuren von dem Sturme der ehemaligen Gefühle und Leidenschaften. Alles in allem ist seine Person nicht nur respektabel, sondern imponierend. In seinen Manieren ist er einfach. Er empfing uns [Ticknor und Everett] ohne Zeremoniell, doch mit Aufmerksamkeit und feinem Anstand, ohne deutsche Komplimente zu machen...

Wir blieben fast eine Stunde bei ihm, und als wir gingen, begleitete er uns bis zur Wohnzimmertür mit der gleichen Einfachheit, mit der er uns empfangen hatte, ohne irgendwelche deutsche Umständlichkeiten.

Tick 114f. Aus dem Englischen

1961. GEORGE TICKNOR IN SEINEM TAGEBUCH

Weimar, 28. Oktober 1816

Professor Riemer ... unterhielt uns über eine Stunde, indem er uns Goethes Lebensweise, Eigenheiten usw. beschrieb ... Professor Riemer lebte neun Jahre in Goethes Hause ... Er sagte, daß Goethe ein viel größerer Mann sei, als die Welt je wissen würde, weil er jederzeit Anregung und Reibung braucht, um zur Höchstleistung zu gelangen. Es sei ein großes Unglück, daß er jetzt solche Einflüsse und Beispiele entbehrt, wie er sie bei Herders, Wielands und Schillers Lebzeiten genoß ...

Er hat noch viel Handschriftliches, das nie veröffentlicht wurde, und trägt vieles im Kopfe mit sich herum, das noch nicht auf das Papier kam. Er schreibt immer durch einen Schreiber, dem er nach Notizen auf kleinen Zetteln diktiert, während er in seinem Zimmer auf und ab geht ...

Unter den vielen ungedruckten Sachen sind Teile einer Fortsetzung des „Faust“, die Riemer gesehen hat. Darin führt der Teufel den Faust an den Hof und macht ihn zu einem großen Manne. Außerdem Gedichte in persischem Stil und Geschmack; diese schrieb er während des letzten Krieges, um seine Phantasie und sein Gemüt zu erleichtern, indem er sich mit etwas abgab, das mit Europa nichts zu tun hatte.

Er lebt nun, in seinen alten Tagen, in trostloser Einsamkeit, sieht fast niemanden und geht selten aus. Sein Genuß am Leben scheint vorbei zu sein, seine Lust zu Leistungen ebenfalls. Soweit ich sehen kann, hat er nichts vor sich als ein paar Jahre kalter, unbefriedigter Zurückgezogenheit.

Tick 115f. Aus dem Englischen

1962. CHARLOTTE VON STEIN AN KNEBEL

Weimar, 30. Oktober 1816

Goethes „Italienische Reisen“ [Teil 1] höre ich von meinen auswärtigen Freunden loben; er hat mir sie aber nicht mitgeteilt. Er schickt mir manchmal von einem guten Gericht von seinem Tisch, aber von höherer Speise würdigt er mich nicht.

BodeSt IX, 307

1963. KANZLER VON MÜLLER IN SEINEM TAGEBUCH

Weimar, 12. November 1816

Er war in seinem kleinen Studierzimmer und kam mir recht alt und verlassen vor.

Mü 19

1964. SCHINKEL AN RAUCH

14. November 1816

Einen ganzen schönen und lehrreichen Tag habe ich beim Goethe in Weimar verlebt, der mich höchst freundlich bei sich aufnahm. In seiner Nähe wird dem Menschen eine Binde von den Augen genommen, man versteht sich vollkommen mit ihm über die schwierigsten Dinge, welche man allein nicht getraut anzugreifen, und man hat selbst eine Fülle von Gedanken darüber, die sein Wesen unwillkürlich aus der Tiefe herauslockt.

Gespr II, 1154f.

1965. DOROTHEA SCHLEGEL AN IHREN SOHN PHILIPP VEIT

Frankfurt, 21. November 1816

Dagegen etwas drucken lassen, lieber Sohn, ist wirklich überflüssig. Das Urteil über dieses heillose Buch [„Über Kunst und Altertum in den Rhein- und Maingegenden"] ist einstimmig dagegen, und die einzelnen Parteiischen, die sich nicht bis zum öffentlichen Verleugnen bringen können, *schweigen,* so daß die Mißgeburt ohne alle Wirkung ist und bleibt. Wozu also dagegen schreiben und *aufs neue* Haß und Widerwärtigkeit auf sich laden. Lassen wir die Toten ihre Toten begraben!

SchlVeit II, 388

1966. CHARLOTTE SCHILLER AN KNEBEL

Weimar, 11. Dezember 1816

Ich habe nun auch Goethes „Reise" gelesen. Es hat mich unbeschreiblich angezogen, und der Dichter steht in aller Kraft der Jugend mit den reifen, reichen Ansichten der spätern Zeiten vor uns ... Ich glaube, manchen Menschen wird es gehen mit diesem Buche wie der Frau von Staël mit Goethe selbst, die sich den Auteur de „Werther" nicht denken konnte in einer Hofuniform. Man erwartet gewiß mehr Beschreibungen, dichterische Bilder usw. Und eben wie er in den einfachsten Anschauungen doch alles Hohe in seinem Leser erweckt und dadurch, daß er seine Anschauungen, nicht seine Gefühle ausspricht, ist es so schön und erfreulich.

SchKn 329f.

1967. LUDWIG TIECK AN SOLGER

Ziebingen, 16. Dezember 1816

Goethes Buch über Italien [„Italienische Reise"] hat mich angezogen und mir äußerst wohlgetan. Nicht, daß ich seiner Meinung immer wäre, daß ich dieselben Dinge zum Teil nicht ganz anders gesehen hätte; sondern diese Erscheinung hat mich nun endlich nach vielen Jahren von dem Zauber erlöst (ich kann es nicht anders nennen), in welchem ich mich zu Goethe verhielt: diese Anbetung, diese unbedingte Hingebung meiner Jugend in sein Wesen, dies Verständnis seiner Natur, ja, wie es mir auch wohl erschien, eine gewisse Verwandtschaft der meinigen mit seiner, und dann wieder, besonders späterhin, das determinierte Widerstreben im Kampf mit jenem Gefühl, das fremde Zurückstoßende, das oft völlig Unverständliche seines Wesens. Jetzt erst ist meine Liebe und Verehrung zu ihm eine freie, indem ich ganz bestimmt sehe, wo wir uns trennen und trennen müssen ... Ist es Ihnen nicht auch aufgefallen, wie dieses herrliche Gemüt eigentlich aus Verstimmung, Überdruß sich einseitig in das Altertum wirft und recht vorsätzlich nicht rechts und nicht links sieht? Und nun: ergreift er denn nicht auch so oft den Schein des Wirklichen statt des Wirklichen? ... Darf er, weil sein überströmendes junges Gemüt uns zuerst zeigte, was diese Welt der Erscheinungen um uns sei, die bis auf ihn unverstanden war, – darf er sich, bloß weil er es verkündigt, mit einer Art vornehmer Miene davon abwenden und unfromm und undankbar gegen sich und gegen das Schönste sein? Und wahrlich doch nur, weil alles in ihm, wie in einem Dichter so leicht, noch nicht die höchste Reife und Ruhe erlangt hatte, weil seine Ungeduld eine Außenwelt suchte und nur das geträumte Altertum ihm als die gesuchte Wirklichkeit erschien.

Ich nenne es geträumtes, weil grade Goethe in jener, selbst der schönsten Zeit in scharfer Opposition mit Religion und Sitte und Vaterland würde gewesen sein. Er vergißt um so mehr, daß unsere reine Sehnsucht nach dem Untergegangenen, wo keine Gegenwart uns mehr stören kann, diese Reliquien und Fragmente verklärt und in jene reine Region der Kunst hinüberzieht. Diese ist aber auch niemals so auf Erden gewesen, daß wir unsere Sitte, Vaterland und Religion deshalb geringschätzen dürften. Ist es nicht fast dasselbe wie Mercier und andere Schwachen, die die Gegenwart wegen ihres Jahres 2440 verachteten? ... Ich hatte auch die Antike gesehen, Sankt Peter, und konnte den Straßburger Münster nur um so mehr bewundern. Nach dem auswendig gelernten Raffael verstand ich erst die Lieblichkeit und Würde altdeutscher Kunst – und dies wäre Oberflächlichkeit, Einseitigkeit etc. in mir gewesen? Ich liebe die Italiener und ihr leichtes Wesen, bin aber in Italien erst recht zum Deutschen geworden.

Und nun! Ist Goethe als Greis nicht gewissermaßen von neuem irre geworden? Und etwa durch neue Entdeckungen? – Durch dasselbe, was auch in seiner Jugend da war, was er zum Teil kannte, durch Gedanken, die er zuerst ausgesprochen. Ohne Vaterland kein Dichter! Sich von diesem losreißen wollen, heißt die Musen verleugnen ...

Auch ärgert es mich von Goethe, der soviel anatomiert, Steine gesammelt, Bücher nachgeschlagen, unermüdet gewesen ist, daß er noch nicht einmal Ihren „Erwin" gelesen hat. Und er hat ihn nicht gelesen, sonst hätten wir längst die Spuren davon gesehen. Aber seine Bequemlichkeit, seine Sicherheit halten ihn ab ...

Sol 486 ff.

Anhang

Anmerkungen

1794

5 *wurde Mainz eingenommen* – 1792 von den französischen Truppen. Vgl. zu diesem Brief Nr. 763f.

6 *Dein Avancement* – Friedrich von Stein war zum Kammerassessor ernannt worden. Vgl. Nr. 779.
dies ... detaillieren – Charlotte von Stein schlägt ihrem Sohn vor, Ostern von Hamburg nach Weimar zurückzukehren, da durch des Vaters Tod die Einnahmen der Familie geringer seien.

14 *Stern* – Älterer Teil des Weimarer Parks an der Ilm.
l'homme propose, mais Dieu dispose – (franz.) der Mensch denkt, aber Gott lenkt.

19 *gemein* – hier: alltäglich, gewöhnlich.

20 *Das liegt mir schon Jahr und Tag...* – Gleim hatte an Karoline am 4. Oktober über Herder geschrieben: „Wie... fangen wir's an, daß der Gottesmann nichts tun darf als schreiben?... Lieber, bester Herzog von Weimar, willst du, daß ich dich ferner noch lieben und hochschätzen soll, so befreie meinen Herder, den Mann Gottes, von Handarbeiten!" (VaH I, 183.)

23 *erkundigte sich nach der Frau von Kalb* – Hölderlin war 1793 bis 1795 Hauslehrer im Hause der Charlotte von Kalb.

1795

25 *um welchen Preis es auch sei* – Cotta antwortete am 19. Januar: „Es ist natürlich, daß man Goethen bezahlen muß, was er verlangt ..." (SchiCo 54).

31 *den zweiten Teil von „Wilhelm Meister"* – Der zweite Band, das dritte und vierte Buch enthaltend, erschien im April 1795. Er erschien sogleich auch als vierter Band von „Goethes neuen Schriften" (7 Bände, 1792–1880) bei Unger in Berlin.

32 *... daß das letzte Stück ... ganz besonders gefällt* – Rahel Levin hatte im Brief vom 1. Juni 1795 die Prokurator-Novelle ge-

tadelt und Goethes Verfasserschaft bezweifelt: „So recht wie vom Boccaccio." (Rahel II, 133.)

33 *die Unzelmann kennenzulernen* – Rahel Levin reiste mit der Schauspielerin Friederike Unzelmann nach Teplitz und Karlsbad, wohin sich auch Goethe am 2. Juli begab. (Vgl. Nr. 835.)

34 *Die „Elegien", welche es enthält...* – Am 20. Juli schrieb Schiller an Körner: „Von Goethes ‚Elegien' sind die derbsten weggelassen worden, um die Dezenz nicht zu sehr zu beleidigen" (SchiKö III, 195). Zugleich an Goethe: „Über die ‚Elegien' freut sich alles, und niemand denkt daran, sich daran zu skandalisieren. Die eigentlich gefürchteten Gerichtshöfe haben freilich noch nicht gesprochen." (SchiBr IV, 214.) Friedrich Jacobi schrieb am 23. September 1795 an Schiller: „Es hat mich sehr gewundert, daß Sie die ‚Elegien' unseres Freundes Goethe in die Horen aufgenommen haben; das mußte ja ein gewaltiges Geschrei, vornehmlich der Damen, wider Ihre Monatsschrift erregen. Ich habe schon früher über ähnliche Vergehungen klagen hören. Sie nicht zu vermeiden deucht mir wenigstens *unpolitisch.*" (SchiNa XXXV, 352.) – Am 18. Februar 1795 hatte er über „Wilhelm Meister" an Goethe geschrieben, „daß ein gewisser unsauberer Geist darin herrsche" (GoeJac 206).

36 *Gueuléen* – Übertreibungen.

39 *avantageuser fat* – (franz.) ruhmrediger Geck.

42 *im ersten Rausche mit der Dame Vulpius* – Schulz antwortet am 13. September, er habe dieser Gedichte in Mitau noch nicht habhaft werden können. „O der weiblichen und männlichen Abderiten, die glauben können, der Dichter habe an das Tier (französisch bête) gedacht, mit dem er sich zuweilen begeht, als er in seiner Verklärung die Erscheinungen in den Elegien sah" (GoeJb I, 317.)

Schillers Brief an den Herzog darüber – Er ist nicht überliefert.

43 *Hier findet, wie gesagt...* – Humboldt wiederholt damit einen Satz aus dem Brief an Schiller vom 28. Juli 1795. Am 15. August schreibt er: „Von den ‚Elegien' höre ich doch durchaus mit großer Achtung sprechen." Nur Gedicke (Gymnasialdirektor in Berlin) habe gesagt, es sei doch „eigentlich elendes Zeug und Goethe ein stolzer Mensch" (SchiHu I, 86).

44 *den Fehler..., den Sie... vorwerfen* – Vgl. hierzu Schillers Brief vom 17. August 1795 an Goethe (SchiBr IV, 235), worin er schreibt, ihm scheine die Materie des sechsten Buches „doch zu schnell abgetan: denn mir deucht, daß über das *Eigen-*

tümliche christlicher Religion und christlicher Religionsschwärmerei noch zu wenig gesagt sei ..." (Schiller kannte das sechste Buch des „Wilhelm Meister", das Humboldt noch nicht gesehen hatte, bereits aus der Handschrift.)

45 *Sie haben mich glücklich gemacht* ... – Die beiden Jenaer Studenten hatten auf einem Ball in Karlsbad mit Goethe über Rahel Levin gesprochen, die er dort oft gesehen hatte. Goethe lobte sie sehr: sie hätte, so berichtet David Veit, „stärkere Empfindungen, als er je beobachtet hätte, und dabei die Kraft, sie in jedem Augenblick zu unterdrücken ... Ja, es ist ein Mädchen von außerordentlichem Verstand, die immer denkt, und von Empfindungen – – wo findet man das?" (Rahel II, 179.)

„Ich hofft es ..." – Nach Goethes Gedicht „Willkommen und Abschied".

47 *„Natur und Schule"* – Schillers Elegie erschien kurz nach Goethes „Römischen Elegien" im neunten Stück der „Horen". Sie erhielt später den Titel „Der Genius".

48 *das Feenmärchen* – „Das Märchen" ist letzter Teil der (anonym in den „Horen" veröffentlichten) „Unterhaltungen deutscher Ausgewanderten".

Amphora coepit ... – (lat.) Eine Amphora schien es zu werden, ein (gewöhnlicher) Krug kam heraus. (Nach Horaz, „Dichtkunst", Vers 36–38.)

49 *Das fünfte Buch von „Wilhelm"* – Anfang November 1795 erschienen (auch als Band 5 der „Neuen Schriften") bei Unger das fünfte und sechste Buch von „Wilhelm Meisters Lehrjahren".

das Glaubensbekenntnis – Die „Bekenntnisse einer schönen Seele" im sechsten Buch des „Wilhelm Meister".

ein Faulconbridgen – Philipp Faulconbridge ist „Bastard" König Richard I. in Shakespeares Drama „König Johann". Gemeint ist hier Goethes Sohn Karl, er wurde nur siebzehn Tage alt.

In den „[Venezianischen] Epigrammen" – Humboldt beaufsichtigte den in Berlin besorgten Druck von Schillers „Musenalmanach auf das Jahr 1796".

Rauch des Tobaks, Wanzen ... – Aus „Epigramme. Venedig 1790", Nr. 66.

mit den Epigrammen gegen diesen – Vgl. Nr. 78 der „Venezianischen Epigramme".

50 *von einer verstorbenen Dame* – Goethe hat in den „Bekenntnissen einer schönen Seele" Motive aus dem Leben der 1774

verstorbenen Susanna Katharina von Klettenberg nach Unterhaltungen und Briefen frei verarbeitet.

50 *morceaux* – (franz.) Abschnitte.

51 *Longueurs* – (franz.) Längen (besonders in belletristischen Werken).

soutenieren – Hier: durchhalten, aufrechterhalten.

1796

56 *wurzeln* – mundartlich für: prügeln.

57 *an meiner Statt* – Vgl. Nr. 876; die Rezension erschien nicht.

Impudenz – Unverschämtheit.

58 *divertieren* – ergötzen.

die „[Venezianischen] Epigramme" abseits getan – Die Epigramme bildeten den Schluß des Almanachs.

... sage ich nichts davon – Huber wollte einen Schweizer Franzosen Sandoz in Thüringen versorgt sehen; Schiller rät ab: „Eine Anfrage ist schlechterdings nicht zu wagen, weil man es da gewiß wo nicht abschlagen, doch widerraten würde" (SchiBr IV, 417).

59 *das* † – Vgl. Nr. 858.

63 *über ... [„Egmont"] schalten und walten* – Schiller richtete „Egmont" für die Bühne ein (vgl. Nr. 799).

65 *wegen dieser Fehlschlagung* – Goethe mußte seine sorgfältig vorbereitete dritte Italienreise aufgeben, als 1796 die (von Bonaparte geführten) französischen Truppen der Direktorialregierung die Lombardei eroberten.

... las die Idylle – „Alexis und Dora" erschien in Schillers „Musenalmanach auf das Jahr 1797" mit dem Untertitel „Idylle". Schlegel war sie schon in einem Probebogen zugänglich.

66 *boue de Paris* – (franz.) Pariser Straßenschmutz.

69 *École Flamande* – (franz.) Die flämische Malerschule des 16. und 17. Jahrhunderts.

71 *treu ... fromm ... kein Schuft* – Vgl. „Epigramme. Venedig 1790", Nr. 73 und 74:

Wundern kann es mich nicht, daß Menschen die Hunde so lieben;
Denn ein erbärmlicher Schuft ist, wie der Mensch, so der Hund.

Frech wohl bin ich geworden; es ist kein Wunder. Ihr Götter
Wißt, und wißt nicht allein, daß ich auch fromm bin und treu.

72 *Ihr letzter Brief* – Er ist nicht erhalten, berichtete offenbar von Schillers intensiver Beschäftigung mit „Wilhelm Meisters Lehrjahren".

73 *Seit drei Jahren* – Karoline Schlegel hatte Goethe zuletzt 1792 bei Georg Forster in Mainz gesehen.
Paradies – Ein Spaziergang an der Saale.

75 *Madame Paulus* – Die Frau des Theologieprofessors Paulus wurde viel beredet, namentlich wegen ihrer Liebschaften.

76 *Schlichtegroll an Böttiger* – Vgl. Nr. 914.
„Das Alte ist vergangen" – Vgl. 2. Korintherbrief, Kapitel 5, Vers 17.

78 *Prise geben* – (franz.: „donne prise sur soi") sich eine Blöße geben.
Von „Meister" zu sprechen ... – Im Oktober 1796 erschien der vierte und letzte Band von „Wilhelm Meisters Lehrjahren", auch als sechster Band von „Goethes neuen Schriften".

82 *Es ist und bleibt ein Punkt* ... – Düntzer zitiert 1874 diesen Satz in seiner Monographie über Charlotte von Stein (nach heute verlorenen Quellen) in folgendem Zusammenhang: „Am 27. hatte sie [Charlotte von Stein] bereits den Schillerschen Musenalmanach gelesen, den sie wohl auch von Goethe erhalten. Die Xenien darin waren ihr recht zuwider. Die beiden Dichter, meinte sie, würden sich dadurch viele Feinde machen. Besonders sei es von Goethe nicht hübsch, daß er die Stolbergs, die ihn so herzlich geliebt, lächerlich gemacht habe. ‚Es ist und bleibt ein Punkt in seinem Herzen, mit dem es nicht just ist.' Als ob nicht die Stolberge der von beiden Dichtern vertretenen Richtung auf das feindlichste entgegengetreten wären."
im Holsteinischen – Gemeint sind vor allem Herzog Friedrich Christian von Schleswig-Holstein-Augustenburg und der dänische Minister Graf Ernst von Schimmelmann, die seit 1792 Schiller eine jährliche Pension ausgesetzt hatten. Vgl. Nr. 920.

83 *an die Spitze der Kriegführenden* – Mit dem „Musenalmanach" für 1797, der die „Xenien" enthielt. Schiller hatte ihn schon vor dem Erscheinungstermin (29. September) an Gräfin Schimmelmann gesandt.

84 *Placé entre la cour* ... – (franz.) Gestellt zwischen (Herzogs-)Hof und Hühnerhof (Wirtschaftshof).

85 *Antwort an G[oethe]* – Jacobi, der schon im Brief vom 18. Februar 1795 den „gewissen unsauberen Geist" im Band 1 der „Lehrjahre" gerügt hatte, kritisierte nach Erhalt des

letzten Bandes im Brief vom 9. November 1796: „Die Entwickelung ist aber nicht im ganzen, wie ich sie nach dem dritten Teile, der ein *Höchstes* von Entwickelungs-*Anlage* für mich ist, erwartet hatte."

85 *damit das Ding Stolbergen unbekannt bleibe* – Auch die Grafen Stolberg, besonders die christlich-schwärmerischen Ansichten in den Schriften Friedrich Leopolds, wurden in den „Xenien" verspottet.

86 *Deiner Kiste* – Friedrich von Stein wünschte einen Teil seiner Bücher.

Avanien – Beschimpfungen.

87 *dies kleine Gedicht* – Vgl. Nr. 931.

88 *In den „Xenien" ... nicht gefunden* – Im Xenienalmanach heißt es vom „alten Peleus" mit Anspielung auf Gleims „Preußische Kriegslieder ... von einem Grenadier" (1758):

Ach! ihm mangelt leider die spannende Kraft und die Schnelle,
die einst des G[renadiers] herrliche Saiten belebt.
(WA I, 5/1, 255.)

89 *Hamburger Neue Zeitungsbeilage* – In der Beilage zur „Hamburger Neuen Zeitung", „Beiträge von gelehrten Sachen", 3. Stück, 1796, erschien eine lange, ironisch lobende „Xenien"-Rezension in Distichen, wahrscheinlich von Christoph Daniel Ebeling. Sie wurde mehrmals nachgedruckt.

Leipziger Grobheit – Offenbar sind die „Gegengeschenke an die Sudelköche in Jena und Weimar" (1796) von Dyk und Manso gemeint.

in ihrer Manier geantwortet – Heinrich Düntzer berichtet in seiner Monographie über Charlotte von Stein (Stuttgart 1874) nach heute verlorenen Quellen: „Besonders gönnte sie es Goethe, daß man ihm seine unsittliche Verbindung mit Christiane nicht geschenkt habe" (Stein II, 58).

91 *mit Nachdruck rügen wollen* – Nicolai benutzte die Nachrichten Althofs in seinem „Anhang zu Friedrich Schillers Musenalmanach für das Jahr 1797". – Zu Goethes Verhalten vgl. Nr. 1001.

einen reizenden Brief – Er ist nicht überliefert.

wie er ihn schildert – Vgl. die spätere Charakteristik in Nr. 1091.

92 *Man errät schon das Ende* – Goethe las „Hermann und Dorothea" bis in den vierten Gesang vor.

94 *ein Epigramm* – Auf Goethes Epigramm, worin er die deutsche Sprache als den „schlechtesten Stoff" bezeichnet, veröffentlichte Klopstock im „Berlinischen Archiv der Zeit und

ihres Geschmacks" (September bis November 1796) ein Gespräch „Der zweite Wettstreit". Die „deutsche Sprache" sagt dort:

Goethe, Du dauerst Dich, daß Du mich schreibest? Wenn Du mich kenntest,
Wäre dies Dir nicht Gram; Goethe, Du dauerst mich auch.

94 *„Sudelkoch"* – Anspielung auf die Anti-Xenien von Dyk und Manso: „Gegengeschenke an die Sudelköche in Weimar und Jena" (1796).
eben in Leipzig – Goethe reiste mit Herzog Karl August am 28. Dezember 1796 über Leipzig nach Dessau.

1797

98 *meiner Frau ... verborgen halten* – Huber bezieht ein Distichon, das auf Forsters Ende anspielt, auf seine Frau Therese, verwitwete Forster:
O ich Tor! ich rasender Tor! und rasend ein jeder,
Der, auf des Weibes Rat horchend, den Freiheitsbaum pflanzt.

99 *Ihre Art, sich ... zu verteidigen* – Reichardt war in den „Xenien" grob angegriffen worden. Seine Antwort, die er 1796 in seiner Zeitschrift „Deutschland" veröffentlichte, schickte er an Staegemann; dessen Frau schreibt nun, sie habe die Polemik durch einen gemeinsamen Freund Kant überbringen lassen.

100 *Profoß der Sansculottenrotte* – An die Herzogin Luise schickte Lavater folgendes Distichon:
Einziger! Feldherr! Held! Heerführer! gekrönter Eroberer!
Warum erniedrigst du dich, Goethe, zum Büttel herab!
(La 370.)

101 *den „Peleus"* – Vgl. auch Nr. 928 und Anm.

102 *Lessingische Rüge* – Nicolai schrieb im „Anhang zu Friedrich Schillers Musenalmanach für das Jahr 1797", daß „Herrn Goethe eine kleine Züchtigung von Lessing heilsam gewesen" wäre, wie Lessing sie geplant habe.
[Hermes] – Seine Romane werden in vier „Xenien" verspottet.

103 *„Mücken-Almanach"* – Der „Mückenalmanach für das Jahr 1797. Leben, Taten, Meinungen, Schicksale und letztes Ende der Xenien im Jahre 1797" erschien in Neustrelitz.
Goethe in Berlin – Goethe war nur 1778 in Berlin. Er lernte Henriette Herz erst 1810 kennen.

104 *tiefer verwundet ... „Xenien"* – Karoline bedankt sich in diesem Brief für Gleims Gegenschrift gegen die „Xenien". Am

27. April heißt es: „Wir haben uns hier in unser hinterstes Winkelchen verkrochen. Humanität und Christentum sind hier Contrebande und verlachenswerte Vorurteile." (VaH I, 225.)

106 *salva reverentia* – (lat.) bei aller Ehrfurcht (zu sagen).
diese Lauge – Gemeint sind zwei Aufsätze Langers gegen die „Xenien" in Nicolais „Allgemeiner Deutscher Bibliothek", Jahrgang 1797.
tribus Anticyris opus est – (lat.) Gemeint ist: Es bedarf aller Nieswurz, die um die drei Städte Anticyra wächst, um diesen Wahnsinn zu heilen. (Vgl. Horaz, „Dichtkunst", Vers 300 bis 312.) Herakles wurde durch dies Kraut vom Wahnsinn befreit.

109 *jetzt selbst [in Zürich]* – Auf seiner dritten Schweizer Reise (20. Juli – 20. November 1797) traf Goethe erst im September mit Meyer zusammen.

110 *à la grecque* – (franz.) auf griechische Manier.
ipse cum sua – (lat.) selbst mit der Seinigen (Christiane).

111 *der moralisierende Jenisch* – Der Berliner Theologe veröffentlichte im selben Jahr eine Schrift „Über die hervorstechendsten Eigentümlichkeiten von ‚Meisters Lehrjahren' ... Ein ästhetisch-moralischer Versuch".
έπος ... ἦθος – (griech.) Epos ... Ethos.
Mama ... Papa – Geßner heiratete in erster Ehe eine Tochter der Barbara Schultheß, die auf dem Schönenhof wohnte; in zweiter Ehe hatte er Lavaters Tochter Anna (Nette) zur Frau. – Auch Lavater war in den „Xenien" persönlich angegriffen worden.

112 *ambetieren* – um die Gunst buhlen.
saisieren – ergreifen, mit Beschlag belegen.
einen dezidierten Antichristen – Goethe schrieb am 29. Juli 1782 an Lavater: „Da ich zwar kein Widerchrist, kein Unchrist, aber doch ein dezidierter Nichtchrist bin, so haben mir Dein ‚Pilatus' und so weiter widrige Eindrücke gemacht ..." (WA IV, 6, 20).

115 *wohl angeschrieben* – Goethe war vom 7. bis 16. September bei Cotta in Tübingen zu Gast. Schiller gab Goethes briefliches Urteil über Cotta an diesen weiter: „Für einen Mann von strebender Denkart und unternehmender Handelsweise hat er viel Mäßiges, Sanftes und Gefaßtes, so viel Klarheit und Beharrlichkeit, daß er mir eine seltene Erscheinung ist" (an Schiller, 12. September 1797; WA IV, 12, 301).

116 *„Braut von Korinth" ... „Handschuh" ... „Legende"* – Schillers „Musenalmanach für das Jahr 1798" erschien im Oktober mit

Balladen Goethes und Schillers; etwa zur gleichen Zeit erschien auch „Hermann und Dorothea".

119 *Täglich... beisammen* – Auf der Reise in die Schweiz hielt sich Goethe vom 29. August bis 7. September in Stuttgart auf.

120 ... *kann wohl noch ein Christ werden* – Dies bezieht sich auf einen Brief Hotzes (der jetzt in Frankfurt wohnte) vom 6. November: „Sahest Du Goethe? Ich sah ihn nicht. Lasest Du ‚Hermann und Dorothea'? Welche Kraft hat Gott in diesen Menschen gelegt! Welcher Fluß der Sprache und des Verses! Mir war's ein paarmal: ich spüre, der kann zurückkommen!" (La 370.)

121 *zur dritten großen Revolution* – Vgl. Nr. 1006 und Anm.
Rezension des „Hermann" – Sie erschien vom 11. bis 13. Dezember 1797 in der „Allgemeinen Literatur-Zeitung", Jena.

122 *Aufsatz über „Wilhelm Meister"* – Er erschien 1798 im zweiten Stück der von den Brüdern Schlegel herausgegebenen neuen Zeitschrift „Athenäum".

1798

125 *einem großen Dejeuner* – bei Gelegenheit von Ifflands Gastspiel in Weimar.

126 *Epigramm, das gedruckt worden ist* – Vgl. Nr. 931.

127 *bei diesem Feste* – Am 20. Mai wurden im Saale der Frau von Stein vier Paare aus dem weimarischen Adel getraut.
ein Kränzchen zu bekommen – Auf Festen verschenkten Mädchen solche Kränze an Junggesellen.

128 *„Ma chère, seule, unique amie!"* – (franz.) Meine liebe, einzige, unvergleichliche Freundin!
das „Lyceum", das „Athenäum" – Herder bezieht sich auf das anfängliche Lob der frühen Romantik für Goethe: Im Berliner, 1797 von Reichardt herausgegebenen „Lyceum der schönen Künste" (S. 166) findet sich unter Friedrich Schlegels „Kritischen Fragmenten" der Satz: „Wer Goethes ‚Meister' gehörig charakterisierte, der hätte damit wohl eigentlich gesagt, was es jetzt an der Zeit ist in der Poesie." – Im ersten Stück des seit 1798 erscheinenden „Athenäums" (S. 103) wird Goethe von Novalis (Fragmente „Blütenstaub") „jetzt der wahre Statthalter des poetischen Geistes auf Erden" genannt. Das zweite Stück brachte Schlegels Charakteristik „Über Goethes Meister" („Alles ist so gedacht und so gesagt wie von einem, der zugleich ein göttlicher Dichter und vollendeter

Künstler wäre ..."). In Schlegels „Fragmenten" aus demselben Stück (S. 232) heißt es: „Die Französische Revolution, Fichtes Wissenschaftslehre und Goethes ‚Meister' sind die größten Tendenzen des Zeitalters."

129 *über das „Athenäum" geschrieben* – Im Brief vom 18. Juni 1798 bedankte sich Goethe bei August Wilhelm Schlegel für die Übersendung des „Athenäums", „... dessen Inhalt mir schon sehr angenehm und erfreulich gewesen wäre, wenn auch die Verfasser mich und das meinige nicht mit einer so entschiedenen Neigung begrüßten. ... Bei der Energie und Klarheit, mit der Sie zu Werke gehen, bitte ich Sie, Mäßigkeit und Gerechtigkeit immer walten zu lassen."

130 *bei dieser Gelegenheit* – bei der Rückkehr nach Jena.

131 *Matthiä an Berg* – Am 2. September erwähnt er wieder einen Besuch „Seiner Exzellenz des Herrn Geheimen Rats von Goethe (so ein großes Tier ist jetzt der Verfasser der ‚Leiden Werthers') ... Goethen blitzt das Dichterfeuer recht aus den Augen; übrigens sieht man ihm aber an, daß ihn Charakter, Titel und Stand genieren; er ist sehr steif." (Gespr I, 701.)

135 *wir waren im Parkett* – Gemeint sind August Wilhelm Schlegel, Schelling, Fichte, Gries und andere aus Jena.

136 *der einzige in Weimar* – Am 18. Januar 1799 schreibt Herder an Gleim: „Richter befindet sich bei uns sehr wohl; Falk lebt sehr eingezogen... Jetzt ist Schiller hier, an dessen ‚Piccolomini' fleißig probiert wird. Ich kenne nichts davon und erwarte ruhig die zweite oder die dritte Aufführung, wie ich denn bei seinem ‚Wallensteins Lager' nur in der vierten Repräsentation war. Totus in aliis nunc impie versor" (ruchloserweise stecke ich gerade vollständig in anderen Dingen). (VaH I, 251.)

137 *Goethes Vater...* – Böttiger übernimmt hier Mitteilungen von Goethes Frankfurter Landsmann Gerning.

138 *Glaube der Poss[eltschen] Zeitung nicht!* – Otto hatte am 21. November geschrieben, er habe von dem neuen Theater in Weimar und Schillers „Wallensteins Lager" in Posselts Zeitung (der Beilage zur „Allgemeinen Zeitung", die Posselts „Europäische Annalen" fortsetzte) gelesen. In Goethes Artikel „Eröffnung des Weimarischen Theaters" (vom 7. November 1798) hatte es geheißen, über das Unterhaltende des Stücks sei im Publikum nur *eine* Stimme. Vgl. Nr. 1017.

139 *außer sich vor Freuden* – Fritz von Stein war endlich in Breslau als Kriegs- und Domänenrat angestellt worden.

143 *das Siegel* – Es trug die Inschrift: „Alles um Liebe".
Goethische Erziehungsanstalt – Anspielung auf „Wilhelm Meisters Lehrjahre".

145 *Fichte ist noch in Jena* – Fichte, seit 1794 Professor in Jena, wurde wegen seiner Schrift „Über den Grund unseres Glaubens an eine göttliche Weltregierung" (1798), in der er Gott mit der sittlichen Weltordnung gleichsetzte, vom kursächsischen Konsistorium des Atheismus angeklagt und am 29. März 1799 entlassen.

146 *jene Begebenheit* – Am 28. April 1799 wurden nach Abbruch der Rastatter Friedensverhandlungen (1797–1799), auf denen es zwischen den Reichsständen und der militärisch erfolgreichen französischen Direktoriumsregierung zu keiner endgültigen Einigung kam, die abreisenden französischen Gesandten von ungarischen Husaren ermordet. – Dohm war einer der preußischen Gesandten.

148 *mit der Laroche* – Sophie von Laroche besuchte mit ihrer Enkelin Sophie Brentano ihren Vetter Wieland in Oßmannstedt.

149 *von den ersten Stücken* – Bisher waren vier Hefte erschienen; es wurden bis 1800 noch zwei gedruckt.

151 *die circeischen Gesellen* – Nach dem zehnten Gesang der „Odyssee", in dem die Zauberin Kirke zweiundzwanzig von Odysseus' Gefährten in Schweine verwandelt. – Schweinehaltung ist in Goethes Hauswirtschaft auch später noch bezeugt.
nach Dir ... erkundigt – Fichte war nach seiner Absetzung in Jena nach Berlin gegangen.

1800

159 *„Candide"* – Nach Voltaires gleichnamigem satirischem Roman. – Novalis nennt in seinen „Fragmenten" (1798 bis 1800) Goethes Roman „eine Satire auf die Poesie, Religion usw."

160 *das Betragen gegen Bürger* – Vgl. Nr. 931.

161 *wieviel Sie glauben ... wagen zu können* – Cotta bot daraufhin ein Honorar von 4000 Gulden, das bei gutem Absatz erhöht werden sollte.

162 *diese [Inschriften] seien nur in der Zeit der Jugend* – Friedrich von Stein wünschte aus Weimar messingene Lettern, wie sie dort

früher für Inschriften als Schablonen benutzt wurden. Goethe lieh die seinigen am 26. April 1800 und schrieb dabei an Charlotte von Stein: „Die Zeiten der Inschriften muß man nutzen, solange sie dauern" (WA IV, 15, 61).

163 *manches Platte* – Der Band der Unger-Ausgabe enthielt an Epigrammen neu vor allem die „Weissagungen des Bakis"; möglicherweise bezieht sich Knebel auch auf die „Vier Jahreszeiten", die hier zum erstenmal als Zyklus erschienen.

164 *das gelobte Gedicht* – „Die Schwestern von Lesbos" von Amalie Imhoff war in Schillers „Musenalmanach auf das Jahr 1800" erschienen.

Jacobis Brief – Fichte hatte seine Verteidigungsschrift gegen den Vorwurf des Atheismus („J. G. Fichtes ... Appellation an das Publikum über die ... ihm beigemessenen atheistischen Äußerungen", 1799) u. a. auch an Jacobi gesandt, der einen Antwortbrief „Jacobi an Fichte" (Hamburg 1799) veröffentlichte. Hier grenzt er seine Philosophie der „Unwissenheit" und eines persönlichen Gottes von Fichtes „unsinnlicher Abgötterei" ab, die jedoch „Moralität und die mit ihr unzertrennlich verknüpfte wahre innere Religion nicht ausschließe" – Vgl. auch Nr. 1117.

168 *Die „Kalligone" [Herders]* – Vgl. Nr. 1089 und Anm.

„Göttlich von Namen ..." – Zitat aus einem Sonett von August Wilhelm Schlegel im „Athenäum", Band 3, zweites Stück (1800), S. 346. Der Schluß des Sonetts lautet:

> Die Goethen nicht erkennen, sind nur Gothen,
> Die Blöden blendet jede neue Blüte,
> Und, Tote selbst, begraben sie die Toten.
>
> Uns sandte, Goethe, dich der Götter Güte,
> Befreundet mit der Welt durch solchen Boten,
> Göttlich von Namen, Blick, Gestalt, Gemüte.

169 *Caput mortuum* – (lat.) Hier: unbrauchbarer Rückstand.

171 *seinen Hoffnungen auf Dich* – Goethe schrieb Schelling am 27. September 1800 nach Jena: „Ich wünsche eine völlige Vereinigung, die ich durch das Studium Ihrer Schriften, noch lieber durch Ihren persönlichen Umgang ... zu bewirken hoffe ..." (WA IV, 15, 117).

172 *eine Art von Buhlerei* – In Herders „Kalligone" (1800) heißt es mit deutlicher Spitze auch gegen Goethes Schaffen der letzten Jahre: „... was bedarf einer sittlichen Richtung mehr als der verwilderte Trieb der *Liebe*? So manches hat die Poesie, so manches die Kunst zu vergüten, was sie hier Übeles gestiftet

und womit sie sich selbst geschadet haben. Ernste Zeiten rufen von Buhlereien zurück ..." (HSW XXII, 330.)

173 *Tierkasten* – Das Weimarer Schloß ist gemeint.

177 *vis-à-vis de* ... – (franz.) gegenüber bestimmten Personen.

1801

179 *Rotlauf* – Goethe war seit dem 3. Januar lebensgefährlich an Gesichtsrose erkrankt.

184 *sans façon* – (franz.) zwanglos.
die Geschichte – Ein Streit um die Rolle der Thekla im „Wallenstein" zwischen den Schauspielerinnen Vohs und Jagemann.

187 *sich surpassieren* – sich übertreffen.

188 *Deinen Anteil* – Die Anteilnahme an Goethes Genesung.

191 *wie der Geheime Rat Goethe von außen* – Anspielung auf Goethes Beleibtheit.

192 *Söder* – In Söder bei Hildesheim befand sich eine große Gemäldesammlung im Besitz des Herrn von Brabeck.
seinen Geist – Gemeint ist Goethes Schreiber Ludwig Geist; so entsteht die Trias Vater, Sohn und (Heiliger) Geist.
Evan Evoe – Im Altgriechischen Jubelrufe der Bacchantinnen.

194 *garbato, cortese ed amabile* – (ital.) artig, höflich und liebenswürdig.
den theatralischen Dingen ... – Gemeint ist ein Gastspiel der Friederike Unzelmann.
eingesandte Preisstücke – Von 1799 bis 1805 veranstalteten die „Weimarer Kunstfreunde" in jedem Jahr eine Kunstausstellung mit Preiswettbewerb.

195 *Klub oder Kränzchen* – Die geschlossene Mittwochsgesellschaft „Cour d'amour" (sieben Paare, die Goethe während der Wintermonate nach dem Theater zu sich einlud). Vgl. Nr. 1147 und 1160.

196 *Gentz in seinem Tagebuch* – Gentz besuchte seinen Bruder Heinrich, der 1800 bis 1803 den Schloßbau in Weimar leitete.
Fi donc! – (franz.) Pfui!

1802

198 *Aufführung des „Jon"* – Karoline berichtet über die Aufführung von August Wilhelm Schlegels „Jon" (nach Euripides) unter Goethes Regie am 2. Januar 1802.

198 *Kotzebue dort* – In Berlin.

er hat alles überwunden – Am 12. Januar berichtet Karoline Schlegel über ein Gespräch Schellings, der auf Einladung Goethes im Haus am Frauenplan übernachtete, mit Goethes Schreiber Ludwig Geist: „... ob er auch im Schauspiel gewesen? – Nein, er habe nicht gekonnt, und es sei ihm sehr leid... Und der Hr. Geheimrat haben sich so unendliche Mühe gegeben, ja, ein Punsch könne Wunder tun, und den hätten der Herr G[eheime] R[at] nicht gespart, hätten auch einen um den andern beiseit gezogen und sie gebeten: um Gottes willen... spielt gut!" (Car II, 265.)

201 *Schmid an Salzmann* – Schmid meldet den Tod seines Schwagers Engelbach, der wie Salzmann zur Straßburger Bekanntschaft Goethes gehört hatte, und berichtet nun von Goethes Aufenthalt in Pyrmont.

202 *suivis* – (franz.) zusammenhängend, fortgesetzt.

203 *Füchsin* – von „fuchsen": Unzucht treiben. Fuchs heißt außerdem lat. vulpes (Anspielung auf den Namen Vulpius).

204 *so auch hier* – Böttiger hatte für Bertuchs Weimarer „Journal des Luxus und der Moden" eine Kritik zu A. W. Schlegels „Jon" geschrieben, deren Veröffentlichung Goethe verhinderte (vgl. Nr. 1141). Letzterer hatte sich deswegen am 13. Januar auch an Wieland gewandt, um eine Veröffentlichung im „Teutschen Merkur" zu verhindern.

Guerre ouverte – (franz.) offene Fehde.

206 *Urteilen Sie...* – Rochlitz antwortete am 24. Januar 1802: „Ihr Aufsatz ist gründlich, anständig und so, daß das Abscheuliche jenes literarischen Despotismus recht lebhaft ins Auge springt ... Ich würde an Ihrer Stelle schon längst – nicht etwa Goethe die Spitze geboten, aber ihn vermieden und durchaus mich nicht bemüht haben, ihm gefällig zu werden." Darauf Böttiger am 26. Januar: „Ihr Urteil, daß mein Aufsatz unsträflich sei, ist mir sehr trostreich, denn ich möchte um alles für keinen Frondeur gehalten werden. Zu meiner Freude finde ich, daß auch hier alle Unbefangenen meine Partei nehmen." (Alt-Weimar 44f.)

herrliche Blätter über den „Jon" – Offenbar die Abschnitte „Das Drama. Ein Fragment", die unter diesem Titel erst postum am Schluß des elften Stücks der „Adrastea" von Wilhelm Gottfried von Herder herausgegeben wurden. Hier setzt sich Herder, ohne Schlegel zu nennen, mit einer Auffassung des „Jon" auseinander, die aus des Euripides „angemessener Wohlanständigkeit und Ordnung" eine „unzüchtig-gehässige Tempel-Betrugsgeschichte" machte. – Vgl. auch Nr. 1154.

207 *die Schale gesenkt* – In der Ilias, 8. Gesang, Vers 69ff., hält Zeus (Jupiter), auf die streitenden Heere herabschauend, die goldene Waage mit den Todeslosen.

208 *Diese Unschicklichkeit* – Düntzer schreibt nach heute verlorenen Quellen über den Maskenball vom 29. Januar zum Geburtstag der Herzogin am 30. Januar: „Vielfachen Anstoß erregte es, daß Goethes August als geflügelter Amor im Triumphe herumgetragen wurde und zuletzt der Herzogin Goethes schöne Stanzen [„Maskenzug. Zum 30. Januar 1802"] überreichte. Charlotte wunderte sich, daß die Herzogin, die doch das Ideal der Würde und des Anstands sei, keinen Anstoß daran genommen, daß ein Kind der Liebe ihr als Amor erschienen sei." Weiter schreibt Düntzer über Charlotte von Stein: „Daß Christiane immer neben dem Zuge hergegangen, hatte man ihr zugetragen." (Stein II, 146f.)

soviel Ehre bei den Ausländern – Böttigers archäologische und altphilologische Veröffentlichungen wurden zum Teil ins Französische und Englische übersetzt. Er war u. a. auch Herausgeber der Zeitschrift „London und Paris" (1798–1806).

Deinen „Jon" – Knebel besaß die Übersetzung des „Jon" von Euripides, die der junge Georg Christoph Tobler 1781 in Weimar bei Knebel ausgeführt hatte.

Mittwochs-Souper-Gesellschaft – Vgl. Nr. 1127 (mit Anm.) und 1160.

209 *Agnes Lilie* – Anspielung auf Friederike von Wolzogens Roman „Agnes von Lilien".

Böttigern ... Eröffnungen getan – Vgl. Nr. 1151.

210 *Sat!* – (lat.) Genug!

211 *ich hätte Böttiger Eröffnungen getan* – Vgl. Nr. 1148.

212 *mit Erlaubnis* – Körner war Freimaurer.

edictum praetorianum – (lat.) Im antiken Rom Rechtserlaß beim Amtsantritt des Praetors, des obersten Gerichtsbeamten, in dem dieser die Grundsätze angab, nach denen er Recht sprechen wollte.

sella curiali – sella curuli: (lat.) Der Amtssessel für die obersten Beamten im antiken Rom.

war er [Herder] scharf und in heiligem Eifer – Vgl. Nr. 1142 und Anm.

213 *den dritten Grad* – die oberste Stufe der Freimaurer-Weihen.

215 *Brief ... Er hat ihr geantwortet* – Kotzebues Mutter schrieb am 3. März 1802 an Goethe u. a., er habe „völlig unrecht ... Seien

Sie nur nicht so parteiisch gegen Menschen, die nur durch kriechende Schmeichelei um Ihre Liebe buhlen." – Goethe antwortete am selben Tag kurz, daß er sich „alle unüberlegte Zudringlichkeiten dieser Art sowohl für jetzt als künftig ausdrücklich verbitte ..." (WA IV, 16, 47 und 413.)

217 *Fräulein Lesbos* – Anspielung auf Amalie von Imhoffs Gedicht „Die Schwestern von Lesbos" (1800 in Schillers Musenalmanach veröffentlicht).

Goethes Flucht – nach Jena.

das vierte Stück der „Adrastea" – Vgl. Nr. 1142 und Anm.

218 *ne γρυ quidem* – (lat./griech.) keinen Ton (wörtlich: keinen Grunzer).

219 *alle diese Risikos* – Schiller schreibt, Goethe wolle „einen Almanach von Liedern, welche zu bekannten volksmäßigen Melodien von ihm gemacht sind, herausgeben" (vgl. das „Taschenbuch auf das Jahr 1804. Hrsg. von Wieland und Goethe"). Er fordere 1000 Taler dafür und verlange zugleich die Herausgabe seiner Übersetzung „Leben des Benvenuto Cellini" und einer „Geschichte der Kunst im verflossenen Jahrhundert" („Winckelmann und sein Jahrhundert"), die beide keine Aussicht auf geschäftlichen Erfolg hätten. (SchiBr VI, 385 f.)

wieder so freund mit Reichardt – Vgl. Nr. 945 und Anm. Nach Goethes Erkrankung Januar 1801 wurde das freundschaftliche Verhältnis wiederhergestellt.

225 *sein Name brennt* – als Illumination.

226 *Strunzel* – Verächtliche Bezeichnung für ein derbes, unordentliches Weibsbild.

es bei ihm durchzusetzen – Das Ehepaar Schlegel beantragte im Sommer 1802 die Scheidung der Ehe durch Anordnung des Herzogs von Sachsen-Weimar. – Am 18. Februar 1803 schrieb Karoline an Julie Gotter: „... ich will und darf Dir nicht sagen, wer mir in dieser Angelegenheit fast väterlich beigestanden hat ..." (Car II, 356).

227 *in dieser Sache* – Christian Gottfried Schütz hatte in die „Allgemeine Literatur-Zeitung" (Jena, Jg. 1802, Nr. 225) die Anzeige eines anonymen (von dem Theologen Franz Berg verfaßten) Pasquills „Lob der allerneuesten Philosophie" aufgenommen; darin wurde Schelling beschuldigt, er habe zwei Jahre zuvor Karoline Schlegels Tochter Auguste Böhmer durch ungeschickte medizinische Behandlung getötet. – August Wilhelm Schlegel veröffentlichte einen Protest gegen die „in der jenaischen ‚Allgemeinen Literatur-Zeitung' begangene Ehrenschändung".

228 *soupçonös* – argwöhnisch.

des Aufsatzes ... in der „Eleganten Zeitung" – Gemeint ist ein ausführliches, satirisch-parodistisches Lob auf die „Weimarische Kunstausstellung und Preisverteilung" („Zeitung für die elegante Welt", 7. bis 16. Oktober 1802). – Besonders die jüngere Künstlergeneration wandte sich gegen die Gefahr klassizistischer Sterilität der zwischen 1799 und 1805 jährlich stattfindenden Weimarer Wettbewerbe nach jeweils vorgegebenen Motiven aus der antiken Mythologie. In dem erwähnten Artikel wird besonders Heinrich Meyer übel mitgespielt: „Weder einem Dichter noch einem Künstler wird es jemals gelungen sein, die Dürftigkeit und Nichtigkeit des Lebens so kräftig und furchtbar groß darzustellen, wie ihm."

230 *Merkel und Kotzebue* – Letzterer gab ab 1803 in Berlin die Zeitschrift „Der Freimütige" heraus. Garlieb Merkel, der sich später daran beteiligte, hatte sich bisher in den „Briefen an ein Frauenzimmer über die neuesten Produkte der schönen Literatur" (3 Jahrgänge, Berlin 1801–1803) gegen Goethe gewandt.

die beiden literarischen Buben – Anspielung auf das Signet im Titel der „Zeitung für die elegante Welt".

soi-disant – (franz.) angeblich, sogenannt.

mit dem Einsiedel – Friedrich von Einsiedel hatte von den Weimarern das engste Verhältnis zu Corona Schröter. Knebel antwortete auf diesen Brief am 18. Januar 1803: „Es ist sündlich, wie man in Weimar mit den Toten umgeht. Über Personen, die wirkliche Verdienste für sich und für die Gesellschaft hatten, habe ich acht Tage nach ihrem Tode auch nicht einen Laut mehr reden hören. Sie waren wirklich in nichts übergegangen. Dies ist wahrer Atheismus, Blasphemie und Irreligiosität." (KnHe 160.)

231 *Staat* – Hier: Zustand.

Ihre Briefe und Blätter – Vgl. auch Knebels satirische Distichen auf Goethe und Schiller; z. B.:

Die neuesten Schriftsteller

Eure herrlichen Werke sind alle geschrieben der *Nachwelt!*
Wär ich die Nachwelt nur, daß ich sie könnte genießen.

Die Imperatorsmiene

Wunder, daß teutsche Dichter so sehr den Kaisern doch gleichen,
Da den Dichtern doch wohl selten ein Kaiser noch glich!

234 *einige Artikel aus dem „Freimütigen"* – In den ersten Nummern (vom 4., 10. und 21. Januar 1803) erschienen gleich drei Polemiken gegen Goethe: 1. die genaue Darstellung der Unterdrückung von Böttigers „Jon"-Rezension (vgl. Nr. 1138 ff.), 2. „Alarcos auf der Weimarischen Bühne", worin dargestellt wird, wie Goethe bei der Premiere den Applaus zu dirigieren und das Publikumsgelächter bei einer unfreiwillig komischen Textstelle zu unterdrücken versucht habe, 3. werden in einem Artikel (anonym, von Ludwig Ferdinand Huber) Goethes Übersetzungen von Voltaires „Mahomet" und „Tancred" kritisiert: „Unpoetischer wurde wohl nie ein Poet übersetzt..."

235 *erbauliche Anekdoten* – Vgl. die vorige Anmerkung.

237 *Das Kästchen mit Proben* – Ungarwein aus Breslau.

So was Ridiküles – Der Ballettmeister Morelli bereitete zum Empfang des aus Paris zurückkehrenden Erbprinzen ein Ballett vor, in dem die herzogliche Familie durch Bürgerkinder dargestellt werden sollte. Goethe hatte bei der Einstudierung geholfen.

240 *scènes à tiroir* – (franz.) unzusammenhängende Szenen.

lettre de cachet – (franz.: „Siegelbrief") Verhaftsbefehl der absolutistischen französischen Könige.

241 *πρῶτον Ψευδος* – Proton Pseudos: (griech.) der Haupttrug.

243 *Karoline Herder an Gerning* – Diese Briefstelle wurde Goethe von seiner Mutter im Brief vom 24. Juni 1803 mitgeteilt.

245 *Was Sie mir von Goethe schreiben* – Gemeint ist Nr. 1196.

249 *die Attention* – Als mecklenburgische Prinzessin war die Königin Luise bei der Frau Rat zu Gast gewesen, als ihr Vater bei seinen Schwiegereltern in Darmstadt lebte. Am 19. Juni 1803 wurde Goethes Mutter von ihr im Wilhelmsbad bei Frankfurt empfangen und mit einer goldenen Halskette beschenkt.

251 ... *nahm Schiller von uns weg* – Charlotte von Stein berichtet von einer Teegesellschaft bei Schiller. Zu den Besprechungen vgl. Nr. 1224.

einen „Anti-Faust" – Tiecks literatursatirisches Fragment „Anti-Faust oder Geschichte eines dummen Teufels" (1801) wendet sich gegen Böttiger, Nicolai, Falk u. a.

253 *daß Sch[adow] die Auspocher bestellt* – Schadow hatte im Juniheft 1801 der von Faßler und Rohde herausgegebenen Berliner Zeitschrift „Eunomia" scharf gegen Goethes Artikel „Flüchtige Übersicht über die Kunst in Deutschland"

(„Propyläen", Band 3, 1800, 2. Stück) polemisiert und die Weimarer klassizistischen Anschauungen zur bildenden Kunst als falsch, hemmend und Verwirrung stiftend charakterisiert.

253 *Jenas Untergang* – Die Jenaer Universität geriet in eine ernste Krise, als in Nachwirkung der Unstimmigkeiten um Fichtes Entlassung (vgl. Nr. 1040 und Anm.) Professoren wie Gottlieb Hufeland, Paulus, Schelling, Loder und Schütz weggingen, wobei Schütz als Herausgeber die „Allgemeine Literatur-Zeitung" mit preußischer Unterstützung nach Halle nahm. Kotzebue hatte im „Freimütigen" vom 19. August 1803 die Befreiung der Zeitung „von dem literarisch-despotischen Einflusse" begrüßt und vorausgesagt, die „verwaiste" Universität Jena werde „immer tiefer sinken". Auf Goethes Betreiben konnte als Ersatz die „Jenaische Allgemeine Literatur-Zeitung" gegründet werden.

254 *par état... de par le roi* – (franz.) von Staats wegen... im Namen des Königs.

257 *jetzt ... nicht sehr zugänglich* – Herder war schwer krank und starb am 18. Dezember 1803.

258 *der literarische Erste Konsul* – Anspielung auf die Alleinherrschaft des „Ersten Konsuls" Napoleon. Am 2. Januar 1804 schrieb Schröder an Böttiger über dessen Berufung nach Dresden: „Sie haben einen trefflichen Tausch gemacht, denn Sie sind dem Konsul Goethe entgangen" (Schrö 277).

259 *... kommt mit ihr... besser weg* – Nach einem Brief Henriette von Knebels vom 3. Januar 1804 an ihren Bruder Karl urteilte Frau von Staël über Goethe, „qu'il pouvoit être aimable, quand il étoit sérieux, mais qu'il ne devoit jamais plaisanter" (daß er liebenswürdig sein konnte, wenn er ernst war, aber daß er niemals scherzen sollte; KnHe 193).

... auch Dich mit Nänien singen – Gerning übersandte eine Trauerode auf Herders Tod.

1804

263 *die beiden neuen „Allgemeinen Literatur-Zeitungen"* – Vgl. Nr. 1224 und Anm.

... das ist sein Bild – Am 27. Januar heißt es in dem Tagebuch: „Dem Mißbrauch des Analogiedenkens begegnet man oft bei Goethe und vor allem in seinen kühnen Bemühungen [prétentions] auf dem Gebiet der Chemie und in den exakten Wissenschaften." (Aus dem Französischen; Franz 26.)

270 *nach dem Norden* – Wilhelm von Wolzogen hatte über seinen Aufenthalt in Petersburg geklagt.

das Ding nicht ganz geleistet – Durch die Anstellung des Sohnes als Gymnasialprofessor in Weimar hoffte Goethe den alten Johann Heinrich Voß enger an Jena zu binden.

274 *Besoin* – (franz.) Bedürfnis.

275 *Böttiger in seinem Tagebuch* – Aufzeichnung nach einer Unterredung mit Falk während einer Reise nach Leipzig.

276 *Sir Reverence* – (engl.) wörtlich: Achtung, Herr!

278 *poetischen Funken herausschlagen* – Cotta wünschte einen Beitrag Goethes zum „Taschenbuch für Damen".

279 *unheimlich* – Goethe war zwei Stunden bei Frau von Stein gewesen.

Wer Zähne hat... – Am 20. Mai 1804 wurde Napoleon zum Kaiser der Franzosen ausgerufen.

nichts dazu sagen – Die Weimarer Schauspieler waren im Berliner „Freimütigen" und in der Leipziger „Zeitung für die elegante Welt" verspottet worden.

... so auf die Direktion und Schauspieler loslegt – Falk hatte 1804 in sein Märchen „Die Prinzessin mit dem Schweinerüssel" zwei Parodien eingeflochten und darin die Schauspielerzunft lächerlich gemacht, worauf Goethe, allerdings vergeblich, Falks Landesverweisung durchzusetzen suchte.

282 *Götz bellt ...* – Am 22. September wurde „Götz von Berlichingen" in einer von Goethe 1803/04 stark erweiterten Bühnenfassung gegeben. Die Premiere fand schon wegen ihrer Länge wenig Anklang. Anwesend war auch Herzog August von Gotha.

284 *seine sämtlichen Werke anzubieten* – Cotta zahlte 10000 Taler für seine erste, dreizehnbändige Goethe-Ausgabe (1806 bis 1810).

286 *die Guten hat gehen lassen* – Der Theologe und Orientalist Heinrich Eberhard Gottlob Paulus gehörte zu den Professoren, die nach 1803 Jena verließen. Vgl. Nr. 1224 und Anm.

1805

287 *die chemische Stunde* – „Abends Dr. Fries chemische Stücke", so lautet Goethes Tagebucheintragung vom 10. Januar.

289 *Dir seine Büste schenken* – Stein wünschte eine Büste Goethes zu besitzen.

290 *Übel in den Eingeweiden* – Goethe litt seit 1805 wiederholt an Nierenkoliken.

295 *Rezensionen* – In der „Jenaischen Allgemeinen Literatur-Zeitung" veröffentlichte Goethe am 13./14. Februar Rezensionen über: Hebels „Alemannische Gedichte" (2. Auflage 1804), Grübels „Gedichte in Nürnberger Mundart" (1798 bis 1800), A. von Kleins epische Gedichte „Der Geburtstag" (1803) und „Athenor" (1804) sowie über die drei Tragödien „Regulus" von H. J. von Collin (1802), „Ugolino Gherardesca" von K. V. Böhlendorff (1801) und „Johann Friedrich, Kurfürst zu Sachsen" von B. Silber (1804).

298 *alles lag schwer auf seinem Gemüt* – Voß schreibt im Mai an Solger: „Abends besuchte ich die Vulpius; die sagte mir, er sei sehr bewegt nach Hause gekommen ... Unter andern hatte er gesagt: ‚Voß wird seinem Vater nach Heidelberg folgen, und auch Riemer wird man über kurz oder lang wegziehn, und dann steh ich ganz allein!'" (Gespr II, 13.)

299 *Keine Trauerszene* – Bezug auf Schillers Tod.

300 *Wilhelm Grimm an seinen Bruder Jakob* – In seiner Antwort vom 12. Juli 1805 schreibt Jakob Grimm aus Paris: „Der Goethe ist ein Mann, wofür wir Deutsche Gott genug nicht danken können. Er kommt mir gerade wie Raffael vor ..." (Grimm 67.)

305 *Heidentum* – Weihnachten 1805 schreibt Dorothea Schlegel an Karoline Paulus: „Goethes neue Sachen lesen wir nicht. Erst die ‚Eugenie', dann der ‚Winckelmann'! das ist zu arg!" (SchlVeit I, 160.)

ce qui passe la géométrie ... – (franz.) wer die Geometrie beherrscht, ist uns überlegen.

307 *patientissime* – (lat.) mit größter Geduld. Langer nennt das Buch dann eine „lanx satura oder Sammelsurium" (Lang 12).

Der „Freimütige" fährt ... fort ... – Vgl. Nr. 1321. „Der Freimütige" besprach „Winckelmann und sein Jahrhundert" am 27. Juni 1805; am 24. August erschien „Von Goethe in Lauchstädt veranstaltete Totenfeier zu Ehren Schillers", am 6. September „Aufführung des Götz", am 8. November, von Kotzebue unterzeichnet, „Beweis, daß Herr v. Goethe kein Deutsch versteht".

312 *den Kaiser* – Zar Alexander I. besuchte während des dritten Koalitionskrieges gegen Frankreich (2. Dezember 1805 Sieg Napoleons bei Austerlitz) in Weimar seine Schwester Maria Pawlowna, seit 1804 Gattin des Erbprinzen Karl Friedrich.

313 *vergangenen Mittwoch* – Vgl. Nr. 1342. Goethe hielt während des Winterhalbjahres bis Mai 1806 mittwochs vor Damen seiner Bekanntschaft Vorträge über allgemeine Naturlehre.

314 *Louis Ferdinand Prinz von Preußen an Pauline Wiesel* – Varnhagen, der den Brief über das Treffen in Jena mitteilt, fährt fort: „Der Herzog [Karl August] erzählte nach vielen Jahren noch gern von dieser Zusammenkunft. Er selber hatte sich früh zurückgezogen, die andern aber tranken die ganze Nacht ... ‚ungeheuer viel', sagte er, ‚um die Wette, und Goethe blieb nichts schuldig; er konnte fürchterlich trinken!'"
wirklich kennengelernt – Goethe und Louis Ferdinand waren sich schon im Frankreichfeldzug 1792 begegnet.
deboutonnieren – aufknöpfen, öffnen.
von G[oethe] wenig lesen – Gemeint sind briefliche Mitteilungen.
à son aise – (franz.) hier: wohl, zufrieden.

1806

316 ... *ist Goethe befreundet* – Arnim war Mitte Dezember 1805 nach Jena mit Goethe und dem Prinzen Louis Ferdinand zusammen gewesen.
bleibe ein Dichter – Arnim hatte die Absicht geäußert, ins preußische Heer einzutreten.
324 *qui feront encore* ... – (franz.) die noch viel Blut kosten werden.
güldene Ader – Eigentlich: Hämorrhoiden; gemeint sind die Nierenkoliken.
326 *Universalität* – Der Weltreisende Humboldt hielt sich zwischen 1804 und 1827 vorwiegend in Frankreich auf, wo sein großes Reisewerk in französischer Sprache erschien.
327 *das Diktieren* – Goethe hatte in Karlsbad Riemer einen Brief an Charlotte von Stein diktiert. – Seit 1806 (bis 1823) verbrachte er, neben häufigen Aufenthalten in Jena, die Sommer außerhalb Weimars (ausgenommen 1809). Bis 1813 und 1818–1823 hielt er sich dann in den böhmischen Bädern auf, vor allem in Karlsbad, auch Teplitz, Franzensbad, zuletzt Marienbad.
330 *Geschenk* – Vgl. Nr. 1382.
331 *in ein Buch schreibt* – Es sind offenbar Vorarbeiten zu „Goethes Briefwechsel mit einem Kinde" (1835).
Lärm, Furcht und Hoffnung – Vor der entscheidenden Schlacht bei Jena und Auerstedt am 14. Oktober 1806, in der die preußischen Truppen von Napoleon vollständig geschlagen wurden.
338 *die alte Neuigkeit* – Goethes Trauung am 19. Oktober, bei der nur Riemer und sein Schüler August Goethe die Zeugen waren.

341 *nur das Teuerste und Liebste* – In Goethes Brief an Schelling vom 31. Oktober heißt es: „Den Aufwand an Geistes- und Körperkräften, an Geld und Vorräten verschmerzt man gern, weil doch so vieles und darunter das Werteste erhalten ist."

1807

344 *Deinen Brief mitgenommen* – Er berichtete von der Belagerung und Übergabe Breslaus.
für den Grafen Schmettau ein Monument – Schmettau verstarb schwer verwundet 1806 im Hause der Frau von Stein.
345 *unser Beginnen* – Bei den Teeabenden Johanna Schopenhauers.
347 *Der „Tasso"...* – Am 16. Februar 1807 wurde das Drama nach einer von Goethe gekürzten Fassung uraufgeführt.
350 *der alte Kommandant von Eger* – Vgl. Schillers „Wallenstein", 5. Akt, 4. Auftritt.
351 *Drury Lane* – Berühmtes Theater in der Drury-Lane-Gasse der Altstadt von London.
352 *unter dem Donner der Kanonen* – Vgl. Nr. 1401. – Über Christianes Standhaftigkeit und Gewandtheit in bedrohlicher Lage berichtet mit größerer Glaubwürdigkeit auch Riemer, zu jener Zeit Goethes Hausgenosse, in seinem Buch „Mitteilungen über Goethe" (1841).
diesen Besuch – des Altphilologen Friedrich August Wolf.
... ist wieder zurück – Christiane Goethe war vom 23. März bis 12. April 1807 Gast von Goethes Mutter in Frankfurt.
353 *vormittags bei ihm* – Gemeint ist die Mittwochsgesellschaft der Damen (vgl. Nr. 1347 und Anm.).
354 *Es ist nicht zu leugnen...* – Bezug auf Bertuchs Vorschlag, die Gedenkrede im „Neuen Teutschen Merkur" zu veröffentlichen. Böttiger lehnte dies ab. Wieland war zu dieser Zeit am „Neuen Teutschen Merkur" nur noch nominell beteiligt.
358 *unserer Gefangennahme* – Reinhard wurde als französischer Generalkonsul in Jassy (Rumänien) 1806 von den Russen inhaftiert und eine Zeitlang gefangengehalten.
einer Reise ... in jene Gegend – Gemeint ist Goethes Reise 1790 ins schlesische Feldlager und nach Polen.
359 *seiner Höhenkarte* – Gemeint ist eine vergleichende bildliche Darstellung der „Höhen der alten und neuen Welt", die Goethe, angeregt durch Alexander von Humboldts 1807 erschienenes, Goethe gewidmetes Werk „Ideen zu einer Geographie der Pflanzen nebst einem Gemälde der Tropenlän-

der", entworfen hatte. Sie wurde 1813 veröffentlicht in den von Bertuch herausgegebenen „Allgemeinen Geographischen Ephemeriden".

359 *unserer Einschließung* – Vgl. die erste Anmerkung zu Nr. 1427.

Schlacht am 14. Juni – Bei Friedland schlug Napoleon das russische Heer, worauf der Friede von Tilsit zustande kam.

360 *Gesamtausgabe seiner Werke* – Von der dreizehnbändigen Cotta-Ausgabe (1806–1810) waren bis 1807 sechs Bände erschienen.

361 *in diesen Stunden* – Passow schreibt von dem Unterricht („Philosophie der Sprache"), den er als Lehrer für alte Sprachen am Weimarer Gymnasium gibt.

364 *wieder so freundlich* – Bettina berichtet von ihrem ersten Besuch bei Goethe am 23. April 1807.

367 *mit ihrem Schreibebuch* – Vgl. Nr. 1384.

368 *eine Mittagseinladung bei ihr* – Goethe selbst kehrte erst am 11. September aus Karlsbad zurück.

369 *Stella sticht mit dem Dolche* ... – Diese Parodie auf das – ungenau zitierte – Xenion gegen Friedrich Schlegel wurde durch die neue Fassung von „Stella" provoziert: Goethe hatte für die Weimarer Aufführung am 15. Januar 1806 das „Schauspiel für Liebende" zum „Trauerspiel" umgestaltet. Vgl. Nr. 1369.

374 *genießen wir nicht sonderlich* – Gemeint ist die Abendgesellschaft bei Johanna Schopenhauer.

379 *keine drei Stunden* – Prinzeß Karoline und ihre Gesellschafterin fürchteten, daß das zum Geburtstag der Herzogin bestimmte Stück wieder lang und anstrengend werden würde.

380 *Ihre Rede auf Friedrich* – Müllers Jubiläumsrede am 29. Januar 1807 auf Friedrich II. vor der Akademie der Wissenschaften im besetzten Berlin nahm im Preis des „großen Mannes" eine vermittelnde Stellung zu Napoleon ein und wurde von den preußischen Patrioten als Gesinnungslosigkeit verstanden. Goethe billigte Müllers Unternehmen, rezensierte die Rede am 28. Februar in der „Jenaischen Allgemeinen Literatur-Zeitung" und ließ eine Übersetzung („Friedrichs Ruhm") am 3. und 4. März 1807 in Cottas „Morgenblatt für die gebildeten Stände" erscheinen.

381 *Hygieia* – In der griechischen Mythologie als Tochter des Gottes der Heilkunde Asklepios (lat.: Aesculapius) die Personifikation der Gesundheit.

383 *„Der zerbrochene Krug"* – Kleists Lustspiel, nach klassizistischen Regeln inszeniert, wurde am 2. März uraufgeführt; es wurde offenbar auch ein Mißerfolg der Regie (vgl. aber die folgende Nummer). Riemer berichtet allerdings am 9. März nach Jena: „‚Der zerbrochne Krug' wurde sehr gut, auch dem Kostüm nach, gegeben und gefiel im ganzen, ob es gleich zu lang deuchte. Nur einige armselige Patrone unterstanden sich, beim Schluß, als applaudiert wurde, zu pochen. Alle Schauspieler hatten sich die größte Mühe gegeben, und wie ungerecht, ja bestialisch, nicht dem Spiel wenigstens Gerechtigkeit widerfahren zu lassen!" (Rie 114.)

385 *daß Goethe Dich unterstützt* – Arnim in Heidelberg suchte Mitarbeiter für seine 1808 zweimal wöchentlich erscheinende „Zeitung für Einsiedler". (Sie erschien bis August 1808.)

386 *zum neuen „Faust"* – Der „Erste Teil" („Faust. Eine Tragödie") erschien erstmals 1808 in Band 8 der dreizehnbändigen Cotta-Ausgabe.

387 *Fragment „Elpenor"* – Das zwischen 1781 und 1783 entstandene Schauspielfragment wurde 1806 im vierten Band der dreizehnbändigen Cotta-Ausgabe gedruckt.

388 *einen rechten Regentag* – Goethe war am 23. April nach Jena gefahren, wo er bis zum 1. Mai blieb.

389 *Der Sohn* – Seit April 1808 war August von Goethe zum Studium in Heidelberg.

390 *nahm auch Gelegenheit ...* – Friedrich Schlegel besuchte Goethe am 5. und 6. Mai 1808.
Moslers Zeichnungen – Moslers Schrift über die altkölnische Malerschule des 14. und 15. Jahrhunderts (1807–1816) mit 10 Nachzeichnungen der wichtigsten Bilder wurde für die romantischen Kunsthistoriker bedeutsam, ist jedoch nicht veröffentlicht worden.
franchement – (franz.) freimütig.
das indische Studium – Schlegel gab im gleichen Jahr sein Werk „Über die Sprache und Weisheit der Indier" heraus.

391 *„Herr, ich sehe Menschen ..."* – Vgl. Markusevangelium, Kapitel 8, Vers 24.

392 *„Achilleis"* – 1808 erschien (in der Cotta-Ausgabe) erstmalig das „Achilleis"-Fragment.

393 *efflueta senectutis debilitas* – (lat.) Ausfluß des unfruchtbar gewordenen Greisenalters.

Wieland an Retzer – Diese Briefstelle wurde schon 1815, zwei Jahre nach Wielands Tod, in der „Auswahl denkwürdiger Briefe von C. M. Wieland" durch seinen Sohn Ludwig veröffentlicht.

394 *„Prometheus" ... Kontorsionen* – In Heft 1 und 2 der Wiener Zeitschrift Seckendorffs und Stolls erschien 1808 ein Teildruck von Goethes „Pandora".

Vous voyez ... – (franz.) Sie sehen, daß man gegenwärtig nur etwas wagen muß, um Erfolg zu haben.

395 *Emilen [Herder]* – Emil Gottfried von Herder war der Schwiegersohn Therese Hubers.

mal à propos – (franz.) zur Unzeit, fehl am Platze.

397 *Verlust* – Friedrich von Steins Frau starb nach der Geburt ihres dritten Kindes.

401 *zum Kongreß ...* – Vom 27. September bis 14. Oktober 1808 fand, noch auf dem Höhepunkt der Macht Napoleons, der Erfurter Fürstentag statt, auf dem die Tilsiter Abmachungen zwischen Napoleon und Alexander I. erneuert wurden. Für die auswärtige Politik Weimars war als Beamter Wilhelm von Wolzogen zuständig.

402 *den Napoleonsberg* – So wurde nach 1806 Napoleons Befehlsstand während der Schlacht von Jena bezeichnet.

immer in Erfurt – Düntzer berichtet nach heute verlorenen Quellen über den 7. Oktober: Goethe, der am Morgen ein großes Frühstück zu Ehren des bei ihm wohnenden Ministers Maret und des Marschalls Lannes gegeben hatte, sei abends in eine kleine Gesellschaft zu Frau von Stein gekommen: „Kaum hatte er sich niedergesetzt, so fiel er in tiefen Schlaf. Als Fräulein Boose, die ihn für Karl von Stein hielt, auf ihn zuging, erwachte er und klagte über seine schreckliche Ermüdung von diesen Tagen, schlief aber wieder ein und erwachte nicht, ehe die Gesellschaft weg war. Als er endlich wach wurde, bat er um Verzeihung, daß er vor Müdigkeit nichts habe erzählen können, und entfernte sich sogleich." (Stein II, 299.)

405 *Zeichen der Ehrenlegion* – Am nächsten Tage, dem 15. Oktober, erhielt Goethe den St.-Annen-Orden des russischen Zaren.

„L'empereur a donné ..." – (franz.) „Der Kaiser hat das Kreuz der Ehrenlegion einem Ihrer Ärzte und auch an Ihre Gelehrten verliehen."

406 *die „Pilgernde Törin"* – Rahel Levin vermutet in ihrem Antwortbrief richtig, daß die Novelle (die 1821 innerhalb von „Wilhelm Meisters Wanderjahren" wieder erschien) aus dem Französischen übertragen wurde.

407 *Karoline Sartorius an unbekannt* – Das Ehepaar Sartorius war während des Erfurter Kongresses vom 8. bis 19. Oktober bei Goethe in Weimar zu Besuch.

408 *diese Sonette* – Der erst 1815 veröffentlichte Sonettenzyklus entstand hauptsächlich im Dezember und Januar 1807/08 in Jena (vgl. Nr. 1459). – Zu Goethes Umgang in Karlsbad vgl. Nr. 1494 und 1546.

409 *am 14. Oktober* – Vgl. Nr. 1390.
die Privattheater – Bettina hatte aus München Ende Oktober 1808 berichtet, es gebe dort dreißig Liebhabertheater; „... ich glaube, das wäre etwas für den alten Meister" (ArnBe 217).
in den beiden Tagen – Humboldt besuchte Goethe am 17. und 18. November 1808.
Trakasserien – Quälereien. Goethe hatte Unstimmigkeiten mit Karl Augusts Favoritin, der Schauspielerin Jagemann (vgl. die folgenden Briefe); von der Theaterdirektion trat er erst 1817 zurück.

410 *eine Art Märchen* – Möglicherweise „Die neue Melusine" aus dem Manuskript der „Wanderjahre".

412 *Wache* – Haft in der Schloßwache.

413 *Teilung* – Mit der Erbteilung des Nachlasses von Goethes Mutter war Johann Friedrich Schlosser von den beiden Erbberechtigten, Goethe und seiner Nichte Luise Nicolovius, geb. Schlosser (in Berlin), beauftragt. Die Schlosserschen Verwandten und Goethes Frau waren anwesend.

414 *diesmal* – Bei einem neuerlichen Besuch am 3. und 4. Dezember 1808.

415 *in der Gesellschaft* – Goethe wünschte, daß seine Frau ein gesellschaftliches Verhältnis zu Frau von Stein und Charlotte Schiller gewinne. Er bat Frau von Wolzogen am 17. Dezember auch brieflich um Vermittlung: „Werden Sie wohl gleiche Gesinnungen in den Gemütern Ihrer Schwester und Frau von Stein wecken?"
was die Welt verlacht – Die Heirat mit Christiane Vulpius. – Kügelgen malte jetzt in Weimar die Bildnisse Goethes, Wielands, Fernows, Herders und Schillers.
zum erstenmal Gesellschaft der ersten Frauen der Stadt ... – Eine Eintragung in Goethes Tagebuch vom 20. Dezember lautet: „Abends Tee, Kupfer des Herrn von Arnim und Liebes-

geschichte aus Aeneas Sylvius [Pius II.; 1405–1464], von demselben übersetzt und redigiert. Frau von Stein, Herr und Frau von Wolzogen, Herr und Frau von Schardt, Frau von Schiller, Herr von Einsiedel, Hofmarschall von Egloffstein, junge Gräfin von Egloffstein, Generalin von Wangenheim, Geheimer Regierungsrat von Müller und Frau, Frau Hofrätin Schopenhauer, Hofrat Meyer, von Arnim und Kügelgen." (WA III, 3, 406.)

1809

419 *Burattini* – (ital.) Gelenkpuppen, Marionetten.

420 *... als Du ihn schon kanntest* – Riemer war in Italien Hauslehrer in der Familie Humboldt gewesen.

421 *Brouillerie* – Streit, Mißverständnis.

Den ersten Mittag – Gemeint ist noch der Aufenthalt Arnims im Dezember 1808 (vgl. Nr. 1518). Bettina antwortete am 29. Januar aus München: „Du sagst es mit so vieler Wärme, so vieler Liebe, daß Goethe Dich zweimal geküßt hat. Ach ich weiß es wohl, daß nichts wohler tut als seine unendlich lebendige Milde und Freundlichkeit. Noch hab ich keinen Brief an ihn abgefertigt, aber hab schon viel an ihn geschrieben. Wenn ich ein Buch von ihm in die Hand nehme, wenn ich ihm schreiben will oder von ihm spreche, so geschieht es selten ohne eine so tiefe Rührung, daß ich mich ihr nicht überlassen darf." (ArnBe 252.)

422 *eine Vorrede* – Vgl. Nr. 1552 und Anm.

unendlich zu tun – Johanna Schopenhauer schildert den von Falk und Riemer entworfenen Maskenzug zum 30. Januar 1809 (dem Geburtstag der Herzogin Luise), zu dem auch Goethe einige Verse beisteuerte.

Nußverse – Anspielende Reime, in denen bestimmte Personen versteckt ironisiert oder verulkt werden.

424 *den heilsamen Quellen* – den Karlsbader Kuren.

bei meiner Zurückkunft – Von Frankfurt; vgl. Nr. 1514 und Anm.

Woltmann an Smidt – Der Brief behandelt die preußischen Verwaltungsreformen, die Freiherr von Stein während seines zweiten Ministeriums (1807–1808) in Angriff nahm.

427 *auf diesen Felsen baue ich...* – Vgl. Matthäusevangelium, Kapitel 16, Vers 18.

daß du nicht diese Ansicht teilst – Abeken antwortete am 22. April, daß diese Bitterkeit Passows gegen Goethes Frau und mitunter gegen Goethe ihm recht zuwider sei. „Von der Geheimrätin kann ich nicht urteilen; ich kenne sie zuwenig. Gegen mich ist sie sehr artig. Ich wollte, Goethe hätte eine andere Frau ..." (VoßG 161.)

429 *sehr glücklich gemacht* – Am 3. Mai schreibt Henriette von Knebel an den Bruder: „Goethe hat sich großes Verdienst um uns erworben, da er uns [den Zirkel der Herzogin Luise] mit sanfter und sichrer Hand aus dem bösen Weltgetümmel gezogen und uns Geist und Sinne auf das lieblichste gefesselt hat" (KnHe 367).

430 *im Schlosse* – Goethe hielt sich von April bis Juni und von Juli bis Oktober 1809 in Jena auf, wo er vor allem an den „Wahlverwandtschaften" arbeitete.

431 *Silvies [von Ziegesar] Entrevue ...* – Am 29. Mai suchte Goethe den beim Protonotar Kayser in Weimar abgestiegenen Geheimrat Freiherrn von Ziegesar auf, mit dessen Familie er in Karlsbad 1808 (wie auch mit Pauline Gotter) häufig zusammen gewesen war (vgl. Nr. 1494).

434 *Daß Goethe nichts hinzugefügt* – Auf Arnims Bitte um eine Vorrede zu Wilhelm Grimms Übersetzung von „Altdänischen Heldenliedern" (vgl. Nr. 1527) hatte Goethe nicht geantwortet.

435 *Zistersdorf* – Varnhagen war als Fähnrich auf österreichischer Seite in der Schlacht von Wagram (5.–6. Juli) verwundet worden und befand sich im Spital.

Stein – Friedrich von Stein wandte sich nach der Übergabe Breslaus nach Königsberg, der zeitweiligen preußischen Residenz, wo auch Humboldt 1809/10 als Staatsrat im Innenministerium tätig war.

436 *trefflich Stückchen Arbeit* – In Cottas „Taschenbuch für Damen auf das Jahr 1810" erschien die Novelle von Sankt Joseph dem Zweiten unter dem Titel „Wilhelm Meisters Wanderjahre. Erstes Buch".

438 *leider noch nicht ganz* – Der Roman erschien im Oktober 1809 in Cottas Verlag, wurde aber gedruckt bei Frommann in Jena.

439 *etwas anderm Schmerzlichen* – Arnim klagt vorher über die lange Trennung von Bettina.

440 *Ihr Urteil* – Rochlitz hatte die „Wahlverwandtschaften" gelobt; der Roman sei jedoch „nicht aus dem Zentralpunkt des Gemüts entsprungen wie ‚Werther', ‚Tasso' usw., sondern aus einem zufällig veranlaßten glücklichen Einfall" (GoeJb XVIII, 151).

442 *Bettina Brentano an Arnim* – Am 30. Januar 1810 berichtet Bettina über die Wirkung der „Wahlverwandtschaften", sie „machen ein ganz eignes Glück unter den hiesigen Studenten. Sogar die Ringseisianer, welche Goethen bis jetzt als einen Heiden verdammten, sind davon entzückt." (Johann Nepomuk Ringseis [1785–1880] war Professor der Medizin in Landshut.)

Ich war auch einmal so närrisch ... – Aus Goethes Brief vom 3. November 1809.

446 *Der junge Goethe ... auch hier* – August von Goethe setzte im Oktober 1809 sein Studium, das er in Heidelberg begonnen hatte, in Jena fort.

449 *gemein* – Hier in älterer Bedeutung: gewöhnlich.

450 *„Bacchus ever young and fair"* – (engl.) Bacchus immer jung und schön.

1810

455 *Rezension* – In der Halleschen „Allgemeinen Literatur-Zeitung" erschien am 1. Januar 1810 eine anonyme Rezension der „Wahlverwandtschaften" (von August Wilhelm Rehberg), ein verständnisloser, ausgesprochener Verriß. Böttiger, in seiner einen Tag später erschienenen Rezension, hatte die „Fülle der sinnreichsten Kunstansichten" in diesem „vielgelesenen und vielbestrittenen Buch" gelobt, das „ein Inbegriff aller leitenden Ideen des Zeitalters in organischem Zusammenhange" sei (Braun II, 233–235).

einer Vorrede – Vgl. Nr. 1552.

459 *das Ende* – In den Nummern vom 18./19. Januar 1810 führte Ferdinand Delbrück u. a. über Ottiliens Ende aus : „... was fesselte den, der zu rechter Zeit zu sterben weiß, was gibt es Heroisches, das ein solcher nicht auszuführen vermöchte? Vollendet wird jener Triumph durch die Art des Todes, welchen Ottilie wählt. Denn unter allen Selbstentleibungen ist die Enthaltung von Speise und Trank die edelste und schicklichste, weil sie die größte Standhaftigkeit voraussetzt ..." (Braun II, 245.)

461 *gegen Sie ... gelobt* – Am 14. Dezember 1809 hatte Therese Huber über die „Wahlverwandtschaften" an Reinhold geschrieben: „... wie vieles ist da deutlich ausgesprochen, das ich längst geahndet, ja gedacht hatte" (GoeJb XVIII, 128).

below ... above stairs – (engl.) unten (bei der Dienerschaft) ... oben (bei der Herrschaft).

462 *bei der Gelegenheit* – Gemeint ist die Verlobung der Prinzessin Karoline mit dem Erbprinzen Friedrich Ludwig von Mecklenburg-Schwerin und der Maskenball zum Geburtstag der Herzogin (30. Januar).

Deine Arbeit am „Faust" – Bettina Brentano komponierte am „Faust"; von einem Fachmusiker ließ sie sich beim Aufschreiben der Noten helfen.

Brandes in Hannover – Vgl. Nr. 1591 und Anm.

Schellings Briefe im „Morgenblatt" – „Über Goethes Wahlverwandtschaften. Fragmente aus einem Briefe" erschien vom 22. bis 24. Januar 1810 im „Morgenblatt für gebildete Stände". Der Aufsatz stammt von Bernhard Rudolf Abeken.

463 *hübsche Feste ausgeziert* – Die Maskenzüge am 2. Februar („Die romantische Poesie") und am 16. Februar zum Geburtstag der Erbprinzessin Maria Pawlowna („Maskenzug russischer Nationen", „Quadrille italienischer Tänzer und Tänzerinnen").

469 *den Erben der Herzogin* – Es handelte sich um Briefe Herders aus dem Nachlaß der Herzogin Anna Amalia, die d'Alton an Knebel geliehen hatte. Dieser meinte offenbar, daß sie an Herders Erben zurückgegeben werden müßten.

470 *große Gesellschaft* – Bei Frau Hanbury aus Hamburg, einer Verwandten der Frommanns.

472 *er hat es mir versprochen* – Goethe plante seit 1809 seine Autobiographie. Der Kreis der Fürstin Gallitzin wird in der 1822 erschienenen „Kampagne in Frankreich" geschildert.

474 *steht obenan* – in Schachts Reiseerinnerungen.

475 *Eifersüchtiges Weinen* – Christiane Goethe besuchte ihren Mann vom 12. bis 15. Mai in Jena. Am folgenden Tage reiste er nach Karlsbad und kehrte erst am 2. Oktober zurück.

apaisieren – besänftigen, beruhigen, zufriedenstellen.

476 *12 Dukaten ... 10 Talern* – Goethe schrieb an Knebel am 16. Mai 1810, indem er die zwanzig Taler schickte, es koste ihn noch zehn Taler, bis er das Kunstwerk wieder instand gesetzt habe, „und dann ist es just der rechte Preis" (WA IV, 21, 303). Ein Dukaten galt etwa $2^2/_3$ Taler.

477 *Direktion der Herausgabe ... Charakteristik Schillers* – Vgl. Nr. 1635.

480 *„Der Kaiserin Platz"* – Am 20. Juni 1810 schrieb Maria Ludovica an Franz I.: „Gestern gaben mir die Einwohner ein kleines Fest; sie bestimmten ein angenehmes Plätzchen, was ferner meinen Namen tragen wird. Graf Corneillan, ein sehr artiger und angenehmer Mann, schenkte mir die Gegenden

von Karlsbad, von ihm selbst gezeichnet, und der berühmte Verfasser Goethe machte eine anspielende Poesie." (Bode II, 265.)

480 *beifolgende Gedichte* – Die ersten Huldigungsgedichte der Gruppe „Im Namen der Bürgerschaft von Karlsbad" erschienen 1810 in Einzeldrucken.

482 *Batarde* – Bedeckter, leichter, in den Federn hängender Reisewagen.

483 *Dux* – (lat.) Herzog.

484 *Brief unserer Nièce* – Knebels Nichte Henriette hatte Goethe in Karlsbad gesehen.

486 *die Köpfe der Kolosse* – Abgüsse von Köpfen der antiken Statuen des Kastor und Pollux auf dem Monte Cavallo in Rom, die sich in Rudolstadt befanden. Goethe hat sich erst 1817 „durch die Gefälligkeit des Baudirektors" in Rudolstadt Zutritt zu den Abgüssen verschafft (vgl. Goethes Tagebuch vom 10. Oktober 1817).

Dresden, Ende September 1810 – Auf der Rückreise von Teplitz hielt sich Goethe einige Tage in Dresden auf.

494 *Die Sonntagmorgen* – Die Hauskonzerte bei Goethe.

495 *kleine Singakademie* – Ein Singekreis im Körnerschen Hause.

in den Cottaschen Almanach vorigen Jahres – Im „Taschenbuch für Damen" auf das Jahr 1809 erschien als erste Veröffentlichung aus den Wanderjahren „Die pilgernde Törin"; im folgenden Jahrgang „Sankt Joseph der Zweite" unter dem Titel „Wilhelm Meisters Wanderjahre. Erstes Buch".

496 *in Herders neuntem Teil* – In Band 9 (1809) der von Johannes von Müller herausgegebenen „Sämtlichen Werke", Abteilung „Zur Philosophie und Geschichte", enthielt das Kapitel der „Adrastea" über Newtons Farbtheorie als Erstdruck postum das „Fragment über Licht und Farben, und Schall".

ein Präsent – Henriette von Knebel antwortete am 26. Dezember 1810 aus Ludwigslust, daß auf den Rat Karl Augusts der Erbprinz von Mecklenburg nur an den Staatsminister von Voigt ein Geschenk gemacht habe. „Dafür bekam denn auch hiesigerseits nur Herr [Minister] von Brandenstein ein Präsent und Herr [Minister] von Plessen nichts" (KnHe 509).

499 *das Gemüt der Großfürstin* – Maria Pawlowna hatte gleichfalls ihr erstes Kind, einen Sohn, verloren.

503 *zu der kleinen Malice* – Vom Blau heißt es im Kapitel „Sinnlich sittliche Wirkung der Farbe": „Sie ist als Farbe eine Energie; allein sie steht auf der negativen Seite und ist in ihrer höchsten Reinheit gleichsam ein reizendes Nichts" (WA II, 1, 315). – Pauline Gotter antwortete im Brief vom 16. März, daß sie aus der Farbenlehre auch gerade die „Tischreden" zum Vorlesen herausziehe, da Mutter und Schwestern von dem andern nichts wissen wollen. „Hier [in Gotha] findet das Wissenschaftliche viele Widersacher und scheint von allen Seiten angefeindet zu werden, wie ehemals die ‚Beiträge zur Optik'" (Schell II, 247).

504 *perorieren* – laut und mit Nachdruck reden.

505 *ein paar Verschen* – Vgl. Knebels Distichen „An Goethe" („Kränze jeglicher Art hast du dir geflochten ..."; Kn I, 47).
goldene Dose – Vgl. Nr. 1631. Das Geschenk wurde in der Halleschen „Allgemeinen Literatur-Zeitung" vom 28. März vermerkt.

508 *die Landschaften* – Vgl. Nr. 1669. Am 11. April schreibt Karoline, daß sie Goethes Brief erhalten habe. „Und grüßen Sie ihn, meine Loloa, und freuen sich seines Umgangs und seines Zutrauens. Ihnen gönne ich diesen Besitz von Herzen, da sie ihn [Goethe] schützen müssen." (SchFr I, 577.)
die Unwissenden belehren – Charlotte von Stein wünschte Auskunft über altgriechische Dinge.
einen Stier zu dem unsrigen – Vgl. Nr. 1623f.
den „Saul" – Knebel war zur Aufführung seiner Übersetzung dieser Tragödie von Alfieri in Weimar.

509 *„Si tacuisses ..."* – (lat.) Hättest du geschwiegen, du wärst ein Philosoph geblieben.
Singakademie – Vgl. Nr. 1658 und Anm.
solchen Vorlesungen – Im Kreise der Herzogin Luise.

510 *Polissonnerien* – Bubenstreiche (der Jenaer Studenten).

512 *das Werk selbst* – Boisserée wandte sich, von Graf Reinhard empfohlen, an Goethe, um ihn zu öffentlicher Fürsprache für die Vollendung des Kölner Doms zu gewinnen, dessen Risse zunächst veröffentlicht werden sollten. Boisserée plante eine ganze „Sammlung von Denkmälern christlicher Bauart vom siebenten bis zum fünfzehnten Jahrhundert". – Goethe hatte anfangs gegenüber dem Schüler Friedrich Schlegels, des 1808 konvertierten führenden Ideologen der Romantik, große Vorbehalte (vgl. Nr. 1670).

515 *der Tag war derselbe* ... – Der Wochentag des 9. Mai 1805.

516 *J'ai soif ... Il a eu soif* ... – (franz.) Ich habe Durst auf das Meer ... Er hatte Durst auf den Sprudel.

517 *schon dort* – Gemeint ist Karlsbad.

Schlüsseldame – Kammerherrin. Charlotte charakterisiert so ihre Stellung zu Goethe. Offenbar bildeten Charlotte Schiller, Prinzessin Karoline und deren Hofdame Henriette von Knebel einen stillen Bund von Goethe-Parteigängern. Vgl. Nr. 1729, 1779 u. ö.

518 *Zufall der Herzogin* – Eine Knöchelverrenkung.

520 *materia peccans* – (lat.) sündigende Materie.

in seiner Rezension – „Goethes Werke. Erster bis Vierter Band", in den „Heidelbergischen Jahrbüchern der Literatur" (5. Abteilung, 2. Heft, Heidelberg 1808). Der enge Moralismus von Bertrams Urteil fehlt dort völlig.

bonnement – (franz.) aufrichtig.

522 *de se ipso* – (lat.) über sich selbst.

525 *Exkursion nach Erfurt* – Der 15. August, Napoleons Geburtstag, wurde in Erfurt durch Prozession und das Zweite thüringische Musikfest gefeiert. Der Herzog, der Erbprinz, Goethe und Wieland waren vom Gouverneur de Vimes eingeladen.

527 *das rote Bändchen* – Der Orden der Ehrenlegion, den Napoleon Goethe verliehen hatte. Vgl. Nr. 1503.

529 *Die Schauspieler sind ... zurück* – Statt in Lauchstädt spielte die Weimarer Theatertruppe seit 1811 sommers in dem neu errichteten Theater zu Halle.

530 *de but en blanc* – (franz.) geradeheraus, ohne Überlegung.

531 *alles, was auf Vaterland Beziehung hat* – Für die Wiederaufführung 1810 wurde der Epilog um eine Stanze erweitert. Die bisherigen Schlußverse von 1804:

O möge doch den heil'gen letzten Willen
Das Vaterland vernehmen und erfüllen,

wurden dabei ersetzt durch folgende Verse:

Was Mitwelt sonst an ihm beklagt, getadelt,
Es hat's der Tod, es hat's die Zeit geadelt.

Zu Johannes von Müller vgl. Nr. 1456 und Anm.

534 *dem Epigramm* – Aus Goethes „Vier Jahreszeiten":

Das ist die wahre Liebe, die immer und immer sich gleich bleibt,
Wenn man ihr alles versagt, wenn man ihr alles gewährt.

wie im „Werther" steht – Vgl. den Brief Werthers vom 13. Julius.

534 *in der Kolonie* – Unter den Weimarern am Hof in Ludwigslust.
535 *Sie ... wiedergesehen zu haben* – Johann Heinrich Voß war mit Frau und Sohn im Juli in Rudolstadt und Jena.
Arnim an Riemer – Auf der Rückreise kamen Arnims noch einmal durch Weimar.
Goethe war eben bei mir – Gemeint ist der 30. Oktober.
537 *so vieles von der Mutter gehört* – Vgl. Nr. 1435, 1384 und Anm.
539 *Reichardts Denkwürdigkeiten* – Die geplante Autobiographie ist nicht erschienen.
Kotzebue ebenfalls – Gemeint ist offenbar die untergeschobene „Selbstbiographie von A. von Kotzebue" (Wien 1811), die Franz Gräffer aus Kotzebues einzelnen Berichten zusammengeschrieben hat.
544 *danken lassen* – Am 18. August 1811 dankte Goethe für die Übersendung „Altdänischer Heldenlieder, Balladen und Märchen" (Heidelberg 1811) und für eine Abschrift aus der Edda.
bei dem „Wunderhorn" zuviel gesagt – Gemeint ist Goethes lobende Rezension zu Brentanos und Arnims Volksliedersammlung „Des Knaben Wunderhorn" (1806–1808) vom 21./22. Januar 1806 in der „Jenaischen Allgemeinen Literatur-Zeitung".
545 *wer die Verfasser sind* – Varnhagen, z. Z. als Leutnant in Prag, hatte die Stellen über Goethe aus seinem Briefwechsel mit Rahel Levin zusammengestellt und Cotta zum Druck angeboten, der dazu Goethes Einverständnis verlangte. Darauf schickte Varnhagen eine Abschrift an Goethe.
der Souffleur im „Meister" – Vgl. Buch 5, Kapitel 6, der „Lehrjahre".
546 *diesen Sieg* – Goethe antwortete am 10. Dezember 1811 auf die mitgeteilten Briefstellen von G. (Rahel Levin) und E. (Varnhagen) freundlich, bat um Mitteilung weiterer Briefstellen und wollte den Druck der „wenigen Bogen" noch überdenken. Vgl. Nr. 1838.
547 *mehr als einmal* – Vgl. Nr. 1730 und Anm.

1812

548 *Le bon ménage* – (franz.) Die glückliche Familie.
in seinem Epigramm – In den „Venezianischen Epigrammen", Nr. 47:

> ... denn Gaukler und Dichter
> Sind gar nahe verwandt, suchen und finden sich gern.

549 *hillig* – Eine mittelhochdeutsche und niederdeutsche Form von „heilig".

550 *Sani* – (lat.) Die Gesunden, Vernünftigen.

555 *Abzugsgelder* – Goethe besaß in Frankfurt noch etwa 21000 Gulden an Vermögenswerten. 20000 waren zur Versteuerung angegeben; die Steuer betrug jährlich 115 Gulden. Das Abzugsgeld für die Übertragung des Vermögens nach Weimar hätte 10% + 975 Gulden betragen. Dalberg wollte Goethes Wünschen nachkommen; mit der Niederlage Napoleons 1813 verlor er jedoch sein Großherzogtum, und Goethe mußte nun in Frankfurt die erhöhten Kriegssteuern zahlen.

556 *Nein, ich weiß gewiß ...* – Schelling schickte am 30. November 1811 ein Empfehlungsschreiben für Carl Maria von Weber an Goethe. Am 25. Februar 1812 schrieb er an Pauline Gotter, Weber sei „sehr kalt aufgenommen" worden. Es scheine, daß er, Schelling, selbst „bei dem alten Herrn nicht mehr in Gnaden sei". (Schell II, 291.)

558 *vermutlich auf sein Vorstellen* – Am 30. Juni betont Knebel, daß die Idee des Stipendiums „bloß vom Geheimerat Goethe herrührt" (KnHe 616).

560 *über die Briefe* – Briefe Goethes an Charlotte von Stein. Vgl. Nr. 1756.
Stelle aus Popens Brief der Heloisa – „... und wünschte einen Engel, als ich einen Mann liebte." – Aus Popes „Epistle from Eloisa to Abelard" (1716).

561 *Brief an Metternich* – Der Brief vom 16. März 1812.

564 *seine alten Verrücktheiten* – Anspielung auf Riemers Hauslehrerzeit bei den Humboldts in Rom, die mit Unstimmigkeiten endete.

566 *Sibbern an Sophie Oersted* – Sibbern war, um Goethe zu sehen, nach Karlsbad gereist (vgl. Nr. 1769).
für diesen Zweck – Es sind zwei Huldigungsgedichte in Stanzen auf den Kaiser von Österreich sowie die Kaiserin von Frankreich, 1812 in Einzeldrucken erschienen, 1816 mit anderen zu der Gruppe „Im Namen der Bürgerschaft von Karlsbad" vereinigt.

568 *Untertänigste Meldung* – Vgl. die Polizeiberichte Nr. 1628 und 1631. Am 9. August 1812 heißt es über einen Theaterabend, zu dem eine französische und eine deutsche Komödie vorgesehen waren: „Das deutsche Stück [„Die Wette" von Maria Ludovica, bearbeitet von Goethe] mußte wegbleiben, weil Goethe krank geworden ist und seine Rolle nicht mehr ersetzt werden konnte" (Chronik XXVI, 36).

570 *unpolitisch* – undiplomatisch.
der Fremden – der Franzosen. Das Gedicht an die französische Kaiserin richtete sich vor allem an Napoleon, der im September Moskau besetzte, und mahnte ihn zum Frieden.

573 *Asa foetida* – (lat.) Stinkasant oder Teufelsdreck; ein unangenehm riechendes Pflanzenharz, das als Gewürz oder pharmazeutisch als Reizmittel verwendet wurde.

574 *einige Stellen über den Katholizismus* – Gemeint ist das Lob auf die Schönheit und Symbolkraft der katholischen Sakramente bei gleichzeitiger Kritik am protestantischen Kultus (Siebentes Buch von „Dichtung und Wahrheit").
Rechtfertigung der katholischen Sakramente – Vgl. die vorige Anmerkung. Niebuhr schrieb am 5. Dezember 1812 an Perthes zum Zweiten Teil von „Dichtung und Wahrheit": „... ich möchte ihn [Goethe] viel lieber rein heidnisch poetisch sehen als in diesem Priesterkleide, welches er nicht zu tragen versteht. Ich bleibe dabei und berufe mich wieder auf Nicolovius' einstimmendes Gefühl, daß Goethe Sakramente und Zeremonien verwechselt und den Begriff eines Sakraments gar nicht hat ..." (Nieb 346.)

575 *von sehr üblen Folgen* – Ähnlich schreibt am 5. November 1813 der weimarische Minister Christian Gottlob von Voigt an Böttiger: „Über die sieben Sakramente habe ich in voriger Zeit mit ihm gesprochen. Er nahm sie immer für einen Lebenszyklus, den man nicht zerreißen sollen. – Jawohl wird Mißbrauch mit solchen Ideen getrieben werden können. Die *indifferenten* Herren scheinen nicht zu wissen, wohin dies führen kann. Es ist eine eigene Sache, daß, während der Papst gleichsam vernichtet und das Wesen des Katholizismus im Verwesen ist, die Protestanten es widersinnig auffrischen wollen." (Bode II, 380f.)

577 *wegen unserer Rettung* – Knebels Sohn Karl wurde wegen Duellierung mit einem jungen Grafen für 14 Tage in Haft genommen (während sein Gegner mit Hausarrest davonkam). Knebel bat Goethe um Hilfe, der ihm einen Brief an Karl August diktierte, worauf beide Studenten freigelassen wurden.
hat sie gesehen – Gemeint sind Verse von Knebels Sohn Karl, die er im Arrest verfaßte (vgl. Nr. 1802).

578 *Helene von Kügelgen an Friederike und Wilhelm Volkmann* – Die Briefstelle bezieht sich auf den zweiten Teil von „Dichtung und Wahrheit".

583 *das geschmähte Lauch* – Vgl. Shakespeare, „König Heinrich V.", fünfter Aufzug, erste Szene.

584 *möchte es nicht erleben* – Am 20. Januar war Wieland gestorben.

von den allgemeinen Weltbegebenheiten – Im November 1812 wurde beim Rückzug über die Beresina die Vernichtung von Napoleons Großer Armee in Rußland besiegelt.

Ifflands Gegenwart – Ein Gastspiel vom 20. bis 30. Dezember 1812.

585 *Oenone* – Oinone ist im Sagenkreis um Troja die um Helenas willen verstoßene Gattin des Paris.

Maçons – (franz.) Freimaurer.

dabeisein – Bei der Logenfeier am 18. Februar 1813 zu Wielands Andenken, in der Goethe die Gedenkrede hielt („Zu brüderlichem Andenken Wielands").

587 *Vorstellung der „Zenobia"* – Calderóns „Zenobia", von Gries übersetzt, hatte bei der Aufführung in Weimar am 30. Januar nicht den Erfolg der bisher gegebenen Calderónstücke.

588 *ob Russen oder Franzosen* – Am 12. April tauchten preußische Husaren und freiwillige Jäger in Weimar auf. Am 18., einen Tag nach Goethes Abreise über Leipzig, Dresden nach Teplitz, kam es in Weimar zu Kampfhandlungen zwischen Preußen und Franzosen.

590 *was ... am meisten interessiert* – Körner, dessen Sohn Theodor im preußischen Freikorps Lützow kämpfte (er fiel am 26. August), meint offenbar die patriotische Befreiungsbewegung, die am 20. Mai durch Napoleons Sieg bei Bautzen und den Rückzug der Verbündeten nach Schlesien eine Niederlage erlitt.

591 *Sakramente ... Ihr Werk* – Vgl. Nr. 1795 (mit Anm.) und 1810.

592 *où peut-on être mieux ...* – (franz.) wo weilt man besser als im Kreis seiner Familie? (Sprichwörtlich aus Marmontels Oper „Lucile" [1769].) – Ironische Anspielung auf die Stellung der Schauspieler (Ernestine Engels) in Goethes Hause.

wieder ... bei Goethe – Am 21. Oktober räumten die französischen Truppen nach der Niederlage bei Leipzig (16. bis 19. Oktober) Weimar, und es gab Einquartierung von Russen, Österreichern und Preußen; Humboldt war zu der Zeit preußischer Gesandter.

die Legion – Der französische Orden der Ehrenlegion; vgl. Nr. 1503.

595 *Briefe ... Über Goethe* – Vgl. Nr. 1746 und 1748.

597 *Kieser an Luise Seidler* – Kieser gehörte zu den in Nr. 1841 erwähnten Professoren, die an den Befreiungskämpfen von 1813 teilnehmen wollten.

599 *Unter diesen* – Gemeint sind Rochlitz' Freunde, die ihm nach den Leidenstagen der Leipziger Schlacht hilfreich waren. Rochlitz hatte sich selbst Anfang Dezember bei Goethe eingeladen und blieb vom 6. bis 17. des Monats.

1814

601 *ein Schiller in Bewegung gesetzt* – Karl von Schiller war zum Freiwilligenkorps eingerückt.

603 *eine andere Schriftstellerin* – Varnhagen erwähnt vorher Karoline Fouqué.

604 *Besorgnisse wegen Goethe* – Offenbar hatte Frommann eine Mißstimmung Riemers auf Goethe zurückgeführt.

605 *was ihm eigentlich abgeht!* – Goethe habe ihr geschrieben: „Äußere und innere Leiden vermischen sich so, daß man kaum weiß, woran man ist."

607 *Schlüsseldame* – Vgl. Nr. 1698 und die zweite Anmerkung dazu.
eine unangenehme Lage – August Goethe war den heimkehrenden Freiwilligen als „Ordonnanz" des Erbprinzen in Uniform entgegengetreten; er wurde als schmählich Daheimgebliebener behandelt. Ein Rittmeister von Werthern forderte ihn, doch ließ Goethe den Handel durch Vermittlung der Minister Voigt und Gersdorff beilegen.

608 *Jalousie* – (franz.) Eifersucht, Mißgunst.

609 *Brief an ... Schlosser* – Brief vom 29. November 1813.
fest entschlossen, ihn anzugehen – Goethe antwortete am 7. Juli 1814 auf Liebichs Antrag mit dem Hinweis auf das Festspiel („Des Epimenides Erwachen"), das er im Auftrage Ifflands für das Berliner Theater bereits in Arbeit hatte.

610 *... verstehen sie [die Engländer] nicht* – Der Hamburger Buchhändler erkundete die Aussichten für den Absatz griechischer und römischer Klassiker sowie der deutschen Literatur.
wicked fellow – (engl.) schlimmer Kerl.

611 *Kaiser Alexander* – Er kam am 15. Juli nach Weimar.

612 *Jetzt tut es mir leid...* – Jacobs hatte im vierzehnten Buch von „Dichtung und Wahrheit" Goethes Schilderung seiner anfänglichen Freundschaft mit dem von Jacobs verehrten Friedrich Jacobi gelesen.

612 *en transparent...* – (franz.) als Transparent; der Hintergrund mangelt ihnen.

613 *... wird dort [in Frankfurt] erwartet* – Goethe fuhr am 25. Juli zur Kur nach Wiesbaden und hielt sich anschließend ab 13. September in Frankfurt auf, wo er auch Johann Jakob Willemer und Marianne Jung in der Gerbermühle bei Frankfurt aufsuchte. Am 27. Oktober kehrte er zurück nach Weimar.

614 *bei uns wohnen* – Von Frankfurt aus fuhr Goethe am 24. September für zwei Wochen nach Heidelberg, um die große Boisseréesche Sammlung mittelalterlicher Kunst kennenzulernen.

Der Abschied – Boisserée begleitete Goethe am 9. und 10. Oktober noch bis Darmstadt, wo sie den Architekten Georg Moller aufsuchten, der den Originalriß des Kölner Domes entdeckt hatte und ab 1815 die „Denkmäler der deutschen Baukunst" publizierte.

615 *ist geehrt und gefeiert worden* – Diese erfundene Geschichte hatte Willemer ins „Morgenblatt für die gebildeten Stände" gesetzt, um die Frankfurter zu beschämen. Vgl. dazu Nr. 1874.

den schönen Zeichnungen – Amalie von Helvig fertigte 1810–1812 Zeichnungen und Kopien von Gemälden der Boisseréeschen Sammlung an und veröffentlichte in Schlegels „Deutschem Museum" (November 1812) eine „Beschreibung altdeutscher Gemälde".

617 *einer welthistorischen Wirkung* – Christian Schlosser, 1812 katholisch geworden, hofft offenbar auf eine Rekatholisierung, wie es auch noch deutlicher in Nr. 1888 zum Ausdruck kommt.

618 *den weimarschen „Willkommen"* – Eine von Goethe redigierte Gedichtsammlung zu Ehren der heimkehrenden Truppen. Sie enthält kein Gedicht von Goethe.

620 *geehrt und gepriesen* – Vgl. dazu Nr. 1879 und Anm.

621 *in dem laufenden Jahre... neugeboren* – Am 30. Mai 1814 wurde der Pariser Friede geschlossen, der die Restauration in Frankreich besiegeln sollte, und Ende September begann der Wiener Kongreß, der für Europa das gleiche Ziel anstrebte.

622 *die hiesigen politischen ... Unterredungen* – Karl August war vom September 1814 bis Juni 1815 auf dem Wiener Kongreß, um aus der zunächst erhofften Beseitigung des Königreichs Sachsen (und gestützt auf die Verwandtschaftsbeziehungen zum russischen Zaren) einen möglichst großen Gebiets- und

Machtzuwachs herauszuschlagen. Maria Pawlowna strebte statt dessen die Erwerbung eines selbständigen Fürstentums Fulda an, um dort eine von Weimar getrennte Statthalterschaft zu gründen.

1815

624 ... *nicht viel Trost* – Riemer suchte Gehaltsaufbesserung für seine Lehrtätigkeit am Weimarer Gymnasium, zumal er Aussicht auf eine gut bezahlte Professur in Rostock hatte.

625 *die großen Interessen der Welt* ... – Offenbar Anspielung auf den Wiener Kongreß, der vom September 1814 bis Juni 1815 tagte. Sachsen-Weimar war seit 11. Februar Großherzogtum.
Sünden gegen den guten Geschmack – Gemeint sind wohl auch die zunehmenden Schwierigkeiten, die Goethe bei der Leitung des Weimarer Theaters hatte.

626 *crûment* – (franz.) geradeheraus.

627 *den Leopoldsorden* – Vgl. Nr. 1836. Goethe erhielt die dritte (Kommandeurs-)Klasse.
seiner Helden-Este Enkel – Kaiserin Maria Ludovica entstammte dem italienischen Geschlecht der Este wie der Herzog von Ferrara in „Torquato Tasso".
von der Schwelle, die ein Edler betritt – Vgl. Goethes „Tasso", erster Aufzug, erster Auftritt: „Die Stätte, die ein guter Mensch betrat, / Ist eingeweiht ..."

628 *auch mir ... einen ... Besuch geschenkt* – Auf seiner zweiten Reise zum Rhein, Main und Neckar und zur Kur in Wiesbaden (24. Mai–11. Oktober) besuchte Goethe mit dem Freiherrn von Stein Köln, um den (unvollendeten) Dom und die Kunstsammlungen zu besichtigen, zu denen neben Wallrafs auch Fochems Sammlung gehörte.
Unus sufficit orbi – (lat.) Schon einer würde dem Erdkreis genügen.
Gesellschaft – Der Plan zur Gründung einer Deutschen Gesellschaft für Kunst und Altertum. Am 6. August heißt es im Tagebuch Boisserées: „Stein sagte, daß er Goethe veranlaßt, eine Denkschrift an Hardenberg zu machen. Ich: daß ich dazu Material beitrage, weil ich es seit Jahren im Kopfe habe; es sei immer noch nicht Zeit gewesen; ich habe auch keine Autorität gehabt; jetzt sei diese in Goethe aufs schönste gefunden."

629 *unveranlaßte Auszeichnung des Geistes* – Der Leopoldsorden. (Vgl. Nr. 1904 und 1836.)

631 *lerne ich ihn ... kennen* – Goethe hielt sich vom 12. August bis 18. September in Frankfurt auf. Rahel Varnhagen hatte ihn schon 1795 in Karlsbad gesehen (vgl. Nr. 849).

633 *in einem Boot* – Vor der Gerbermühle, dem Landsitz Willemers, wo Goethe wohnte und den Geburtstag verbrachte.

636 *Aisance* – (franz.) Ungezwungenheit.

nun besuche ich ihn – Ein weiteres Zusammentreffen kam nicht mehr zustande.

637 *Keiner freut sich recht dazu* – Nach Goethes Besuch im September 1815 in Heidelberg schrieb Ernestine Voß: „Unser Sohn nahte ihm diesmal noch schüchterner als das erstemal und merkte bald, daß ein kurzer Besuch der angemessene war" (VoßG 113).

638 *Willemer ... auch übergetreten* – Friedrich und Christian Schlosser waren konvertiert; Willemer blieb Protestant; Marianne von Willemer war von Haus aus katholisch.

643 *Ihr habt Mosen ...* – Nach dem Neuen Testament, Evangelium des Lukas, Kapitel 16, Vers 29: Die Bitte um mündliche Lehre wird mit dem Verweis auf die heiligen Schriften beantwortet.

1816

645 *Schilderung des „Epimenides"* – Gemeint ist die Aufführung am 7. Februar 1816 in Weimar mit der Musik des Berliner Kapellmeisters Anselm Weber.

646 *Logis am Park ... Steinert* – Baurat Steiner bewohnte Räume im Jägerhaus.

Propos – Anerbieten.

647 *... allen Zeitgefährten so geht* – Charlotte von Stein schreibt vorher, sie sei bettlägerig.

bei der vorgestrigen Zeremonie – Bei der Huldigung am 7. April für den auf dem Wiener Kongreß zum Großherzog ernannten Karl August.

Misères – (franz.) Lappalien; gemeint sind hier Titel und Würden.

649 *dies Getöse* – Die festliche Vermählung des Prinzen Bernhard mit der Prinzessin Ida von Sachsen-Meiningen.

651 *Ausgabe seiner vermischten Gedichte* – 1815–1819 erschien bei Cotta eine neue, zwanzigbändige Ausgabe von „Goethes Werken". Die beiden eröffnenden Gedichtbände enthielten vieles bisher Ungedruckte.

654 *Eine Stelle ... über das Christentum ...* – Es handelt sich um folgende Sätze im Abschnitt „Heidelberg": „Die neue Reli-

gion bekannte einen obersten Gott, nicht so königlich gedacht wie Zeus, aber menschlicher; denn er ist Vater eines geheimnisvollen Sohnes, der die sittlichen Eigenschaften der Gottheit auf Erden darstellen sollte. Zu beiden gesellte sich eine flatternde unschuldige Taube als eine gestaltete und gekühlte Flamme und bildete ein wundersames Kleeblatt, wo umher ein seliges Geisterchor in unzähligen Abstufungen sich versammelte. Die Mutter jenes Sohnes konnte als die reinste der Frauen verehrt werden, denn schon im heidnischen Altertum war Jungfräulichkeit und Mutterschaft verbunden denkbar. Zu ihr tritt ein Greis, und von oben her wird eine Mißheirat gebilligt, damit es dem neugeborenen Gotte nicht an einem irdischen Vater zu Schein und Pflege fehlen möge." (WA I, 34/1, 161.) – Auch Dorotheas Söhne aus der ersten, jüdischen Ehe waren zum Katholizismus übergetreten. Sie gehörten zu der christlich-romantischen Malerschule der Nazarener um Friedrich Overbeck in Rom.

656 *an dem vierten Bande seines „Lebens"* – Im Juli ging das Manuskript des ersten Bandes der „Italienischen Reise" in Satz. (Der vierte Teil von „Dichtung und Wahrheit" entstand erst nach 1821.)
zum eifrigen Protestanten geworden – Grimm teilte dem Freunde im Brief vom 2.–4. Juli 1816 Goethes Äußerung mit: „Der Herr Adam Müller und Friedrich Schlegel mögen treiben, was sie wollen, sie werden uns nicht nehmen, was wir einmal erworben haben, der Mensch geht nicht wieder zurück, und ein rechter Katholik ist eigentlich ein Protestant..." (ArnG 349).

658 *aus der Ferne* – Goethe befand sich mit Johann Heinrich Meyer in Bad Tennstedt (24. Juli–10. September).

659 *daß Mutter ... kommen würde* – Charlotte Kestner, geb. Buff, die Goethe seit der Wetzlarer Zeit (1772) nicht mehr gesehen hatte, traf mit ihrer Tochter Klara am 22. September zum Besuch ihrer Schwester Amalie Ridel in Weimar ein.
à son aise – (franz.) in rechter Verfassung.

662 *erinnerte sich Deiner ...* – August und Theodor Kestner hatte Goethe einige Jahre vorher in Frankfurt kennengelernt.

666 *lehrreichen Tag* – Schinkel besuchte Goethe am 11. Juli 1816.

668 *wegen ihres Jahres 2440* – Anspielung auf Merciers Utopie „L'an 2440" (1770).

Verzeichnis der Abbildungen

Johanna Schopenhauer mit ihrer Tochter Adele. Ölgemälde von Karoline Bardua. NFG Weimar

Bettina von Arnim geborene Brentano. Zeichnung von Ludwig Emil Grimm. NFG Weimar

Achim von Arnim. Stich von C. Funke nach einem Ölgemälde von Peter Eduard Ströbling. NFG Weimar

August Kotzebue. Stich von C. Müller nach Ferdinand Jagemann. NFG Weimar

Karoline von Wolzogen. Aquarell von Friedrich Remde. NFG Weimar

Henriette von Knebel. Guachezeichnung von unbekannt. NFG Weimar

Johann Friedrich Rochlitz. Stich von unbekannt. NFG Weimar

Christoph Martin Wieland. Stich von Johann Heinrich Lips. NFG Weimar

Friedrich Leopold Graf zu Stolberg. Lithographie von Gröger nach einem Gemälde von Aldenrath. NFG Weimar

Johann Heinrich Meyer. Stahlstich von Johann Heinrich Meyer nach einer Zeichnung von Ludwig Vogel. NFG Weimar

Inhaltsverzeichnis